LA ROUE DU TEMPS

SCIENCE-FICTION

Collection dirigée par Jacques Goimard

ROBERT JORDAN

LA ROUE DU TEMPS

RIVAGES/FANTASY

Titre original :

The Eye of the World
Traduit de l'américain par Arlette Rosenblum

PRESSECO

PAPIER RECYCLÉ
NATURE PROTÉGÉE

© 1990, Robert Jordan
© 1995, Éditions Payot & Rivages pour la traduction française
106, boulevard Saint-Germain – 75006 Paris

ISBN : 2-266-07399-0

Prologue

MONT-DRAGON

Le palais vacillait encore de temps à autre en réponse aux grondantes répliques sismiques de la terre, gémissait comme s'il voulait nier ce qui s'était passé. Des rais de soleil s'infiltraient par des fissures dans les murs, faisaient scintiller les atomes de poussière planant toujours en l'air. Des marques de brûlures déparaient les murs, les sols, les plafonds. De larges taches noires s'étalaient en travers de la peinture cloquée et de la dorure des fresques naguère éclatantes de fraîcheur, la suie recouvrait des frises en désagrégation d'hommes et d'animaux qui donnaient l'impression d'avoir cherché à se mettre en marche avant que la folie se calme. Les morts gisaient partout – hommes, femmes, enfants – terrassés dans leur tentative de fuite par les éclairs qui avaient fulguré le long de chaque corridor du palais, ou saisis par les flammes qui les avaient traqués, ou noyés dans la pierre du palais, ces pierres qui s'étaient répandues en un flot quêteur, presque vivant, avant que l'immobilité se rétablisse. En un bizarre contrepoint, des tapisseries et des tableaux aux couleurs éclatantes, tous des chefs-d'œuvre, étaient restés suspendus normalement sauf à l'endroit où les parois en se bombant les avaient repoussés de guingois. Des meubles artistement sculptés, incrustés d'ivoire et d'or, demeuraient en place excepté là où l'ondulation des planchers les avait fait basculer. La perversion de l'esprit avait frappé au centre, négligeant les objets à la périphérie.

Lews Therin Telamon errait dans le palais, conservant agilement son équilibre quand la terre se soulevait. « Ilyena ! Mon amour, où es-tu ? » L'ourlet de son manteau gris clair trempa dans le sang quand il enjamba le corps d'une femme, sa beauté blonde défigurée par l'horreur de ses derniers instants, ses yeux encore ouverts figés dans l'incrédulité. « Où es-tu, mon épouse ? Où vous cachez-vous tous ? »

Ses yeux captèrent son reflet dans un miroir incliné de biais sur le marbre boursouflé d'un mur. Ses vêtements avaient été auparavant royaux, gris, écarlate et or ; maintenant, l'étoffe artistement tissée apportée de l'autre côté de la Mer du Monde par des marchands, était sale et déchirée, imprégnée de la même poussière qui couvrait sa peau et ses cheveux. Pendant un moment, il palpa le symbole brodé sur son manteau, un cercle moitié blanc moitié noir, les couleurs séparées par une ligne sinueuse. Cela voulait dire quelque chose, ce symbole. Pourtant, le cercle brodé ne put retenir longtemps son attention. Il contempla son image avec le même étonnement. Un homme de haute taille, juste parvenu à l'âge mûr, de belle mine avant mais à présent avec des cheveux plus blancs que bruns et un visage ridé par la tension et l'inquiétude, des yeux sombres qui en avaient trop vu. Lews Therin commença à glousser, puis rejeta la tête en arrière ; son rire se répercuta dans les salles sans vie.

« Ilyena, ma chérie ! Viens me rejoindre, ma femme. Il faut que tu voies ça. »

Derrière lui, l'air ondula, miroita, se solidifia en un homme qui jeta un coup d'œil autour de lui, le dégoût lui crispant brièvement la bouche. Moins grand que Lews Therin, il était tout de noir vêtu, à part la dentelle d'un blanc de neige à son cou et les motifs en filigrane d'argent sur le revers de ses bottes cuissardes. Il avança avec circonspection, relevant son manteau d'un geste précautionneux empreint de répulsion pour éviter de frôler la morte. Le sol tremblait sous le contrecoup des répliques sismiques, mais son attention était fixée sur l'homme qui regardait dans le miroir en riant.

« Seigneur du Matin, dit-il, je suis venu te chercher. »

Le rire cessa net comme s'il n'avait jamais résonné et Lews Therin se retourna sans témoigner de surprise.

« Ah, un hôte. Avez-vous la Voix, étranger ? Ce sera bientôt l'heure du Chant et, ici, tous sont les bienvenus pour y participer. Ilyena, mon aimée, nous avons un hôte. Ilyena, où es-tu ? »

Les pupilles de l'homme en noir se dilatèrent, ses yeux

se dirigèrent vivement vers le corps de la femme aux cheveux d'or, puis revinrent à Lews Therin.

« Que Shai'tan t'emporte, la corruption te tient-elle déjà si fort dans son étreinte ?

– Ce nom. Shai... » Lews Therin frissonna et leva la main comme pour écarter quelque chose. « Vous ne devez pas dire ce nom. C'est dangereux.

– Ah, tu te rappelles au moins cela. Dangereux pour toi, fou que tu es, non pour moi. Que te rappelles-tu d'autre ? Souviens-toi, espèce d'idiot aveuglé par la Lumière ! Je ne te laisserai pas finir drapé dans l'inconscience ! Souviens-toi ! »

Pendant un moment, Lews Therin contempla sa main levée, fasciné par les dessins de la crasse. Puis il s'essuya la main sur son manteau encore plus sale et reporta son attention vers l'autre homme. « Qui êtes-vous ? Que voulez-vous ? »

L'homme en noir se redressa avec arrogance. « Jadis, on m'appelait Elan Morin Tedronai, mais à présent...

– Traître à l'Espérance. » C'était un murmure émanant de Lews Therin. Des souvenirs remuaient dans sa mémoire, mais il détourna la tête pour s'y dérober.

« Tu te rappelles donc certaines choses. Oui, Traître à l'Espérance. C'est ainsi que les hommes m'ont nommé, tout comme ils t'ont nommé Dragon mais, contrairement à toi, j'adopte ce nom. Ils me l'ont donné pour m'insulter, mais je veux le leur faire adorer à genoux. Que vas-tu faire, toi, de ton nom ? Après aujourd'hui, les hommes t'appelleront "Meurtrier des tiens". Qu'en feras-tu alors ? »

Lews Therin jeta un regard sombre le long de la salle en ruine. « Ilyena devrait être là pour souhaiter la bienvenue à un hôte », murmura-t-il distraitement, puis il éleva la voix. « Ilyena, où es-tu ? » Le sol trembla ; le corps de la femme aux cheveux d'or bougea, comme en réponse à son appel. Les yeux de Lews Therin ne la voyaient pas.

Elan Morin esquissa une grimace. « Regarde-toi, dit-il avec mépris. Jadis, tu étais au premier rang des Serviteurs. Jadis, tu portais l'Anneau de Tamyrlin et tu étais assis sur le Siège d'Honneur. Jadis, tu convoquais les neuf Sceptres de la Domination. Et maintenant regarde-toi ! Une épave brisée, pitoyable. Ce n'est pas assez pourtant. Tu m'as humilié dans la Salle des Serviteurs. Tu m'as vaincu aux Portes de Paaran Disen. Seulement, c'est moi le plus grand, à présent. Je ne te laisserai pas mourir sans que tu le saches. Quand tu mourras, ta dernière pensée sera la pleine conscience de ta défaite, de sa totalité irrémédiable. Si toutefois je te laisse mourir.

– Je ne comprends pas ce qui retient Ilyena. Elle me houspillera si elle pense que je lui ai caché un hôte. J'espère que vous aimez converser, car cela lui plaît indubitablement. Je vous préviens. Ilyena vous posera tant de questions que vous finirez peut-être par tout lui dire de ce que vous savez. »

Rejetant son manteau noir en arrière, Elan Morin replia ses mains. « Dommage pour toi qu'une de tes Sœurs ne soit pas là, commenta-t-il d'une voix rêveuse. Je n'ai jamais été très habile à guérir et j'exerce actuellement un pouvoir différent. Mais même l'une d'elles ne pourrait te donner que quelques minutes de lucidité, en admettant que tu ne la tues pas avant. Ce que je suis en mesure de réaliser servira néanmoins aussi bien, étant donné mes desseins. » Son brusque sourire était cruel. « Mais je crains que les soins de Shai'tan ne diffèrent de ceux que tu connais. Sois guéri, Lews Therin ! » Il allongea les mains et la lumière faiblit comme si une ombre avait passé devant le soleil.

La douleur fulgura en Lews Therin et il hurla, un hurlement qui montait des profondeurs de son être, un hurlement qu'il ne pouvait arrêter. Du feu brûlait sa moelle ; de l'acide lui courait dans les veines. Il bascula à la renverse, tombant avec fracas sur le sol de marbre ; sa tête heurta la pierre et rebondit. Son cœur tambourinait à tout rompre à l'intérieur de sa poitrine dans un effort pour s'en échapper et chaque pulsation projetait une nouvelle flamme à travers son corps. Il se convulsait faiblement en se débattant, son crâne une sphère de douleur torturante, prête à éclater. Ses cris rauques se répercutaient à travers le palais.

Lentement, trop lentement, la marée de douleur s'inversa. Le reflux sembla durer mille ans et le laissa remuant sans force, aspirant l'air par sa gorge à vif. Mille autres années parurent s'écouler avant qu'il réussisse à se soulever, les muscles flasques comme une méduse, et à se redresser tout chancelant à quatre pattes. Son regard tomba sur la femme aux cheveux d'or et le cri qui lui fut arraché réduisit au murmure ceux qu'il avait poussés auparavant. Titubant, tombant presque, il se traîna sur le

10

sol vers elle. Il lui fallut rassembler toutes ses forces pour la prendre dans ses bras. Ses mains tremblaient quand il écarta les cheveux de son visage aux yeux fixes.

« Ilyena ! Que la Lumière m'assiste, Ilyena ! » Son corps se courbait autour d'elle dans un mouvement protecteur, ses sanglots étaient les cris à gorge déployée d'un homme à qui il ne reste aucune raison de vivre. « Ilyena, non ! *Non !*

– Tu peux la ravoir, Meurtrier des tiens. Le Grand Maître de l'Ombre peut la faire revivre, si tu veux le servir. Si tu veux me servir. »

Lews Therin leva la tête et l'homme en noir recula involontairement d'un pas sous ce regard. « Dix ans, Traître, dit Lews Therin doucement, avec cette douceur de l'acier qu'on dégaine, dix ans que ton maître infâme ravage le monde. Et cela, maintenant. Je vais...

– Dix ans ! Espèce de pitoyable imbécile ! Cette guerre dure non pas depuis dix ans mais depuis le commencement du monde. Toi et moi, nous avons livré mille batailles tandis que la Roue tournait, mille fois mille, et nous combattrons jusqu'à ce que le Temps meure et que l'Ombre triomphe ! » Il avait terminé dans un cri, le poing levé, et ce fut au tour de Lews Therin d'avoir un mouvement de recul, le souffle coupé devant la lueur au fond des yeux du Traître.

Avec précaution, Lews Therin étendit Ilyena sur le sol, ses doigts lui caressant légèrement les cheveux. Des larmes lui brouillaient la vue quand il se remit debout, mais sa voix était d'acier glacé. « Pour ce que tu as fait d'autre, Traître, il ne peut y avoir de pardon mais pour la mort d'Ilyena je te détruirai au-delà de ce que ton maître peut réparer. Attends-toi à...

– Rappelle-toi, imbécile ! Rappelle-toi ton attaque futile contre le Grand Seigneur de l'Ombre. Rappelle-toi sa riposte ! Rappelle-toi ! En cet instant même les Cent Compagnons mettent le monde à feu et à sang et chaque jour cent hommes de plus les rejoignent. Quelle main a massacré Ilyena aux cheveux de soleil, Meurtrier des tiens ? Pas la mienne. Pas la mienne. Quelle main a frappé toute vie porteuse d'une goutte de ton sang, tous ceux qui t'aimaient, tous ceux que tu aimais ? Pas la mienne, Meurtrier des tiens. Pas la mienne. Rappelle-toi et connais ce qu'il en coûte de s'opposer à Shai'tan ! »

Une sueur soudaine traça des sillons sur le visage de

Lews Therin, à travers la poussière et la crasse. Il se rappelait, ses souvenirs embrumés comme le rêve d'un rêve, mais il savait que c'était vrai.

Son hurlement se heurta aux murs, le hurlement d'un homme qui a découvert que son âme est damnée par sa propre faute, et il se griffa le visage comme pour arracher la vue de ce qu'il avait fait. Partout où il regardait, ses yeux trouvaient les morts. Ils étaient déchirés, broyés ou brûlés ou à demi consumés par la pierre. Partout gisaient des visages sans vie qu'il connaissait, des visages qu'il aimait. Vieux serviteurs et amis de jeunesse, fidèles compagnons pendant les longues années de guerre. Et ses enfants. Ses propres fils et filles, affalés comme des poupées cassées, le jeu arrêté à jamais. Tous massacrés de sa main. Le visage de ses enfants l'accusait, leurs yeux vides demandaient pourquoi et ses pleurs n'étaient pas une réponse. Le rire du Traître le flagellait, noyait ses hurlements. Il ne pouvait supporter les visages, la souffrance. Il ne pouvait supporter de rester plus longtemps. Il tendit éperdument la main vers la Vraie Source, vers le *Saidin* infecté, et il Voyagea.

Le terrain autour de lui était plat et vide. Une rivière coulait large et droite à proximité, mais il avait l'intuition qu'il n'y avait personne à cent lieues à la ronde. Il était seul, aussi seul qu'un homme peut l'être quand il est encore en vie, et pourtant il était incapable d'échapper à ses souvenirs. Les yeux le poursuivaient le long des cavernes sans fin de son esprit. Il ne pouvait se cacher d'eux. Les yeux de ses enfants. Les yeux d'Ilyena. Des larmes brillaient sur ses joues quand il leva la tête vers le ciel. « Lumière, pardonne-moi ! » Il ne pensait pas qu'il l'obtiendrait, ce pardon. Pas pour ce qu'il avait fait. Il cria malgré tout vers le ciel, implora ce qu'il n'imaginait pas être en mesure de recevoir. « Lumière, pardonne-moi ! »

Il pouvait encore entrer en contact avec le *Saidin,* la moitié mâle de la Force qui menait l'univers, qui tournait la Roue du Temps, et il avait conscience de la souillure huileuse qui salissait sa surface, la souillure de la riposte de l'Ombre, la souillure qui vouait le monde à sa perte. À cause de lui. Parce que dans son orgueil il avait cru que les hommes pouvaient s'égaler au Créateur, pouvaient réparer ce que le Créateur avait fait et qu'ils avaient brisé. Dans son orgueil il l'avait cru.

Il s'abreuva ardemment à la Vraie Source, de plus en

plus ardemment, comme un homme mourant de soif. Il eut vite tiré de la Force Unique davantage qu'il ne pouvait en canaliser sans aide ; il avait la peau comme enflammée. Bandant sa volonté, il se contraignit à y puiser davantage, tenta de l'absorber toute.

« Lumière, pardonne-moi ! Ilyena ! »

L'air se changea en feu, le feu en lumière liquéfiée. Le coup de foudre qui tomba des cieux aurait brûlé et aveuglé tout œil qui l'aurait aperçu. Il vint des cieux, fulgura à travers Lews Therin Telamon, s'enfonça dans les entrailles de la terre. La pierre se changea en vapeur à son contact. La terre se débattit et frémit comme une créature vivante à l'agonie. Ce n'est que le temps d'un battement de cœur qu'exista la barre lumineuse reliant ciel et terre, mais même après sa disparition la terre se souleva comme la mer dans la tempête. Le roc fondu jaillit en fontaine à cinq cents pieds en l'air et le sol grondant s'éleva, lançant le jet brûlant à la verticale toujours, toujours plus haut. Du nord et du sud, de l'est et de l'ouest survinrent les mugissements du vent qui cassa les arbres comme des brindilles et souffla avec des clameurs stridentes comme pour aider la montagne à grandir toujours vers le ciel. Toujours plus haut.

Le vent finit par mourir, la terre s'apaisa jusqu'à ne plus émettre que des murmures tremblants. De Lews Therin Telamon aucune trace ne subsistait. À la place qu'il occupait une montagne se dressait maintenant à des milliers de mètres de hauteur dans le ciel, de la lave en fusion déferlant encore de sa cime éclatée. La rivière large et droite avait été repoussée en courbe à l'écart de la montagne où elle se séparait en deux bras isolant une île longue en son milieu. L'ombre de la montagne atteignait presque l'île ; elle étendait ses ténèbres au-dessus de la terre comme la main menaçante de la prophétie. Pendant un moment les seuls bruits furent les grondements sourds de protestation de la terre.

Sur l'île, l'air frémit et se solidifia. L'homme en noir était là, qui contemplait la montagne de feu surgie au-dessus de la plaine. Son visage se crispa dans une expression de rage et de mépris.

« Tu ne t'en tireras pas si facilement, Dragon. Tout n'est pas terminé entre nous. Tout ne sera terminé qu'à la fin des temps. »

Puis il disparut, et la montagne et l'île demeurèrent seules. À attendre.

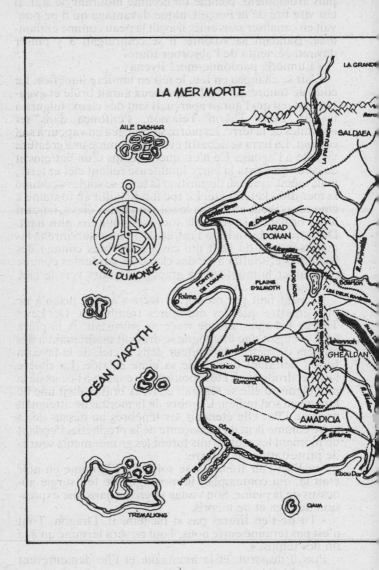

LA MER MORTE

AILE DASHAR

L'ŒIL DU MONDE

OCÉAN D'ARYTH

TREMALKING

LA GRANDE

SALDAEA

LA FIN DU MONDE

R. Dhagon

ARAD
DOMAN

R. Akarim

POINTE
DE TONAH

Falme

PLAINE
D'ALMOTH

LE BOIS NOIR

LES DEUX RIVIÈRES

BOSHOM

GHEALDAN

TARABON

R. Andahar

Tanchico

Elmora

AMADICIA

R. Storio

QAIM

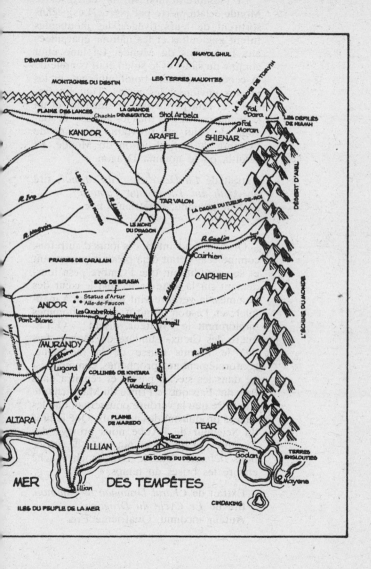

Et l'Ombre tomba sur la Terre, et le Monde éclata pierre par pierre. Les océans sortirent de leurs rivages, les montagnes furent englouties et les nations éparpillées aux huit coins du Monde. La lune était comme du sang, et le soleil était comme de la cendre. Les mers bouillonnèrent, et les vivants envièrent les morts. Tout fut fracassé, et tout perdu sauf le souvenir, et un souvenir par-dessus tous les autres – le souvenir de celui qui provoqua la venue de l'Ombre et la destruction du Monde. Et celui-là on le nomma Dragon.

Extrait de *La Destruction du Monde,* tiré de *Aleth nin Taerin alta Camora.*
Auteur inconnu, Quatrième Ère.

Or donc il advint en ces jours d'autrefois, comme cela s'était déjà produit auparavant et se reproduirait, que l'Ombre pesa lourdement sur la terre et accabla le cœur des hommes, la verdure vint peu à peu à manquer, et l'espoir mourut. Et les hommes implorèrent le Créateur, disant : « Ô Lumière des Cieux, Lumière du Monde, fais que le Promis naisse de la montagne, conformément aux prophéties, comme il est né dans les siècles passés et renaîtra dans l'avenir. Fais que le Prince du Matin chante à la terre que la verdure poussera et que les vallées produiront des agneaux. Que le bras du Seigneur de l'Aube nous protège des Ténèbres, et que la grande épée de justice nous défende. Que le Dragon chevauche encore les brises du temps. »

Extrait de *Charal Drianaan te Calamon,* tiré de *Le Cycle du Dragon.*
Auteur inconnu, Quatrième Ère.

1.

UNE ROUTE DÉSERTE

La Roue du Temps tourne, les Ères se succèdent, laissant des souvenirs qui deviennent légende. La légende se fond en mythe, et même le mythe est depuis longtemps oublié quand revient l'Ère qui lui a donné naissance. Au cours d'une Ère, que d'aucuns ont appelée la Troisième, une Ère encore à venir, une Ère passée depuis longtemps, un vent s'éleva dans les Montagnes de la Brume. Ce vent n'était pas le commencement. Il n'y a ni commencement ni fin dans les révolutions de la Roue du Temps. Mais c'était *un* commencement.

Né au-dessous des sommets toujours coiffés de nuages qui donnaient leur nom aux montagnes, le vent souffla de l'est, par-dessus les Dunes de Sable, autrefois rivage d'un grand océan avant la Destruction du Monde. Il s'abattit comme un fléau sur les Deux Rivières, dans la forêt broussailleuse appelée Bois de l'Ouest et fouailla deux hommes qui marchaient auprès d'une charrette et d'un cheval sur la piste caillouteuse appelée Route de la Carrière. Le printemps aurait dû arriver depuis un bon mois, mais le vent s'accompagnait d'un froid glacial comme s'il aurait préféré apporter de la neige.

Les rafales plaquaient son manteau sur le dos de Rand al'Thor, enroulaient la laine couleur de terre autour de ses jambes, puis la faisaient flotter derrière lui. Il aurait bien aimé avoir un manteau plus épais ou porter une chemise de plus. La moitié du temps, quand il essayait de tirer son manteau pour le serrer autour de lui, celui-ci s'accrochait au carquois qui se balançait sur

17

sa hanche. Tenter de le retenir d'une seule main ne donnait pas grand résultat, de toute façon ; il avait son arc dans l'autre, une flèche encochée prête à être tirée.

Comme une rafale particulièrement forte lui arrachait son manteau, il jeta un coup d'œil à son père par-dessus le dos de la jument aux longs poils bruns. Il se sentait un peu ridicule de vouloir s'assurer que Tam était toujours là, néanmoins la journée s'y prêtait. Le vent hurlait quand il se mettait à souffler mais, à part cela, un silence pesant régnait sur le pays. Le grincement léger de l'essieu paraissait bruyant par comparaison. Aucun oiseau ne chantait dans la forêt, aucun écureuil ne bavardait sur une branche. Non qu'il s'y attendît, en vérité ; pas en ce printemps.

Seuls les arbres qui gardaient feuilles ou aiguilles pendant l'hiver montraient quelque verdure. Des ronces enchevêtrées de l'année précédente étendaient un réseau brun-rouge sur les rochers qui affleuraient sous les arbres. Les orties étaient les plus fréquentes parmi les rares mauvaises herbes ; les autres étaient celles qui ont des barbes ou des épines, ou la roquette qui laisse une odeur fétide sur la botte qui l'écrase par mégarde. Des plaques de neige blanche parsemaient encore çà et là le sol à l'endroit où des bouquets d'arbres drus entretenaient une obscurité épaisse. Là où le soleil pénétrait, il n'avait ni force ni chaleur. Le soleil pâle se trouvait à l'est au-dessus des arbres, mais sa lumière était nettement lugubre, comme mélangée d'ombre. C'était un matin désagréable, fait pour des pensées déplaisantes.

Machinalement, il toucha l'encoche de la flèche : elle était prête à être tirée contre sa joue, d'un mouvement souple, comme Tam le lui avait appris. L'hiver avait été assez mauvais dans les fermes, pire que ce que se rappelaient les gens les plus âgés, mais il avait dû être encore plus rude dans les montagnes, si le nombre des loups qui se rabattaient sur les Deux Rivières était une indication. Les loups ravageaient les parcs à moutons, rongeaient les portes pour pénétrer dans les écuries et atteindre les chevaux et le bétail. Des ours avaient attaqué les moutons, eux aussi, là où l'on n'avait pas vu d'ours depuis des années. Ce n'était plus sûr de sortir après la tombée de la nuit. Les hommes étaient leur proie aussi souvent que les moutons, et le soleil n'avait pas toujours à être couché pour cela.

Tam allait à enjambées régulières de l'autre côté de Béla, utilisant sa lance à la façon d'un bâton de marche, indifférent au vent qui faisait claquer comme un drapeau sa mante brune. De temps à autre, il effleurait légèrement le flanc de la jument pour lui rappeler qu'il fallait continuer à avancer. Avec son torse épais et sa figure large, il était une colonne de réalité dans ce matin, telle une pierre au milieu d'un rêve flottant. Quand bien même ses joues tannées par le soleil se creusaient de rides et sa chevelure ne présentait que quelques fils noirs perdus au milieu des gris, il avait en lui de la solidité, comme si une inondation pouvait déferler autour de lui sans ébranler ses pieds. Et à présent il avançait d'un pas ferme sur la route, impassible. Loups et ours d'accord, impliquait son attitude, c'étaient des choses que tout éleveur de moutons doit prendre en compte, mais ils feraient mieux de ne pas tenter d'empêcher Tam al'Thor d'arriver au Champ d'Emond.

Avec un sursaut de culpabilité, Rand recommença à surveiller son côté de la route, l'air prosaïque de Tam le rappelant à son devoir. Il avait une tête de plus que son père, une taille plus haute que n'importe qui dans la région, et il offrait peu de ressemblance physique avec Tam, sauf peut-être par la largeur de ses épaules. Ses yeux gris et le reflet roux de ses cheveux lui venaient de sa mère, à ce que disait Tam. C'était une étrangère et Rand se souvenait mal d'elle, à part un visage souriant, quoiqu'il mît des fleurs sur sa tombe chaque année à Bel Tine, au printemps, et le dimanche en été.

Deux petits barils de l'eau-de-vie de cidre de Tam étaient chargés sur la charrette cahotante, ainsi que huit barils plus grands de cidre à peine légèrement âpre après un hiver de vieillissement. Tam en livrait autant chaque année à l'*Auberge de la Source du Vin* pour la consommation durant Bel Tine, et il avait déclaré qu'il faudrait plus que des loups ou qu'un vent froid pour l'en empêcher ce printemps. Néanmoins, ils n'étaient pas allés au village depuis des semaines. Même Tam ne voyageait pas beaucoup pendant cette période. Toutefois, Tam avait donné sa parole pour le cidre et l'eau-de-vie, bien qu'il eût attendu pour effectuer sa livraison jusqu'à la veille du Festival. Tenir sa parole était important pour Tam. Quant à Rand, il était simplement content de quitter la ferme, presque aussi content que de l'arrivée de Bel Tine.

Tandis que Rand surveillait son côté de la route, il eut le sentiment croissant d'être observé. Pendant un moment, il s'efforça de ne pas y attacher d'importance. Rien ne bougeait ni ne faisait de bruit dans les arbres, à part le vent. Cependant l'impression non seulement persista mais se renforça. Les poils se hérissèrent sur ses bras ; il ressentait des picotements comme si sa peau le démangeait de l'intérieur.

Il changea avec irritation son arc de place pour se frotter les bras et se dit d'arrêter de se laisser aller à son imagination. Il n'y avait rien dans les bois de son côté de la route, et Tam l'aurait dit s'il y avait eu quelque chose de l'autre côté. Il jeta un coup d'œil par-dessus son épaule... et cligna des paupières. À moins de vingt empans derrière eux sur la route, une silhouette enveloppée d'un manteau les suivait à cheval, cheval et cavalier pareils, noirs, ternes, sans éclat.

Ce fut plus par habitude que pour une autre raison qu'il continua à marcher à reculons à côté de la charrette tout en regardant.

La cape du cavalier le couvrait jusqu'au revers de ses bottes, le capuchon tiré en avant, si bien qu'on ne voyait rien de lui. Rand pensa vaguement que ce cavalier avait quelque chose de bizarre, mais ce fut l'ouverture pleine d'ombre du capuchon qui le fascina. Il ne pouvait distinguer que les plus vagues contours d'un visage, pourtant il avait l'impression de regarder le cavalier droit dans les yeux. Et il était incapable de détourner les siens. La nausée s'installa dans son estomac. Il n'y avait que de l'ombre à voir sous le capuchon, néanmoins il sentit de la haine, comme s'il voyait un visage hargneux, de la haine pour ce qui était vivant, de la haine principalement pour lui, pour lui par-dessus tout.

Brusquement, son talon heurta une pierre et il trébucha, détachant son regard du cavalier sombre. Son arc tomba sur la route et c'est seulement en tendant la main pour s'accrocher au harnais de Béla qu'il évita de tomber à plat dos. La jument, surprise, renâcla et s'arrêta, tournant la tête pour voir ce qui l'avait retenue.

Tam l'examina d'un air soucieux par-dessus le dos de Béla.

« Ça va, mon gars ?

– Un cavalier, dit Rand en se redressant, le souffle court. Un étranger, il nous suit.

– Où ? » Le père leva sa lance à large lame et inspecta leurs arrières avec circonspection.

« Là, sur la... » La voix de Rand s'étrangla comme il pivotait sur lui-même pour tendre le doigt. Derrière eux, la route était déserte. Incrédule, il inspecta la forêt des deux côtés du chemin. Les arbres aux branches nues n'offraient pas de cachette, mais il n'y avait pas trace de cavalier ni de cheval. Il croisa le regard interrogateur de son père. « Il était là. Un homme en manteau noir, sur un cheval noir.

– Je ne mets pas ta parole en doute, mon gars, mais où est-il parti ?

– Je ne sais pas, mais il était là. » Il ramassa vivement l'arc et la flèche qui étaient tombés, vérifia en hâte l'empennage de la flèche avant de la rencocher et banda l'arc à demi, puis laissa la corde se détendre. Il n'y avait rien à viser. « Il était là. »

Tam secoua sa tête grisonnante. « Si tu le dis, mon gars. Allons, viens. Un cheval laisse des empreintes de sabots, même sur ce terrain. » Il se dirigea vers l'arrière de la charrette, son manteau claquant au vent. « Si on les trouve, on saura pour sûr qu'il était là. Sinon... eh bien, ce sont des jours rêvés pour avoir des visions. »

Subitement, Rand se rendit compte de ce que le cavalier avait eu d'étrange, à part le fait de sa présence à cet endroit. Le vent qui les fouettait, Tam et lui, n'avait même pas soulevé un pli de ce manteau noir. Soudain, il eut la bouche sèche. Il avait dû se monter la tête. Son père avait raison : c'était une matinée propre à stimuler l'imagination. Pourtant, il n'en était pas persuadé. Seulement comment dire à son père que l'homme qui s'était apparemment évanoui dans les airs portait un manteau que le vent ne remuait pas ?

Les sourcils froncés par l'anxiété, il scruta la forêt autour d'eux ; elle avait un aspect différent d'avant. Presque depuis qu'il était assez grand pour marcher, il avait couru en liberté dans les bois. Les mares et les ruisseaux du Bois de la Rivière, après les dernières fermes à l'est du Champ d'Emond, c'est là qu'il avait appris à nager. Il avait exploré les Dunes de Sable – qui portaient malheur à ce que prétendaient bien des gens des Deux Rivières – et, une fois, il s'était même aventuré jusqu'au pied des Montagnes de la Brume, avec ses meilleurs amis, Mat Cauthon et Perrin Aybara. C'était beaucoup plus loin que n'allaient la plupart des habitants du Champ d'Emond; pour eux, se rendre aux villages voisins, monter à la Colline-au-Guet ou descendre jusqu'à la Tranchée-de-Deven, était un véritable événement. En aucun de ces endroits il n'avait trouvé de quoi avoir peur. Aujourd'hui, pourtant, le Bois de l'Ouest ne ressemblait pas à ce qu'il se rappelait. Un homme qui disparaissait avec une telle soudaineté pouvait reparaître aussi subitement, peut-être même juste à côté d'eux.

« Non, père, pas besoin. » Comme Tam, étonné, s'arrêtait, Rand cacha sa rougeur en tirant sur le capuchon de son manteau. « Tu as probablement raison. Inutile de perdre du temps à chercher ce qui n'existe pas alors que nous pouvons l'utiliser à atteindre le village pour nous mettre à l'abri de ce vent.

– Je ne refuserai pas une pipe avec une chope de bière là où j'aurai chaud », commenta avec lenteur Tam. Brusquement, sa bouche se fendit en un large sourire. « Et je suppose que tu es impatient de voir Egwene. »

Rand se força à esquisser un faible sourire en retour. De tout ce à quoi il aurait pu désirer songer en ce moment, la fille du Maire était loin en bout de liste. Il ne tenait pas à être plus bouleversé qu'il ne l'était déjà. L'an passé, en effet, elle l'avait rendu de plus en plus mal à l'aise chaque fois qu'ils étaient ensemble. Pire, elle ne paraissait même pas s'en apercevoir. Non, il ne voulait certes pas ajouter Egwene à ses sujets de réflexion.

Il espérait que son père n'avait pas remarqué sa peur quand Tam dit : « Rappelle-toi la flamme, mon garçon, et le vide. »

C'était une chose étrange que Tam lui avait enseignée. Concentre-toi sur une seule flamme et nourris-la de toutes tes passions – crainte, haine, colère – jusqu'à ce que ton esprit soit vide. Deviens un avec le vide, avait conclu Tam, et tu pourras accomplir n'importe quoi. Personne au Champ d'Emond ne disait ce genre de chose. N'empêche que Tam gagnait tous les ans à Bel Tine le concours des archers avec sa flamme et son vide. Rand pensait avoir une chance de décrocher une place cette année s'il réussissait à parvenir au vide. Que

Tam en ait parlé maintenant prouvait qu'il *avait remarqué*, mais il n'ajouta rien de plus.

D'un clappement de langue, Tam remit Béla en route, et ils reprirent leur marche, l'aîné cheminant comme si rien de fâcheux n'était arrivé ou ne pouvait arriver. Rand aurait aimé être capable de l'imiter. Il essaya de faire le vide dans son esprit, mais des images du cavalier au manteau noir ne cessaient de s'y glisser.

Il souhaitait croire que Tam avait raison, que le cavalier n'était qu'un produit de son imagination, mais il se remémorait trop bien cette sensation de haine. Il y avait *vraiment* eu quelqu'un. Et ce quelqu'un lui voulait du mal. Rand ne cessa de regarder en arrière jusqu'à ce que les toits pointus couverts de chaume du Champ d'Emond l'entourent.

Le village était proche du Bois de l'Ouest, la forêt s'éclaircissant graduellement jusqu'à ce que les quelques derniers arbres poussent pratiquement au milieu des solides maisons de bois. Vers l'est, le terrain descendait en pente douce. Et, bien qu'il y eût encore des bosquets çà et là, des fermes, des champs bordés de haies et des pâturages carrelaient la campagne jusqu'au Bois de la Rivière et son enchevêtrement de ruisseaux et de mares. La terre à l'ouest était tout aussi fertile et les prés luxuriants la plupart des années, mais on ne trouvait qu'une poignée de fermes dans le Bois de l'Ouest. Et même ce petit nombre tombait à zéro bien des lieues avant les Dunes de Sable, sans parler des Montagnes de la Brume qui surgissaient au-dessus des cimes du Bois de l'Ouest, lointaines mais nettement visibles du Champ d'Emond. Certains disaient que la terre était trop rocailleuse, comme s'il n'y avait pas des pierres partout dans les Deux Rivières, et d'autres que la terre là-bas portait malheur. Quelques-uns murmuraient que ce n'était pas la peine de se rapprocher des montagnes plus que nécessaire. Quelles qu'aient été les raisons, seuls les hommes les plus opiniâtres cultivaient le sol dans le Bois de l'Ouest.

Des gamins et des chiens tournèrent autour de la charrette et l'esquivèrent en essaims criards une fois qu'elle passa devant la première rangée de maisons. Béla chemina patiemment d'un pas pesant sans tenir compte des enfants hurleurs qui gambadaient sous son nez, jouant à chat et au cerceau. Au cours de ces derniers mois, les enfants n'avaient guère joué ou ri ; même quand le temps s'était assez radouci pour laisser sortir des bambins, la peur des loups les avait retenus à la maison. Il semblait que l'approche de Bel Tine leur avait réappris à jouer.

Le Festival produisait aussi son effet sur les adultes. On ouvrait grands les volets et, dans presque toutes les demeures, la maîtresse de maison se tenait à une fenêtre, un tablier noué autour de la taille et ses cheveux nattés en longue tresse cachés sous un foulard, et elle secouait des draps ou mettait des matelas à aérer sur la barre d'appui. Que les feuilles se soient déployées ou non sur les arbres, aucune femme ne laisserait arriver Bel Tine sans avoir procédé au grand ménage de printemps. Dans toutes les cours, des couvertures étaient étalées sur des fils tendus et les enfants qui n'avaient pas été assez prompts pour s'esquiver et jouer dans les rues donnaient libre cours à leur frustration en battant les tapis avec des tapettes en osier. Sur un toit après l'autre, le maître de la maison escaladait de-ci de-là la pente en examinant le chaume pour voir si les dégâts causés par l'hiver nécessitaient d'appeler le vieux Cenn Buie, le couvreur.

Plusieurs fois, Tam s'arrêta pour engager une brève conversation avec l'un ou l'autre. Étant donné que Rand et lui n'avaient pas quitté la ferme depuis des semaines, tout le monde voulait connaître la situation dans ces parages. Peu d'hommes du Bois de l'Ouest étaient venus au village. Tam parla du dommage causé par les tempêtes d'hiver, chacune pire que la précédente, d'agneaux mort-nés, de champs bruns où les récoltes devraient germer et les prés reverdir, de corbeaux arrivant en foule là où des oiseaux chanteurs étaient venus les autres années. Sombres propos tandis que les préparatifs pour Bel Tine se poursuivaient autour d'eux, et beaucoup de hochements de tête. C'était la même chose partout.

La plupart des hommes roulaient les épaules et disaient : « Eh bien, on survivra si la Lumière le veut. » Certains souriaient largement et ajoutaient : « Et si la Lumière ne veut pas, on survivra quand même. »

C'était la façon d'être de la plupart des natifs des Deux Rivières. Des gens qui étaient obligés de regarder la grêle hacher leurs récoltes ou les loups enlever leurs agneaux et recommençaient de zéro, si nombreuses que fussent les années où cela arrivait, ne se décourageaient pas aisément. La plupart de ceux qui s'étaient découragés étaient partis depuis longtemps.

Tam ne se serait pas arrêté pour Wit Congar si celui-ci n'était pas sorti dans la rue, de sorte qu'ils devaient stopper ou laisser Béla lui passer sur le corps. Les Congar – et les Coplin, les deux familles s'étaient mariées entre elles si souvent que personne ne savait vraiment où débutait l'une et où s'arrêtait l'autre – étaient connus de la Colline-au-Guet jusqu'à la Tranchée de Deven, et peut-être même aussi loin que Taren-au-Bac, comme râleurs et faiseurs d'histoires.

« Il faut que je livre ça à Bran al'Vere, Wit », dit Tam en indiquant d'un mouvement de tête les barils dans la charrette, mais l'homme maigre ne bougea pas, la mine revêche. Avant, il était vautré sur son perron au lieu d'être sur le toit, bien que le chaume eût l'air d'avoir grand besoin des soins de Maître Buie. Il n'avait jamais l'air prêt à commencer ou à finir ce qu'il avait commencé. La plupart des Coplin et des Congar étaient comme ça, quand ils n'étaient pas pires.

« Qu'est-ce qu'on va décider à propos de Nynaeve, al'Thor ? questionna Congar. On ne peut pas avoir une Sagesse de ce genre-là pour le Champ d'Emond. »

Tam émit un profond soupir. « Cela ne nous concerne pas, Wit. La Sagesse est l'affaire des femmes.

– Ah, mieux vaudrait faire quelque chose, al'Thor. Elle a dit que nous aurions un hiver doux. Et une bonne récolte. Maintenant demande-lui ce qu'elle entend dans le vent, elle te regarde de travers et s'en va à grands pas.

– Si tu l'as questionnée à ta manière habituelle, dit Tam patiemment, tu as de la chance qu'elle ne t'ait pas asséné un coup de ce bâton qu'elle porte. Maintenant, si tu le permets, cette eau-de-vie...

– Nynaeve al'Meara est bien trop jeune pour être la Sagesse, al'Thor. Si le Cercle des Femmes ne veut pas agir, alors il faudra que le Conseil du Village s'en mêle.

– En quoi la Sagesse te concerne-t-elle, Wit Congar ? » proféra une rugissante voix de femme. Wit tressaillit tandis que son épouse sortait au pas de charge de la maison. Daise Congar était deux fois plus corpulente que Wit, avec des traits durs, sans une once de graisse. Elle le foudroya du regard, les poings aux hanches.

« Essaie de te mêler des affaires du Cercle des Femmes et tu verras comme ça va te plaire de manger ce que tu auras préparé toi-même. Que tu ne cuiras pas dans ma cuisine. Et de laver tes vêtements et de faire ton lit. Qui ne se trouvera pas sous mon toit.

– Mais, Daise, dit Wit d'un ton geignard, j'avais simplement...

– Si vous voulez bien m'excuser, Daise, dit Tam. Et toi Wit. Que la Lumière brille sur vous deux. » Il remit Béla en route, la guidant pour contourner le maigre personnage. Daise se concentrait à présent sur son mari mais, d'une minute à l'autre, elle reconnaîtrait la personne à qui Wit avait parlé.

C'était la raison pour laquelle ils n'avaient accepté aucune des invitations à s'arrêter pour manger un morceau ou prendre une boisson chaude. Quand elles voyaient Tam, les maîtresses de maison du Champ d'Émond tombaient en arrêt comme des chiens de chasse qui aperçoivent un lapin. Il n'y en avait pas une qui ne connût justement la parfaite épouse pour un veuf avec une bonne ferme, même si cette ferme était située dans le Bois de l'Ouest.

Rand marchait aussi vite que Tam, peut-être même davantage. Il se laissait parfois coincer quand Tam n'était pas là, sans moyen de s'échapper sinon en se montrant grossier. Conduit jusqu'à un tabouret près du foyer dans la cuisine, on lui donnait à manger des pâtisseries, des gâteaux au miel ou des pâtés à la viande. Et chaque fois les yeux de la maîtresse de maison le mesuraient et le pesaient aussi exactement qu'un mètre en ruban ou une balance de marchand, tout en lui disant que ce qu'il mangeait n'était pas moitié aussi bon que la cuisine de sa sœur veuve, ou de sa cousine germaine. Tam ne rajeunissait certes pas, déclarait-elle. C'était bien qu'il ait aimé autant sa femme – c'était un bon présage pour la prochaine femme de sa vie – mais son deuil avait duré assez longtemps. Tam avait besoin d'une bonne épouse. C'est un fait indéniable, continuait-elle, qu'un homme ne pouvait pas se passer de femme pour prendre soin de lui et l'empêcher de faire des bêtises – ou quelque chose d'approchant. Les pires de toutes étaient celles qui s'arrêtaient pensivement à ce stade et demandaient d'un air savamment détaché quel âge lui-même avait à présent.

Comme la plupart des natifs des Deux Rivières, Rand possédait une forte dose d'entêtement. D'ailleurs, on disait parfois que c'était le trait caractéristique des gens des Deux Rivières qu'ils pouvaient donner des leçons aux mules et instruire les pierres. Ces maîtresses de maison étaient des femmes de valeur remplies de bonnes intentions pour la plupart, mais il détestait qu'on le pousse à faire quelque chose, et il avait l'impression qu'elles l'aiguillonnaient du bout d'un bâton. Aussi marchait-il vite en souhaitant que Tam presse Béla.

La rue ne tarda pas à déboucher sur le Pré Communal, un vaste espace au milieu du village. Généralement couvert d'herbe épaisse, le Pré – en ce printemps – ne montrait que quelques touffes nouvelles parmi le brun jaunâtre des herbes desséchées et le noir de la terre nue. Deux petites troupes d'oies se dandinaient de-ci de-là, fixant le sol de leurs yeux en trou de vrille mais sans découvrir de quoi picorer, et quelqu'un avait attaché à un piquet une vache laitière pour qu'elle paisse les maigres pousses.

Vers l'extrémité ouest du Pré, la Source du Vin jaillissait d'un petit affleurement de roche en un flot qui ne tarissait jamais, un flot assez fort pour renverser un homme et assez doux pour justifier son nom une douzaine de fois. Depuis sa naissance, la Rivière de la Source du Vin qui grossissait rapidement s'élançait d'une course vive vers l'est, avec des saules épars le long de ses rives jusqu'au moulin de Maître Thane et au-delà, jusqu'à ce qu'elle se divise en douzaines de bras dans les profondeurs marécageuses du Bois Humide. Deux passerelles basses, munies de garde-fous, enjambaient le cours d'eau claire sur le Pré, ainsi qu'un pont, plus large que les autres et assez solide pour supporter des chariots. Le Pont-aux-Charrettes marquait le point où la Route du Nord, qui descendait de Taren-au-Bac et de la Colline-au-Guet, devenait la Vieille Route, qui menait à la Tranchée-de-Deven. Les étrangers au village trouvaient drôle que la route ait un nom au nord et un autre au sud, mais c'était comme ça qu'il en avait toujours été, d'aussi loin que quiconque se le rappelait au Champ d'Emond, voilà tout. Les natifs des Deux Rivières estimaient cette raison suffisante.

De l'autre côté des ponts, on construisait déjà les bûchers pour les feux de Bel Tine, trois entassements soigneux de rondins presque aussi hauts que des maisons. Il fallait qu'ils soient installés sur un emplacement dégagé, bien sûr, pas sur le Pré, si clairsemée que fût l'herbe. La partie du Festival qui ne prendrait pas place autour des feux se passerait sur le Pré.

Près de la Source du Vin, une vingtaine de vieilles femmes chantaient doucement en érigeant le mât du Printemps. Dépouillé de ses branches, le tronc droit et élancé d'un pin s'élevait à dix pieds de haut, même une fois planté dans le trou qu'elles avaient creusé pour lui. Un groupe de fillettes trop jeunes pour tresser leurs cheveux les regardaient d'un œil d'envie, chantant de temps à autre des bribes de la chanson qu'avaient entonnée les femmes.

Tam clappa de la langue à l'intention de Béla comme pour l'inciter à accélérer l'allure, ce dont elle ne tint d'ailleurs pas compte, et Rand s'attacha à détourner les yeux de ce que faisaient les femmes. Le matin suivant, les hommes feindraient la surprise en voyant le Mât puis, à midi, les femmes non mariées danseraient autour en enroulant sur lui de longs rubans de couleur pendant que les hommes non mariés chanteraient. Personne ne savait l'origine ou la raison de cette coutume – c'était encore une de ces choses qui se passaient comme elles se passaient depuis toujours – mais elle offrait un prétexte pour chanter et danser, et personne aux Deux Rivières n'avait besoin d'une foule de prétextes pour ça.

La journée entière de Bel Tine serait consacrée à chanter, danser et festoyer, à part le temps réservé aux courses à pied et aux concours de n'importe quoi ou presque. Des prix seraient attribués non seulement pour le tir à l'arc mais aussi pour le meilleur lancer à la fronde et pour l'escrime au bâton. Il y aurait des compétitions de devinettes et d'énigmes, de lutte de traction à la corde, de soulèvement et de lancer de poids, des prix pour le meilleur chanteur, le meilleur danseur et le meilleur violoneux, pour le tondeur de moutons le plus rapide et même pour le meilleur joueur de boules et le plus habile jeteur de fléchettes.

Bel Tine était une fête qu'on était censé célébrer quand le printemps était vraiment bien installé, les premiers agneaux nés et la première récolte levée. Pourtant même avec le froid qui s'attardait, personne n'avait l'idée de la remettre à plus tard. Tout le monde avait besoin de chanter et danser un peu. Et pour couronner les réjouissances, s'il fallait en croire les rumeurs, un grand feu d'artifice avait été projeté sur le Pré – à condition que le premier colporteur de l'année arrive à temps, bien entendu. Cela avait fait marcher considérablement les langues ; le dernier feu d'artifice datait de dix ans et on en parlait encore.

L'Auberge de la Source du Vin était située à la lisière est du Pré communal, juste à côté du Pont-aux-Charrettes. Le rez-de-chaussée était en roc de la rivière tandis que les fondations étaient en pierre plus ancienne que d'aucuns disaient provenir des montagnes. Le premier étage, passé à la chaux – à l'arrière duquel Brandelwyn al'Vere, l'aubergiste et Maire du Champ d'Emond depuis vingt ans habitait avec sa femme et ses enfants – avançait en saillie au-dessus du rez-de-chaussée tout autour du bâtiment. Les tuiles rouges du toit, le seul de son espèce au village, luisaient dans la faible clarté du soleil – et de la fumée s'échappait de trois des douze hautes cheminées.

À son extrémité sud, à l'écart du cours d'eau, s'étendaient des restes de fondations en pierre beaucoup plus vastes qui, à ce qu'on racontait, avaient jadis fait partie de cette auberge. Un énorme chêne poussait à présent au milieu, avec un tronc de trente pas de circonférence, d'où s'allongeaient des branches grosses comme un homme. L'été, Bran al'Vere plaçait tables et bancs sous ces branches, alors feuillues et donnant de l'ombrage, où les gens pouvaient prendre plaisir à boire un pot et à jouir de la brise rafraîchissante tout en bavardant ou peut-être en installant un damier pour jouer aux mérelles.

« Nous y voici, mon gars. » Tam s'apprêta à saisir le harnais de Béla, mais elle s'arrêta en face de l'auberge avant que sa main ait touché la bride de cuir. « Elle connaît le chemin mieux que moi », dit-il avec un petit rire.

Comme le dernier grincement de l'essieu cessait, Bran al'Vere apparut sur le seuil de l'auberge, semblant comme toujours avoir une démarche trop légère pour un homme de sa corpulence, presque double de celle de n'importe qui d'autre au village. Un sourire fendait sa face ronde, surmontée d'une maigre frange de cheveux gris. L'aubergiste était en bras de chemise malgré le froid, ceint d'un tablier blanc immaculé. Un médaillon d'argent en forme de trébuchet pendait sur sa poitrine.

Le médaillon, ainsi que le trébuchet grandeur nature servant à peser les pièces de monnaie des marchands qui venaient de Baerlon chercher de la laine ou du tabac, était le symbole de la fonction de maire. Bran ne le portait que pour traiter avec les marchands ou pour les festivals, les jours de fête et les mariages. Il le portait avec vingt-quatre heures d'avance à présent, mais ce soir c'était la Nuit de l'Hiver, veille de Bel Tine, où tout le monde va et vient la nuit entière, pour faire des visites en échangeant de menus présents, mangeant un morceau et buvant un pot dans chaque maison. *Après l'hiver,* se dit Rand, *il considère probablement la Nuit de l'Hiver comme une excuse suffisante pour ne pas attendre demain.*

« Tam, cria le Maire en se hâtant vers eux, que la Lumière brille sur moi, c'est bon de te voir enfin. Et toi, Rand, comment vas-tu, mon garçon ?

– Bien, Maître al'Vere, répliqua Rand. Et vous, messire ? »

Mais Bran avait déjà tourné de nouveau son attention vers Tam.

« Je commençais presque à croire que tu n'apporterais pas ton eau-de-vie cette année. Tu n'as jamais tant tardé avant.

– Je n'ai guère envie de quitter la ferme en ce moment, Bran, répondit Tam. Pas avec la façon dont agissent les loups. Ni avec ce temps. »

Bran s'éclaircit pompeusement la gorge. « Je voudrais bien que quelqu'un ait envie de parler d'autre chose que du temps. Tout le monde s'en plaint et des gens qui devraient être plus sensés s'attendent à ce que j'y porte remède. Je viens justement de passer vingt minutes à expliquer à Maîtresse al'Donel que je ne peux rien en ce qui concerne les cigognes. Quoique ce qu'elle attendait que je fasse... » Il secoua la tête.

« Un mauvais présage, l'absence de nids de cigognes sur les toits à Bel Tine », proclama une voix rocailleuse. Cenn Buie, noueux et noir comme une vieille racine, s'approcha à pas décidés de Tam et de Bran, puis s'appuya sur son bâton de marche presque aussi grand que lui et tout aussi noueux. Il essaya de fixer les deux hommes à la fois de son regard en vrille. « Il y aura pire, notez bien ce que je vous dis.

– Es-tu donc devenu devin pour interpréter les présages ? répliqua Tam d'un ton sec. Ou bien écoutes-tu le vent, comme une Sagesse ? Ce n'est pas le vent qui manque, certes. Et en partie qui n'émane pas loin d'ici.

– Moquez-vous si vous voulez, marmonna Cenn, mais s'il n'y a pas assez de chaleur pour que les cultures germent bientôt, plus d'un silo à racines sera vide avant qu'il y ait une récolte. L'hiver prochain, il pourrait bien ne plus rester de vivants que les loups et les corbeaux aux Deux Rivières. Si on peut parler d'hiver prochain. Peut-être que ce sera encore cet hiver.

– Qu'est-ce que tu sous-entends par là ? » questionna Bran avec sévérité.

Cenn leur jeta un coup d'œil acerbe. « Je n'ai pas grand bien à dire de Nynaeve al'Meara. Vous le savez. D'abord, elle est trop jeune pour... Peu importe. Le Cercle des Femmes se refuse apparemment à ce que le Conseil du Village parle même seulement de leurs affaires, bien qu'elles se mêlent des nôtres chaque fois qu'elles en ont envie, ce qui est le cas la plupart du temps ou tout comme...

– Cenn, coupa Tam, où veux-tu en venir ?

– Voilà où je veux en venir, al'Thor. Demande à la Sagesse quand l'hiver finira et elle tourne les talons. Peut-être qu'elle ne tient pas à nous informer de ce qu'elle entend dans le vent. Peut-être que ce qu'elle entend, c'est que l'hiver n'en finira pas. Peut-être que l'hiver continuera jusqu'à ce que la Roue tourne et que l'Ère finisse. Voilà où je veux en venir.

– Peut-être que les moutons auront des ailes », rétorqua Tam, et Bran leva les bras au ciel.

« Que la Lumière me protège des imbéciles. Tu sièges au Conseil du Village et tu te mets à répandre ces propos de Coplin. Allons, écoute-moi. Nous avons assez de problèmes sans... »

Une saccade imprimée à la manche de Rand et une voix modulée pour n'atteindre que son oreille détournèrent son attention des propos de leurs aînés : « Viens pendant qu'ils discutent avant qu'ils t'enrôlent pour travailler. »

Rand baissa les yeux et ne put s'empêcher de sourire. Mat Cauthon était accroupi à côté de la charrette pour que Tam, Cenn et Bran ne puissent le voir, son corps sec et nerveux tordu comme une cigogne qui essaierait de se plier en deux.

Les yeux bruns de Mat pétillaient de malice, comme d'habitude. « Dav et moi, on a pris un gros vieux blaireau, tout grognon d'avoir été tiré de sa tanière. On va le lâcher sur le Pré et regarder courir les filles. »

Le sourire de Rand s'élargit ; cela ne lui paraissait plus aussi amusant qu'un ou deux plus tôt, mais Mat n'avait pas l'air de jamais grandir. Il jeta un regard rapide vers son père – les hommes s'affrontaient encore, tous les trois parlant à la fois – puis baissa lui aussi la voix : « J'ai promis de décharger le cidre, mais je peux te retrouver plus tard. »

Mat leva les yeux au ciel. « Trimbaler des barils ! Que le feu me brûle ! Je préférerais jouer aux mérelles avec ma petite sœur. Bon, je sais des choses plus intéressantes qu'un blaireau. Nous avons des étrangers aux Deux Rivières. Hier soir... »

Un instant, Rand s'arrêta de respirer. « Un cavalier ? demanda-t-il d'une voix tendue. Un homme en manteau noir sur un cheval noir ? Et sa cape ne flotte pas au vent ? »

Mat ravala son sourire et sa voix devint un murmure encore plus étouffé. « Tu l'as vu, toi aussi ? Je croyais être le seul. Ne ris pas, Rand, mais il m'a terrifié.

– Je ne ris pas, il m'a terrifié, moi aussi. J'aurais juré qu'il me haïssait, qu'il voulait me tuer. » Rand frissonna. Jusqu'à ce jour, il n'avait jamais pensé que quelqu'un puisse désirer le tuer, vraiment le tuer. Ce genre de chose n'arrivait tout bonnement pas aux Deux Rivières. Une bagarre à coups de poing peut-être, ou une lutte corps à corps mais un meurtre, non.

« Haïr, je ne sais pas, Rand, mais assez effrayant néanmoins. Tout ce qu'il a fait, c'est rester sur son cheval à me regarder, juste à la sortie du village, mais je n'ai jamais eu si peur de ma vie. Ma foi, j'ai regardé ailleurs rien qu'un instant – ça n'a pas été facile, crois-moi – puis quand j'ai regardé de nouveau, il avait disparu. Cendres et sang ! C'était il y a trois jours et j'ai du mal à ne plus y penser. Je regarde sans cesse par-dessus mon épaule. » Mat essaya de rire, mais il n'émit qu'un croassement. « C'est drôle comme la peur vous tient. On pense à des choses étranges. J'ai réellement cru – juste une minute, tu sais – que ce pouvait être l'Obscur. » Il essaya de nouveau de rire, mais cette fois aucun son ne sortit.

Rand respira profondément. Autant pour se le rappeler à lui-même que pour toute autre raison, il récita : « L'Obscur et tous les Réprouvés sont retenus dans le Shayol Ghul, au-delà de la Grande Dévastation, liés par le Créateur au moment de la Création, liés jusqu'à la fin des temps. La main du Créateur protège le monde et la Lumière brille sur nous tous. » Il prit une autre aspiration et continua. « De plus, s'il était libre, qu'est-ce que le Berger de la Nuit ferait aux Deux Rivières à épier des jeunes paysans ?

– Je l'ignore. Pourtant, ce que je sais avec certitude c'est que ce cavalier était... maléfique. Ne ris pas. J'en jurerais. Peut-être était-ce le Dragon.

– Tu débordes de pensées joyeuses, dis donc, murmura Rand. Tu es pire que Cenn.

– Ma mère disait toujours que je devais me corriger ou que les Réprouvés viendraient me prendre. Si jamais j'ai vu quelqu'un qui ressemble à Ishamael ou à Aginor, c'était lui.

– Toutes les mères ont brandi la menace des Réprouvés, dit Rand d'un ton sec, mais cette peur passe chez la plupart des enfants. Pourquoi pas l'Homme-Ombre, pendant que tu y es ?

Mat lui décocha un coup d'œil indigné. « Je n'ai pas été terrifié à ce point-là depuis... Non, je n'ai jamais été effrayé comme ça, je l'avoue volontiers.

– Moi non plus. Mon père estime que j'avais peur des ombres sous les arbres. »

Mat hocha la tête d'un air morne et s'appuya contre la roue de la charrette. « Papa aussi. J'ai raconté ça à Dav et à Elam Dowtry. Depuis, ils ont guetté comme des faucons, mais ils n'ont rien vu. Maintenant Elam se figure que je voulais lui jouer un tour. Dav suppose que c'est quelqu'un de Taren-au-Bac, un voleur de moutons ou de poules. Un voleur de poules ! » Il se renferma dans un silence offensé.

« On a dû se monter la tête, voilà tout, finit par conclure Rand. Peut-être n'est-ce qu'un voleur de moutons. » Il tenta de se le représenter mais c'était comme de se représenter un loup se postant à la place du chat devant un trou de souris.

« Ma foi, je n'ai pas aimé le regard dont il m'a gratifié. Et toi non plus, à en juger par ta façon de me sauter à la gorge. On devrait prévenir quelqu'un.

– On l'a déjà fait, Mat, tous les deux, et on ne nous a pas crus. Imagine-toi essayant de convaincre Maître al'Vere de l'existence de ce type sans qu'il l'ait vu ? Il nous enverrait à Nynaeve pour vérifier si on est malade.

– Nous sommes deux, à présent. Personne ne pensera que nous l'avons inventé tous les deux. »

Rand se frotta le sommet du crâne avec vigueur en se demandant quoi répondre. Mat était bien connu dans le village. Peu de gens avaient échappé à ses farces. On citait maintenant son nom dès qu'une corde à linge lâchait la lessive dans la poussière ou qu'une sangle de selle desserrée déposait un fermier sur la chaussée. Mat n'avait même pas à se trouver dans les parages. Son soutien risquait de produire un effet pire que rien du tout.

Au bout d'un moment, Rand répliqua : « Ton père croirait que c'est toi qui m'as poussé et le mien... » Il jeta un coup d'œil par-dessus la charrette vers l'endroit où Tam, Bran et Cenn avaient été en conversation et se retrouva regardant son père droit dans les yeux. Le Maire faisait encore la leçon à Cenn, qui prenait maintenant la chose avec un silence boudeur.

« Bonjour, Matrim, dit Tam gaiement en soulevant un des tonneaux d'eau-de-vie par-dessus la ridelle de la charrette. Je vois que tu es venu aider Rand à décharger le cidre. Bravo, mon garçon. »

Mat se releva d'un bond aux premiers mots et commença à reculer. « Le bonjour à vous, Maître al'Thor. Et à vous, Maître al'Vere. Maître Buie. Puisse la Lumière briller sur vous. Papa m'a envoyé pour...

– Sans doute il l'a fait, répliqua Tam, et sans doute, puisque tu es un garçon qui accomplit aussitôt ses corvées, tu as déjà fini ta tâche. Bon, plus vite vous descendrez le cidre dans la cave de Maître al'Vere, mes garçons, plus vite vous pourrez voir le ménestrel.

– Le ménestrel ! » s'exclama Mat en s'arrêtant net, à l'instant même où Rand demandait : « Quand arrivera-t-il ? »

Rand ne se rappelait que la venue de deux ménestrels aux Deux Rivières depuis sa naissance et, pour l'un d'eux, il avait été assez jeune pour le regarder perché sur les épaules de Tam. En avoir un là, pour Bel Tine, avec sa harpe, sa flûte, ses histoires et le reste... Le Champ d'Emond parlerait encore de ce Festival dans dix ans, même s'il n'y avait pas de feu d'artifice.

« Sottises », grommela Cenn, mais il fut incité à ne pas en dire plus par un regard de Bran qui pesait tout le poids de sa charge de Maire.

Tam s'accota au flanc de la charrette, se servant du baril d'eau-de-vie pour s'y appuyer d'un bras. « Oui, un ménestrel et il est déjà là. Selon Maître al'Vere, il est dans une chambre de l'auberge en ce moment même.

– En pleine nuit qu'il est arrivé. » L'aubergiste eut un hochement de tête désapprobateur. « Il a frappé à tour de bras sur la porte d'entrée jusqu'à réveiller la famille entière. Si ce n'avait pas été le Festival, je lui aurais dit de mettre lui-même son cheval à l'écurie et de dormir à côté dans sa stalle, quelque ménestrel qu'il soit. Vous vous rendez compte, venir dans le noir comme ça. »

Le regard de Rand traduisit son étonnement. Personne ne voyageait au-delà du village la nuit, pas ces temps-ci et en tout cas pas seul. Le couvreur grommela encore à voix basse, trop basse cette fois-ci pour que Rand comprenne plus qu'un mot ou deux. « Un fou » et « anormal ».

« Il ne porte pas un manteau noir, hein ? » demanda soudain Mat.

Le ventre de Bran fut secoué par son gloussement de rire. « Noir ! Son manteau est comme celui des autres ménestrels que j'ai connus. Plus des pièces assemblées qu'un manteau et plus de couleurs que tu n'en peux rêver. »

Rand éclata d'un rire qui le surprit lui-même, un rire de pur soulagement. Le cavalier menaçant vêtu de noir comme ménestrel était une idée ridicule, mais... Dans son embarras, il plaqua sa main sur sa bouche.

« Tu vois, Tam, commenta Bran, il y a eu bien peu de gaieté au village depuis le début de l'hiver. Maintenant, même le manteau du ménestrel provoque le rire. Cela seul vaut la dépense de le faire venir de Baerlon.

– Racontez ce que vous voudrez, s'exclama Cenn, je soutiens toujours que c'est un gaspillage d'argent stupide. Ainsi que ce feu d'artifice que vous avez tous insisté pour aller chercher.

– Ah, il y a un feu d'artifice », releva Mat, mais Cenn continua : « Il aurait dû être ici depuis un mois, avec le premier colporteur de l'année, mais il n'y a pas eu de colporteur, n'est-ce pas ? S'il n'arrive pas demain, qu'allons-nous en faire ? Célébrer un autre Festival juste pour l'utiliser ? Si toutefois le colporteur apporte les fusées, bien sûr.

– Cenn... » Tam soupira. « Tu as autant confiance qu'un natif de Taren-au-Bac.

– Où est-il alors ? Dis-le-moi, al'Thor.

– Pourquoi ne nous avez-vous pas prévenus ? se plaignit Mat d'une voix chagrine. Tout le village se serait réjoui à l'attendre autant que pour le ménestrel. Ou presque, en tout cas. Voyez donc les réactions des gens rien qu'à cause d'une rumeur de feu d'artifice.

– Je le vois en effet, riposta Bran avec un coup d'œil en biais à l'adresse du couvreur. Et si je savais avec certitude comment cette rumeur est née. Si je pensais, par exemple, que quelqu'un s'est plaint du coût des choses là où l'on pouvait l'entendre alors que c'était censé tenu secret... »

Cenn s'éclaircit la voix. « Mes os sont trop vieux pour ce vent. Avec votre permission, je vais juste demander à Maîtresse al'Vere si elle ne voudrait pas me préparer un vin aux épices pour me réchauffer. Maire. Al'Thor. »

Il se dirigea vers l'auberge avant même d'avoir fini de parler et, comme la porte se refermait derrière lui, Bran soupira.

« Quelquefois, je pense que Nynaeve a raison de... Bon, ce n'est pas important à présent. Vous les jeunes, réfléchissez une minute. Tout le monde est excité à présent par l'idée du feu d'artifice, c'est vrai, et il ne s'agit que d'une rumeur. Pensez à ce que serait la réaction générale si le colporteur n'arrive pas au moment voulu après toute cette attente. Et avec le temps comme il est, qui sait quand il viendra. Les gens auraient été cinquante fois plus survoltés à propos d'un ménestrel.

– Et cela les aurait cinquante fois plus contristés s'il n'était pas venu, dit lentement Rand. Même Bel Tine n'aurait pu guère leur remonter le moral après cela.

– Tu as une tête sur tes épaules quand tu veux bien t'en servir, commenta Bran. Un jour, Tam, il te succédera au Conseil du Village. Tu verras ce que je te dis. Il ne saurait guère être pis à cette heure que quelqu'un que je pourrais citer.

– Rien de tout cela ne décharge la charrette, conclut Tam rondement en tendant au Maire le premier baril d'eau-de-vie. J'ai envie d'un bon feu, de ma pipe et d'une chope de ta bonne ale. » Il hissa le deuxième baril sur son épaule. « Je suis sûr que Rand te saura gré de ton aide, Matrim. Rappelle-toi, plus vite le cidre sera dans la cave... »

Comme Tam et Bran disparaissaient dans l'auberge, Rand se tourna vers son ami.

« Tu n'es pas obligé de m'aider. Dav ne gardera pas longtemps ce blaireau.

– Oh, pourquoi pas, dit Mat avec résignation. Comme l'a rappelé ton paternel, plus vite c'est dans la cave... » Il prit dans ses bras un des tonneaux de cidre et, moitié courant moitié marchant, se hâta vers l'auberge. « Egwene est peut-être dans les parages. De toute façon, te voir la contempler avec des yeux de bœuf assommé est aussi drôle qu'un blaireau. »

Rand qui était en train de ranger son arc et son carquois à l'arrière de la charrette s'immobilisa. Il avait réussi à se sortir totalement Egwene de l'esprit. C'était en soi insolite. Mais elle serait bien quelque part dans l'auberge. Il n'avait guère de chance de pouvoir l'éviter. Certes, il y avait des semaines qu'il ne l'avait vue.

« Eh bien ? l'appela Mat depuis le seuil de l'auberge. Je n'ai pas dit que je ferais tout tout seul. Tu ne sièges pas encore au Conseil du Village. »

Rand sursauta, se chargea d'un fût et suivit. Peut-être qu'elle ne serait pas là, en somme. Bizarrement, cette éventualité ne le réconforta pas.

2.

LES ÉTRANGERS

Quand Rand et Mat traversèrent la salle commune avec les premiers tonnelets, Maître al'Vere remplissait déjà une couple de chopes avec sa meilleure ale brune, de sa propre fabrication, à l'un des tonneaux posés sur un râtelier contre un mur. Scratch, le chat jaune de l'auberge, était accroupi dessus, les yeux clos et la queue rabattue autour des pattes. Debout devant la grande cheminée en pierre de rivière, Tam tassait du pouce dans une pipe à long tuyau du tabac sorti d'une boîte en fer-blanc poli que l'aubergiste gardait toujours sur la tablette en pierre lisse. Cette cheminée occupait la moitié de la paroi de la vaste salle carrée, avec un linteau à hauteur d'épaule d'homme, et la flambée crépitant dans l'âtre chassait le froid extérieur.

À ce moment du jour affairé précédant le Festival, Rand s'attendait à trouver la salle commune vide, à part Bran, son père et le chat, mais quatre autres membres du Conseil, y compris Cenn, étaient assis devant le feu, sur des sièges à haut dossier, chope en main et la tête entourée de volutes de fumée gris-bleu sortie de leur pipe. Pour une fois, aucun des damiers à mérelles n'était utilisé, et tous les livres de Bran chômaient sur la planche en face de la cheminée. Les hommes ne parlaient même pas, plongeant le regard en silence dans leur ale ou se tapotant impatiemment les dents avec le tuyau de leur pipe en attendant que Tam et Bran se joignent à eux.

Les soucis n'étaient pas rares pour le Conseil du Village, ces temps-ci, pas au Champ d'Emond et probablement pas à la Colline-au-Guet ou à la Tranchée-de-Deven ou même à Taren-au-Bac, quoique savait-on jamais ce que les gens de Taren-au-Bac pensaient vraiment de quoi que ce soit ?

Seuls deux des hommes devant le feu, Haral Luhhan le forgeron, et Jon Thane, le meunier, daignèrent jeter un coup d'œil aux deux garçons à leur entrée. Maître Luhhan, toutefois, ne se contenta pas d'un coup d'œil. Les bras du forgeron étaient aussi gros que les jambes de la plupart des hommes, avec d'épais muscles cordés, et il portait encore son long tablier de cuir, comme s'il était venu à la réunion en hâte, tout droit de sa forge. Il les regarda l'un et l'autre d'un air renfrogné, puis se retourna délibérément sur son siège, reportant son attention sur sa pipe qu'il bourra d'un pouce massif avec une application exagérée.

Curieux, Rand ralentit, puis étouffa juste à temps un petit cri, car Mat lui décochait un coup de pied à la cheville. Son ami indiqua d'un signe de tête avec insistance la porte au fond de la salle commune et continua précipitamment sa marche sans l'attendre. Boitant légèrement, Rand suivit avec plus de lenteur.

« Qu'est-ce qui t'a pris ? demanda-t-il dès qu'ils furent dans le couloir menant à la cuisine. Tu as failli me casser la...

– C'est le vieux Luhhan, dit Mat en regardant la salle commune par-dessus l'épaule de Rand. Je crois qu'il me soupçonne d'être celui qui... »

Il s'arrêta brusquement comme Maîtresse al'Vere surgissait, affairée, de la cuisine, précédée d'une bouffée d'arôme de pain frais sorti du four.

Le plateau qu'elle avait dans les mains était chargé de ces miches croustillantes qui la rendaient célèbre dans le Champ d'Emond, ainsi que d'assiettes de condiment au vinaigre et de fromage. La nourriture rappela brusquement à Rand qu'il n'avait avalé qu'un croûton de pain avant de quitter la ferme ce matin. Son estomac émit un gargouillement gênant.

La silhouette élancée, avec sa natte épaisse de cheveux gris ramenée en avant par-dessus son épaule, Maîtresse al'Vere eut un sourire maternel destiné à tous deux. « Il y en a encore dans la cuisine, si vous avez faim, vous deux, et je n'ai jamais vu de garçons de votre âge qui n'aient pas faim. Ou d'un autre âge, aussi bien.

Si vous préférez, j'ai mis dans le four des gâteaux au miel, ce matin. »

C'était une des rares femmes mariées de la région qui n'avait jamais joué les marieuses avec Tam. Envers Rand, sa bonté maternelle allait jusqu'à de chauds sourires et un en-cas chaque fois qu'il venait à l'auberge, mais elle agissait de même avec tous les jeunes gens du pays. Qu'à l'occasion elle le regarde comme si elle aurait aimé en faire davantage, du moins cela n'allait-il pas plus loin qu'un regard, ce dont il lui était profondément reconnaissant.

Sans attendre de réponse, elle entra majestueusement dans la salle commune. Aussitôt, il y eut le raclement des sièges sur le sol quand les hommes se levèrent avec des exclamations sur l'odeur du pain. Elle était de loin la meilleure cuisinière du Champ d'Emond et il n'y avait pas un homme à des lieues à la ronde qui n'aurait sauté sur l'occasion de glisser les pieds sous sa table.

« Des gâteaux au miel, dit Mat en se léchant les lèvres.

– Après, répliqua Rand, ou nous n'en aurons jamais fini. »

Une lampe était suspendue au-dessus de l'escalier de la cave, juste à côté de la porte de la cuisine, et une autre formait une flaque de clarté dans la pièce aux parois de pierre sous l'auberge, bannissant l'obscurité sauf dans les recoins les plus éloignés. Des râteliers de bois le long des murs et sur le sol servaient de support à des tonneaux de cidre et d'eau-de-vie, et à des barils plus grands d'ale et de vin, certains munis de cannelle. Bon nombre des tonneaux de vin portaient des indications à la craie de la main de Bran, précisant l'année de leur achat, le colporteur qui les avait fournis et la ville d'où ils provenaient, mais toute l'ale et l'eau-de-vie étaient de la fabrication des fermiers des Deux Rivières ou de Bran lui-même. Colporteurs et même marchands apportaient parfois d'ailleurs de l'eau-de-vie ou de l'ale, mais elles n'étaient jamais aussi bonnes et coûtaient les yeux de la tête, et personne n'en buvait plus d'une fois.

« Alors, dit Rand comme ils posaient leurs barils sur les râteliers, qu'as-tu fait pour devoir éviter Maître Luhhan ? »

Mat haussa les épaules. « Rien, vraiment. J'ai dit à Adan al'Caar et à quelques-uns de ses morveux d'amis

– Ewin Finngar et Dag Coplin – que des fermiers avaient vu des chiens fantômes soufflant le feu et courant à travers bois. Ils ont lapé ça comme de la caillebotte.

– Et Maître Luhhan est en rage contre toi pour ça ? dit Rand d'un air dubitatif.

– Pas exactement. » Mat s'arrêta, puis secoua la tête. « Tu comprends, j'avais couvert de farine deux de ses chiens, de sorte qu'ils étaient tout blancs. Puis je les ai lâchés près de la maison de Dag. Comment pouvais-je savoir qu'ils allaient retourner tout droit chez eux ? Ce n'est vraiment pas ma faute. Si Maîtresse Luhhan n'avait pas laissé la porte ouverte, ils n'auraient pas pu entrer. Ce n'est pas comme si j'avais fait exprès d'enfariner toute sa maison. » Il glapit de rire. « J'ai entendu dire qu'elle en avait chassé le vieux Luhhan et les chiens, tous les trois, à coups de balai. »

Rand tiqua et rit en même temps. « Si j'étais toi, je m'inquiéterais davantage d'Alsbet Luhhan que du forgeron. Elle est presque aussi forte et a bien plus mauvais caractère. Peu importe, d'ailleurs. Si tu marches vite, peut-être qu'il ne te remarquera pas. » À l'expression de Mat, on voyait qu'il ne trouvait pas Rand drôle.

Quand ils retraversèrent la salle commune, pourtant, point ne fut besoin pour Mat de se hâter. Les six hommes avaient rassemblé leurs sièges en groupe serré devant la cheminée. Le dos au feu, Tam parlait à voix basse et les autres se penchaient pour l'écouter, si attentifs à ses propos qu'ils ne se seraient sans doute pas aperçu de l'entrée d'un troupeau de moutons dans la salle. Rand voulait se rapprocher pour entendre de quoi ils s'entretenaient, mais Mat le tira par la manche et lui jeta un coup d'œil angoissé. Avec un soupir, il sortit derrière Mat jusqu'à la charrette.

À leur retour dans le couloir, ils trouvèrent un plateau en haut des marches et des gâteaux au miel tout chauds embaumaient le passage de leur arôme délicat. Il y avait aussi deux chopes et un pichet de cidre épicé fumant. Malgré sa propre recommandation d'attendre jusqu'à ce qu'ils aient fini, Rand se surprit, pendant les deux derniers voyages entre cave et charrette, à essayer de jongler avec un tonneau et un gâteau au miel brûlant.

En installant le dernier tonneau sur son support, il

essuya les miettes autour de sa bouche tandis que Mat déchargeait son fardeau, puis dit : « En ce qui concerne le ménes... »

Des pas résonnèrent sur les marches et Ewin Finngar faillit tomber dans la cave tant il se dépêchait, son visage joufflu rayonnant d'envie de communiquer ses nouvelles. « Il y a des étrangers au village. » Il reprit son souffle et adressa un regard sardonique à Mat. « Je n'ai pas vu de chiens fantômes, mais j'ai entendu dire qu'on avait enfariné les chiens de Maître Luhhan. J'ai entendu dire aussi que Maîtresse Luhhan sait qui en est responsable. » Les années qui séparaient Mat et Rand d'Ewin, âgé seulement de quatorze ans, étaient généralement plus que suffisantes pour qu'ils n'accordent guère de considération à ce qu'il avait à raconter. Cette fois-ci, ils échangèrent un coup d'œil surpris, puis tous deux s'exclamèrent à l'unisson.

« Au village ? questionna Rand. Pas dans les bois ? » Et en même temps, Mat ajoutait : « Avait-il un manteau noir ? As-tu pu voir sa figure ? »

Ewin les dévisagea tour à tour d'un air déconcerté et se hâta de répondre quand Mat avança d'un pas menaçant. « Bien sûr que j'ai pu voir sa figure. Et son manteau est vert. Ou peut-être gris. La couleur change. Il paraît se fondre dans le paysage partout où il se tient. Parfois, on ne l'aperçoit pas, même quand on regarde droit vers lui, pas à moins qu'il ne bouge. Et son manteau à elle est bleu comme le ciel, et dix fois plus luxueux que tous les habits de fête que j'aie jamais vus. Elle est aussi dix fois plus jolie que quiconque que j'aie jamais vu. C'est une dame de haute naissance, comme dans les contes. Sûrement. »

– Elle ? dit Rand. Qu'est-ce que tu racontes là ? » Il regarda avec surprise Mat, qui avait mis les deux mains sur sa tête et fermait les yeux en serrant les paupières.

« Ce sont eux dont je voulais te parler, murmura Mat, avant que tu me lances sur le sujet de... » Il s'arrêta net, relevant les paupières pour adresser un coup d'œil bref à Ewin. « Ils sont arrivés hier soir, continua-t-il après un instant, et ils ont pris des chambres à l'auberge. J'étais là quand ils sont arrivés à cheval. Leurs chevaux, Rand. Je n'ai jamais vu de chevaux si grands, ni si beaux de robe. Ils donnaient l'impression d'être capables de galoper éternellement. Je crois qu'il travaille pour elle.

– À son service, intervint Ewin. On appelle ça être au service de quelqu'un, dans les contes. »

Mat poursuivit comme si Ewin n'avait rien dit : « En tout cas, il en réfère à elle, il fait ce qu'elle ordonne. Seulement il n'a pas l'air d'un domestique. Un soldat, peut-être. La manière dont il porte son épée, elle est une partie de lui-même, comme son bras ou sa jambe. Il fait ressembler les convoyeurs des marchands à des roquets. Et elle, Rand, je n'ai jamais imaginé quelqu'un comme elle. Elle sort d'un conte de ménestrel. Elle est comme... comme... » Il s'arrêta pour décocher à Ewin un coup d'œil venimeux. « ... comme une dame de haute naissance, termina-t-il dans un soupir.

– Mais qui sont-ils ? » questionna Rand. À part les marchands, une fois l'an pour acheter du tabac et de la laine, et les colporteurs, les étrangers ne s'aventuraient jamais jusqu'aux Deux Rivières, ou pratiquement jamais. Peut-être jusqu'à Taren-au-Bac, mais pas aussi loin au sud. D'autre part, presque tous les marchands et colporteurs venaient depuis des années, ils ne comptaient donc pas comme étrangers. Simplement comme gens d'ailleurs. Il y avait bien cinq ans qu'un véritable étranger n'était apparu au Champ d'Emond, et il arrivait de Baerlon dans l'espoir de se cacher pour échapper à des ennuis que personne au village n'avait compris. Il n'était pas resté longtemps. « Qu'est-ce qu'ils veulent ?

– Ce qu'ils veulent ? s'exclama Mat. Je me moque de ce qu'ils veulent. Des étrangers, Rand, et des étrangers comme tu n'en as jamais imaginé. Réfléchis ! »

Rand ouvrit la bouche et la referma sans proférer un son. Le cavalier au manteau noir l'avait rendu nerveux comme un chat dans un chenil. Cela semblait vraiment une effrayante coïncidence, trois étrangers à la fois dans le village. Trois en comptant le porteur du manteau qui changeait de couleur si ce manteau ne devenait jamais noir.

« Son nom est Moiraine, dit Ewin dans le silence qui s'était momentanément établi. Je l'ai entendu le dire. Moiraine, il l'a appelée. Dame Moiraine. Son nom à lui est Lan. Peut-être qu'elle ne plaît pas à la Sagesse, mais à moi, si.

– Qu'est-ce qui te fait croire que Nynaeve ne l'aime pas ? questionna Rand.

– Elle a demandé son chemin à la Sagesse, ce matin, et elle l'a appelée "mon enfant". » Rand et Mat sifflèrent doucement entre leurs dents et Ewin bafouilla dans sa hâte d'expliquer : « La Dame Moiraine ne savait pas que c'était la Sagesse. Elle s'est excusée quand elle l'a découvert. Et elle a posé des questions sur les herbes et sur qui est qui au Champ d'Emond aussi respectueusement que n'importe quelle femme du village, plus que certaines même. Elle est toujours en train de poser des questions, sur l'âge des gens, sur combien de temps ils ont vécu là où ils habitent, et... oh, je ne sais quoi encore. Bref, Nynaeve a répondu comme si elle avait mordu dans une baie de viorne pas mûre. Puis quand la Dame Moiraine s'est éloignée, Nynaeve l'a suivie des yeux d'un air pas... pas... eh bien, pas amical, je vous le garantis.

– Est-ce tout ? dit Rand. Tu connais le caractère de Nynaeve. Quand Cenn Buie l'a appelée "enfant" l'an dernier, elle lui a asséné un coup de canne sur la tête et pourtant il est du Conseil du Village et par-dessus le marché assez vieux pour être son grand-père. Elle s'emporte pour un rien, mais sa colère ne dure pas une fois qu'elle a tourné les talons.

– Encore trop long en ce qui me concerne, murmura Ewin.

– Peu m'importe sur qui tape Nynaeve » – Mat gloussa – « pourvu que ce ne soit pas sur moi. On va avoir le meilleur Bel Tine de tous les temps. Un ménestrel, une dame de qualité... que demander de plus ? Qui a besoin de feu d'artifice ?

– Un ménestrel ? dit Ewin dont la voix vira à l'aigu.

– Viens, Rand, continua Mat sans tenir compte de leur cadet, on a fini ici. Il faut que tu voies ce gars. »

Il grimpa l'escalier quatre à quatre, et Ewin se précipita derrière lui en criant : « Il y a vraiment un ménestrel, Mat ? Ce n'est pas comme les chiens fantômes, dis ? Ou les grenouilles ? »

Rand prit juste le temps de baisser la mèche de la lampe, puis se hâta à leur suite.

Dans la salle commune, Rowan Hurn et Samel Crawe avaient rejoint les autres devant le feu, si bien que tout le Conseil du Village était là. Bran al'Vere était en train de parler, sa voix normalement forte baissée au point que seul un murmure caverneux dépassait le cercle resserré des sièges. Le Maire soulignait ses paroles en tapant d'un index épais la paume de son autre main et regardait chacun à tour de rôle. Ils hochaient la tête en signe d'accord avec ce qu'il disait, Cenn pourtant davantage à contrecœur que ses collègues.

La façon dont les conseillers étaient quasiment blottis les uns contre les autres était plus révélatrice qu'une enseigne. Quel que fût le sujet de leur conversation, il concernait uniquement le Conseil, du moins pour le moment. Ils n'apprécieraient pas que Rand essaie d'écouter. Il recula à regret. Restait toujours le ménestrel. Et ces étrangers.

Au-dehors, Béla et la charrette étaient parties, emmenées par Hu ou par Tad, les palefreniers de l'auberge. Mat et Ewin se regardaient en chiens de faïence, à quelques pas de la porte de l'auberge, leurs manteaux flottant au vent.

« Pour la dernière fois, dit Mat d'un ton sec, je ne te mène pas en bateau. Maintenant, va-t'en. Rand, veux-tu expliquer à cet imbécile que je dis la vérité pour qu'il me laisse en paix. »

Rassemblant les pans de son manteau, Rand s'avança pour apporter son soutien à Mat, mais les mots moururent sur ses lèvres en même temps que ses cheveux se hérissaient sur sa nuque. On le surveillait de nouveau. Il ne ressentait pas et de loin l'impression causée par le cavalier encapuchonné, mais ce n'était pas agréable non plus, surtout aussi vite après cette rencontre.

Une rapide inspection du Pré lui montra seulement ce qu'il avait déjà vu – des enfants qui jouaient, des gens qui se préparaient pour le Festival et personne qui faisait plus que jeter un coup d'œil dans sa direction. Le Mât du Printemps se dressait seul maintenant, en attente. Les allées et venues et les cris d'enfants emplissaient les rues latérales. Tout était comme cela devait être. Sauf qu'on l'observait.

Puis quelque chose le poussa à se retourner, à lever les yeux. Sur le bord du toit de tuiles de l'auberge était perché un grand corbeau qui oscillait légèrement dans les rafales de vent venues des montagnes. Il avait la tête penchée de côté et un œil rond et noir fixé... sur lui, pensa-t-il. Il avala sa salive et soudain il éprouva un bref et vif élan de colère. « Sale charognard, murmura-t-il.

– Je suis fatigué d'être épié », grommela Mat – et

Rand s'aperçut que son ami s'était rapproché et fronçait lui aussi les sourcils à la vue du corbeau.

Ils échangèrent un coup d'œil et, d'un même mouvement, leurs mains plongèrent vers des cailloux.

Les deux pierres volèrent droit au but... et le corbeau fit un pas de côté ; les cailloux sifflèrent là où il s'était trouvé. Il gonfla ses ailes une fois, puis pencha de nouveau la tête pour les observer d'un œil noir impénétrable, nullement effrayé, sans témoigner en rien que quoi que ce soit s'était produit.

Rand contempla l'oiseau avec consternation. « As-tu jamais vu un corbeau agir de cette façon ? » demanda-t-il à voix basse.

Mat secoua la tête sans quitter le corbeau du regard. « Jamais. Ni aucun autre oiseau non plus.

– Un oiseau détestable, dit une voix de femme derrière eux, mélodieuse malgré des échos de dégoût. À traiter avec méfiance, au mieux. »

Poussant un cri aigu, le corbeau se projeta dans les airs avec une telle violence que deux plumes noires flottèrent en bas du toit.

Saisis, Rand et Mat se tordirent le cou pour suivre le vol rapide de l'oiseau, par-dessus le Pré et vers les Montagnes de la Brume coiffées de nuages dont les hauteurs se profilaient derrière le Bois de l'Ouest, jusqu'à ce qu'il ne fût plus qu'un point à l'ouest, puis disparût.

Le regard de Rand s'abaissa sur la femme qui avait parlé. Elle aussi avait suivi le vol du corbeau, mais maintenant elle se retournait et ses yeux rencontrèrent ceux de Rand. Il ne put que la dévisager avec stupeur. C'était sûrement la Dame Moiraine et elle était tout ce que Mat et Ewin en avaient dit et même davantage.

En apprenant qu'elle avait appelé Nynaeve « enfant », il se l'était figurée vieille, mais ce n'était pas le cas. Du moins ne pouvait-il lui donner d'âge. Tout d'abord, il crut qu'elle était aussi jeune que Nynaeve mais plus il la regardait plus il pensait qu'elle comptait davantage d'années. Il y avait une maturité dans ses grands yeux sombres, une suggestion d'expérience que personne de jeune n'était capable d'atteindre. Pendant un instant, il pensa que ses yeux étaient des nappes d'eau profonde qui allaient l'engloutir. On comprenait bien aussi pourquoi Mat et Ewin l'avaient qualifiée de dame sortie d'un conte de ménestrel. Elle avait un maintien plein de grâce et d'autorité qui faisait qu'il se sentait gauche et mal assuré sur ses jambes. Elle lui parvenait à peine à la poitrine mais possédait une telle présence qu'elle semblait avoir la stature normale alors que lui était gêné par sa grande taille.

L'un dans l'autre, elle ne ressemblait à personne qu'il avait rencontré auparavant. Le large capuchon de sa mante encadrait son visage et sa chevelure sombre qui tombait en boucles légères. Il n'avait jamais vu de femme adulte sans cheveux nattés ; toutes les jeunes filles des Deux Rivières attendaient avec impatience que le Cercle des Femmes du village les déclarent en âge de porter une tresse. Ses vêtements étaient tout aussi bizarres. Sa mante était en velours bleu ciel, avec de complexes broderies d'argent – feuilles, lianes et fleurs courant le long des ourlets. Sa robe luisait faiblement quand elle bougeait, d'un bleu plus foncé que la mante, avec des crevés couleur crème. Un collier de lourds maillons d'or pendait autour de son cou, tandis qu'une autre chaîne d'or, fine, fixée dans ses cheveux, soutenait une petite pierre bleue scintillante au milieu de son front. Une large ceinture en filigrane d'or encerclait sa taille, et elle avait au deuxième doigt de la main gauche un anneau d'or en forme de serpent qui se mord la queue. Rand n'avait certes jamais vu de bague semblable, mais il reconnut le Grand Serpent, symbole d'éternité encore plus ancien que la Roue du Temps.

Plus luxueux que n'importe quel vêtement de fête, l'avait qualifié Ewin, et il avait raison. Personne ne s'habillait comme cela aux Deux Rivières. Jamais.

« Bonjour, Maîtresse... euh... Dame Moiraine », dit Rand. Il rougit de sa maladresse à s'exprimer.

« Bonjour, Dame Moiraine », dit Mat en écho, avec un peu plus d'aisance. Elle sourit et Rand se prit à se demander s'il y avait quelque chose qu'il pourrait faire pour elle, quelque chose qui lui servirait de prétexte pour rester auprès d'elle. Il se rendait bien compte qu'elle leur souriait à tous, mais ce sourire semblait destiné à lui seul. C'était vraiment comme si un conte de ménestrel devenait réalité. Mat arborait un sourire niais.

« Vous savez mon nom ! » s'exclama-t-elle, l'air charmée. Comme si sa présence, si brève fût-elle, ne devait pas être un sujet de conversation dans le village pour une année entière ! « Mais appelez-moi Moiraine, pas Dame. Et quels sont vos noms ? »

Ewin s'avança d'un bond avant qu'un des deux autres retrouve sa langue : « Je m'appelle Ewin Finngar, ma Dame. Je leur ai appris le vôtre ; voila comment ils le connaissent. J'ai entendu Lan le dire, mais je ne commettais pas d'indiscrétion. Personne comme vous n'est jamais venu au Champ d'Emond auparavant. Il y a aussi un ménestrel au village pour Bel Tine. Et ce soir c'est la Nuit de l'Hiver. Voulez-vous venir à la maison ? Ma mère a des gâteaux aux pommes.

– Il faudra que je réfléchisse », répliqua-t-elle en posant la main sur l'épaule d'Ewin. Ses yeux pétillaient d'amusement quoiqu'elle n'en donnât pas d'autre signe. « Je me demande comment je pourrais rivaliser avec un ménestrel, Ewin. Mais vous devez tous m'appeler Moiraine. » Elle regarda Mat et Rand d'un air d'attente.

« Je suis Matrim Cauthon, Da... Moiraine », dit Mat. Il s'inclina dans un salut raide et saccadé, puis s'empourpra en se redressant.

Rand s'était demandé s'il devait saluer de même, selon la coutume des hommes dans les contes mais, après l'exemple de Mat, il se contenta de dire son nom. Du moins cette fois ne bafouilla-t-il pas.

Le regard de Moiraine alla de Rand à Mat, puis revint à lui. Rand songea que son sourire, à peine une courbe au coin des lèvres était à présent du genre de celui d'Egwene quand elle avait un secret. « Il se peut que j'aie quelques petites tâches à exécuter de temps en temps pendant mon séjour au Champ d'Emond, dit-elle. Peut-être voudrez-vous bien m'aider ? » Elle rit comme leurs acquiescements se bousculaient. Elle ajouta : « Tenez » et, à la surprise de Rand elle lui pressa une pièce de monnaie dans la paume, resserrant étroitement sa main autour avec les deux siennes.

« Ce n'est pas nécessaire... », commença-t-il, mais elle écarta du geste ses protestations, tandis qu'elle donnait aussi une pièce à Ewin, puis repliait la main de Mat comme elle l'avait fait pour Rand. Elle répliqua :

« Mais si. On ne peut pas s'attendre à ce que vous travailliez pour rien. Considérez ceci comme un gage et gardez-le avec vous, ainsi vous vous souviendrez que vous êtes tombés d'accord de venir à moi quand je vous le demanderai. Il y a un contrat entre nous maintenant.

– Je ne l'oublierai jamais, lança Ewin de sa voix flûtée.

– Plus tard, il faudra que nous ayons un entretien et vous devrez tout me raconter sur vous, reprit-elle.

– Dame... pardon, Moiraine ? » commença Rand avec hésitation tandis qu'elle se détournait. Elle s'arrêta, regarda par-dessus son épaule et il dut avaler sa salive avant de continuer. « Pourquoi êtes-vous venue au Champ d'Emond ? » Elle ne changea pas d'expression mais il regretta soudain sa question tout en étant incapable de comprendre pourquoi. Néanmoins, il s'expliqua précipitamment : « Je ne voulais pas être impoli. Excusez-moi. C'est simplement que personne ne vient aux Deux Rivières sauf les marchands et les colporteurs, quand la neige n'est pas trop épaisse pour descendre de Baerlon. Presque personne. En tout cas, personne comme vous. Les convoyeurs qui escortent les marchands disent parfois qu'ici c'est un trou perdu au fin fond de l'éternité et je suppose qu'aux yeux d'un étranger cela produit cet effet-là. Je m'interrogeais, voilà tout. »

C'est alors que le sourire de Moiraine s'effaça lentement comme si quelque chose lui revenait à l'esprit. Pendant un instant, elle se contenta de le dévisager. « J'étudie l'histoire, finit-elle par répliquer. Je collectionne les vieux contes. Cet endroit que tu appelles les Deux Rivières m'a toujours intéressée. Parfois j'étudie les récits de ce qui est arrivé ici il y a longtemps, ici et ailleurs.

– Des récits, dit Rand. Qu'a-t-il pu arriver aux Deux Rivières qui puisse intéresser quelqu'un comme... je veux dire, qu'est-ce qui a pu arriver ici ?

– Et comment l'appelleriez-vous sinon les Deux Rivières ? ajouta Mat. On lui a toujours donné ce nom-là.

– À mesure que tourne la Roue du Temps, déclara Moiraine à moitié pour elle-même, le regard lointain, les endroits reçoivent beaucoup de noms. Les hommes prennent bien des noms, bien des visages. Des visages différents mais toujours le même homme. Pourtant personne ne connaît le grand Dessin que tisse la Roue, ou même le dessin d'une Ère. On ne peut que guetter, étudier et espérer. »

Rand la regarda avec stupeur, incapable d'émettre un

son, même pour demander une explication. Il n'était pas sûr qu'elle ait tenu à ce qu'ils l'entendent. Il s'aperçut que les autres étaient comme lui muets d'étonnement. La bouche d'Ewin béait.

Moiraine concentra de nouveau son attention sur eux et tous trois se secouèrent légèrement comme s'ils se réveillaient. « Plus tard, nous discuterons », dit-elle. Aucun d'eux ne proféra un mot. « Plus tard. » Elle se mit en marche vers le Pont-aux-Charrettes, semblant plutôt glisser sur le sol que marcher, sa mante déployée de chaque côté comme des ailes.

Au moment où elle partit, un homme de haute taille que Rand n'avait pas remarqué, se détacha de la façade de l'auberge et la suivit, une main sur la longue garde de son épée. Ses habits étaient d'un gris-vert foncé qui serait devenu invisible dans du feuillage ou de l'ombre et son manteau évoluait d'une teinte de gris à du vert et du brun en bougeant dans le vent. Il semblait presque disparaître par instants, ce manteau, car il se fondait dans ce qui se trouvait alors derrière lui. Ses cheveux étaient longs, grisonnants aux tempes, retenus en arrière de son visage par un étroit bandeau de cuir. Ce visage était tout en plans et en angles comme taillé dans la pierre, hâlé mais sans rides malgré le gris dans ses cheveux. Sa démarche fit irrésistiblement penser Rand à un loup.

En passant devant les trois jeunes gens, il les parcourut du regard, les yeux aussi froids et bleus qu'une aube en plein hiver. C'était comme s'il les avait pesés mentalement, et son expression ne montrait rien de ce que lui avait indiqué la balance. Il pressa le pas jusqu'à ce qu'il eût rattrapé Moiraine, puis ralentit pour rester côte à côte avec elle, se penchant pour lui parler. Rand laissa échapper un souffle qu'il ne s'était pas rendu compte d'avoir retenu.

– C'était Lan », dit Ewin d'une voix rauque, comme si lui aussi avait retenu sa respiration. Ç'avait été ce genre de regard. « Je parie qu'il s'agit d'un Homme Lige.

– Ne sois pas stupide. » Mat rit mais d'un rire qui tremblait « Les Hommes Liges n'existent que dans les contes. D'ailleurs, les Liges ont des épées et une armure couverte d'or et de joyaux, et ils passent la totalité de leur temps au nord dans la Grande Dévastation à lutter contre le mal, les Trollocs et autres du même acabit.

– Ce *pourrait* être un Lige, insista Ewin.

– As-tu vu de l'or et des bijoux sur lui ? questionna Mat, moqueur. Est-ce que nous avons des Trollocs aux Deux Rivières ? Nous avons des moutons. Je me demande ce qui a bien pu arriver ici pour intéresser quelqu'un comme elle.

– Quelque chose a bien pu arriver, répliqua Rand lentement. On raconte que l'auberge est là depuis mille ans et peut-être davantage.

– Mille ans de moutons, rétorqua Mat.

– Un denier d'argent ! s'exclama Ewin. Elle m'a donné tout un denier d'argent. Pense à ce que je pourrai acheter quand le colporteur viendra. »

Rand ouvrit la main pour regarder la pièce qu'elle lui avait remise et, de surprise, faillit la laisser choir. Il ne reconnaissait pas la grosse pièce d'argent avec l'image en relief d'une femme qui tenait en équilibre une unique flamme sur sa paume, mais il avait regardé Bran al'Vere peser les pièces que les marchands apportaient d'une douzaine de pays et il avait une idée de sa valeur. Une telle quantité d'argent permettrait d'acheter un bon cheval n'importe où aux Deux Rivières, et il en resterait encore.

Il regarda Mat et lui vit la même expression abasourdie qu'il savait avoir lui-même. Penchant la main pour que Mat puisse examiner la pièce mais pas Ewin, il leva un sourcil interrogateur. Mat hocha la tête et, pendant une minute, ils se dévisagèrent, ébahis et troublés.

« Quel genre de tâches a-t-elle ? demanda finalement Rand.

– Je ne sais pas, répliqua Mat d'une voix ferme, et ça m'est égal. Je ne dépenserai pas non plus cette pièce. Même quand le colporteur viendra. » Sur quoi il la fourra dans la poche de son vêtement.

Hochant la tête, Rand l'imita. Il ne savait pas trop pourquoi, mais ce qu'avait décidé Mat semblait la chose à faire. Il ne fallait pas dépenser cette pièce. Pas une pièce donnée par elle. Il n'imaginait pas à quel autre usage l'argent pouvait servir, mais...

« Vous estimez que je devrais garder la mienne aussi ? » Une indécision angoissée se lisait sur le visage d'Ewin.

« Pas à moins que tu ne le veuilles, dit Mat.

– Je pense qu'elle te l'a donnée pour la dépenser », ajouta Rand.

Ewin contempla sa pièce, puis secoua la tête et mit la pièce d'argent dans sa poche. « Je vais la garder, conclut-il mélancoliquement.

– Il y a toujours le ménestrel », dit Rand, et leur cadet se rasséréna.

« Si toutefois il se réveille, commenta Mat.

– Rand, demanda Ewin, y a-t-il *vraiment* un ménestrel ?

– Tu verras bien », répondit Rand avec un petit rire. Manifestement, Ewin ne croirait pas au ménestrel tant qu'il n'aurait pas posé les yeux sur lui. « Il faut bien qu'il descende, tôt ou tard. »

Une rumeur parvint de l'autre côté du Pont-aux-Charrettes et quand Rand regarda ce qui en était cause son rire s'épanouit. Une masse fourmillante de villageois, depuis des anciens aux cheveux gris jusqu'à des tout-petits sachant à peine marcher, escortait un haut chariot vers le pont, un énorme chariot tiré par huit chevaux avec des paquets suspendus comme des grappes de raisin à l'extérieur de sa bâche arrondie. Le colporteur était enfin arrivé. Des étrangers et un ménestrel, un feu d'artifice et un colporteur. Ce Bel Tine allait être la plus belle fête de tous les temps.

3.

LE COLPORTEUR

Des marmites attachées en grappe s'entrechoquèrent et résonnèrent bruyamment quand le chariot du colporteur roula sur les épais madriers du Pont-aux-Charrettes. Toujours entouré d'une nuée de villageois et de fermiers venus pour le Festival, le colporteur arrêta ses chevaux devant l'auberge. De toutes les directions, un afflux de gens grossissait les groupes massés autour du vaste chariot aux roues plus grandes que n'importe lequel des assistants dont les yeux ne quittaient pas le colporteur qui les dominait du haut de son siège.

Le conducteur de ce chariot était Padan Fain, bonhomme pâle et maigre aux longs bras et au gros nez crochu. Fain, qui souriait et riait perpétuellement comme à une plaisanterie connue de lui seul, amenait son chariot et son attelage au Champ d'Emond chaque printemps depuis aussi longtemps que Rand se souvenait.

La porte de l'auberge s'ouvrit à la volée juste au moment où l'attelage s'immobilisait dans un cliquetis de harnais, le Conseil du Village apparut avec en tête Maître al'Vere et Tam. Ils s'avançaient posément, même Cenn Buie, au milieu des cris impatients des autres qui réclamaient des épingles ou de la dentelle ou des livres ou une douzaine d'autres choses. À regret, la foule s'écarta pour les laisser avancer au premier rang, se refermant vite derrière eux, sans cesser d'interpeller le colporteur. Plus encore qu'autre chose, les villageois voulaient des nouvelles.

À leurs yeux, les aiguilles, le thé et le reste ne constituaient que la moitié du chargement d'un chariot de colporteur. Tout aussi importants étaient les récits de l'extérieur, les nouvelles du monde d'au-delà des Deux Rivières. Certains colporteurs disaient simplement ce qu'ils savaient, débitant les nouvelles les unes après les autres comme un tas de fatras dont ils se moquaient. À d'autres il fallait soutirer le moindre mot, ils parlaient à regret, de mauvaise grâce. Par contre, Fain bavardait volontiers, quand bien même il se montrait souvent taquin et faisait durer le récit, réalisant une performance qui rivalisait avec celle d'un ménestrel. Il goûtait le plaisir d'être au centre de l'attention, se pavanait comme un coq nain, captant tous les regards. L'idée vint à Rand que Fain pourrait bien ne pas être enchanté de trouver un vrai ménestrel au Champ d'Emond.

Le colporteur prêta exactement la même attention au Conseil qu'aux villageois, c'est-à-dire pratiquement aucune, s'affairant à attacher ses rênes avec minutie. Il inclina la tête, mais son salut ne concernait personne en particulier. Il sourit sans rien dire et eut un geste distrait de la main pour les gens avec qui il était spécialement lié, bien que ses manifestations d'amitié aient toujours été singulièrement distantes, se bornant à de grandes tapes dans le dos sans jamais devenir intimes.

Les réclamations pour qu'il parle devinrent plus bruyantes, mais Fain prenait son temps, s'attardant à de menues besognes autour du siège du conducteur car il attendait que la foule et son expectative atteignent le volume qu'il désirait. Seuls les Conseillers gardaient le silence. Ils conservaient la dignité conforme à leur position, mais les nuages de fumée de plus en plus denses qui s'élevaient de leurs pipes au-dessus de leurs têtes trahissaient leur effort.

Rand et Mat se glissèrent dans la foule, s'approchant au plus près du chariot. Rand se serait arrêté à mi-chemin, mais Mat se faufila dans la presse, tirant Rand à sa suite jusqu'à ce qu'ils soient placés juste derrière les Conseillers.

« J'avais fini par croire que tu allais rester là-bas à ta ferme pendant tout le Festival », cria Perrin Aybara à Rand par-dessus le vacarme.

Avec une tête et demie de moins que Rand, l'apprenti forgeron tout frisé était si trapu qu'il semblait large comme un homme et demi, avec des épaules et des bras assez épais pour rivaliser avec ceux de Maître Luhhan lui-même. Il aurait pu aisément s'ouvrir de force un passage à travers la cohue, mais ce n'était pas sa manière. Il avançait avec précaution, présentant des excuses à des gens qui ne prêtaient qu'à moitié attention à tout ce qui n'était pas le colporteur. Il s'excusait tout de même et s'efforçait de ne bousculer personne en se frayant un chemin dans la foule jusqu'à Rand et Mat.

« Imaginez ça, dit-il quand il les eut finalement rejoints, Bel Tine et un colporteur en même temps. Je parie qu'il y aura vraiment un feu d'artifice. »

Mat rit. « Tu n'en connais pas le quart. »

Perrin l'examina d'un air soupçonneux, puis interrogea Rand du regard.

« C'est vrai », cria Rand qui désigna du geste la masse croissante de gens qui parlaient tous à tue-tête. « Plus tard. Je t'expliquerai plus tard. Plus tard, je te dis ! »

À cet instant, Padan Fain se dressait debout sur le siège du chariot et l'assistance se tut aussitôt. Les derniers mots de Rand résonnèrent dans un silence complet, surprenant le colporteur la bouche ouverte et un bras levé dans un geste théâtral. Tout le monde se retourna pour regarder Rand. Le petit homme osseux perché sur le chariot, qui s'attendait à voir chacun suspendu à ses premières paroles, dévisagea Rand d'un air sévère, inquisiteur.

Rand rougit et il regretta de ne pas avoir la taille d'Ewin pour ne pas se retrouver si nettement en évidence. Ses amis aussi oscillèrent d'un pied sur l'autre, mal à l'aise. C'était seulement l'année précédente que Fain les avait remarqués pour la première fois, les reconnaissant pour des hommes. Fain n'avait habituellement pas de temps à perdre avec quiconque était trop jeune pour acheter beaucoup de ce qu'il avait dans son chariot. Rand espéra n'avoir pas été relégué de nouveau au rang d'enfant aux yeux du colporteur.

Avec un raclement de gorge bruyant et pompeux, Fain tira sur son manteau épais. « Non, pas plus tard », déclara-t-il, levant de nouveau le bras avec majesté. « Je vais vous le dire maintenant. » En parlant, il fit de grands gestes, lançant ses mots sur la foule. « Vous pensez que vous avez eu des ennuis aux Deux Rivières, hein ? Eh bien, le monde entier a des ennuis, de la Grande Dévastation au sud jusqu'à la mer des Tempêtes, de l'océan d'Aryth à l'ouest jusqu'à la région inculte d'Aiel à l'est. Et même au-delà. L'hiver a été plus dur que vous n'en aviez jamais connu, assez froid pour vous geler le sang et faire craquer vos os ? Ahhh ! L'hiver a été dur et rude partout. Dans les régions frontières – les Marches – on appellerait printemps votre hiver. Mais le printemps n'arrive pas, dites-vous. Voyons donc. Les loups ont tué vos moutons ? Peut-être des loups ont-ils attaqué des hommes ? Est-ce que c'est ça ? Bah. Le printemps est en retard partout. Il y a des loups partout, tous affamés de n'importe quelle chair où planter la dent, que ce soit mouton, vache ou homme. Cependant il y a des choses pires que les loups ou l'hiver. Il y en a qui seraient contents de n'avoir que vos petits ennuis. » Il marqua une pause oratoire.

« Que pourrait-il y avoir de pire que des loups qui tuent des moutons et des hommes ? » s'exclama Cenn Buie. D'autres marmonnèrent leur accord.

« Des hommes qui tuent des hommes. » La réponse du colporteur proférée d'une voix solennelle fit naître des murmures choqués qui se multiplièrent quand il continua : « C'est de la guerre que je veux parler. Il y a la guerre au Ghealdan, la guerre et la folie. Les neiges de la forêt de Dhallin sont rougies par le sang des hommes. Les corbeaux et les cris des corbeaux emplissent l'air. Les armées marchent contre le Ghealdan. Les nations, les grandes familles et les grands personnages envoient leurs soldats au combat.

– La guerre ? » La bouche de Maître al'Vere prononçait maladroitement ce mot peu familier. Personne aux Deux Rivières n'avait jamais rien eu à faire avec la guerre. « Pourquoi ont-ils la guerre ? »

Fain arbora un sourire ironique et Rand eut l'impression qu'il se gaussait de l'isolement maintenant les villageois à l'écart du monde, et de leur ignorance. Le colporteur se pencha en avant, comme s'il voulait confier un secret au Maire, mais son murmure était fait pour porter loin et ce fut le cas. « L'étendard du Dragon a été levé et les hommes s'attroupent pour s'y opposer. Et pour le soutenir. »

Un long souffle étranglé jaillit de toutes les gorges en même temps, et Rand frissonna malgré lui.

« Le Dragon ! gémit quelqu'un. Le Ténébreux s'est déchaîné dans le Ghealdan ! »

– Pas le Ténébreux, grommela Haral Luhhan. Le Dragon n'est pas le Ténébreux. Et celui-ci est un faux Dragon de toute façon.

– Écoutons ce qu'a à dire Maître Fain », déclara le Maire, mais personne ne se rassura si facilement. De tous les côtés, les gens s'exclamaient, hommes et femmes criant à qui mieux mieux.

« Tout aussi dangereux que le Ténébreux !

– Le Dragon a brisé le monde, non ?

– C'est lui qui a commencé ! Il a provoqué le Temps de la Folie !

– Vous connaissez les prophéties ! Quand le Dragon renaîtra, vos pires cauchemars vous sembleront vos rêves les plus doux !

– Ce n'est qu'un autre faux Dragon, sûrement.

– Quelle différence ? Rappelez-vous le dernier faux Dragon. Il a commencé une guerre, lui aussi. Des milliers sont morts, pas vrai, Fain ? Il a mis le siège devant Illian.

– C'est une période néfaste ! Personne n'a prétendu être le Dragon Réincarné pendant vingt ans et maintenant il y en a eu trois dans les cinq dernières années. Une période néfaste. Regardez le temps qu'il fait ! »

Rand échangea un regard avec Mat et Perrin. Les yeux de Mat brillaient d'excitation, mais Perrin avait l'air soucieux. Rand se rappelait toutes les histoires qu'il avait entendues sur les hommes qui se prétendaient le Dragon Réincarné, et si tous avaient donné la preuve qu'ils étaient de faux Dragons en mourant ou en disparaissant sans avoir accompli aucune des prophéties, ce qu'ils avaient fait causait suffisamment de mal. Des nations entières déchirées par les batailles, des cités et des bourgs livrés au feu des torches. Les morts tombaient comme feuilles à l'automne, les réfugiés encombraient les routes comme moutons au parc. C'est ce que disaient colporteurs et marchands, et personne doué de bon sens aux Deux Rivières n'en doutait. Le monde finirait, proclamaient certains, quand le vrai Dragon renaîtrait.

« Assez ! ordonna le Maire d'une voix tonnante. Taisez-vous ! Cessez de vous mettre dans tous vos états en vous montant la tête. Laissez Maître Fain nous parler de ce faux Dragon. »

Les gens commencèrent à se calmer, mais Cenn Buie refusa de garder le silence.

« Est-ce que c'est vraiment un faux Dragon ? » demanda aigrement le couvreur.

Maître al'Vere cligna des paupières comme pris de court, puis dit d'un ton sec : « Ne sois pas un vieil imbécile, Cenn ! »

Mais Cenn avait rallumé l'effervescence de la foule.

« Ce ne peut pas être le Dragon réincarné ! Que la Lumière nous aide, ça n'est pas possible !

— Buie, espèce de vieux fou ! Tu tiens à attirer la malchance, hein ?

— Tu vas nommer le Ténébreux, après ça ! Tu es saisi par le Dragon, Cenn Buie ! Tu essaies de nous plonger tous dans le pétrin ! »

Cenn jeta autour de lui un regard de défi, dans une tentative pour intimider l'assistance menaçante, et éleva la voix :

« Je n'ai pas entendu Fain dire que c'était un faux Dragon. Et vous ? Servez-vous de vos yeux ! Où sont les récoltes qui devraient être à hauteur du genou ou mieux ? Pourquoi est-ce encore l'hiver quand le printemps devrait être là depuis un mois ? » Des cris de colère intimèrent à Cenn de tenir sa langue. « Je ne resterai pas silencieux ! Ces propos ne me plaisent pas non plus, mais je ne me cacherai pas la tête sous un panier jusqu'à ce qu'un homme de Taren-au-Bac vienne me couper la gorge. Et je ne veux pas demeurer suspendu au bon plaisir de Fain, pas cette fois. Parle clairement, colporteur. Qu'as-tu appris, eh ? Cet homme est-il un faux Dragon ? »

Si Fain était troublé par les nouvelles qu'il apportait ou l'émotion qu'il avait soulevée, il n'en donnait aucun signe. Il haussa seulement les épaules et posa un doigt osseux le long de son nez. « Quant à cela, voyons, qui peut le dire jusqu'à ce que ce soit fini et bien fini ? » Il marqua une pause avec un de ses sourires secrets, parcourant des yeux la foule, comme s'il imaginait comment les gens réagiraient et jugeait cela drôle. « Ce dont je suis sûr, déclara-t-il avec un détachement forcé, c'est qu'il peut maîtriser le Pouvoir Unique. Les autres en étaient incapables. Par contre, lui sait le canaliser. Le sol s'ouvre sous les pas de ses ennemis et les remparts tombent en poussière à l'ordre qu'il lance. L'éclair vient quand il l'appelle et frappe où il le dirige. Voilà ce que j'ai appris, et d'hommes en qui j'ai confiance. »

Un silence de stupeur s'établit. Rand regarda ses amis. Perrin semblait voir des choses qui ne lui plaisaient pas, mais Mat avait toujours l'air surexcité.

Tam, le visage seulement un peu moins serein que d'ordinaire attira le Maire près de lui, mais il n'eut pas le temps d'ouvrir la bouche qu'Ewin Finngar s'exclamait : « Il va devenir fou et mourir ! Dans les contes, les hommes qui maîtrisent le Pouvoir deviennent tous fous, puis dépérissent et meurent. Seules les femmes peuvent le canaliser. Il ne le sait donc pas ? »

Il esquiva une calotte de Maître Buie.

« Ça suffit comme ça, gamin. » Cenn agita un poing noueux sous le nez d'Ewin. « Montre le respect qui convient et laisse tes aînés s'occuper de ça. Va-t'en !

– Du calme, Cenn, lui remontra Tam. Le garçon est simplement curieux. Pas besoin de faire cette sortie ridicule.

– Conduis-toi en homme de ton âge, ajouta Bran, et pour une fois souviens-toi que tu es membre du Conseil. »

Le visage ridé de Cenn s'empourpra davantage à chaque mot de Tam et du Maire jusqu'à en devenir violet. « Vous savez de quel genre de femmes il parle. Cessez de me regarder de travers, Luhhan et toi aussi Crawe. Nous sommes un village convenable de gens convenables et c'est déjà assez mauvais d'avoir ici Fain qui parle de faux Dragon usant du Pouvoir sans que cet idiot de gamin possédé du Dragon y ajoute les Aes Sedai. Il y a des choses dont on ne devrait même pas parler, et ça ne me plaît pas que vous laissiez ce fou de ménestrel raconter toutes les histoires qu'il veut. Ce n'est ni juste ni convenable.

– Je n'ai jamais vu, entendu ou senti rien dont on ne puisse parler », répliqua Tam, mais Fain n'en avait pas fini :

« Les Aes Sedai s'en mêlent déjà, proclama le colporteur. Une troupe d'entre elles a quitté à cheval Tar Valon en direction du sud. Puisqu'il sait exercer le Pouvoir, seules les Aes Sedai peuvent le vaincre, quelque bataille que l'on engage, ou traiter avec lui quand il sera vaincu. S'il est vaincu. »

Quelqu'un dans la foule gémit tout haut et même Tam et Bran échangèrent des regards inquiets. Des villageois se regroupèrent les uns contre les autres et certains serrèrent leurs manteaux autour d'eux, quoique le vent eût effectivement faibli.

« Bien sûr qu'il sera battu, s'écria quelqu'un.

– Ils sont toujours vaincus à la fin, les faux Dragons.

– Il doit être vaincu, non ?

– Et s'il ne l'est pas ? »

Tam avait enfin réussi à parler tout bas à l'oreille du Maire et Bran, hochant la tête de temps à autre et sans s'occuper du brouhaha autour d'eux, attendit qu'il eût terminé avant d'élever la voix à son tour.

« Écoutez, vous tous. Taisez-vous et écoutez ! » Le tumulte diminua de nouveau jusqu'au murmure. « Ceci dépasse de simples nouvelles de l'extérieur. Il faut que nous en discutions au Conseil du Village. Maître Fain, si vous voulez bien nous rejoindre à l'intérieur de l'auberge, nous avons des questions à poser.

– Une bonne chope de vin chaud épicé ne me ferait pas de mal juste à présent », répliqua le colporteur. Il sauta à bas du chariot, s'essuya les mains sur sa cotte et ajusta joyeusement son manteau. « Voulez-vous vous occuper de mes chevaux, s'il vous plaît ?

– Je veux entendre ce qu'il a à dire ! » Plus d'une voix s'élevait pour clamer cette protestation.

« Vous ne pouvez pas l'emmener ! Ma femme m'a envoyé acheter des épingles ! » C'était Wit Congar ; il enfonça la tête entre ses épaules devant les regards mécontents que lui lançaient certains des autres, mais il tint bon.

« Nous avons le droit de poser des questions, nous aussi, cria quelqu'un au milieu de la foule. Je...

– Taisez-vous ! rugit le Maire, provoquant un silence de saisissement. Quand le Conseil aura posé ses questions, Maître Fain reviendra vous raconter toutes ses nouvelles. Et vous vendre ses pots et ses épingles. Hu ! Tad ! Emmenez les chevaux de Maître Fain à l'écurie. »

Tam et Bran se placèrent de chaque côté du colporteur, le reste des Conseillers se rassemblèrent derrière eux et tout le groupe entra rapidement dans l'*Auberge de la Source du Vin*, refermant d'un geste ferme la porte au nez de la foule de ceux qui tentaient de les suivre. Marteler le battant n'eut d'autre effet qu'un seul cri du Maire :

« Rentrez chez vous ! »

Les gens tournèrent en rond devant l'auberge, se

demandant à voix basse ce qu'avait dit le colporteur, ce que cela signifiait, quelles questions posaient les Conseillers, pourquoi ils seraient autorisés à écouter et à poser leurs questions. D'aucuns risquèrent un coup d'œil par les fenêtres de façade de l'auberge et quelques-uns interrogèrent même Hu et Tad, bien que ce qu'ils étaient censés savoir fût loin d'être évident. Les deux flegmatiques garçons d'écurie se contentèrent de répliquer par un grognement et continuèrent à déboucler méthodiquement les harnais de l'attelage. Ils emmenèrent un par un les chevaux de Fain et, quand le dernier fut parti, ils ne revinrent pas.

Rand se désintéressa de la foule. Il s'assit au bord des vieilles fondations de pierre, se drapa dans son manteau et contempla fixement la porte de l'auberge. Le Gheal-dan. Tar Valon. Ces noms mêmes étaient étranges et excitants. C'étaient des endroits qu'il connaissait seulement par les nouvelles qu'apportaient les colporteurs et les histoires racontées par les convoyeurs des marchands. Les Aes Sedai, les guerres, les faux Dragons : voilà la substance des contes narrés tard le soir devant l'âtre, avec une seule chandelle projetant d'étranges ombres sur le mur et le vent hurlant contre les volets. À tout prendre, il se dit qu'il aimerait mieux le blizzard et les loups. Pourtant, ce devait être différent là-bas, au-delà des Deux Rivières, comme de vivre dans un récit de ménestrel. Une aventure. Une longue aventure. Toute une vie d'aventure.

Les villageois se dispersèrent lentement, encore avec des murmures et des hochements de tête. Wit Congar s'arrêta pour examiner longuement l'intérieur du chariot maintenant abandonné comme s'il pensait y trouver caché un autre colporteur. Finalement, ne resta plus qu'une poignée parmi les plus jeunes. Mat et Perrin s'avancèrent nonchalamment jusqu'à l'endroit où Rand était assis.

« Je ne vois pas comment le ménestrel pourrait faire mieux, commenta Mat, tout excité. Je me demande si nous aurions une chance de voir ce faux Dragon ? »

Perrin secoua sa tête ébouriffée. « Je n'ai pas envie de le voir. Ailleurs, peut-être, mais pas aux Deux Rivières. Pas si cela implique la guerre.

– Pas si cela implique la présence d'Aes Sedai non plus, ajouta Rand. Ou as-tu oublié ce qui a causé la

Destruction ? Il se peut que le Dragon ait commencé, mais en fait ce sont les Aes Sedai qui ont dévasté le monde.

– Un jour, j'ai entendu une histoire, répliqua lentement Mat, racontée par le convoyeur d'un marchand de laine. Il disait que le Dragon se réincarnerait aux heures les plus difficiles de l'humanité pour nous sauver tous.

– Eh bien, c'était un imbécile s'il croyait cela, rétorqua Perrin avec autorité. Et tu étais un imbécile de l'écouter. » Il n'avait pas l'air en colère. Il n'était pas prompt à s'irriter, mais il était parfois exaspéré par l'imagination en perpétuelle ébullition de Mat, et il y avait une nuance de cette exaspération dans sa voix. « Je suppose qu'il a prétendu aussi que nous allions tous vivre dans une nouvelle Ère de Légendes après cela.

– Je n'ai pas dit que j'y croyais, protesta Mat. Je l'ai seulement entendu le dire. Nynaeve aussi et j'ai cru qu'elle allait nous écorcher vif, le convoyeur et moi. Il a raconté – le convoyeur – qu'une quantité de gens y croient mais qu'ils ont peur de l'avouer, peur des Aes Sedai ou des Enfants de la Lumière. Il n'a pas voulu en dire davantage après la semonce de Nynaeve. Elle en a parlé au marchand et il a répondu que ce serait le dernier voyage du convoyeur avec lui.

– Une bonne chose aussi, conclut Perrin. Le Dragon, nous sauver ? Ça m'a l'air d'histoires de Coplin.

– Quel genre de malheur serait assez grave pour vouloir que le Dragon nous en sauve ? demanda Rand d'un ton rêveur. Autant appeler au secours le Ténébreux.

– Il ne l'a pas précisé, répliqua Mat, mal à l'aise. Et il n'a pas parlé d'une nouvelle Ère de Légendes. Il a dit que le monde serait déchiré par la venue du Dragon.

– Voilà qui nous sauverait sûrement, commenta Perrin, sarcastique. Une autre Destruction.

– Que je brûle tout vif ! grommela Mat. Je vous explique seulement ce que le convoyeur m'a raconté. »

Perrin secoua la tête. « J'espère seulement que les Aes Sedai et ce Dragon faux ou non resteront où ils sont. Peut-être qu'ainsi les Deux Rivières seront épargnées.

– Tu crois qu'elles sont vraiment des amies du Ténébreux ? » Mat avait l'air sombre et pensif.

« Qui ? questionna Rand.

– Les Aes Sedai. »

Rand lança un coup d'œil à Perrin qui haussa les épaules. « Les contes... » commença-t-il lentement, mais Mat l'interrompit :

« Ce ne sont pas tous les contes qui affirment qu'elles servent le Ténébreux, Rand.

– Par la Lumière, Mat, riposta Rand, elles sont cause de la Destruction. Que veux-tu de plus ?

– Admettons », soupira Mat, mais la minute d'après il souriait de nouveau. « Le vieux Bili Congar prétend qu'elles n'existent pas. Les Aes Sedai. Les Amies du Ténébreux. Prétend que ce n'est que des racontars. Qu'il ne croit pas au Ténébreux non plus. »

Perrin renifla. « C'est du discours Coplin tenu par un Congar. Qu'est-ce que tu peux en attendre d'autre ?

– Le vieux Bili a prononcé le nom du Ténébreux. Je parie que tu ne le savais pas.

– Par la Lumière ! » laissa échapper Rand dans un souffle.

Le sourire de Mat s'élargit. « C'était au printemps dernier, juste avant que l'agrotis des moissons ne s'attaque à ses champs et dans ceux de personne d'autre. Juste avant que tout le monde chez lui ne tombe malade de la fièvre de l'œil jaune. Je l'ai entendu. Il dit toujours qu'il n'y croit pas mais maintenant, chaque fois que je lui demande de nommer le Ténébreux, il me lance quelque chose à la tête.

– C'est bien de toi d'être assez stupide pour faire ça, hein, Matrim Cauthon ? » Nynaeve al'Meara entra dans leur conversation, la natte sombre passée par-dessus son épaule quasi hérissée de colère. Rand se leva précipitamment. Gracile et dépassant à peine l'épaule de Mat, à ce moment la Sagesse paraissait plus grande qu'aucun d'entre eux, et qu'elle fût jeune et jolie n'avait pas d'importance. « Je m'étais doutée de quelque chose de ce genre de la part de Bili Congar à l'époque, mais je pensais que toi au moins tu aurais suffisamment de bon sens pour ne pas essayer de l'inciter à recommencer. Tu es peut-être assez âgé pour te marier, Matrim Cauthon, mais, en vérité, tu devrais encore être accroché aux cordons de tablier de ta mère. Aussi bien, la prochaine fois, tu évoqueras toi-même le nom du Ténébreux.

– Non, Sagesse, protesta Mat avec l'air d'avoir envie de se trouver n'importe où ailleurs que là. C'était le vieux Bili... je veux dire Maître Congar, pas moi ! Cendres et sang, je...

– Gare à ta langue, Matrim ! »

Rand se redressa un peu plus, bien que le regard irrité de la Sagesse ne se fût pas posé sur lui. Perrin semblait lui aussi tout penaud. Plus tard, l'un ou l'autre d'entre eux se plaindrait presque certainement d'avoir été tancé par une femme guère plus âgée qu'eux – il y avait immanquablement quelqu'un qui récriminait après une des semonces de Nynaeve, encore que jamais à portée de ses oreilles, mais l'écart entre les âges semblait toujours plus que largement suffisant quand on était en face d'elle. Surtout si elle était en colère. Le bâton qu'elle tenait à la main était épais à un bout et fin comme une badine à l'autre, et elle était capable d'en donner un coup cinglant à quiconque elle pensait en train de se conduire bêtement – sur la tête, les mains ou les jambes – sans considération de l'âge ou de la situation.

La Sagesse retenait tellement son attention que Rand ne s'aperçut pas immédiatement qu'elle n'était pas seule. Quand il comprit son erreur, il se prit à songer à s'en aller, sans se soucier de ce que pourrait dire ou faire Nynaeve par la suite.

Egwene se tenait à quelques pas derrière la Sagesse, le regard attentif. De la même taille que Nynaeve, avec le même teint sombre, elle aurait pu, en cet instant, être le reflet de l'humeur de Nynaeve, les bras croisés sous les seins, la bouche serrée par la désapprobation. La capuche de sa souple mante grise ombrageait son visage et ses grands yeux bruns n'avaient pas l'air rieur à ce moment.

Existerait-il une justice, songea Rand, avoir deux ans de plus qu'Egwene devrait lui donner un avantage, mais ce n'était pas le cas. Dans les meilleures des circonstances, il n'avait jamais la langue très déliée en parlant à une jeune fille du village, pas comme Perrin, mais chaque fois qu'Egwene le dévisageait avec cette fixité, les yeux ouverts au maximum, comme si elle lui accordait la moindre parcelle de son attention, il se sentait incapable de diriger ses mots comme il le voulait. Peut-être arriverait-il à s'esquiver dès que Nynaeve aurait fini. Pourtant, il savait qu'il ne le ferait pas, quand bien même il ne comprenait pas pourquoi.

« Si tu cessais d'écarquiller les yeux comme un agneau qui a pris un coup de lune, Rand al'Thor, reprit

Nynaeve, peut-être m'expliqueras-tu pourquoi vous parlez de quelque chose que même vous autres trois grands veaux devriez avoir assez de bon sens pour ne pas mentionner. »

Rand sursauta et détacha son regard d'Egwene ; elle avait arboré un sourire déconcertant quand la Sagesse avait commencé ses remontrances. Le ton de Nynaeve était caustique, mais elle aussi avait une esquisse de sourire entendu sur le visage... jusqu'à ce que Mat éclate de rire. Le sourire de la Sagesse s'évanouit et le regard qu'elle lança à Mat coupa son rire qui s'étrangla en un coassement.

« Eh bien, Rand » ? dit Nynaeve.

Du coin de l'œil, il s'aperçut qu'Egwene souriait encore. *Qu'est-ce qu'elle trouve de si drôle ?* « Il était assez naturel d'en parler, Sagesse, répondit-il hâtivement. Le colporteur – Padan Fain... heu... Maître Fain – a apporté la nouvelle d'un faux Dragon dans le Ghealdan, d'une guerre et des Aes Sedai. Le Conseil a jugé cela assez important pour s'en entretenir avec lui. De quoi d'autre parlerions-nous ? »

Nynaeve secoua la tête. « Alors voilà pourquoi le chariot du colporteur est resté à l'abandon. J'ai entendu les gens se précipiter à sa rencontre, mais je ne pouvais quitter Maîtresse Ayellin avant que sa fièvre tombe. Les Membres du Conseil questionnent le colporteur sur ce qui se passe dans le Ghealdan, hein ? Tels que je les connais, ils vont poser toutes les mauvaises questions et aucune des bonnes. Il faudra le Cercle des Femmes pour découvrir quelque chose d'utile. » Elle ajusta fermement sa cape sur ses épaules, puis disparut dans l'auberge.

Egwene ne suivit pas la Sagesse. Quand la porte se fut refermée sur Nynaeve, la jeune fille vint se planter en face de Rand. Son air réprobateur avait disparu, néanmoins son regard fixe le mettait mal à l'aise. Il jeta un coup d'œil du côté de ses amis, mais ils s'éloignèrent et ils souriaient d'une oreille à l'autre en l'abandonnant.

« Tu ne devrais pas laisser Mat t'entraîner dans ses sottises, Rand », déclara Egwene, aussi solennelle que la Sagesse elle-même, puis brusquement elle gloussa. « Je ne t'ai pas vu cet air-là depuis que Cenn Buie t'a surpris avec Mat dans ses pommiers quand tu avais dix ans. »

Il passa d'un pied sur l'autre et lança un coup d'œil

vers ses amis. Ils ne se tenaient pas loin, Mat gesticulant avec exubérance tout en parlant.

« Veux-tu danser avec moi demain ? » Ce n'est pas ce qu'il avait eu l'intention de dire. Il avait vraiment envie de danser avec elle mais, en même temps, il n'y avait rien qu'il désirât aussi peu que la gêne qu'il était sûr d'éprouver en sa compagnie. Comme ce qu'il ressentait à ce moment précis.

Les coins de la bouche d'Egwene se retroussèrent en un petit sourire. « Dans l'après-midi, répliqua-t-elle. Le matin, je serai occupée. »

Du groupe des autres s'éleva l'exclamation de Perrin : « Un ménestrel ! »

Egwene se tourna vers eux, mais Rand lui posa la main sur le bras. « Occupée ? À quoi ? »

Malgré le froid, elle repoussa la capuche de sa mante et, d'un geste apparemment désinvolte, elle ramena ses cheveux en avant par-dessus son épaule. La dernière fois qu'il l'avait vue, ses cheveux tombaient en vagues sombres au-dessous de ses épaules avec uniquement un ruban rouge qui les retenait loin de son visage. À présent, ils étaient nattés en une large tresse.

Il contempla cette tresse comme si c'était une vipère, puis regarda à la dérobée le Mât du Printemps dressé sur le Pré, seul à présent, prêt pour le lendemain. Au matin, les femmes célibataires d'âge nubile danseraient autour du Mât. Il avala péniblement sa salive. Il ne savait pas pourquoi, mais il ne s'était jamais avisé qu'elle atteindrait l'âge du mariage en même temps que lui.

« Qu'on soit simplement assez vieux pour se marier ne signifie pas qu'on y est obligé, murmura-t-il. Pas tout de suite.

– Bien sûr que non. Ou jamais, d'ailleurs. »

Les paupières de Rand clignèrent. « Jamais ?

– Une Sagesse ne se marie presque jamais. Nynaeve m'a prise comme élève, tu sais. Elle dit que j'ai un don, que je peux apprendre à écouter le vent. Nynaeve dit que ce n'est pas toutes les Sagesses qui le peuvent, même si elles le prétendent.

– Une Sagesse ! » s'exclama-t-il, moqueur. Il ne remarqua pas l'éclat menaçant dans les yeux d'Egwene. « Nynaeve sera Sagesse ici pendant cinquante ans encore au moins. Davantage, probablement. Veux-tu passer le reste de ton existence à être son apprentie ?

– Il y a d'autres villages, répliqua-t-elle avec feu. Nynaeve dit que les villages au nord de la Taren choisissent toujours une Sagesse originaire d'ailleurs. Ils estiment que cela évite qu'elle ait des favoris parmi les gens du pays.

L'amusement de Rand se dissipa aussi vite qu'il était né. « Ailleurs qu'aux Deux Rivières ? Je ne te reverrai jamais.

– Et tu n'aimerais pas ça ? Tu n'as témoigné en rien ces derniers temps que cela te ferait quelque chose.

– Personne ne quitte jamais les Deux Rivières, continua-t-il. Peut-être quelqu'un de Taren-au-Bac, mais ils sont tous bizarres là-bas, de toute façon. Ils ne ressemblent absolument pas à nous des Deux Rivières. »

Egwene poussa un soupir d'exaspération. « Eh bien, peut-être que je suis bizarre, moi aussi. Peut-être que j'ai envie de voir les endroits dont j'entends parler dans les contes. As-tu jamais pensé à ça ?

– Bien sûr que si. Je rêve tout éveillé quelquefois, mais je connais la différence entre les rêveries et la réalité.

– Et moi non ? » fusa la riposte furieuse de la jeune fille qui lui tourna le dos aussitôt.

« Ce n'est pas ce que je voulais dire. Je parlais de moi. Egwene ? »

Elle ramena son manteau autour d'elle avec brusquerie, comme un mur pour l'exclure et s'éloigna de quelques pas d'une démarche raide. Il se frotta la tête dans un élan de frustration. Comment lui expliquer ? Ce n'était pas la première fois qu'elle extirpait de ses paroles un sens qui n'avait aucun rapport avec ce qu'il avait en tête. Dans l'humeur où elle était à présent, une maladresse ne ferait qu'aggraver les choses et il était quasiment certain que presque tout ce qu'il dirait serait mal interprété.

Mat et Perrin revinrent à ce moment. Egwene feignit de ne pas les voir. Ils la regardèrent en hésitant, puis se rapprochèrent de Rand.

« Moiraine a donné aussi une pièce à Perrin, annonça Mat. Exactement comme la nôtre. » Il marqua un temps avant d'ajouter : « Et il a vu le cavalier.

– Où ? demanda Rand. Quand ? Quelqu'un d'autre l'a-t-il vu ? En avez-vous parlé à quelqu'un ? »

Perrin leva de larges mains dans un geste intimant

d'y aller moins vite. « Une question à la fois. Je l'ai vu hier à la lisière du village qui observait la forge juste au crépuscule. Il m'a donné le frisson, vraiment. J'ai averti Maître Luhhan, seulement il n'y avait personne quand il a regardé. Il a dit que je voyais des ombres. Mais il a gardé à portée de sa main son plus grand marteau pendant que nous couvrions le feu de la forge et que nous rangions les outils. Il n'a jamais fait cela auparavant.

– Donc il t'a cru », dit Rand, mais Perrin haussa les épaules.

« Je ne sais pas. Je lui ai demandé pourquoi il transportait ce marteau si je n'avais vu que des ombres, et il a répondu vaguement que des loups s'enhardissaient jusqu'à venir dans le village. Peut-être pensait-il que c'est ce que j'avais vu, mais il devrait savoir que je suis capable de distinguer un loup d'un homme à cheval, même au crépuscule. Je suis sûr de ce que j'ai vu et personne ne me convaincra d'autre chose.

– Je te crois, répliqua Rand. Rappelle-toi, je l'ai vu aussi. » Perrin émit un grognement satisfait comme s'il n'en avait pas été certain.

« De quoi parlez-vous donc ? » demanda tout à coup Egwene.

Rand regretta soudain de ne pas avoir parlé plus bas. Il l'aurait fait s'il s'était rendu compte qu'elle écoutait. Mat et Perrin, souriant d'une oreille à l'autre comme des idiots, lui racontèrent à qui mieux mieux leur rencontre avec le cavalier noir, mais Rand garda le silence. Il était sûr de ce qu'elle dirait quand ils auraient terminé.

« Nynaeve avait raison », déclara Egwene en levant les yeux au ciel quand les deux garçons se turent. « Aucun de vous n'est encore prêt à marcher sans qu'on le tienne en lisières. Les gens montent à cheval, vous savez. Et ça n'en fait pas des monstres sortis d'un conte de ménestrel. » Rand hocha la tête à part soi ; il avait vu juste. Elle s'en prit à lui : « Et toi, tu as colporté ces histoires. Parfois, tu n'as aucun bon sens, Rand al'Thor. L'hiver a été assez effrayant sans que tu te mettes à épouvanter les enfants. »

Rand eut un rictus amer. « Je n'ai rien colporté, Egwene. Mais j'ai vu ce que j'ai vu et ce n'était pas un fermier cherchant une vache égarée. »

Egwene respira à fond et ouvrit la bouche, mais ce qu'elle était sur le point de dire fut oublié, car la porte de l'auberge s'ouvrait et un homme aux cheveux blancs en broussaille sortit précipitamment comme s'il était poursuivi.

4.

LE MÉNESTREL

La porte de l'auberge claqua derrière l'homme chenu, et il pivota sur ses talons pour lui jeter un coup d'œil furieux. Maigre, il aurait été grand s'il n'avait pas eu le dos voûté, mais il se mouvait avec une vivacité qui démentait son âge apparent. Son manteau semblait composé d'une masse de pièces et de morceaux, de formes et dimensions bizarres, voltigeant au moindre souffle d'air, des morceaux de cent couleurs. Ce manteau était en réalité très épais, malgré ce qu'avait dit Maître al'Vere, les pièces étant simplement cousues dessus en guise d'ornement.

« Le ménestrel ! » murmura Egwene avec excitation.

L'homme aux cheveux blancs se retourna, son manteau se déployant derrière lui. Sa longue cotte avait de drôles de manches très amples et de grandes poches. Des moustaches épaisses, aussi neigeuses que ses cheveux, frémissaient autour de sa bouche, et son visage était buriné comme un arbre qui a vécu de durs moments. Il fit un geste impérieux à l'adresse de Rand et de ses compagnons avec une pipe à long tuyau, surchargée de ciselures, d'où s'échappait un ruban de fumée. Des yeux bleus scrutant tout ce sur quoi ils se fixaient s'abritaient sous des sourcils blancs touffus.

Rand regarda avec stupeur les yeux de l'homme presque autant que le reste de sa personne. Tout le monde, aux Deux Rivières, avait les yeux noirs, ainsi que la plupart des marchands, leurs convoyeurs et tous ceux qu'il avait vus dans sa vie. Les Congar et les Coplin s'étaient gaussés de lui à cause de ses yeux gris, jusqu'au jour où il avait fini par décocher à Ewal Coplin un coup de poing sur le nez ; la Sagesse évidemment lui avait passé un savon à la suite de ça. Il se demanda s'il existait un endroit où personne n'avait les yeux noirs. *Peut-être Lan en vient-il lui aussi.*

« Qu'est-ce que c'est que ce patelin ? » s'exclama le ménestrel d'une voix de basse qui résonnait en quelque sorte davantage que celle d'un homme ordinaire. Même en plein air, elle semblait emplir une grande salle et être répercutée par des murs. « Les manants de ce village sur la colline me racontent que je peux arriver ici avant la nuit et négligent de m'avertir que c'est seulement si je partais bien avant midi. Et quand finalement j'arrive glacé jusqu'aux os et prêt pour un lit bien chaud, votre aubergiste ronchonne à cause de l'heure comme si j'étais un porcher transhumant et que votre Conseil de Village ne m'avait pas prié instamment d'exercer mon art à votre festival. Et il ne m'a même jamais informé qu'il était le Maire. » Il s'arrêta pour reprendre haleine, les embrassant d'un coup d'œil irrité, mais poursuivit aussitôt après : « Quand je suis descendu pour fumer ma pipe devant le feu et boire une chope de bière, tout un chacun dans la salle commune me regarde de travers, comme si j'étais le moins aimé de ses beaux-frères venu lui emprunter de l'argent. Un vieux grand-père se met à me tancer au sujet des histoires que je devrais ou ne devrais pas raconter, puis une gamine me crie de sortir et me menace d'un grand gourdin parce que je ne me remue pas assez vite à son gré. Qui a jamais entendu parler de traiter un ménestrel de cette façon ? »

Le visage d'Egwene était à peindre, écartelée qu'elle était entre l'étonnement ravi qui lui faisait écarquiller les yeux à la vue d'un ménestrel en chair et en os et son désir de défendre Nynaeve.

« Je vous demande pardon, Maître Ménestrel, dit Rand qui savait que sa propre bouche se fendait ridiculement dans un sourire d'une oreille à l'autre, c'était notre Sagesse et...

– Ce joli petit brin de fille ? s'exclama le ménestrel. Une Sagesse de village ? Eh bien, à son âge, mieux vaudrait qu'elle se laisse conter fleurette par les jeunes gens plutôt que de prédire le temps et de guérir les malades. »

Rand oscilla d'un pied sur l'autre, gêné. Il espérait

que Nynaeve ne serait jamais mise au courant du jugement du ménestrel. Du moins pas avant qu'il ait donné
sa représentation. Perrin avait tiqué aux paroles du
ménestrel et Mat siffla silencieusement comme si tous
deux avaient eu la même pensée.

« Ces hommes étaient les Conseillers du Village,
continua Rand. Je suis sûr qu'ils n'avaient pas l'intention
d'être discourtois. Voyez-vous, nous venons d'apprendre
qu'il y a la guerre dans le Ghealdan et qu'un homme prétend être le Dragon réincarné. Un faux Dragon. Les Aês
Sedai sont parties à cheval de Tar Valon pour aller là-
bas. Le Conseil essaie de déterminer si nous risquons
d'être en danger

– Vieilles nouvelles, même à Baerlon, répliqua le
ménestrel avec dédain, et c'est le dernier endroit au
monde où apprendre quelque chose. » Il marqua une
pause pour examiner le village et ajouta d'un ton sarcastique : « Presque le dernier. » Puis son regard tomba sur
le chariot devant l'auberge, sans personne autour maintenant, les brancards appuyés sur le sol. « Ah ! Je pensais bien avoir reconnu Padan Fain là-dedans. » Sa voix
était encore grave, mais la résonance avait disparu, rem-
placée par du mépris. « Fain a toujours été quelqu'un à
propager rapidement les mauvaises nouvelles, et pires
elles sont plus vite il s'en charge. Il y a plus du corbeau
que de l'homme en lui.

– Maître Fain est venu souvent au Champ d'Emond,
Maître Ménestrel, dit Egwene, un soupçon de désapprobation perçant finalement sous son ravissement. Il est
toujours gai et il apporte beaucoup plus de bonnes nouvelles que de mauvaises. »

Le ménestrel la contempla un moment, puis sourit
largement. « Allons, tu es une jeune fille charmante. Tu
devrais avoir des boutons de rose dans les cheveux.
Malheureusement, je ne peux pas faire apparaître des
roses du néant, pas cette année, mais que dirais-tu de te
tenir à côté de moi demain pendant une partie de ma
représentation ? Pour me tendre ma flûte quand j'en
aurai besoin ou certains autres accessoires. Je choisis
toujours la jeune fille la plus jolie que je peux trouver
pour être mon assistante. »

Perrin rit sous cape et Mat, qui ricanait déjà à la
muette, explosa tout haut. Rand cligna des yeux de surprise ; Egwene le regardait d'un air furieux et il n'avait

même pas souri. Elle se redressa de toute sa taille et répondit d'une voix au calme forcé.

« Merci, Maître Ménestrel. Je serais heureuse de vous assister.

– Thom Merrilin », dit le ménestrel. Ils restèrent interdits. « Mon nom est Thom Merrilin, pas Maître Ménestrel. » Il remonta le manteau multicolore sur ses épaules et, soudain, sa voix sembla encore une fois résonner entre les murs d'une vaste salle. « Jadis Barde de la Cour, j'ai maintenant accédé au rang élevé de Maître Ménestrel, cependant mon nom est Thom Merrilin tout court ; et ménestrel est le simple titre dont je tire gloire. » Et il exécuta un salut si complexe avec envol de cape que Mat applaudit et qu'Egwene émit un murmure d'admiration.

« Maître... euh... Maître Merrilin », demanda Mat, ne sachant pas trop quel titre choisir dans ce qu'avait dit Thom Merrilin, qu'est-ce qui se passe dans le Ghealdan ? Savez-vous quelque chose au sujet de ce faux Dragon ? Et des Aes Sedai ?

– Ai-je l'air d'un colporteur, mon garçon ? » grommela le ménestrel en tapotant sa pipe sur le talon de sa paume. Il escamota la pipe quelque part à l'intérieur de sa cape ou de sa cotte ; Rand ne comprit pas bien où ni comment. « Je suis ménestrel, pas colporteur de nouvelles. Et je m'attache à ne jamais rien savoir des Aes Sedai. C'est beaucoup plus sûr.

– Mais la guerre... » commença Mat avec ardeur pour se voir interrompre tout net par Maître Merrilin.

« Dans les guerres, mon garçon, des idiots tuent d'autres imbéciles pour des raisons stupides. On n'a pas besoin d'en savoir davantage. » Soudain il pointa le doigt vers Rand. « Toi, mon garçon. Tu es grand. Tu n'as pas encore fini ta croissance, mais je doute qu'il y en ait un autre de ta taille dans la région. Et pas beaucoup dans le village avec des yeux de cette couleur, non plus, je parie. La question est que tu es large des épaules comme un manche de hache, et aussi grand qu'un Aiel. Quel est ton nom, mon garçon ? »

Rand le lui dit en hésitant, ne sachant pas trop si le ménestrel ne se moquait pas de lui, mais celui-ci avait déjà reporté son attention sur Perrin. « Et toi, tu as presque la taille d'un Ogier. Pas loin. Comment t'appelle-t-on ?

– Il faudrait alors au moins me percher sur mes propres épaules. » Perrin rit. « Je crains que Rand et moi ne soyons que des gens ordinaires, Maître Merrilin, pas des créatures imaginaires sorties de vos contes. Je suis Perrin Aybara. »

Thom Merrilin tira sur un côté de ses moustaches. « Tiens donc. Des créatures imaginaires sorties de mes contes. C'est ce qu'elles sont ? Vous avez donc vu du pays, les garçons, semble-t-il. »

Rand garda le silence, certain à présent qu'ils étaient en butte à une plaisanterie, mais Perrin prit la parole.

« Nous avons tous été jusqu'à la Colline-au-Guet et à la Tranchée-de-Deven. Il n'y a pas beaucoup de gens par ici à être allés aussi loin. » Il ne se vantait pas ; Perrin se vantait rarement. Il disait juste la vérité.

« Nous avons aussi tous vu le Bourbier », ajouta Mat et lui avait bien l'air de se vanter. « C'est le marais à l'extrémité du Bois Humide. Personne ne va là-bas – c'est plein de sables mouvants et de fondrières – sauf nous. Et personne ne va non plus vers les Montagnes de la Brume, mais nous si, une fois. Jusqu'à leur pied en tout cas.

– Si loin que ça ? » murmura le ménestrel qui lissait maintenant sa moustache continuellement. Rand pensa qu'il dissimulait un sourire, et il vit que Perrin fronçait les sourcils.

« Ça porte malheur d'entrer dans les montagnes », expliqua Mat comme s'il devait se défendre de n'avoir pas été plus loin. « Tout le monde le sait...

– Il s'agit de pures sottises, Matrim Cauthon, coupa Egwene avec irritation. Nynaeve dit... » Elle s'interrompit, ses joues rosirent et le regard qu'elle jeta à Thom Merrilin n'était plus aussi amical qu'avant. « Ce n'est pas bien de se... ce n'est pas... » Son visage s'empourpra davantage et elle se tut. Mat cligna des paupières comme s'il commençait seulement à se douter de ce qui se passait.

« Tu as raison, mon enfant, dit le ménestrel d'une voix contrite. Je m'excuse humblement. Je suis ici pour divertir. Aah, ma langue m'a toujours attiré des ennuis.

– Peut-être n'avons-nous pas autant d'expérience que vous, dit Perrin sans ambages, mais quel rapport tout ça a-t-il avec la taille de Rand ?

– Juste ceci, mon garçon. Tout à l'heure, je te laisserai essayer de me soulever, mais tu ne pourras pas obliger mes pieds à quitter le sol. Ni toi ni ton grand ami là-bas – Rand, hein ? – ni aucun autre homme. Qu'est-ce que tu dis de ça ? »

Perrin eut un éclat de rire caustique. « Je dis que je peux vous soulever maintenant. » Mais, quand il s'avança, Thom Merrilin lui intima du geste de reculer.

« Plus tard, mon garçon, plus tard. Quand il y aura davantage de gens pour voir ça. L'artiste a besoin d'un public. »

Une vingtaine de personnes s'étaient rassemblées sur le Pré depuis que le ménestrel était sorti de l'auberge, jeunes gens et jeunes femmes, enfants qui, silencieux et les yeux écarquillés, regardaient furtivement derrière leurs aînés. Tous paraissaient attendre que le ménestrel réalise des prodiges. L'homme aux cheveux blancs les examina – il avait l'air de les compter – puis il hocha légèrement la tête et soupira.

« Je pense que mieux vaut vous donner un petit échantillon. Ainsi vous pourrez courir le raconter aux autres. Hein ? Juste pour vous donner une idée de ce que vous verrez demain à votre festival. »

Il recula d'un pas, sauta brusquement en l'air, pivotant sur lui-même et exécutant une culbute qui l'amena debout face à eux, en haut du vieux soubassement de pierre. Mieux encore, trois balles – rouge, blanche et noire – commencèrent à danser entre ses mains en même temps qu'il retombait sur ses pieds.

Un son faible monta du groupe de spectateurs, mi-étonnement mi-satisfaction. Même Rand oublia son irritation. Il adressa un grand sourire à Egwene et reçut en retour un sourire ravi, puis tous deux se retournèrent pour admirer sans vergogne le baladin.

« Vous voulez des histoires ? déclama Thom Merrilin. Je connais des histoires et je vous les conterai. Je les ferai vivre sous vos yeux. » Une balle bleue, surgie d'on ne sait où, rejoignit les autres, puis une verte, puis une jaune. « Des récits de grandes guerres et de grands héros pour les hommes et les garçons. Pour les femmes et les jeunes filles, tout le *Cycle Aptaragine*. Les contes d'Artur Paendrag Tanreall, d'Artur Aile-de-Faucon, Artur le grand roi qui régnait jadis sur toutes les terres depuis la lande aride d'Aiel jusqu'à l'océan d'Aryth, et même au-delà. De merveilleuses histoires de gens étranges et d'étranges pays, de l'Homme Vert, des Hommes Liges et des Trollocs, d'Ogier et d'Aiel. *Les Mille Contes d'Anla, le Sage Conseiller*, "Jaem le Tueur-de-géants". *Comment Susa apprivoisa Jain Farstrider*. "Mara et les Trois Rois sans cervelle".

– Racontez-nous l'histoire de Lenn, s'écria Egwene. Comment il a volé jusqu'à la lune dans le ventre d'un aigle de feu. Racontez-nous l'histoire de sa fille Salya qui marchait parmi les étoiles. »

Rand la regarda du coin de l'œil, mais elle semblait absorbée uniquement par le baladin. Elle n'avait jamais aimé les récits d'aventures et de longs voyages. Ses favorites étaient toujours les histoires drôles ou les histoires parlant de femmes qui se montraient plus astucieuses que des gens censés plus malins que quiconque. Il était sûr qu'elle avait demandé des récits concernant Lenn et Salya pour le faire bisquer. Allons, elle voyait sûrement que le monde extérieur n'était pas un endroit pour les gens des Deux Rivières. Écouter des récits d'aventures, et même en rêver, était une chose ; les avoir en train de survenir avec vous au milieu était une tout autre paire de manches.

« De vieilles histoires, celles-là », rétorqua Thom Merrilin et brusquement le voilà qui jongle avec trois balles de couleur dans chaque main. « Des histoires de l'Ère d'avant l'Ère des Légendes, à ce que disent certains. Peut-être même plus anciennes. Mais je connais *toutes* les histoires, notez bien, des Ères passées et futures. Des Ères où les hommes régnaient sur les cieux et les étoiles, et des Ères où l'homme errait en frère des animaux. Des Ères de merveilles et des Ères d'horreur. Des Ères achevées par du feu tombant en pluie du ciel, et des Ères figées par la glace et la neige couvrant terre et mer. Je connais toutes les histoires et je les dirai toutes. L'histoire de Mosk le Géant avec sa Lance de Feu qui pouvait atteindre l'autre bout du monde, et ses guerres avec Alsbet, la Reine de Tout. L'histoire de Materese la Guérisseuse, Mère du Prodigieux Ind. »

Les balles dansaient maintenant entre les mains de Thom en deux cercles entrelacés. Sa voix était presque une psalmodie et il tournait lentement sur lui-même en parlant, comme pour examiner les spectateurs et apprécier l'effet produit. « Je vous conterai la fin de l'Ère des Légendes, du Dragon et de sa tentative pour lâcher en liberté le Ténébreux dans le monde des hommes. Je conterai le Temps de la Folie, quand les Aes Sedai ont fait crouler le monde ; les Guerres des Trollocs où les hommes ont combattu les Trollocs pour la maîtrise de la terre ; la Guerre des Cent Ans où les hommes ont combattu les hommes et où les nations qui existent de nos jours se sont formées. Je dirai les aventures d'hommes et de femmes, de riches et de pauvres, de grands et de petits, de fiers et d'humbles. *Le Siège des Colonnes du Ciel.* " Comment Maîtresse Karil a guéri son mari de son habitude de ronfler. " *Le Roi Darith et la Chute de la Maison de...* »

Brusquement, le flot de paroles et la jonglerie s'arrêtèrent en même temps. Thom avait simplement rattrapé les balles et cessé de parler. Sans que Rand l'ait remarquée, Moiraine s'était jointe aux auditeurs, Lan était juste à côté d'elle, bien que Rand dût s'y reprendre à deux fois pour le voir. Un instant, Thom observa Moiraine du coin de l'œil, visage impassible et corps immobile, sauf pour faire disparaître les balles dans les vastes manches de sa cotte. Puis il s'inclina dans sa direction en déployant son ample cape. « Je vous demande pardon, mais vous n'êtes sûrement pas de cette région ?

– Dame ! souffla âprement Ewin. Dame Moiraine. »

Thom battit des paupières, puis salua de nouveau, encore plus profondément. « Encore pardon... heu... ma Dame. Je ne voulais pas vous manquer de respect. »

Moiraine fit signe que c'était sans importance. « Il n'y en a pas eu, Maître Barde. Et mon nom est simplement Moiraine. Je suis étrangère ici, en effet, une voyageuse comme vous, loin de chez elle et seule. Le monde risque d'être un endroit dangereux quand on est étranger.

– Dame Moiraine collectionne des contes, intervint Ewin. Des contes sur ce qui s'est passé aux Deux Rivières. Quoique je ne sache pas ce qui peut être jamais arrivé ici dont on puisse tirer un conte.

– Je suis sûr que vous aimerez aussi mes histoires... Moiraine. » Thom la considérait avec une circonspection visible. Il n'avait pas l'air enchanté de la voir là. Soudain Rand se demanda quel genre de divertissement pouvait s'offrir à une dame telle qu'elle dans une ville comme Baerlon ou Caemlyn. Sûrement rien de mieux qu'un ménestrel.

« Question de goût, Maître Barde, répliqua Moiraine. J'aime certaines histoires et d'autres non. »

Le salut de Thom fut encore plus profond, inclinant son long corps jusqu'à être parallèle au sol. « Je vous l'assure, aucun de mes contes ne déplaira. Tous plairont et amuseront. Et vous me faites trop d'honneur. Je suis un simple ménestrel et rien de plus. »

Moiraine répondit à sa révérence par un gracieux hochement de tête. Un instant, elle parut mériter encore davantage le titre de Dame qu'Ewin lui avait donné, acceptant une offrande d'un de ses sujets. Puis elle s'éloigna, Lan derrière elle, loup marchant dans le sillage d'un cygne qui glisse sur l'eau. Thom les suivit des yeux, ses sourcils broussailleux froncés, lissant ses longues moustaches de la jointure d'un doigt replié jusqu'à ce qu'ils soient à mi-chemin du Pré. *Il n'est pas content du tout*, pensa Rand.

« Allez-vous encore jongler maintenant ? questionna Ewin.

– Mangez du feu ! s'écria Mat. Je voudrais vous voir manger du feu.

– La harpe ! lança une voix dans la foule. Jouez de la harpe ! » Quelqu'un d'autre réclama de la flûte.

À ce moment, la porte de l'auberge s'ouvrit, et les Conseillers du Village sortirent d'une démarche pesante, Nynaeve parmi eux. Padan Fain n'était pas avec eux, constata Rand ; apparemment, le colporteur avait décidé de rester dans la salle commune bien chaude avec son vin épicé.

Murmurant quelque chose au sujet d'un « cognac bien tassé », Thom Merrilin sauta soudain à bas du vieux soubassement. Il opposa une sourde oreille aux cris de ceux qui l'avaient regardé et se fraya un passage au milieu des Conseillers pour entrer avant même qu'ils aient fini de franchir le seuil.

– Pour qui se prend-il, pour un ménestrel ou pour un roi ? demanda Cenn Buie d'un ton exaspéré. Du bon argent gâché, si vous voulez mon avis. »

Bran al'Vere se retourna à demi vers le ménestrel, puis secoua la tête. « Cet homme pourrait bien créer plus d'ennuis qu'il ne vaut. »

Nynaeve, occupée à rassembler les plis de sa mante autour d'elle, renifla de façon audible. « Tracassez-vous au sujet du ménestrel si vous voulez, Brandelwyn al'Vere. Au moins est-il au Champ d'Emond, ce qui est plus que vous ne pouvez en dire de ce faux Dragon.

Mais pour autant que vous vous tracassez, il y en a d'autres ici qui devraient éveiller votre inquiétude.

– Je vous en prie, Sagesse, répliqua Bran avec raideur, ayez la bonté de me laisser décider de quoi je dois me mettre en souci. Maîtresse Moiraine et Maître Lan sont clients de mon auberge et gens convenables et respectables, je vous l'affirme. *Aucun* d'eux ne m'a traité d'imbécile devant tout le Conseil. *Aucun* d'eux n'a décrété devant les membres du Conseil qu'à eux tous ils avaient à peine une once de bon sens.

– Il semble que mon estimation était trop élevée de moitié », rétorqua Nynaeve. Elle partit à grands pas, sans un regard en arrière, laissant Bran remuant la mâchoire à la recherche d'une réplique.

Egwene regarda Rand comme si elle s'apprêtait à dire quelque chose, puis finalement elle fila à la suite de la Sagesse. Rand savait qu'il devait y avoir un moyen de l'empêcher de quitter les Deux Rivières, mais le seul qui lui venait à l'esprit n'était pas celui qu'il était prêt à employer même si elle y consentait et elle avait pratiquement dit qu'elle ne le désirait nullement, ce qui aggrava encore plus son malaise.

« Cette jeune femme a besoin d'un mari », grommela Cenn Buie en se balançant sur la pointe des pieds. Son visage déjà rouge ne cessait de s'empourprer. « Elle manque de la déférence convenable. Nous sommes les Conseillers du Village, pas des gamins qui ratissent sa cour, et... »

Le Maire respirait bruyamment par le nez et, soudain, il s'en prit au vieux couvreur. « Tais-toi, Cenn ! Cesse de te conduire comme un Aiel voilé de noir ! » D'étonnement, l'homme maigre se figea sur la pointe des pieds. Le Maire ne se laissait jamais emporter par la colère. Bran foudroya Cenn du regard. « Que je sois brûlé si nous n'avons pas mieux à faire que de nous occuper de cette stupidité. Ou as-tu l'intention de prouver que Nynaeve a raison ? » Sur quoi il retourna à grandes enjambées dans l'auberge et claqua la porte derrière lui.

Les Membres du Conseil jetèrent un coup d'œil à Cenn, puis s'en allèrent chacun dans une direction différente. Tous sauf Haral Luhhan qui accompagna, en parlant tout bas, le couvreur dont le visage était fermé. Le forgeron était le seul à pouvoir faire entendre raison à Cenn.

Rand alla rejoindre son père, et ses camarades le suivirent en traînant les pieds.

« Je n'ai jamais vu Maître al'Vere si furieux, fut la première parole de Rand, ce qui lui valut un regard dégoûté de Mat.

– Le Maire et la Sagesse sont rarement d'accord, dit Tam, et aujourd'hui ils étaient moins d'accord que d'habitude. Voilà tout. C'est la même chose dans tous les villages.

– Et pour le faux Dragon ? demanda Mat, à qui firent écho les murmures pressants de Perrin. Et les Aes Sedai ? »

Tam hocha lentement la tête. « Maître Fain n'en savait guère plus que ce qu'il a déjà raconté. Du moins, sans grand intérêt pour nous. Des batailles gagnées ou perdues. Des villes prises et reprises. Tout se passe dans le Ghealdan, grâces en soient rendues à la Lumière. Cela ne s'est pas étendu ou ne s'était pas étendu aux dernières nouvelles qu'a eues Maître Fain.

– Les batailles m'intéressent », dit Mat, et Perrin ajouta : « Qu'est-ce qu'il en a dit ?

– Les batailles ne m'intéressent pas, Matrim, répliqua Tam, mais je suis sûr qu'il sera content de vous les raconter plus tard. Ce qui m'intéresse vraiment, c'est que nous ne devrions pas avoir à nous en inquiéter, pour autant que le sache le Conseil. Nous ne voyons pas de raison pour que les Aes Sedai viennent par ici en se rendant au sud. Et en ce qui concerne le retour, elles n'auront probablement pas envie de s'engager dans la Forêt des Ombres et de franchir à la nage le Fleuve Blanc.

Rand et les autres gloussèrent à cette idée. Il y avait trois raisons justifiant que personne ne vienne jamais aux Deux Rivières sauf par le nord, par Taren-au-Bac. Les Montagnes de la Brume à l'ouest, étaient la première, bien entendu, et le Bourbier bloquait l'est aussi efficacement. Au sud était le Fleuve Blanc qui tirait son nom de la façon dont roches et blocs erratiques faisaient bouillonner et écumer ses eaux vives. Et au-delà du Fleuve Blanc se dressait la Forêt des Ombres. Bien peu de gens des Deux Rivières avaient jamais traversé le Fleuve Blanc et de ceux qui l'avaient fait moins encore ne revenaient par là. On pensait pourtant en général que la Forêt des Ombres s'étendait au sud sur cinquante lieues ou davantage, sans une route ou un village mais avec quantités de loups et d'ours.

« Donc nous n'avons plus qu'à nous croiser les bras », conclut Mat. Il avait l'air pour le moins un peu déçu.

– Pas exactement, dit Tam. Après-demain, nous enverrons des hommes à la Tranchée-de-Deven et à la Colline-au-Guet, ainsi qu'à Taren-au-Bac pour organiser une surveillance. Des cavaliers le long du Fleuve Blanc et de la Taren, des deux, et des patrouilles dans l'intervalle. On devrait commencer aujourd'hui mais seul le Maire est d'accord avec moi. Les autres ne conçoivent pas qu'on demande à qui que ce soit de passer Bel Tine à chevaucher d'un bout à l'autre des Deux Rivières.

– Mais je pensais vous avoir entendu dire qu'on n'avait pas à s'inquiéter », objecta Perrin, et Tam hocha la tête.

« J'ai dit qu'on ne le devrait pas mais non qu'on n'avait pas à le faire. J'ai vu des hommes mourir parce qu'ils étaient sûrs que ce qui ne devrait pas arriver n'arriverait pas. D'ailleurs, les combats vont mettre en branle toutes sortes de gens. La plupart essaieront simplement de trouver la sécurité, mais il y en aura qui chercheront une manière de profiter de la confusion. Nous tendrons une main secourable aux gens de la première catégorie, par contre nous devons être prêts pour chasser ceux de l'autre. »

Soudain Mat s'écria : « Pouvons-nous être enrôlés ? Moi, de toute façon, j'en ai envie. Vous savez que je monte aussi bien que quiconque au village.

– Tu as envie de passer quelques semaines à avoir froid, à t'ennuyer et à coucher à la dure ? rétorqua Tam avec un petit rire. Car vraisemblablement l'affaire se résumera à cela, du moins je l'espère. Nous sommes bien à l'écart, même pour des réfugiés. N'empêche, tu peux t'adresser à Maître al'Vere si tu es décidé. Rand, il est temps pour nous de rentrer à la ferme. »

Rand, surpris, cligna des paupières. « Je croyais que nous restions pour la Nuit de l'Hiver.

– Il y a des choses dont il faut s'occuper à la ferme et j'ai besoin que tu m'accompagnes.

– Même comme ça, ce n'est pas nécessaire de partir avant des heures. Et je désire aussi me porter volontaire pour les patrouilles.

– Nous partons maintenant », répliqua son père d'un ton qui ne souffrait pas la discussion. D'une voix plus amène, il ajouta : « Nous reviendrons demain largement à temps pour que tu parles au Maire. Et aussi pour le Festival. Je t'accorde cinq minutes, puis rejoins-moi à l'écurie.

– Vas-tu venir avec nous, Rand et moi, pour la patrouille ? demanda Mat à Perrin comme Tam s'éloignait. Je parie que rien de tel ne s'est encore jamais produit aux Deux Rivières. Écoute donc, si nous allons à la Taren, nous verrons peut-être des soldats où on ne sait quoi. Même des Nomades.

– Je pense que j'irai, répondit lentement Perrin, si Maître Luhhan n'a pas besoin de moi, toutefois.

– La guerre est dans le Ghealdan », s'exclama Rand d'un ton sec. Avec un effort il baissa la voix. « La guerre est dans le Ghealdan et seule la Lumière sait où sont les Aes Sadai, mais il n'y a rien de tout cela ici. C'est l'homme au manteau noir qui y est, ou l'avez-vous déjà oublié ? »

Les autres échangèrent des regards embarrassés.

« Excuse-moi, Rand, marmotta Mat, mais la chance de faire autre chose que de traire les vaches de papa ne se présente pas bien souvent. » Il se redressa devant leurs airs stupéfaits. « Eh oui, je les trais, c'est vrai, et tous les jours, même.

– Le cavalier noir, leur rappela Rand. Et s'il s'attaque à quelqu'un ?

– C'est peut-être un réfugié de la guerre, suggéra Perrin d'un ton indécis.

– Où qu'il soit, ajouta Mat, la patrouille le trouvera.

– Peut-être, rétorqua Rand, mais il semble disparaître quand il en a envie. Mieux vaudrait qu'on sache qu'il faut le chercher.

– Nous préviendrons Maître al'Vere quand nous nous porterons volontaires pour les patrouilles, riposta Mat, il le communiquera au Conseil et les Conseillers avertiront la garde.

– Le Conseil ! s'exclama Perrin sceptique. On aura de la chance si le Maire ne s'esclaffe pas. Maître Luhhan et le père de Rand estiment déjà que nous nous laissons affoler tous les deux par des ombres. »

Rand soupira. « Si nous devons le faire, autant le faire tout de suite. Il ne rira pas plus fort aujourd'hui que demain.

« – Peut-être devrions-nous essayer d'en chercher d'autres qui l'ont vu, suggéra Perrin avec un coup d'œil en biais à Mat. Nous interrogerons pratiquement tout le monde au village ce soir. » L'air maussade de Mat s'accentua, mais il garda néanmoins le silence. Ils comprenaient tous ce que Perrin insinuait : ils devaient dénicher des témoins plus fiables que Mat. « Il ne rira pas plus fort demain, ajouta Perrin comme Rand hésitait, et j'aimerais autant avoir quelqu'un d'autre avec nous quand on ira lui parler. La moitié du village, voilà ce qui me conviendrait. »

Rand hocha la tête avec lenteur. Il entendait déjà le rire de Maître al'Vere. Davantage de témoins ne seraient certainement pas de trop. Et si eux trois avaient vu ce type, d'autres devaient l'avoir vu également. Sûrement, même. « Demain, alors. Vous deux, trouvez qui vous pourrez ce soir et, demain, nous avertirons le Maire. Après cela... » Ils le regardèrent en silence, aucun ne souleva la question de savoir ce qui arriverait s'ils ne parvenaient pas à découvrir quelqu'un d'autre qui ait vu l'homme au manteau noir. La question se lisait nettement dans leurs yeux, pourtant, et il n'avait pas de réponse. Il poussa un profond soupir. « Mieux vaudrait que je parte, maintenant. Mon père va se demander si je suis tombé dans un trou. »

Suivi par leurs adieux, il se hâta vers la cour de l'écurie où le chariot à grandes roues reposait sur ses béquilles.

L'écurie était un bâtiment étroit et long, surmonté d'un toit de chaume pointu. Les stalles au sol couvert de paille occupaient les deux côtés de l'intérieur obscur, éclairé seulement par les portes à deux battants ouvertes à chaque extrémité. L'attelage du colporteur mâchait son avoine dans huit stalles et les Durhans massifs de Maître al'Vere, l'attelage qu'il louait quand les fermiers avaient à transporter quelque chose qui dépassaient les capacités de leurs chevaux, en remplissaient encore six, mais trois autres stalles seulement étaient occupées. Rand se dit qu'il pouvait sans peine apparier cheval et cavalier. Le grand étalon au large poitrail qui redressait impétueusement la tête devait être la monture de Lan. La jument blanche à la robe lustrée, au cou arqué, aux pas vifs aussi gracieux que ceux d'une jeune fille, en train de danser, même dans la stalle, ne pouvait appartenir qu'à Moiraine. Et le troisième cheval inconnu, un grand hongre efflanqué d'un brun terne, convenait parfaitement à Thom Merrilin.

Tam était au fond de l'écurie, menant Béla par une longe et parlant bas à Hu et à Tad. Avant que Rand ait fait deux pas dans l'écurie, son père salua d'un signe de tête les palefreniers et conduisit Béla au-dehors, prenant Rand au passage sans rien dire. Ils harnachèrent en silence la jument au poil rude. Tam lui parut tellement plongé dans ses réflexions que Rand tint sa langue. Il n'était nullement impatient de tenter de convaincre son père au sujet du cavalier au manteau noir, et encore moins le Maire. Demain serait bien assez tôt, quand Mat et compagnie en auraient trouvé d'autres qui l'avaient vu. S'ils en trouvaient.

Comme la charrette démarrait avec un soubresaut, Rand prit à l'arrière son arc et son carquois et, courant à demi pour rester à sa hauteur, boucla tant bien que mal autour de sa taille la ceinture qui soutenait le carquois. Quand ils atteignirent la dernière rangée de maisons du village, il encocha une flèche, la gardant à moitié dressée et la corde de l'arc à moitié tendue. Il n'y avait rien à voir, sauf principalement des arbres dépouillés de leur feuillage, mais un nœud se forma entre ses épaules. Le cavalier noir pouvait leur tomber dessus avant qu'aucun d'eux ne s'en aperçoive. Le temps risquait de manquer pour bander l'arc, s'il ne l'était pas déjà en partie.

Il se savait incapable de maintenir longtemps la tension de la corde. Il avait fabriqué l'arc lui-même et Tam était, à part lui, un des rares du pays à pouvoir ramener complètement la corde jusqu'à la joue. Il chercha quelque chose qui le détourne de penser au cavalier noir. En pleine forêt, leurs manteaux claquant au vent, ce n'était pas facile.

« Père, finit-il par dire, je ne comprends pas pourquoi le Conseil avait à questionner Padan Fain. » Avec effort, il détacha son regard des bois et le dirigea vers Tam par-dessus le dos de Béla. « À mon sens, la décision à laquelle vous êtes parvenus aurait pu être prise sur-le-champ. Le Maire a fait une peur bleue à tout le monde en suggérant l'arrivée des Aes Sedai et du faux Dragon ici aux Deux Rivières.

– Les gens sont bizarres, Rand. Même les meilleurs

84

d'entre eux. Tiens, par exemple, Haral Luhhan. Maître Luhhan est un homme fort et un homme courageux, mais il ne supporte pas de voir un boucher exercer son métier. Devient blanc comme un linge.

– Quel rapport ? Chacun sait que Maître Luhhan ne supporte pas la vue du sang, et personne sauf les Congar et les Coplin n'y attache d'importance.

– Justement, mon petit. Les gens ne pensent et ne se conduisent pas toujours comme on s'y attendrait. Ces gars du pays... que la grêle martèle leurs récoltes dans la boue, que le vent enlève tous les toits de la région, que les loups tuent la moitié de leur cheptel, ils retrousseront leurs manches et recommenceront de zéro. Ils rouspéteront sans pour autant perdre de temps. Mais mets-leur en tête l'idée d'Aes Sedai et d'un faux Dragon dans le Ghealdan et ils ne tarderont pas à se dire que le Ghealdan n'est pas si loin de l'autre côté de la Forêt des Ombres et qu'une ligne droite de Tar Valon au Ghealdan ne se situerait pas tellement à l'est de chez nous. Comme si les Aes Sedai n'allaient pas suivre la route qui passe par Caemlin et Lugard au lieu de passer à travers la campagne ! Dès demain matin, la moitié des gens du village auraient été sûrs que la guerre entière était prête à déferler sur nous. Les persuader du contraire aurait demandé des semaines. Quel joli Bel Tine en aurait résulté. Alors Bran leur a suggéré l'idée avant qu'elle leur vienne d'eux-mêmes.

« Ils ont vu le Conseil prendre le problème en considération et maintenant ils vont apprendre ce que nous avons décidé. Ils nous ont choisis pour siéger au Conseil du Village parce qu'ils ont confiance que nous saurons aboutir à la meilleure solution pour tous. Ils ont confiance en notre jugement. Même en celui de Cenn, ce qui n'est pas très flatteur pour le reste d'entre nous, j'ai l'impression. Du moins apprendront-ils qu'il n'y a pas à se tracasser et ils le croiront. Ce n'est pas qu'ils soient incapables de parvenir à la même conclusion ou même ne le veuillent pas, mais de cette façon notre Festival ne sera pas gâché et personne n'aura à passer des semaines à se tourmenter pour quelque chose qui ne se produira probablement pas. Et si cela se produit contre toute attente... eh bien, les patrouilles nous avertiront à temps pour faire ce que nous pouvons. Mais je ne crois vraiment pas qu'on en arrivera là. »

Rand gonfla ses joues. Apparemment, siéger au Conseil était plus compliqué qu'il n'avait cru. La charrette continua à progresser lourdement sur la Route de la Carrière.

« Quelqu'un d'autre que Perrin a-t-il vu ce cavalier inconnu ? questionna Tam.

– Mat l'a vu, mais... » Rand cligna des paupières puis regarda longuement son père par-dessus le dos de Béla. « Tu me crois ? Il faut que je retourne. Il faut que je les prévienne. » Le cri de Tam l'arrêta alors qu'il se détournait pour courir au village.

« Halte, gamin, halte ! Penses-tu donc que j'ai attendu si longtemps pour parler sans avoir une bonne raison ? »

À regret, Rand resta près de la charrette qui avançait en grinçant derrière la patiente Béla. « Qu'est-ce qui t'a fait changer d'idée ? Pourquoi ne puis-je le dire aux autres ?

– Ils le sauront bien assez tôt. Du moins Perrin. Mat, je n'en suis pas sûr. Il faut prévenir les fermes aussi vite que possible, mais d'ici une heure il n'y aura personne de plus de seize ans au Champ d'Emond qui ignorera qu'un étranger rôde par ici, et pas du genre qu'on inviterait au Festival. L'hiver a été assez mauvais sans ça pour effrayer les jeunes.

– Au Festival ? répéta Rand. Si tu l'avais vu, tu ne voudrais pas de lui à moins de trois lieues sinon même de trente.

– Peut-être bien, répliqua placidement Tam. Il pourrait n'être qu'un réfugié des troubles du Ghealdan, ou plus vraisemblablement un voleur qui croit que grappiller sera plus facile ici qu'à Baerlon ou à Taren-au-Bac. Pourtant, personne dans le pays n'est assez fortuné pour se permettre d'être volé. Si cet homme essaie d'échapper à la guerre... eh bien, ce n'est quand même pas une excuse pour terroriser les gens. Une fois la garde organisée, elle devrait le trouver ou l'inciter à décamper.

– J'espère qu'il décampera. Mais pourquoi me crois-tu maintenant, alors que tu ne me croyais pas ce matin ?

– Il fallait alors que j'en croie mes propres yeux, mon petit, et je ne voyais rien. » Tam hocha sa tête grisonnante. « Seuls les gens jeunes voient ce type, apparemment. Par contre, quand Haral Luhhan a mentionné que Perrin était terrifié par des ombres, la chose a pris du corps. Le fils aîné de Jon Thane l'a vu aussi, ainsi que le garçon de Samel Crawe, Bandry. Eh bien, quand quatre d'entre vous ont vu une chose – et chacun de vous des gars sérieux – nous avons commencé à penser qu'elle existait, que nous la voyions ou non. Tous sauf Cenn, bien sûr. En tout cas, c'est pour cela que nous rentrons chez nous. Avec nous deux absents, cet étranger risque de mijoter n'importe quel mauvais coup là-bas. S'il n'y avait pas le Festival, je ne reviendrais même pas demain. Mais nous ne pouvons pas nous tenir prisonniers dans notre propre maison parce que ce gaillard rôde dans les parages.

– Je n'étais pas au courant pour Ban et Lem, commenta Rand. Nous nous apprêtions, nous autres, à aller trouver le Maire demain, mais nous avions peur qu'il ne nous croie pas non plus.

– Les cheveux gris ne signifient pas qu'on a le cerveau ramolli, dit Tam sarcastique. Alors garde l'œil ouvert. Peut-être que je l'apercevrai moi aussi, s'il se montre encore. »

Rand s'attela donc à cette tâche. Il était surpris de constater que son pas était plus léger. Ses épaules n'étaient plus crispées. Il avait encore peur, mais plus autant qu'avant. Tam et lui étaient aussi seuls sur la Route de la Carrière qu'il l'avaient été ce matin mais, d'une certaine façon, il lui semblait que le village entier les accompagnait. Que d'autres soient au courant et y croient faisait toute la différence. Quelles que soient les intentions du cavalier au manteau noir il n'y avait rien que les habitants du Champ d'Emond ne soient capables à eux tous de contrecarrer.

5.

LA NUIT DE L'HIVER

Le soleil était à moitié de sa course descendante depuis son passage au zénith quand la charrette arriva à la ferme. Ce n'était pas une grande maison, loin d'atteindre les dimensions de quelques-unes des vastes fermes tentaculaires de l'est, demeures qui avaient été agrandies au fil des années pour abriter des familles entières. Aux Deux Rivières, cela comprenait souvent trois ou quatre générations sous le même toit, y compris tantes, oncles, cousins et neveux. On considérait Tam et Rand comme sortant de l'ordinaire autant parce que c'étaient deux hommes vivant seuls que parce qu'ils exploitaient de la terre dans le Bois de l'Ouest.

Ici, la plupart des pièces étaient au même niveau, un rectangle parfait sans ailes ni ajouts. Deux chambres à coucher et un grenier à provisions se logeaient sous le toit de chaume en pente raide. Si le badigeon à la chaux avait presque disparu des murs de bois épais après les tempêtes de l'hiver, la maison était encore en bel état d'entretien, le chaume réparé avec soin, les portes et volets solidement accrochés à leurs gonds et bien ajustés.

Maison, écurie et bergerie en pierre formaient les pointes d'un triangle qui était la cour de la ferme, où quelques poules s'étaient aventurées dehors pour gratter le sol gelé. Un hangar ouvert, servant lors de la tonte, et une auge en pierre pour baigner les moutons et les débarrasser des parasites se trouvaient à côté de la bergerie. Tout près des champs entre la cour de ferme et les arbres se dressait le haut cône d'un hangar aux murs étanches à usage de séchoir. Aux Deux Rivières, peu de fermiers pouvaient se passer à la fois de laine et de tabac à vendre lors de la venue des marchands.

Quand Rand jeta un coup d'œil dans la bergerie en pierre, le bélier aux lourdes cornes qui menait le troupeau lui rendit son regard, mais la plupart des moutons à face noire restèrent placidement où ils étaient couchés ou gardèrent la tête dans leur crèche. Leurs toisons étaient épaisses et frisées, mais le temps était encore trop froid pour les tondre.

« Je ne crois pas que l'homme au manteau noir soit venu ici, cria Rand à son père qui faisait lentement le tour de la ferme, la lance en arrêt, examinant soigneusement le sol. Les moutons ne seraient pas si calmes si cet homme était venu par ici. »

Tam hocha la tête, mais ne s'arrêta pas. Quand il eut achevé le tour complet de la maison, il recommença autour de l'étable et du parc à moutons. Scrutant toujours le sol. Il vérifia même le fumoir et le séchoir au tabac. Il tira du puits un seau d'eau, remplit le creux de sa main, flaira l'eau et la goûta prudemment du bout de la langue. Soudain il eut un rire brusque, puis l'avala d'une gorgée.

« Je suppose que non, répondit-il à Rand, en s'essuyant la main sur le devant de sa cotte. Toutes ces histoires sur des hommes et des chevaux que je ne peux ni voir ni entendre me poussent à me méfier de tout. » Il versa l'eau du puits dans un autre seau et partit vers la maison, le seau dans une main et sa lance dans l'autre. « Je vais préparer un ragoût pour le dîner. Et puisque nous sommes ici autant en profiter pour nous avancer en liquidant quelques corvées. »

Rand esquissa une grimace, regrettant la Nuit de l'Hiver au Champ d'Emond. Mais Tam avait raison. Dans une ferme, le travail n'est jamais terminé ; dès qu'une chose est finie, il y en a toujours deux autres qui attendent. Il hésita, mais garda son arc et son carquois à portée de la main. Si le cavalier noir survenait, il n'avait aucunement l'intention de l'affronter rien qu'avec une binette.

Pour commencer, il fallait rentrer Béla à l'écurie. Une fois qu'il l'eut débarrassée de son harnais et conduite à sa stalle à côté de leur vache, il posa son manteau et bouchonna la jument avec des poignées de paille sèche, puis l'étrilla avec une paire de brosses. Il grimpa au grenier par l'échelle étroite et jeta des fourchées de foin pour la nourrir. Il alla aussi chercher un picotin d'avoine, bien qu'il en restât fort peu et que le risque fût grand de ne plus en avoir pendant longtemps, à moins que le temps ne se réchauffe bientôt. La vache avait été traite ce matin avant l'aube et avait donné un quart de la quantité habituelle de lait; elle paraissait tarir à mesure que l'hiver durait.

Une ration suffisante pour deux jours avait été laissée aux moutons – ils auraient dû être au pâturage à cette époque, mais il n'y avait pour ainsi dire rien à paître – par contre, il dut compléter le contenu de leur abreuvoir. Les œufs qui avaient été pondus devaient aussi être ramassés. Il n'y en avait que trois. Les poules semblaient devenir plus astucieuses pour les cacher.

Il attaquait à la binette le potager derrière la maison quand Tam sortit et s'assit sur un banc devant l'étable pour raccommoder un harnais, calant sa lance à côté de lui. Rand se sentit moins gêné d'avoir posé son arc sur son manteau à un pas de l'endroit où il se tenait.

Quelques plantes avaient pointé au-dessus du sol mais des mauvaises herbes plus qu'autre chose. Les choux étaient rabougris, tout juste si une pousse de fèves ou de pois apparaissait et il n'y avait aucune trace de betterave. Tout n'avait pas été mis en terre, évidemment; seulement en partie avec l'espoir que le froid cesserait à temps pour récolter quelque chose avant que la cave soit vide. Biner ne lui prit pas longtemps, ce qui lui aurait bien convenu les autres années, mais maintenant il se demanda comment ils se débrouilleraient si rien ne sortait cette année-ci. Réflexion qui n'avait rien d'agréable. Et il lui restait encore à fendre du bois pour le feu.

Rand avait l'impression qu'une éternité s'était écoulée depuis qu'il *n'y avait pas eu* de bois à fendre. Toutefois se plaindre ne servirait pas à maintenir la maison chaude, aussi alla-t-il chercher la hache, cala arc et carquois près du billot et se mit à l'œuvre. Du pin pour une flamme vive et ardente, du chêne pour brûler longtemps. Il ne tarda pas à se sentir assez réchauffé pour enlever sa cotte. Quand le tas de bois fendu fut assez gros, il l'empila contre le côté de la maison, près d'autres tas déjà installés là. La plupart montaient jusqu'aux chéneaux. D'ordinaire, à cette époque, les tas de bois étaient petits et peu nombreux, mais pas cette année. Couper, entasser, couper, entasser, Rand perdit la notion du temps dans le rythme de la hache et des mouvements pour empiler le bois. La main de Tam sur son épaule le ramena au présent et, pendant un instant, la surprise le fit battre des paupières.

Un crépuscule gris était tombé pendant qu'il travaillait et se fondait rapidement en obscurité. La lune en son plein planait bien au-dessus de la cime des arbres, luisante, pâle et bombée, comme si elle allait leur choir sur la tête. Le vent aussi avait fraîchi sans qu'il le remarque et des lambeaux de nuages galopaient à travers le ciel obscurci.

« Faisons toilette, fils, et occupons-nous de souper. J'ai déjà apporté l'eau pour des bains chauds avant de dormir.

– Tout ce qui est chaud me paraît bon », répliqua Rand en attrapant son manteau et le jetant sur ses épaules. La sueur trempait sa chemise et le vent, oublié dans son ardeur à manier la hache, semblait vouloir le geler maintenant qu'il avait cessé de s'activer. Il étouffa un bâillement, frissonna en ramassant ses autres affaires. « Et dormir aussi, d'ailleurs. Je me sens capable de dormir pendant tout le Festival.

– Tu veux parier une petite somme là-dessus ? »

Tam sourit et Rand ne put que lui rendre son sourire. Il ne voudrait pas manquer Bel Tine même s'il s'était passé de sommeil pendant une semaine. Personne ne le voudrait.

Tam s'était montré prodigue de chandelles, et un feu crépitait dans la grande cheminée de pierre, si bien que la salle était chaude et accueillante. Une large table de chêne en était le principal ornement en dehors de la cheminée, une table assez longue pour accueillir au moins une douzaine de personnes, bien qu'il y en ait eu rarement autant assises autour depuis que la mère de Rand était morte. Plusieurs meubles à tiroirs et des coffres, la plupart adroitement fabriqués par Tam lui-même, étaient rangés le long des murs, et des chaises à haut dossier entouraient la table. Le fauteuil garni de coussins que Tam appelait son fauteuil de lecture était placé de biais devant les flammes. Rand préférait lire étalé sur le tapis devant le foyer. L'étagère à livres près de la porte n'était pas, tant s'en faut, aussi longue que celle de l'*Auberge de la Source du Vin*, mais les livres étaient difficiles à se procurer. Peu de colporteurs en avaient davantage qu'une poignée et ces livres-là devaient être répartis entre tous ceux qui en désiraient. Si la pièce ne paraissait pas aussi pimpante que les maisons entretenues par la plupart des fermières – le râtelier à pipes de Tam et *Les Voyages de Jain Farstrider* étaient posés sur la table, tandis qu'un autre livre relié en bois, reposait sur le coussin de son fauteuil de lecture; un bout de harnais à raccommoder gisait sur le banc près de l'âtre et des chemises à repriser étaient entassées sur une chaise – si elle n'était pas aussi ordonnée, du moins était-elle suffisamment propre et nette, avec un aspect habité aussi réchauffant et réconfortant que le feu. Ici, c'était possible d'oublier le froid glacial de l'autre côté des murs. Pas de faux Dragon ici. Pas de guerre ni d'Aes Sedai. Pas d'hommes en manteau noir. L'arôme de la marmite suspendue au-dessus du feu embaumait la salle et donna à Rand une faim dévorante.

Son père remua le contenu du chaudron avec une cuillère de bois à long manche, puis le goûta. « Encore un petit moment. »

Rand se hâta de se laver les mains et la figure; il y avait un broc et une cuvette sur la table de toilette près de la porte. Un bain chaud était ce qu'il souhaitait, pour se débarrasser de la sueur et chasser le froid en s'y trempant, mais cela viendrait quand ils auraient eu le temps de mettre à chauffer le grand chaudron dans la pièce du fond.

Tam fouilla dans les tiroirs d'un meuble et en sortit une clef longue comme sa main. Il la tourna dans la grande serrure de fer de la porte. Devant l'air interrogateur de Rand, il expliqua : « Mieux vaut prendre ses précautions. Peut-être que je me monte la tête, ou peut-être que le temps me donne des idées noires, mais... » Il soupira et fit sauter la clef dans sa paume. « Je vais m'occuper de la porte de derrière », ajouta-t-il et il disparut vers l'arrière de la maison. Rand ne se rappelait pas qu'on ait jamais fermé aucune des deux portes à clef. Personne aux Deux Rivières ne verrouillait les portes. Ce n'était pas nécessaire. Jusqu'à présent, du moins.

À l'étage, de la chambre de Tam vint un crissement comme si on traînait quelque chose par terre. Rand fronça les sourcils. À moins que Tam n'ait subitement décidé de changer les meubles de place, il ne pouvait que tirer de dessous son lit le vieux coffre qu'il y conservait. Encore une chose qui ne s'était jamais produite, de mémoire de Rand.

Il remplit d'eau une petite bouilloire pour le thé et la suspendit à un crochet au-dessus du feu, puis il mit la table. Il avait sculpté lui-même les bols et les cuillères. Les volets de la façade n'avaient pas encore été fermés et, de temps en temps, il jetait un coup d'œil au-dehors, mais la nuit était complètement tombée et il ne voyait que les ombres projetées par la lune. Le cavalier noir pouvait aussi bien être là-dehors, néanmoins il essaya de ne pas y penser.

Quand Tam revint, Rand le fixa avec surprise. Une ceinture épaisse était attachée en biais autour de sa taille et de cette ceinture pendait une épée, avec un héron de bronze sur le fourreau noir et un autre sur la longue garde. Les seuls hommes que Rand avait vus porter l'épée étaient les convoyeurs des marchands. Et Lan, évidemment. Que son père en ait possédé une ne lui était jamais venu à l'esprit. À part les hérons, l'épée ressemblait beaucoup à celle de Lan.

« D'où vient-elle ? demanda-t-il. L'as-tu achetée à un colporteur ? Combien a-t-elle coûté ? »

Avec lenteur, Tam tira l'arme de son fourreau ; la lueur du feu joua sur toute sa longueur luisante. Elle ne ressemblait pas du tout aux simples lames rustiques que Rand avait vues dans les mains des convoyeurs. Elle n'était pas ornée d'or ni de pierres précieuses mais néanmoins, elle lui semblait magnifique. La lame, très légèrement incurvée et aiguisée d'un seul côté, s'ornait d'un autre héron gravé dans l'acier. Des quillons courts, façonnés en forme de tresses, flanquaient la garde. Elle paraissait presque fragile, comparée aux armes des convoyeurs ; la plupart d'entre eux étaient des glaives à deux tranchants et assez épais pour fendre un arbre.

« Je l'ai eue il y a longtemps, répliqua Tam, et loin d'ici. Et je l'ai payée vraiment trop cher ; deux pièces de cuivre, c'est trop pour une épée comme celle-ci. Ta mère n'avait pas été d'accord, mais elle était toujours plus avisée que moi ; j'étais jeune à l'époque et il me semblait qu'elle valait bien son prix à ce moment-là. Ta mère voulait toujours que je m'en débarrasse et plus d'une fois j'ai pensé qu'elle avait raison, que je devrais simplement la donner. »

Le reflet du feu faisait flamboyer la lame. Rand sursauta. Il avait souvent rêvé de posséder une épée. « La donner ? Comment pourrais-tu donner une épée pareille ? »

Tam eut un éclat de rire sarcastique. « Pas très utile pour garder les moutons, hein, qu'est-ce que tu en dis ? Pas moyen de labourer un champ ni de couper la moisson avec. » Une longue minute, il contempla l'épée, comme s'il se demandait ce qu'il faisait avec ça dans la main. Finalement, il poussa un profond soupir. « Mais si ce n'est pas une idée noire qui me turlupine, si notre chance tourne, peut-être dans les prochains jours serons-nous contents que je l'aie rangée dans ce vieux coffre au lieu de la donner. » Il rengaina l'épée sans à-coup dans son fourreau, puis s'essuya la main sur sa chemise avec une grimace. « Le ragoût doit être prêt. Je vais le servir pendant que tu prépares le thé. »

Rand acquiesça d'un signe de tête et prit la boîte à thé, mais il aurait aimé tout savoir. Pourquoi Tam aurait-il acheté une épée ? Il était incapable de l'imaginer. Et où Tam l'avait-il acquise ? À quelle distance d'ici ? Personne ne quittait jamais les Deux Rivières ou du moins très peu de gens. Il avait toujours vaguement supposé que son père avait dû se rendre dans d'autres contrées – sa mère était une étrangère – mais une épée... ? Il avait une quantité de questions à poser une fois qu'ils se seraient mis à table.

L'eau pour le thé bouillait impétueusement et il dut envelopper d'un torchon l'anse de la bouilloire pour l'enlever de la crémaillère. La chaleur pénétra aussitôt l'étoffe. Comme il s'écartait du feu en se redressant, un coup violent contre la porte fit cliqueter la serrure. Toutes ses réflexions sur l'épée ou sur la bouilloire brûlante dans sa main s'envolèrent.

« Un des voisins, dit-il d'une voix hésitante. Maître Dautry qui veut emprunter... » Mais la ferme de Dautry, la plus proche de chez eux, était à une heure de chemin même en plein jour, et Oren Dautry, quelque emprunteur impénitent qu'il fût, n'était pas du genre à quitter sa maison dans le noir.

Tam posa doucement les bols pleins de ragoût sur la table, dont il s'éloigna avec lenteur. Ses deux mains se posèrent sur la garde de son épée. « Je ne crois pas... », commença-t-il, et la porte s'ouvrit à la volée, des morceaux de la serrure en fer roulant sur le sol.

Une silhouette s'encadra dans le chambranle, plus grande que celle d'aucun homme que Rand avait jamais vu, une silhouette en cotte de mailles noire qui lui descendait jusqu'aux genoux, avec des pointes aux poignets, aux coudes et aux épaules. Une main étreignait une lourde lame en forme de faux ; l'autre main était levée devant ses yeux comme pour les abriter de la lumière.

Rand éprouva les premiers symptômes d'une bizarre sorte de soulagement. Qui que ce fût, ce n'était pas le cavalier noir. Puis il vit les cornes de bélier recourbées sur la tête qui frôlaient l'encadrement de la porte et un museau velu là où auraient dû se trouver la bouche et le nez. Il enregistra tout cela le temps d'aspirer longuement un souffle qu'il exhala en un hurlement de terreur tandis que, sans réfléchir, il lançait la bouilloire brûlante sur cette tête semi-humaine.

La créature rugit, mi-cri de douleur mi-grondement animal, quand l'eau bouillante lui éclaboussa la face. Au moment même où la bouilloire atteignait son but, l'épée de Tam étincela. Le rugissement devint brusquement gargouillis et l'énorme masse culbuta à la renverse. Elle n'avait même pas fini de tomber qu'une autre essayait à coups de griffes de passer à sa place. Rand aperçut une tête difforme surmontée de cornes pointues avant que Tam frappe de nouveau et que deux corps énormes bloquent la porte. Il se rendit compte que son père criait, s'adressant à lui :

« Cours, fils ! Cache-toi dans les bois ! »

Les corps sur le seuil tressautèrent comme d'autres au-dehors s'efforçaient de les tirer pour dégager le passage. Tam glissa une épaule sous la table massive ; poussant un grognement, il la souleva et la jeta sur la mêlée. « Ils sont trop pour les arrêter ! Sors par-derrière ! Va ! Va ! Je te suis ! »

Alors même que Rand se détournait pour fuir, il fut envahi par la honte d'obéir aussi vite. Il voulait rester pour aider son père bien qu'en peine d'imaginer comment, mais la peur le serrait à la gorge et ses jambes se mouvaient d'elles-mêmes. Il se précipita hors de la salle vers l'arrière de la maison, plus vite qu'il n'avait jamais couru de sa vie. Du fracas et des cris provenant de la porte d'entrée principale le poursuivaient.

Il avait les mains sur la barre bloquant la porte de derrière quand son regard tomba sur la serrure de fer jamais utilisée. Sauf ce soir où Tam l'avait justement verrouillée. Il laissa la bâcle en place et se précipita vers une fenêtre à guillotine qui se trouvait sur le côté, leva précipitamment le châssis et repoussa les volets. La nuit avait complètement remplacé le crépuscule. La pleine lune et les nuages qui voguaient dans le ciel projetaient des ombres pommelées qui se succédaient dans la cour de la ferme.

Des ombres, se dit-il. Rien que des ombres. La porte de derrière émit un craquement comme si quelqu'un ou quelque chose au-dehors essayait de l'ouvrir d'une poussée. Sa bouche se dessécha. Un fracas ébranla la porte dans son chambranle et lui insuffla de la célérité ; il se faufila par la fenêtre comme un lièvre qui court se terrer dans son fort et se tapit contre le côté de la maison. À l'intérieur de la pièce, du bois vola en éclats avec un bruit de tonnerre. Il se força à se redresser à croupetons pour regarder furtivement à l'intérieur, risquant juste un coup d'œil au coin de la fenêtre. Dans le noir, il ne pouvait pas voir grand-chose mais davantage qu'il n'en avait envie réellement. La porte pendait de guingois et des formes pareilles à des ombres se mouvaient avec précaution dans la pièce, parlant bas avec des voix gutturales. Rand ne comprit rien de ce qui se disait ; le langage avait un son rauque peu fait pour une langue humaine. Des haches, des épieux et des choses hérissées de piquants réfléchissaient vaguement quelques coulées de clair de lune. Des bottes raclaient le sol, et il y avait aussi un cliquetis rythmé, comme de sabots de chevaux.

Il tenta de récupérer un peu de salive pour s'humecter la bouche. Prenant une profonde aspiration haletante, il cria aussi fort qu'il put : « Ils arrivent par-derrière ! » La phrase sortit comme un croassement mais sortit quand même. Il n'avait pas été sûr qu'elle le ferait. « Je suis dehors ! Cours, père ! » Il prononça le dernier mot en s'éloignant déjà à toute vitesse de la ferme.

Des cris rauques de fureur dans la langue étrange jaillirent de la pièce du fond. Du verre éclata, avec un bruit sec et fracassant, et quelque chose tomba lourdement sur le sol derrière lui. Il supposa que l'un d'eux avait brisé la fenêtre plutôt que d'essayer de se glisser par l'ouverture, mais il ne se retourna pas pour vérifier. Comme un renard fuyant devant les chiens, il se précipita vers les ombres les plus proches projetées par la lune comme s'il se dirigeait vers les bois, puis se laissa choir à plat ventre et revint en rampant vers l'écurie et ses ombres, plus vastes et plus profondes. Quelque chose lui tomba en travers des épaules et il se débattit, ne sachant pas s'il cherchait à se défendre ou à s'enfuir, jusqu'à ce qu'il se rende compte qu'il se colletait avec le manche neuf de la serfouette qu'avait façonnée Tam.

Idiot! Pendant un instant, il gît là, essayant de calmer sa respiration haletante. *Espèce d'idiot à la Coplin!* Finalement, il continua à ramper le long de l'arrière de l'écurie, traînant après lui le manche de la serfouette. Ce n'était pas grand-chose mais tout de même mieux que rien. Avec précaution, il passa la tête au coin du mur pour inspecter la cour de la ferme et la maison. Il n'y avait pas trace de la créature qui avait sauté à sa suite. Elle pouvait être n'importe où. À sa recherche, sûrement. Peut-être même le rattrapant à pas de loup en ce moment précis.

Des bêlements de frayeur remplissaient la bergerie à sa gauche. Le troupeau tournait en rond, comme s'il cherchait à s'enfuir. Des formes vagues apparaissaient et disparaissaient dans les fenêtres éclairées de la façade de la maison, et le cliquetis de l'acier contre l'acier résonnait dans l'obscurité. Soudain une des fenêtres s'ouvrit brutalement dans une pluie de verre et de bois et Tam surgit au travers, l'épée toujours en main. Il atterrit sur ses pieds mais, au lieu de s'éloigner de la maison, il se précipita vers l'arrière sans se soucier des monstres qui se ruaient derrière lui par la fenêtre brisée et par le seuil de la porte.

Rand n'en croyait pas ses yeux. Pourquoi Tam n'essayait-il pas de se sauver? Puis il comprit. Tam avait entendu sa voix en dernier depuis l'arrière de la maison. « Père! cria-t-il. Je suis là! »

Tam pivota sur sa lancée mais, au lieu de courir vers Rand il s'éloigna de lui en biais et cria : « Cours, fils! » en agitant son épée comme à l'intention de quelqu'un qui le précédait. « Cache-toi ! » Une douzaine de formes énormes se précipitèrent à ses trousses, des cris rauques et des hurlements aigus vrillant l'air.

Rand recula dans l'ombre derrière l'écurie. Là, on ne pouvait pas le voir de la maison, au cas où des créatures se trouveraient encore à l'intérieur. Il était en sûreté ; pour le moment, du moins. Mais pas Tam. Tam qui essayait d'entraîner ces êtres loin de lui. Ses mains se crispèrent sur le manche de la serfouette. Faire face à une de ces créatures avec un manche de serfouette ne ressemblerait guère à ses jeux d'escrime au bâton avec Perrin. Pourtant impossible de laisser Tam affronter seul ce qui le poursuivait.

« *Si je me déplace comme si je traquais un lapin*, murmura-t-il pour lui-même, *ils ne me verront ni ne m'entendront jamais.* » Les cris effrayants résonnaient dans l'obscurité et il s'efforça d'avaler sa salive. « *On croirait plutôt une meute de loups affamés.* » Sans bruit, il se glissa loin de l'écurie en direction de la forêt, serrant le manche de la serfouette si fort qu'il en avait mal aux mains.

Tout d'abord, quand les arbres l'entourèrent, il en fut rassuré. Ils l'aidaient à se cacher des créatures, quelles qu'elles fussent, qui avaient attaqué la ferme. Cependant, tandis qu'il se faufilait furtivement dans les bois, les ombres de la lune se déplaçaient et cela commençait à donner l'impression que l'obscurité de la forêt changeait et bougeait aussi. Les arbres dressaient une masse menaçante, les branches se tordaient vers lui. Mais étaient-ce seulement des arbres et des branches ? Il croyait presque entendre les gloussements rauques s'étouffer pendant qu'ils l'attendaient. Les hurlements des poursuivants de Tam ne remplissaient plus la nuit mais, dans le silence qui les remplaçait, il tressaillait chaque fois que le vent faisait grincer une branche contre une autre. Il se baissa de plus en plus bas et s'avança avec une lenteur de plus en plus grande. Il osait à peine respirer de peur d'être entendu. Soudain, une main surgie de derrière lui se plaqua sur sa bouche et une étreinte de fer lui saisit le poignet. Frénétiquement, il passa sa main libre par-dessus son épaule pour tenter d'agripper l'assaillant.

« Ne me romps pas le cou, fils », dit Tam dans un chuchotement rauque.

Le soulagement l'envahit, lui liquéfiant les muscles. Quand son père le lâcha, il tomba à quatre pattes, haletant comme s'il avait couru pendant des lieues. Tam se laissa choir près de lui, appuyé sur un coude.

« Je n'aurais pas tenté cela si j'avais réfléchi combien tu as grandi ces dernières années », commenta Tam tout bas. Ses yeux bougeaient constamment pendant qu'il parlait, surveillant en permanence l'obscurité, « mais il fallait que je sois sûr que tu ne crierais pas. Il y a des Trollocs qui ont l'ouïe aussi fine qu'un chien. Peut-être même meilleure.

– Mais les Trollocs ne sont que... » Rand laissa sa voix s'éteindre. Ne sont pas que des personnages de contes, pas après ce soir. Ces choses pouvaient être des Trollocs ou le Ténébreux lui-même pour ce qu'il en savait. « Es-tu certain ? murmura-t-il. Je veux dire... des Trollocs ?

– Oui. Quoique ce qui les a amenés aux Deux Rivières... je n'en avais jamais vu avant ce soir, mais j'ai parlé à des gens qui en ont vu, alors j'en sais un peu. Peut-être assez pour nous garder en vie. Écoute-moi bien. Un Trolloc voit mieux qu'un homme dans le noir mais une lumière vive l'éblouit, du moins pour un moment. C'est peut-être la seule raison pour laquelle nous avons échappé à un si grand nombre. Certains sont capables de suivre une piste à l'odeur ou au bruit, mais ils passent pour être paresseux. Si nous arrivons à leur échapper assez longtemps, ils devraient abandonner. »

Rand n'en ressentit qu'un peu de soulagement. « Dans les contes, ils haïssent les hommes et servent le Ténébreux.

– Si quelque chose appartient aux troupeaux du Berger de la Nuit, fils, c'est bien les Trollocs. Ils tuent pour le plaisir de tuer, à ce qu'on m'a raconté. Mais là se bornent mes renseignements, à part qu'il ne faut s'y fier que s'ils vous craignent et encore pas entièrement. »

Rand frissonna. L'idée de rencontrer quelqu'un dont un Trolloc avait peur ne le tentait nullement. « Crois-tu qu'ils nous pourchassent encore ?

– Possible que oui, possible que non. Ils n'ont pas l'air très malins. Une fois que nous sommes entrés dans la forêt, j'ai dérouté sans trop de peine vers les montagnes ceux qui me suivaient. » Tam tâtonna le long de son côté droit, puis mit sa main près de son visage. « Mieux vaut compter comme s'ils l'étaient, néanmoins.

– Tu es blessé.

– Parle bas. Ce n'est qu'une égratignure et, de toute façon, on ne peut rien y faire pour l'instant. Au moins, le temps semble se réchauffer. » Il s'allongea sur le dos avec un profond soupir. « Peut-être que passer la nuit dehors ne sera pas trop dur. »

Au fond de lui-même, Rand venait justement d'avoir une pensée pour sa cotte et pour son manteau. Les arbres atténuaient la pleine force du vent, mais les bourrasques qui passaient entre eux étaient encore coupantes comme un couteau glacé. Il toucha d'une main hésitante la figure de Tam et tiqua. « Tu es brûlant. Il faut que je t'amène à Nynaeve.

– Dans un moment, fils.

– Nous n'avons pas de temps à perdre. C'est un long trajet dans le noir. » Il se remit péniblement debout et essaya de relever son père. Un gémissement à demi étouffé par les dents serrées de Tam incitèrent Rand à recoucher bien vite son père.

« Laisse-moi me reposer un instant, mon garçon. Je suis fatigué. »

Rand se frappa la cuisse du poing. Bien au chaud dans la ferme, avec du feu et des couvertures, beaucoup d'eau et de l'écorce de saule, il aurait attendu volontiers l'aube avant d'atteler Béla et d'emmener Tam au village. Ici, pas de feu ni de couvertures ni de charrette et pas de Béla. Mais ces choses-là étaient encore là-bas à la maison. S'il ne pouvait y porter Tam, peut-être arriverait-il à en rapporter au moins quelques-unes jusqu'à Tam. Si les Trollocs étaient partis. Ils partiraient bien tôt ou tard.

Il regarda le manche de serfouette, puis le laissa tomber. À la place, il dégaina l'épée de Tam. La lame luisait faiblement à la clarté de la lune. La garde longue dans sa main lui causait une sensation bizarre ; son poids et l'effort pour la soulever étaient curieux. Il fendit l'air à plusieurs reprises avant d'arrêter avec un soupir. Fendre l'air était facile. S'il devait le faire contre un Trolloc, plus que probable qu'il s'enfuirait à toutes jambes ou se figerait sur place, paralysé au point d'être incapable d'esquisser un geste jusqu'à ce que le Trolloc brandisse une de ces lames bizarres et... *Arrête ! Ça ne sert à rien !*

Comme il commençait à se lever, Tam lui saisit le bras. « Où vas-tu ?

– Nous avons besoin de la charrette, répliqua-t-il avec douceur. Et de couvertures. » Il eut un choc en voyant avec quelle facilité il avait dégagé sa manche de la main de son père. « Repose-toi, je reviens.

– Sois prudent », dit Tam dans un souffle.

Il ne distinguait pas le visage de Tam en dépit du clair de lune, mais il sentait son regard sur lui. « Je serai prudent. » *Aussi prudent qu'une souris qui explore un nid de faucon,* ajouta-t-il à part soi.

Silencieux comme une ombre parmi les ombres, il se glissa dans l'obscurité. Il pensa à toutes les fois où il avait joué à chat dans les bois avec ses amis dans son enfance, se suivant furtivement les uns les autres, s'efforçant de ne pas être entendu jusqu'à ce qu'il pose la main sur l'épaule de quelqu'un. Quoi qu'il en soit, il était incapable de se dire que cette fois-ci était pareille.

Se faufilant d'arbre en arbre, il tenta d'échafauder un plan mais, quand il eut atteint l'orée du bois, il en avait établi et rejeté une dizaine. Tout dépendait de la présence ou de l'absence des Trollocs. S'ils étaient partis, il n'avait qu'à aller à la maison prendre ce qu'il lui fallait. S'ils étaient encore là... Dans ce cas, l'unique solution était de retourner vers Tam. Cela ne lui plaisait pas, mais il ne rendrait pas service à Tam en se faisant tuer.

Il coula un regard vers les bâtiments de la ferme. L'écurie et la bergerie n'étaient que des masses sombres sous la lune. De la lumière sortait des fenêtres de la façade, pourtant, et de la porte ouverte. *Juste les chandelles que père a allumées ou est-ce que les Trollocs attendent ?*

Il eut un sursaut convulsif au cri grêle d'un engoulevent, puis s'affaissa contre un arbre, secoué de tremblements. S'il s'y prenait comme ça, il n'arriverait à rien. Il se laissa choir sur le ventre et commença à ramper en tenant gauchement l'épée devant lui. Il garda le menton à ras de terre pendant tout le parcours jusque derrière l'enclos de la bergerie.

Accroupi contre le mur de pierre, il écouta. Pas un son ne troublait la nuit. Avec précaution, il se redressa suffisamment pour regarder par-dessus le mur. Rien ne bougeait dans la cour. Aucune ombre ne passait devant la lumière des fenêtres de la maison ou du seuil de la porte. *Béla et la charrette d'abord, ou les couvertures et le reste.* C'est la lumière qui le décida. L'écurie était sombre. N'importe qui pouvait guetter à l'intérieur et il n'avait aucun moyen de le savoir avant que ce ne soit trop tard. Du moins aurait-il la possibilité de voir ce qu'il y avait à l'intérieur de la maison.

Il s'apprêtait à se baisser de nouveau quand il s'immobilisa brusquement. Il n'y avait *pas* le moindre bruit. La plupart des moutons devaient déjà s'être calmés et rendormis, bien que ce fût peu vraisemblable, car il y en avait toujours d'éveillés au milieu de la nuit, qui remuaient dans un bruissement ou bêlaient de temps à autre. Il percevait confusément des masses sombres de moutons sur le sol. L'un d'eux se trouvait presque en dessous de lui.

S'efforçant de se mouvoir en silence, il se hissa sur le mur pour pouvoir allonger la main jusqu'à la forme indistincte. Ses doigts touchèrent de la laine frisée, puis de l'humidité ; le mouton ne bougea pas. Son souffle lui échappa subitement, il se rejeta en arrière, faillit lâcher l'épée en retombant à l'extérieur du parc. *Ils tuent pour le plaisir.* Frissonnant, il frotta sa main dans la terre pour la débarrasser de cette humidité.

Avec âpreté, il se dit que cela ne changerait rien. Les Trollocs avaient commis leur massacre, puis étaient partis. Se le répétant intérieurement, il rampa à travers la cour en se baissant autant que possible mais en s'efforçant aussi de surveiller toutes les directions à la fois. Il n'avait jamais pensé qu'il en viendrait à envier un ver de terre.

Devant la maison, il resta allongé près du mur, sous la fenêtre brisée et écouta. Le battement sourd du sang dans ses oreilles était le son le plus fort qu'il entendait. Il se redressa lentement et jeta un coup d'œil discret à l'intérieur.

La marmite gisait renversée dans les cendres de l'âtre. Des éclats de bois cassé jonchaient le sol ; pas un meuble n'était demeuré entier. Même la table se tenait de travers, deux de ses pieds réduits à l'état de moignons rugueux par des coups de hache. Tous les tiroirs avaient été sortis et fracassés ; armoires et autres meubles étaient tous béants, bien des portes n'étant plus fixées que par un seul gond. Leur contenu était éparpillé sur les débris et tout était saupoudré de blanc. Sel et farine, à en juger par les sacs fendus jetés près de l'âtre. Quatre corps tordus s'enchevêtraient avec les morceaux de mobilier. Des Trollocs.

Rand en reconnut un à ses cornes de bélier. Les autres étaient à peu près pareils, même dans leurs différences, mélange repoussant de faces humaines déformées par des mufles, des cornes, des plumes et de la fourrure. Leurs mains, presque humaines, ne faisaient que les rendre encore pires à voir. Deux portaient des bottes ; les autres avaient des sabots d'animaux. Il resta en observation sans cligner des paupières jusqu'à ce que ses yeux le brûlent. Aucun des Trollocs ne bougeait. Ils devaient être morts. Et Tam attendait.

Il franchit en courant le seuil de la porte et s'arrêta, pris de haut-le-cœur à cause de la puanteur. Une écurie qu'on n'a pas nettoyée depuis des mois était la seule chose susceptible d'y ressembler qui lui vînt à l'esprit. Des souillures abominables maculaient les murs. Essayant de respirer par la bouche, il se hâta de fourgonner dans le gâchis par terre. Il y avait eu une outre à eau dans une des armoires.

Un raclement derrière lui le glaça jusqu'à la moelle et il se retourna vivement, trébuchant sur la table mutilée. Il rétablit son équilibre et gémit entre ses dents qui auraient claqué s'il ne les avait pas serrées à s'en faire mal aux mâchoires.

Un des Trollocs se remettait debout. Un museau de loup saillait au-dessous d'yeux caves. Des yeux inexpressifs, impassibles et trop humains. Des oreilles velues dressées remuaient constamment. Il enjamba un de ses compagnons morts sur des sabots pointus de chèvre. La même cotte de mailles noire que portaient les autres grinçait sur un pantalon de cuir, et un des énormes glaives courbes comme une faux se balançait contre son flanc.

Il murmura quelque chose de guttural et de bref, puis dit : « Les autres partis. Narg reste. Narg malin. » Les mots étaient déformés, difficiles à comprendre venant d'une bouche qui n'avait jamais été faite pour la parole humaine. Le ton se voulait apaisant, pensa Rand, mais il ne pouvait détourner les yeux des dents tachées, longues et aiguës, qui apparaissaient chaque fois que la créature parlait. « Narg sait qu'on revient parfois. Narg attend. Toi pas besoin épée. Pose épée. »

Jusqu'à ce que le Trolloc parle, Rand n'avait pas eu conscience qu'il tenait à deux mains l'épée de Tam vacillant devant lui, pointée sur l'énorme créature. Celle-ci le dominait de la tête et des épaules avec des bras et une poitrine à donner l'impression que Maître Luhhan était un nain auprès de lui.

« Narg pas faire mal. » La créature avança d'un pas, avec de grands gestes. « Tu poses épée. » Les poils sombres sur le dos de ses mains étaient abondants, comme de la fourrure.

« Reste là-bas, dit Rand qui aurait aimé que sa voix soit plus ferme. Pourquoi avez-vous fait cela ? Pourquoi ?

– *Vlja daeg roghda !* » Le grognement se changea vite en un sourire découvrant toutes les dents. « Pose épée. Narg pas faire mal. Le Myrddraal veut parler toi. » Un éclair d'émotion passa sur la face déformée. De la peur. « Autres revenir, toi parles au Myrddraal. » La créature avança encore d'un pas, une grosse main se posa sur la garde de son arme. « Toi poses épée. »

Rand s'humecta les lèvres. Un Myrddraal ! Le pire des contes se déroulait ce soir. Si un Évanescent venait, cela rendait un Trolloc inoffensif en comparaison. Il devait s'échapper. Mais, si le Trolloc dégainait cette lame massive, il n'aurait aucune chance. Il se força à un sourire tremblant. « D'accord. » Resserrant sa prise sur l'épée, il laissa s'abaisser ses mains. « Je parlerai. »

Le sourire de loup devint un rictus, et le Trolloc se précipita sur lui. Rand n'avait pas cru que quelque chose d'aussi grand pouvait se mouvoir aussi vite. Dans un réflexe désespéré, il brandit son épée. Le corps monstrueux s'écrasa sur lui, le projetant contre le mur. Ses poumons se vidèrent en un seul hoquet. Il lutta pour reprendre son souffle tandis qu'il tombait par terre, le Trolloc sur lui. Il se débattit frénétiquement sous ce poids qui l'écrasait, essayant d'éviter les mains épaisses qui le cherchaient à tâtons, et les mâchoires claquantes.

Tout à coup, le Trolloc eut un spasme et s'immobilisa. Contusionné et meurtri, à demi suffoqué par la masse pesant sur lui, Rand ne put que rester étendu pendant un instant, incrédule. Il revint vite à lui cependant, assez du moins pour se dégager de dessous le cadavre en se tortillant. Car c'était un cadavre. La lame ensanglantée de l'épée de Tam pointait au milieu du dos du Trolloc. Rand l'avait brandie à temps finalement. Du sang couvrait aussi ses mains et marquait d'une tache noirâtre le devant de sa chemise. Il eut une nausée et ravala sa salive pour ne pas vomir. Il tremblait de tout son corps comme au plus fort de sa frayeur, mais cette fois de soulagement à se trouver encore en vie.

D'autres revenaient, avait dit le Trolloc. Les autres Trollocs allaient revenir à la ferme. Et un Myrddraal, un Évanescent. Les contes disaient que les Évanescents avaient vingt pieds de haut et des yeux de feu, et qu'ils montaient des ombres en guise de chevaux. Quand les Évanescents se tournaient de côté, ils disparaissaient, et aucun mur ne pouvait les arrêter. Rand devait faire ce pourquoi il était là et repartir en vitesse.

Grognant sous l'effort, il retourna le corps du Trolloc afin de récupérer l'épée – et faillit prendre la fuite quand des yeux ouverts le fixèrent. Il lui fallut une minute pour reconnaître qu'ils avaient le regard vitreux de la mort.

Il s'essuya les mains avec un chiffon en loques – encore ce matin une des chemises de Tam – et tira sur la lame pour la dégager. Après avoir nettoyé l'épée, il laissa à contrecœur tomber le chiffon par terre. Pas le temps de se montrer soigneux, pensa-t-il avec un rire qu'il ne réussit à arrêter qu'en serrant les dents. Il ne voyait pas comment ils parviendraient à nettoyer suffisamment la maison pour pouvoir y vivre de nouveau. L'horrible puanteur avait probablement imprégné déjà les poutres. Mais il n'avait pas le temps d'y réfléchir. *Pas le temps de mettre de l'ordre. Pas le temps de rien faire, peut-être.*

Il était sûr d'oublier des quantités de choses dont ils auraient besoin, mais Tam attendait et les Trollocs allaient revenir. Il rassembla ce qui lui passa par l'esprit sur le moment. Des couvertures prises dans les chambres du haut, du linge propre pour panser la blessure de Tam. Leurs manteaux et leurs cottes. Une outre en cuir qu'il emportait quand il menait paître les moutons. Une chemise propre. Il ne savait pas quand il aurait le loisir de se changer mais il voulait se débarrasser de sa chemise tachée de sang à la première occasion. Les sachets d'écorce de saule et leurs autres remèdes faisaient partie d'un tas noirâtre d'aspect boueux qu'il ne put se résoudre à toucher.

Un seau de l'eau que Tam avait apportée était encore près de l'âtre, miraculeusement resté intact sans avoir perdu une goutte. Il en remplit l'outre, se lava hâtivement les mains avec le reste et chercha encore rapidement ce qu'il pouvait bien avoir oublié. Il découvrit son arc dans les débris, cassé net en deux à l'endroit le plus épais. Il frissonna en laissant choir les morceaux. Ce qu'il avait déjà rassemblé devrait suffire, décida-t-il. Rapidement, il empila le tout au-dehors devant la porte.

En dernier avant de quitter la maison, il déterra des débris sur le sol une lanterne sourde. Elle contenait encore de l'huile. Il l'alluma à une des chandelles, puis ferma les volets – en partie contre le vent, mais surtout pour éviter d'attirer l'attention – et se hâta de sortir avec la lanterne dans une main et l'épée dans l'autre. Il ne savait pas trop ce qu'il découvrirait dans l'écurie. Le parc à moutons l'empêchait d'avoir trop d'espoir. Mais il avait besoin de la charrette pour amener Tam au Champ d'Emond et, pour la charrette, il lui fallait Béla. La nécessité lui rendit un peu d'espoir.

Les portes de l'écurie étaient ouvertes, l'une d'elles craquant sur ses gonds quand elle bougeait dans le vent. L'intérieur avait le même air que d'habitude, au premier abord. Puis le regard de Rand tomba sur les stalles vides, leur porte arrachée des gonds. Béla et la vache avaient disparu. Il alla rapidement au fond de l'étable. La charrette gisait sur le côté, ses roues avaient la moitié de leurs rayons brisés. Un des brancards n'était plus qu'un moignon long d'un pied.

Le désespoir qu'il avait tenu en échec l'envahit. Il n'était pas sûr de pouvoir emmener Tam jusqu'au village, si même son père était en état de résister au transport. La souffrance d'être porté pourrait tuer Tam plus vite que la fièvre. Pourtant, c'était la seule chance qui restait. Il avait fait le maximum qu'il pouvait ici. En se détournant, son regard accrocha le bout de brancard détaché à la hache qui gisait dans la paille éparpillée par terre. Soudain il sourit.

En hâte, il posa la lanterne et l'épée sur le sol couvert de paille et, l'instant d'après, il bataillait avec la charrette, la faisant basculer pour qu'elle se redresse, dans un crépitement d'autres rayons qui se cassaient, puis il glissa son épaule par-dessous afin qu'elle retombe sur l'autre côté. Le brancard intact se dressait tout droit. Il saisit l'épée et attaqua le frêne bien sec. Il fut surpris et ravi de voir que de grands copeaux volaient sous ses coups, et il sectionna le brancard aussi vite qu'avec une bonne hache.

Quand le bout de brancard tomba, il regarda la lame avec stupeur. Même la hache la mieux aiguisée se serait émoussée à tailler ce vieux bois dur, mais l'épée avait l'air aussi brillante et tranchante que jamais. Il éprouva le fil d'un pouce qu'il porta aussitôt à sa bouche. La lame était encore coupante comme un rasoir.

Toutefois, il n'avait pas le temps de s'émerveiller. Il souffla la lanterne – pas besoin de mettre le feu à l'écurie en plus de tout le reste –, ramassa les brancards et retourna en courant chercher ce qu'il avait déposé devant la maison.

Dans l'ensemble, cela constituait un fardeau malaisé à déplacer. Pas lourd mais difficile à équilibrer et à maintenir, les brancards bougeant et tournant entre ses bras, quand il traversa en trébuchant le champ labouré. Une fois de retour dans la forêt, ce fut encore pire, ils se coinçaient dans les arbres et manquaient de peu le faire tomber. Les traîner aurait été plus facile, mais cela aurait tracé une piste bien visible derrière lui. Il avait l'intention d'attendre le plus possible avant d'en arriver là.

Tam était à l'endroit même où il l'avait laissé, apparemment endormi. Il espéra que c'était bien du sommeil. Soudain plein de crainte, il lâcha sa charge et posa la main sur le visage de son père. Tam respirait toujours, par contre la fièvre avait augmenté.

Le contact réveilla Tam, mais c'était un état d'éveil embrumé. Il demanda dans un souffle : « C'est toi, mon garçon ? Je me tourmentais pour toi. Des rêves du passé. Des cauchemars. » Toujours murmurant, il replongea dans l'inconscience.

« Ne t'en fais pas », dit Rand. Il étendit la cotte et le manteau de Tam sur lui pour le garantir du vent. « Je vais t'emmener à Nynaeve aussi vite que je pourrai. » Continuant à parler autant pour se rassurer lui-même que pour le bénéfice de Tam, il enleva sa chemise tachée de sang, sentant à peine le froid dans sa hâte de s'en débarrasser et enfila précipitamment la chemise propre. Jeter sa vieille chemise lui donna l'impression d'avoir pris un bain. « Nous serons en sécurité au village en un rien de temps, et la Sagesse te remettra d'aplomb. Tu verras. Tout ira bien. »

Cette pensée était comme un phare tandis qu'il enfilait son manteau et se penchait pour s'occuper de la blessure de Tam. Ils seraient en sûreté une fois au village, et Nynaeve guérirait Tam. Il n'avait simplement qu'à l'y transporter.

6.

LE BOIS DE L'OUEST

À la lueur de la lune, Rand ne pouvait pas vraiment distinguer ce qu'il faisait, mais la blessure de Tam paraissait n'être qu'une entaille peu profonde le long des côtes, pas plus longue que la paume de sa main. Il secoua la tête avec incrédulité. Il avait vu son père se faire des blessures pires que celle-ci sans même s'arrêter sauf pour les laver. En hâte, il examina Tam de la tête aux pieds, cherchant à repérer quelque chose d'assez grave pour justifier sa fièvre, mais la coupure fut tout ce qu'il découvrit.

Si petite qu'elle fût, cette seule coupure était pourtant assez sérieuse ; tout autour, la chair était brûlante au toucher. Elle était même plus brûlante que le reste du corps de Tam et le reste de son corps était assez chaud pour que Rand serre les dents. Une fièvre aussi ardente pouvait tuer ou ne laisser d'un homme que l'enveloppe sèche de ce qu'il était auparavant. Il mouilla un linge avec l'eau de son outre et l'étendit sur le front de Tam.

Il s'efforça d'agir avec douceur en lavant et bandant l'entaille sur les côtes de son père, mais des gémissements faibles interrompirent tout de même les marmottements de Tam. Des branches dénudées les surplombaient, menaçantes dans leur balancement sous l'effet du vent. Sûrement les Trollocs passeraient leur chemin quand ils ne les trouveraient pas, Tam et lui, quand ils retourneraient à la ferme et la trouveraient toujours déserte. Il essaya de se forcer à y croire, mais la dévastation gratuite à l'intérieur de la maison, cette stupidité, laissait peu de place à pareille conviction. Croire qu'ils renonceraient avant d'avoir anéanti chaque être ou chose sur leur passage était dangereux, un risque insensé qu'il ne pouvait pas courir.

Des Trollocs. Lumière Céleste, des Trollocs ! Des créatures sorties d'un conte de ménestrel, surgissant de la nuit pour enfoncer la porte. Et un Évanescent. Lumière, brille sur moi, un Évanescent !

Brusquement, il se rendit compte qu'il tenait entre ses mains immobiles les bouts du bandage qu'il n'avait pas attachés. *Paralysé comme un lapin qui aperçoit l'ombre d'un faucon*, songea-t-il avec mépris. Hochant la tête d'un mouvement coléreux il acheva de fixer le bandage autour de la poitrine de Tam.

Savoir ce qu'il avait à faire, et même le faire, ne l'empêchait pas d'avoir peur. Quand les Trollocs reviendraient, ils commenceraient sûrement à fouiller la forêt autour de la ferme en quête d'une trace des gens qui leur avaient échappé. Le corps de celui qu'il avait tué leur indiquerait que ces gens n'étaient pas loin. Qui savait ce que ferait un Évanescent ou ce qu'il pouvait faire ? En outre, les commentaires de son père sur l'ouïe des Trollocs résonnaient dans sa tête aussi fort que si Tam venait de les prononcer. Il se surprit à résister à l'impulsion de mettre la main sur la bouche de Tam pour étouffer ses gémissements et ses murmures. *Certains suivent les pistes à l'odeur. Par quel moyen remédier à ça ? Aucun.* Inutile de perdre du temps à se tourmenter pour des problèmes qu'il était incapable de résoudre.

« Il faut te taire, murmura-t-il à l'oreille de son père. Les Trollocs vont revenir. »

Tam dit d'une voix rauque, étouffée : « Tu es encore adorable, Kari. Aussi adorable que dans ta jeunesse. »

Rand esquissa une grimace. Sa mère était morte depuis quinze ans. Si Tam la croyait toujours vivante, alors la fièvre était encore plus forte que Rand ne l'avait cru. Comment l'empêcher de parler maintenant que le silence avait une chance d'être garant de vie ?

« Mère veut que tu te taises », chuchota Rand. Il s'arrêta pour éclaircir une gorge soudain serrée. Sa mère avait les mains douces ; de cela au moins il se souvenait. « Kari veut que tu te taises. Tiens, bois. »

Tam but goulûment à l'outre mais, après quelques gorgées, il détourna la tête et se remit à murmurer, trop bas pour que Rand comprenne. Il espéra que c'était aussi trop bas pour être entendu par des Trollocs en chasse.

Hâtivement, il s'acquitta de ce qui était nécessaire. Il enroula trois des couvertures autour des brancards coupés à la charrette et entre ces brancards, fabriquant une civière de fortune. Il n'était capable d'en porter qu'une extrémité, l'autre traînant sur le sol, mais était bien obligé de s'en accommoder. Avec le couteau qu'il portait à la ceinture, il tailla dans la dernière couverture une longue lanière dont il attacha un bout à chacun des brancards.

Aussi doucement que possible, il installa Tam sur la civière, tressaillant à chaque gémissement. Son père lui avait toujours paru indestructible. Rien ne pouvait l'atteindre ; rien ne pouvait l'arrêter ni même le ralentir. Le voir dans cet état enlevait à Rand tout le courage qu'il avait réussi à rassembler, mais il devait continuer. C'est uniquement ce qui le maintenait en mouvement. Il le devait.

Quand Tam fut finalement étendu sur ce travois, Rand hésita, puis détacha le ceinturon que son père portait autour de sa taille. Quand il l'eut fixé autour de la sienne, cela lui fit un effet curieux de l'avoir là ; cela lui donna une sensation bizarre. Ceinturon, fourreau et épée ne pesaient ensemble que quelques livres mais, quand il mit la lame au fourreau, il eut l'impression qu'elle opérait sur lui une traction comme un poids considérable.

Il se tança avec colère. Ce n'était ni le moment ni le lieu où se laisser aller à des idées idiotes. Cette lame n'était qu'un grand couteau. Combien de fois avait-il rêvé de porter une épée et d'avoir des aventures ? S'il avait réussi à tuer un Trolloc avec, il parviendrait sûrement aussi à en repousser d'autres. Seulement il savait trop bien que ce qui s'était passé à la ferme avait été un pur coup de chance. Et ses rêves d'aventures n'avaient jamais inclus de claquements de dents, de course dans la nuit pour sauver sa vie, ni la vue de son père sur le point de mourir.

En hâte, il entoura Tam de la dernière couverture et posa à côté de lui sur le travois l'outre et le reste du linge. Il prit une profonde inspiration, s'agenouilla entre les brancards et passa la lanière par-dessus sa tête. Il

110

l'enroula autour de ses épaules, la faisant ressortir en arrière sous les bras. Quand il saisit les brancards et se redressa, la majeure partie du poids pesa surtout sur les épaules. Cela ne lui parut pas trop lourd. S'efforçant de maintenir une allure régulière, il se mit en route pour le Champ d'Emond, le travois raclant le sol derrière lui.

Il avait déjà décidé de se diriger vers la Route de la Carrière et de la suivre jusqu'au village. Le danger serait certainement plus grand par cette voie, mais Tam ne recevrait aucun secours s'il se perdait avec son père en cherchant son chemin à travers bois et ténèbres.

Dans le noir, il faillit sortir sur la Route de la Carrière sans s'en apercevoir. Quand il eut compris où il était, sa gorge se serra comme un poing. Il fit vivement tourner le travois et le traîna de nouveau un peu plus loin sous le couvert des arbres, puis s'arrêta pour reprendre haleine et laisser à son cœur le temps de se calmer. Encore hatelant, il obliqua vers l'est, vers le Champ d'Emond.

Avancer au milieu des arbres était plus difficile que de tirer Tam sur la route, et la nuit ne rendait évidemment pas les choses plus faciles, mais prendre la route elle-même serait de la folie. L'idée était d'atteindre le village *sans* rencontrer de Trollocs, sans même en voir un si son souhait se réalisait. Il devait tenir pour acquis que les Trollocs les pourchassaient encore et que, tôt ou tard, ils s'aviseraient qu'ils étaient partis tous les deux pour le village.

C'était le but qui s'imposait et la Route de la Carrière l'itinéraire le plus rationnel. À la vérité, il se trouvait plus près de la route qu'il n'aurait voulu. La nuit et les ombres sous les arbres paraissaient un couvert terriblement précaire pour échapper au regard de quiconque emprunterait cette route.

La lune qui filtrait à travers les branches éclairait juste assez pour donner à ses yeux l'illusion qu'ils voyaient ce qui était à ses pieds. Des racines le mettaient en danger de trébucher à chaque pas, de vieilles ronces lui accrochaient les jambes et de brusques différences de niveau manquaient le faire tomber quand son pied ne rencontrait que le vide alors qu'il s'attendait à du sol ferme, ou buter quand ses orteils heurtaient la terre alors qu'il était encore en train d'avancer. Les marmottements de Tam se changeaient en gémissements aigus chaque fois qu'un brancard tressautait trop brusquement sur une racine ou un rocher.

L'incertitude l'obligeait à scruter l'obscurité jusqu'à ce qu'il ait les yeux cuisants, à écouter comme il n'avait jamais encore écouté. Chaque frottement de branche contre branche, chaque bruissement d'aiguilles de pin l'immobilisait, l'oreille tendue, osant à peine respirer de crainte de ne pas entendre un bruit avertisseur, par crainte d'en entendre un. C'est seulement une fois sûr que c'était simplement le vent dans les branches qu'il reprenait sa marche.

Peu à peu, la lassitude envahit ses bras et ses jambes, amenée par un vent nocturne qui se raillait de sa cotte et de son manteau. Le poids du travois, si faible au départ, essayait à présent de l'entraîner vers le sol. Ses faux pas n'étaient plus tous dus à des obstacles. La lutte presque constante pour ne pas tomber l'épuisait autant que l'effort réel de tirer le travois. Il s'était levé avant l'aube pour commencer ses corvées habituelles et, avec en plus le trajet jusqu'au Champ d'Emond, il avait accompli presque une pleine journée de travail. Un soir ordinaire, il se serait reposé devant l'âtre en lisant un des livres de la petite collection de Tam avant de se coucher. Le froid glacial lui pénétrait les os et son estomac lui rappelait qu'il n'avait rien absorbé depuis les gâteaux au miel de Maîtresse al'Vere.

Il marmotta pour lui-même, furieux de n'avoir pas pris de quoi manger à la ferme. Quelques minutes de plus n'auraient pas fait de différence. Quelques minutes pour trouver du pain et du fromage. Les Trollocs ne seraient pas revenus juste au bout de quelques minutes. Ou seulement du pain. Bien sûr, Maîtresse al'Vere insisterait pour mettre un repas chaud devant lui, une fois qu'ils atteindraient l'auberge. Une assiette fumante de son ragoût d'agneau consistant, probablement. Et de ce pain qu'elle avait cuit. Et du thé bien chaud en quantité.

« Ils ont déferlé par-dessus le Rempart du Dragon comme un torrent, s'exclama soudain Tam d'une voix forte et irritée, et inondé le pays de sang. Combien sont morts pour le péché de Laman ? »

Rand faillit en choir de surprise. D'un geste las, il abaissa le travois jusqu'au sol et se dégagea. La lanière de couverture avait creusé un sillon brûlant dans ses épaules. Se secouant pour dissiper les crampes, il s'agenouilla à côté de Tam. Tandis qu'il fourrageait à la recherche de l'outre, il regarda attentivement à travers les arbres d'un bout à l'autre la route qui se trouvait à vingt pas à peine. Rien ne bougeait que des ombres. Rien que des ombres.

« Il n'y a pas d'invasion de Trollocs, père. Pas maintenant, en tout cas. Nous serons bientôt en sûreté au Champ d'Emond. Bois un peu d'eau. »

Tam écarta l'outre d'un bras qui semblait avoir recouvré sa pleine vigueur. Il saisit Rand par le col, l'attirant assez près pour qu'il perçût la chaleur de la fièvre de son père sur sa joue. « On les traitait de sauvages, poursuivit Tam. Ces imbéciles disaient qu'on pouvait les balayer comme des ordures. Combien de batailles perdues, combien de villes brûlées, avant qu'on admette la vérité ? Avant que les nations se dressent ensemble contre eux. » Il relâcha sa prise sur Rand et sa voix devint empreinte de tristesse. « À Marath, ce champ couvert de morts comme d'un tapis et aucun bruit sauf les cris des corbeaux et le bourdonnement des mouches. Les tours décapitées de Cairhien ont flambé la nuit comme des torches. Tout le long du chemin jusqu'aux Remparts Étincelants, ils ont brûlé et massacré avant qu'on les repousse. Tout le long du chemin... »

Rand plaqua sa main sur la bouche de son père. Le son retentit de nouveau, un battement rythmé, d'une direction impossible à déterminer au milieu des arbres, diminuant puis se renforçant au gré des changements de sens du vent. Fronçant les sourcils, il tourna lentement la tête, s'efforçant de décider d'où ce bruit provenait. Il entrevit du coin de l'œil un bref remuement et aussitôt s'accroupit au-dessus de Tam. Il fut surpris de sentir la garde de l'épée serrée bien fort dans sa main, mais la plupart de son attention se concentrait sur la Route de la Carrière, comme si cette Route était la seule chose réelle dans le monde entier.

Des ombres ondulantes à l'est se transformèrent lentement en un cheval et un cavalier, suivis sur la route par de hautes silhouettes massives qui allaient au pas gymnastique pour se maintenir à l'allure de l'animal. La pâle lueur de la lune faisait étinceler des fers de lance et de hache. Rand n'imagina pas une seconde que ce pourrait être des villageois venus à l'aide. Il savait qui c'était. Il le sentait, à la manière d'une meule de grès raclant ses os, avant même qu'ils soient assez proches pour que la lune révèle la mante à capuchon qui enveloppait le cavalier, une mante qui pendait sans que le vent la fasse bouger. Toutes les formes paraissaient noires dans la nuit et les sabots du cheval produisaient le même bruit que n'importe quel autre cheval, mais Rand reconnut celui-là entre tous.

Derrière le cavalier noir venaient des silhouettes de cauchemar avec des cornes, des mufles, des becs – des Trollocs en colonne par deux, marchant du même pas, bottes et sabots frappant le sol avec ensemble, comme s'ils obéissaient à un seul esprit. Rand en compta vingt pendant qu'ils défilaient au pas de course. Il se demanda quel genre d'homme oserait se retourner contre tant de Trollocs. Ou un seul, aussi bien.

La colonne avançant au pas gymnastique disparut vers l'ouest, le bruit sourd de sa marche s'évanouissant dans la nuit, mais Rand resta où il était, sans remuer un muscle sauf pour respirer. Quelque chose lui disait d'être certain, absolument certain qu'ils étaient partis avant de bouger. Il finit par respirer profondément et commença à se redresser.

Cette fois, le cheval ne faisait aucun bruit. Dans un silence à donner le frisson, le cavalier noir revenait, sa monture sombre s'arrêtant tous les quelques pas en suivant lentement la route dans l'autre sens. Les rafales de vent augmentèrent, gémissant à travers les arbres; le manteau du cavalier demeura d'une immobilité de marbre. Chaque fois que le cheval marquait une pause, cette tête encapuchonnée se tournait d'un côté à l'autre, le cavalier scrutant la forêt, cherchant. Juste en face de Rand, le cavalier stoppa de nouveau, l'ouverture perdue dans l'ombre du capuchon vira vers l'endroit où il était accroupi au-dessus de son père.

La main de Rand serra convulsivement la garde de l'épée. Il sentit le regard comme l'autre matin et frissonna encore sous l'effet de cette haine, même s'il ne la voyait pas. Cet homme drapé comme dans un linceul, haïssait tout et tout le monde, tout ce qui vivait. Malgré le vent froid, la sueur perlait sur le visage de Rand.

Puis le cheval reprit son manège, quelques pas muets puis un arrêt, jusqu'à ce que tout ce que Rand puisse voir était une masse floue, à peine discernable dans la nuit, au loin sur la route. Ç'aurait pu être n'importe quoi, mais il ne les avait pas quittés des yeux une seconde. Il craignait, s'il les perdait de vue, que la prochaine fois qu'il apercevrait le cavalier au manteau noir ce serait quand ce cheval silencieux serait sur lui.

Brusquement, l'ombre revint à toute allure, le dépassant dans un galop muet. Le cavalier regardait seulement devant lui en se hâtant dans la nuit vers l'ouest, vers les Montagnes de la Brume. Vers la ferme.

Rand s'affaissa, avalant l'air à grands traits et essuyant avec sa manche la sueur sur sa figure. Il ne se souciait plus de savoir pourquoi les Trollocs étaient venus. S'il n'en découvrait jamais la raison, il s'en accommoderait très bien, du moment que c'était terminé.

Il se reprit d'une secousse et vérifia en hâte l'état de son père. Tam murmurait toujours mais si bas que Rand n'arrivait pas à distinguer ses paroles. Il essaya de lui donner à boire, mais l'eau coula sur le menton de son père. Tam toussa et s'étrangla avec le peu qui avait pénétré dans sa bouche, puis recommença à marmotter comme s'il n'y avait pas eu d'interruption.

Rand mouilla encore avec de l'eau le linge posé sur le front de Tam, réinstalla l'outre sur le travois et se replaça entre les brancards.

Il partit comme s'il avait eu une bonne nuit de sommeil, mais ce sursaut d'énergie ne dura pas longtemps. La peur masqua sa fatigue au début mais, si la peur resta toujours là, le masque disparut vite. Il ne tarda pas à avancer de nouveau en trébuchant, s'efforçant d'ignorer sa faim et ses muscles douloureux. Il se concentrait pour mettre un pied devant l'autre sans faire de faux pas.

Il se représenta mentalement le Champ d'Emond, les volets rabattus et les maisons illuminées pour la Nuit de l'Hiver, les gens se criant « bonsoir » en passant et repassant pour aller rendre leurs visites, les violons faisant retentir les rues de *La Folie de Jaem* ou *Le Héron qui s'en va volant*. Haral Luhhan avalerait une eau-de-vie de trop et commencerait à chanter *Le Vent dans les orges* avec une voix de crapaud-buffle – comme d'habitude – jusqu'à ce que sa femme arrive à lui imposer silence. Cenn Buie déciderait de prouver qu'il pouvait toujours danser aussi bien qu'autrefois, Mat aurait projeté quelque farce qui ne tournerait pas exactement selon ses prévisions et tout le monde saurait qu'il en était le responsable, même si personne ne pouvait le prouver. Il souriait presque en pensant à la façon dont cela se passerait.

Au bout d'un moment, Tam se remit à parler.

« *L'Avendesora.* On dit qu'il ne donne pas de graines, mais ils ont apporté une bouture à Cairhien, un plant. Un cadeau royal et admirable pour le Roi. » En dépit de son ton irrité, il parlait à peine assez fort pour que Rand le comprenne. Qui aurait pu l'entendre aurait aussi entendu le raclement du travois sur le sol. Rand continua son chemin, écoutant à moitié. « Ils ne font jamais la paix. Jamais. Mais ils avaient apporté un plant en signe de paix. Pendant cent ans il a poussé. Cent ans de paix avec ceux qui ne font pas la paix avec des étrangers. Pourquoi l'a-t-il coupé ? Pourquoi ? Le sang a été le prix pour l'*Avendoraldera.* Le sang a été le prix de l'orgueil de Laman. » Sa voix s'affaiblit de nouveau dans un murmure.

Avec lassitude, Rand se demanda quel songe né de la fièvre Tam vivait à présent. *Avendesora.* L'Arbre de Vie était censé avoir toutes sortes de vertus miraculeuses, mais aucun des contes ne mentionnait de plant, ni de « ils ». Il y en avait un seul et celui-là c'était l'Homme Vert.

Ce matin même, il se serait trouvé ridicule de réfléchir à l'Homme Vert et à l'Arbre de Vie. Ce n'étaient que des contes. *Vraiment ? Les Trollocs n'étaient que des personnages de conte, ce matin.* Peut-être tous les contes étaient-ils aussi réels que les nouvelles apportées par les marchands et les colporteurs, toutes les histoires de ménestrel et toutes les histoires racontées le soir devant l'âtre. La prochaine fois, il rencontrerait peut-être réellement l'Homme Vert ou un géant Ogier ou un féroce Aiel voilé de noir.

Tam parlait de nouveau, il s'en rendit compte, parfois dans un simple murmure, parfois assez fort pour être compris. De temps à autre, il s'arrêtait en haletant pour reprendre haleine, puis continuait comme s'il croyait avoir parlé sans arrêt.

« ... les batailles sont toujours ardentes même s'il neige. La chaleur de la sueur, la chaleur du sang. Seule la mort est froide. Le flanc de la montagne... unique endroit qui ne pue pas la mort. Il fallait échapper à cette odeur... à cette vue... entendu pleurer un bébé. Leurs femmes se battent au côté des hommes parfois, mais pourquoi ils l'avaient laissée venir, je ne... accouché là toute seule, avant de mourir de ses blessures... couvert l'enfant avec sa mante, mais le vent... emporté la mante... l'enfant bleu de froid. Aurait dû aussi être mort... pleurait là. Pleurait dans la neige. Je ne pouvais pas laisser un enfant... pas d'enfant à nous... toujours su que tu voulais un enfant. Je me doutais bien que tu le prendrais dans ton cœur, Kari. Oui, ma douce. Rand est un nom parfait. Un nom parfait. »

Soudain les jambes de Rand perdirent leur peu de force. Il trébucha et tomba à genoux. Tam gémit à cause de la secousse, et la lanière s'enfonça dans les épaules de Rand, mais il n'eut conscience ni de l'un ni de l'autre. Si un Trolloc avait surgi devant lui à cet instant, il l'aurait uniquement regardé fixement. Il jeta un coup d'œil par-dessus son épaule à Tam, dont la voix était redevenue un murmure indistinct. *Rêves de la fièvre*, pensa-t-il. Les fièvres suscitent toujours de mauvais rêves, et c'était une nuit pour avoir des cauchemars même sans fièvre.

« Tu es mon père, dit-il tout haut en étendant une main en arrière pour toucher Tam. Et je suis... » La fièvre avait empiré. De beaucoup.

Avec ténacité, il se releva péniblement. Tam murmura quelque chose, mais Rand refusa de l'écouter davantage. Il s'arc-bouta de tout son poids contre le harnais improvisé et s'efforça de concentrer son esprit sur les pas lourds qu'il alignait l'un après l'autre pour atteindre la sécurité du Champ d'Emond. Mais il ne pouvait rien contre l'écho résonnant au fond de son cerveau. *C'est mon père. Il a juste fait un rêve provoqué par la fièvre. C'est mon père. Il a juste fait un rêve provoqué par la fièvre. O Lumière, qui suis je ?*

7.

HORS DES BOIS

La première aube grise se manifesta alors que Rand cheminait encore péniblement à travers la forêt. Tout d'abord, il ne s'en aperçut pas vraiment. Quand il finit par s'en rendre compte, il contempla avec surprise l'obscurité qui s'estompait. Ses yeux avaient beau le lui dire, il avait peine à croire qu'il avait passé toute la nuit à essayer de parcourir la distance qui séparait la ferme du Champ d'Emond. Évidemment, la Route de la Carrière au grand jour, en dépit des cailloux et du reste, n'avait rien de comparable avec la forêt pendant la nuit. D'autre part, il avait l'impression que des jours s'étaient écoulés depuis qu'il avait vu le cavalier au manteau noir sur la route, des semaines depuis que Tam et lui étaient rentrés pour souper. Il ne sentait plus la lanière d'étoffe s'incruster dans ses épaules, mais aussi il ne sentait rien dans les épaules à part de l'engourdissement, ni dans ses pieds non plus, d'ailleurs. Entre les deux, c'était une autre affaire. Son souffle sortait en halètements laborieux qui depuis longtemps lui brûlaient la gorge et les poumons et, sous l'effet de la faim, des nausées lui crispaient l'estomac.

Tam s'était tu depuis quelque temps déjà. Rand ne savait pas exactement quand les murmures avaient cessé, mais il n'osait pas s'arrêter pour vérifier où en était son père. S'il s'arrêtait, il ne serait jamais capable de se forcer à repartir. De toute façon, quel que fût l'état de Tam, il ne pourrait rien faire de plus que ce qu'il faisait. Le seul espoir se trouvait devant, au village. Il essaya avec lassitude d'accélérer le pas, mais ses

118

jambes raides continuèrent leur lente marche pénible. Il avait même à peine conscience du froid ou du vent.

Il perçut vaguement l'odeur d'une fumée de feu de bois. Au moins était-il presque arrivé s'il pouvait sentir les cheminées du village. Un sourire las avait juste commencé à se dessiner sur son visage, pourtant, quand il se transforma en grimace soucieuse. L'air était envahi par la fumée – trop de fumée. Étant donné le temps, du feu flambait peut-être bien dans chaque âtre du village, mais la fumée était néanmoins trop dense. Il revit par la pensée les Trollocs sur la route. Des Trollocs venus de l'est, de la direction du Champ d'Emond. Il scruta la route devant lui, s'efforçant de distinguer les premières maisons, prêt à crier à l'aide au moindre signe d'une présence, même de Cenn Buie ou d'un des Coplin. Une petite voix au fond de lui-même lui dit d'espérer que quelqu'un là-bas pouvait encore lui venir en aide.

Soudain une maison devint visible à travers les derniers arbres aux branches dépouillées et c'est à peine s'il put continuer à mettre un pied devant l'autre. Son espoir changé en désespoir accablant, il entra d'un pas chancelant dans le village.

Des gravats brûlés s'entassaient à la place de la moitié des maisons du Champ d'Emond. Des cheminées de brique couvertes de suie pointaient comme des doigts sales hors des amas de charpentes noircies. De minces rubans de fumée sortaient encore des ruines. Des villageois au visage noirci, certains encore en vêtement de nuit, fourgonnaient dans les cendres, ici dégageant une marmite, là simplement fouillant d'un air morne les débris avec un bâton. Le peu qui avait échappé aux flammes jonchait les rues ; de grands miroirs, des buffets cirés et des armoires étaient là dans la poussière au milieu de chaises et de tables ensevelies sous des couvertures, des ustensiles de cuisine et de maigres tas de vêtements et d'objets personnels.

La destruction semblait disséminée au hasard à travers le village. Cinq maisons intactes s'alignaient en rang tandis qu'à un autre endroit une survivante solitaire était entourée de désolation.

De l'autre côté de la rivière de la Source du Vin, les trois énormes brasiers rugissaient, surveillés par une poignée d'hommes. D'épaisses colonnes de fumée noire, que le vent inclinait vers le nord, étaient mouchetées d'étincelles nonchalantes. Un des étalons durrhans de Maître al'Vere tirait quelque chose que Rand ne distinguait pas sur le sol en direction du Pont-aux-Charrettes et des flammes.

Avant qu'il fût tout à fait sorti d'entre les arbres, Haral Luhhan, le visage taché de suie, se précipita vers lui, serrant une hache de bûcheron dans sa main aux doigts épais. La chemise de nuit maculée de cendres du robuste forgeron pendait sur ses bottes, la marque rouge vif d'une brûlure en travers de sa poitrine apparaissait par un accroc en dents de scie. Il se laissa tomber sur un genou à côté de la civière. Tam avait les yeux fermés, la respiration faible et difficile.

« Les Trollocs, mon garçon ? demanda Maître Luhhan d'une voix éraillée par la fumée. Ici aussi, ici aussi. Ma foi, peut-être bien que nous avons eu plus de chance qu'on n'a le droit d'en avoir, si tu peux m'en croire. Il a besoin de la Sagesse. Maintenant, par la Lumière, où peut-elle être ? Egwene ! »

Egwene qui passait en courant, les bras chargés de draps de lit déchirés pour confectionner des pansements, tourna la tête sans ralentir. Son regard se perdait dans le lointain ; des cernes sombres faisaient paraître ses yeux plus grands même qu'ils n'étaient en réalité. Puis elle vit Rand et s'immobilisa, aspirant un souffle frémissant. « Oh, non, Rand, pas ton père ? Est-il... ? Viens, que je vous conduise à Nynaeve. »

Rand était trop las, trop accablé, pour parler. Tout au long de la nuit, le Champ d'Emond avait été un havre où lui et Tam seraient en sécurité. Maintenant, il était tout juste capable d'examiner avec consternation la robe d'Egwene salie par la fumée. Il remarqua de simples détails comme s'ils étaient très importants. La fermeture dans le dos de sa robe avait été boutonnée de travers. Et ses mains étaient propres. Il se demanda pourquoi, alors qu'elle avait de la suie sur les joues.

Maître Luhhan sembla comprendre ce qui lui arrivait. Il posa sa hache en travers des brancards, souleva l'arrière du travois et le poussa doucement pour l'inciter à suivre Egwene. Il avança en trébuchant derrière elle comme un somnambule. Il se demanda brièvement comment Maître Luhhan savait que les créatures étaient des Trollocs, mais ce fut une réflexion fugace. Si Tam pouvait les reconnaître, il n'y avait pas de raison qu'Haral Luhhan ne le puisse pas aussi. Il marmotta :

« Tous les contes sont vrais.

– À ce qu'il paraît, mon gars, dit le forgeron, à ce qu'il paraît. »

Rand n'entendit qu'à moitié. Il se concentrait pour suivre la silhouette élancée d'Egwene. Il s'était ressaisi juste assez pour souhaiter qu'elle se hâte, bien qu'à la vérité elle réglât son pas sur l'allure que pouvaient soutenir les deux hommes avec leur fardeau. Elle les emmena jusqu'au milieu du Pré Communal, à la maison Calder. Le feu avait carbonisé et noirci le bord du chaume et des flocons de suie avaient souillé les murs blanchis à la chaux. Des maisons qui l'encadraient ne subsistaient que les pierres des fondations et deux tas de cendres et de bois de charpente brûlé. L'une avait été la demeure de Berin Thane, un des frères du meunier. L'autre celle d'Abel Cauthon, père de Mat. Même les cheminées s'étaient écroulées.

« Attendez ici », dit Egwene qui les regarda comme si elle quêtait une réponse. Comme ils se contentaient de rester sans bouger, elle marmotta quelque chose et se précipita à l'intérieur.

« Mat, dit Rand. Est-il...

– Il est vivant », répliqua le forgeron. Il posa l'extrémité du travois et se redressa lentement. « Je l'ai vu il y a peu de temps. C'est un miracle qu'il y en ait encore en vie parmi nous. À la manière dont ils ont foncé sur ma maison, on aurait cru qu'il y avait de l'or et des bijoux dedans. Alsbet a fendu le crâne de l'un d'eux avec une poêle à frire. Elle a jeté un coup d'œil sur les cendres de notre maison ce matin et elle est partie en chasse dans le village avec le plus gros marteau qu'elle a pu déterrer dans ce qui reste de la forge pour le cas où il y en aurait un qui se serait caché au lieu de s'enfuir. J'aurais presque pitié de la créature si Alsbet en trouvait une. » Il hocha la tête vers la maison Calder. « Maîtresse Calder et plusieurs autres ont recueilli quelques-uns des blessés, ceux qui n'avaient plus de maison à eux encore debout. Quand la Sagesse aura vu Tam, nous lui trouverons un lit. À l'auberge, peut-être. Le Maire l'a déjà proposé, mais Nynaeve a dit que les blessés guériraient mieux s'il n'y en avait pas trop ensemble. »

Rand se laissa choir sur les genoux. D'un coup d'épaule, il se dégagea de son harnais improvisé et s'affaira à vérifier que Tam était bien couvert. Tam ne bougea ni ne proféra un son même quand les mains gourdes de Rand le bousculèrent. Mais du moins respirait-il encore. *Mon père. L'autre, c'était juste le délire de la fièvre.* « Et s'ils reviennent ? dit-il sourdement.

– La Roue tisse comme la Roue le veut, répondit Maître Luhhan avec malaise. S'ils reviennent... Bah, maintenant ils sont partis. Alors nous ramassons les morceaux, nous reconstruisons ce qui a été abattu. » Il soupira, les traits de son visage s'affaissèrent, il se frotta le creux des reins. Pour la première fois, Rand se rendit compte que cet homme massif était aussi fatigué que lui-même, sinon davantage. Le forgeron contempla le village en secouant la tête. « Je ne pense pas qu'aujourd'hui sera un Bel Tine digne de ce nom. Mais on s'en tirera. On l'a toujours fait. » Brusquement, il saisit sa hache et ses traits se raffermirent. « Il y a du travail qui nous attend. Ne te tracasse pas, mon gars. La Sagesse s'occupera bien de lui et la Lumière veillera sur nous tous. Et si la Lumière ne s'en charge pas, eh bien, nous prendrons soin de nous-mêmes. Rappelle-toi, nous sommes natifs des Deux Rivières. »

Toujours à genoux, Rand regarda le village pendant que le forgeron s'éloignait, le regarda vraiment pour la première fois. Maître Luhhan avait raison, songea-t-il, et il fut surpris de n'être pas surpris par ce qu'il voyait. Les gens fouillaient encore les ruines de leurs maisons, mais même depuis le peu de temps qu'il était là, un plus grand nombre avait commencé à se mouvoir avec une intention précise. Il sentait presque grandir leur détermination. Mais il s'interrogea. Ils avaient vu les Trollocs ; avaient-ils vu le cavalier au manteau noir ? Avaient-ils perçu sa haine ?

Nynaeve et Egwene apparurent, sortant de la maison Calder, et il se releva d'un bond. Ou plutôt il essaya ; ce fut plutôt une embardée titubante qui faillit le faire tomber le nez dans la poussière.

La Sagesse s'agenouilla vivement à côté de la civière sans même jeter un coup d'œil à Rand. Son visage et sa robe étaient encore plus sales que ceux d'Egwene et les mêmes cernes soulignaient ses yeux, bien que ses mains à elle aussi fussent propres. Elle tâta le visage de Tam et lui releva du pouce les paupières. Fronçant les sourcils, elle rabattit ce qui le couvrait, écarta avec précaution le bandage pour examiner la blessure. Avant que Rand ait eu le temps d'apercevoir ce qu'il avait dessous, elle avait remis en place le tampon de linge. En poussant un soupir, elle remonta la couverture et le manteau jusqu'au cou de Tam, d'un geste doux comme si elle bordait un enfant pour la nuit.

« Il n'y a rien que je puisse faire », conclut-elle. Elle fut obligée d'appuyer les mains sur ses genoux pour se redresser. « Je suis désolée, Rand. »

Pendant un instant, il resta là, sans comprendre, tandis qu'elle repartait vers la maison, puis il se précipita derrière elle et la tira pour qu'elle se retourne face à lui. « Il est mourant, cria-t-il.

– Je sais », dit-elle simplement, et il fléchit devant cette réponse prosaïque.

« Il faut que vous fassiez quelque chose. Il le faut. Vous êtes la Sagesse. »

Le chagrin crispa le visage de Nynaeve, mais rien qu'un instant, puis elle fut de nouveau toute résolution, la voix ferme et impassible. « Oui, je suis la Sagesse. Je sais quel résultat il m'est possible d'obtenir avec mes remèdes et je sais quand il est trop tard. Ne crois-tu pas que je ferais quelque chose si c'était en mon pouvoir ? Mais je ne peux pas, je ne peux pas, Rand. Et il y en a d'autres qui ont besoin de moi. Des gens à qui je serai utile.

– Je vous l'ai amené aussi vite que possible », marmotta-t-il. Même si le village était en ruine, il y avait eu l'espoir de la Sagesse. Cet espoir disparu, il se sentait vidé.

« Je le sais bien », dit-elle gentiment. Elle lui effleura la joue de la main. « Ce n'est pas ta faute. Tu as fait le maximum. Je suis désolée, Rand, mais j'en ai d'autres à soigner. Nos ennuis n'en sont encore qu'à leur commencement, je le crains. »

Hébété, il la suivit des yeux jusqu'à ce que la porte de la maison se referme derrière elle. Il n'était capable que d'une pensée : elle ne l'aiderait pas.

Soudain il recula d'un pas sous le choc d'Egwene qui se jetait contre lui en l'étreignant. Son étreinte était assez rude pour lui tirer un grognement à n'importe quel autre moment ; à présent, il regarda seulement en silence la porte derrière laquelle ses espoirs s'étaient évanouis.

« Je suis vraiment navrée, Rand, dit-elle contre sa

poitrine. Par la Lumière, j'aimerais pouvoir faire quelque chose. »

Dans une espèce de torpeur, il l'entoura de ses bras. « Je sais. Je... il faut que je me débrouille, Egwene. J'ignore comment, mais je ne peux pas le laisser... » Sa voix se brisa et Egwene resserra encore son étreinte.

« Egwene ! » À l'appel de Nynaeve provenant de la maison, Egwene sursauta. « Egwene, j'ai besoin de toi. Et relave-toi les mains ! »

Elle repoussa les bras de Rand et se libéra. « Elle a besoin de mon aide, Rand.

– Egwene ! »

Il crut entendre un sanglot quand elle pivota sur elle-même et s'éloigna de lui. Puis elle disparut, et il resta seul près du travois. Pendant un instant, il contempla Tam sans rien éprouver qu'une impuissance stérile. Subitement, son visage se durcit. « Le Maire saura quoi faire », dit-il en soulevant de nouveau les brancards. « Le Maire saura. » Bran al'Vere savait toujours ce qu'il fallait faire. Avec un entêtement las, il se mit en route pour *l'Auberge de la Source du Vin.*

Un autre des étalons dhurrans le dépassa, ses courroies de harnais attachées autour des chevilles d'une grande forme enveloppée dans une couverture sale. Les bras couverts de poils grossiers traînaient dans la poussière derrière la couverture et un coin retroussé révélait une corne de chèvre. Les Deux Rivières n'étaient pas un endroit où les contes devenaient horriblement réels. Si les Trollocs avaient leur place, c'était dans le monde extérieur, là où il y avait des Aes Sedai et les faux Dragons, et la Lumière seule savait quoi d'autre sortis vivants des contes de ménestrels... Pas aux Deux Rivières. Pas au Champ d'Emond.

Alors qu'il cheminait le long du Pré Communal, des gens l'interpellèrent, certains depuis les ruines de leur maison, pour lui offrir leur aide. Il ne les entendit que comme des murmures à l'arrière-plan, même quand ils marchaient à côté de lui un instant en lui parlant. Sans y réfléchir consciemment, il réussit à émettre quelques mots pour expliquer qu'il n'en avait pas besoin, que tout était arrangé. Quand ils le quittaient l'air préoccupé et parfois en commentant qu'ils allaient lui envoyer Nynaeve, il y prêtait aussi peu d'attention. Il ne se laissait penser qu'au but qu'il s'était fixé en tête. Bran al'Vere pouvait faire quelque chose pour aider Tam. Ce que c'était, il essayait de ne pas s'y attarder. Mais le Maire pourrait faire, imaginer quelque chose.

L'auberge avait échappé presque complètement à la destruction qui avait rasé la moitié du village. Quelques marques de roussi salissaient ses murs, mais le toit de tuiles rouges luisait au soleil avec autant d'éclat que d'ordinaire. Du chariot du colporteur, pourtant, il ne restait que des cercles de roue en fer noircis appuyés contre la caisse calcinée, à présent gisant par terre. Les grands cerceaux ronds qui avaient soutenu la bâche penchaient dangereusement, chacun à un angle différent.

Thom Merrilin était assis en tailleur sur les pierres du vieux soubassement : il rognait soigneusement les bords roussis des pièces cousues sur son manteau avec une paire de petits ciseaux. Il posa manteau et ciseaux à l'approche de Rand. Sans lui demander s'il avait besoin d'aide ou en désirait, il sauta à bas de son perchoir et releva l'arrière du travois.

« Dedans ? Bien sûr, bien sûr. Ne te tracasse pas, mon garçon. Votre Sagesse va s'occuper de lui. Je l'ai vue au travail depuis la nuit dernière, elle a la main douce et une science sûre. Ce pourrait être bien pire. Il y en a qui sont morts, cette nuit. Pas beaucoup peut-être, mais c'est encore trop pour moi. Le vieux Fain a disparu, pouf, comme ça, et c'est ce qu'il y a eu de pire. Les Trollocs mangent n'importe quoi. Tu devrais rendre grâce à la Lumière que ton père soit encore ici, et vivant pour que la Sagesse puisse le guérir. »

Rand étouffa les mots sous sa litanie – *c'est lui, mon père*, réduisant la voix de Thom à des sons sans signification qu'il ne remarquait pas plus que le bourdonnement d'une mouche. Il ne supportait plus les manifestations de sympathie, les efforts pour lui remonter le moral. Pas maintenant. Pas jusqu'à ce que Bran al'Vere lui dise comment secourir Tam.

Soudain, il se trouva en face de quelque chose de griffonné sur la porte de l'auberge, une ligne courbe tracée avec un bâton carbonisé, une larme en équilibre sur la pointe, dessinée au charbon de bois. Tant d'événements s'étaient succédé qu'il fut à peine surpris de trouver le Croc du Dragon marqué sur la porte de l'*Auberge de la Source du Vin*. Pourquoi voudrait-on accuser de maléfices l'aubergiste ou sa famille, ou porter malheur à l'auberge, cela le dépassait, mais la nuit avait fait naître en lui une conviction. Tout était possible. Absolument tout.

Sur une poussée du ménestrel, il souleva le loquet et entra.

La salle commune était déserte à l'exception de Bran al'Vere et froide aussi, car personne n'avait trouvé le temps d'allumer du feu. Le Maire était assis à une table, trempant sa plume dans un encrier, l'air concentré, sa tête frangée de gris penchée sur une feuille de parchemin. La chemise de nuit fourrée à la hâte dans son pantalon bouffait autour de sa taille imposante et il grattait distraitement un pied nu avec les orteils de l'autre. Il avait les pieds sales, comme s'il était sorti plus d'une fois sans se soucier de mettre des souliers en dépit du froid. « Quelle catastrophe vous amène ? demanda-t-il sans lever la tête. Dites vite. J'ai des douzaines de choses à liquider sur-le-champ qu'il aurait fallu faire il y a une heure. Alors j'ai peu de temps ou de patience. Eh bien ? Allez-y !

– Maître al'Vere ? dit Rand. C'est mon père. »

Le Maire releva brusquement la tête. « Rand ? Tam ! » Il jeta sa plume et renversa sa chaise en se levant d'un bond. « Peut-être la Lumière ne nous a-t-elle pas complètement abandonnés. J'avais peur que vous ne soyez morts tous les deux. Béla est arrivée au galop au village une heure après le départ des Trollocs, couverte d'écume et soufflant comme si elle avait couru tout le long du chemin depuis la ferme, et j'ai cru... Pas le temps d'en parler maintenant. On va le porter en haut. » Il saisit l'arrière de la civière, repoussant le ménestrel d'un coup d'épaule hors de son chemin. « Filez chercher la Sagesse, Maître Merrilin. Et expliquez-lui bien que j'ai dit qu'elle se dépêche ou que je saurai pourquoi. Sois tranquille, Tam. Nous allons te coucher dans un bon lit bien doux. Partez, ménestrel, partez ! »

Thom Merrilin franchit le seuil de la porte et disparut avant que Rand ait eu le temps d'ouvrir la bouche. « Nynaeve n'a rien voulu faire. Elle a déclaré qu'elle ne pouvait pas l'aider. Je savais... j'espérais que vous penseriez à quelque chose. »

Maître al'Vere examina Tam plus attentivement, puis

secoua la tête. « Nous verrons, mon garçon. Nous verrons. » Mais il n'avait plus l'air confiant. « Mettons-le au lit. Au moins pourra-t-il se reposer confortablement. »

Rand se laissa pousser vers l'escalier au fond de la salle commune. Il tâcha de garder sa certitude que Tam s'en sortirait d'une manière ou de l'autre, mais elle avait été mince de prime abord, il le comprit, et le doute subit dans la voix du Maire l'ébranla.

Au premier étage de l'auberge, sur le devant, il y avait une demi-douzaine de chambres douillettes, bien meublées, avec des fenêtres donnant sur le Pré. La plupart du temps, elles étaient utilisées par les colporteurs ou des gens descendus de la Colline-au-Guet ou montés de la Tranchée-de-Deven, mais les marchands qui venaient chaque année étaient souvent surpris de trouver des chambres aussi confortables. Trois d'entre elles étaient occupées pour le moment, et le Maire dirigea vivement Rand vers une des chambres libres.

L'édredon et les couvertures furent prestement rabattus au pied du grand lit et Tam fut transféré sur l'épais matelas de plumes, avec des oreillers de duvet d'oie glissés sous sa tête. Il n'émit aucun son à part sa respiration rauque quand on le déplaça, pas même un gémissement, mais le Maire balaya du geste l'inquiétude de Rand et lui dit d'allumer le feu pour dissiper le froid de la pièce. Pendant que Rand prenait du petit bois et des bûches dans le coffre à côté de la cheminée, Bran ouvrit les rideaux de la fenêtre pour laisser entrer la lumière du matin, puis commença à laver doucement le visage de Tam. Quand le ménestrel revint, la flambée de l'âtre réchauffait la pièce.

« Elle ne viendra pas », annonça Thom Merrilin en entrant dans la chambre à grands pas. Il jeta un coup d'œil furieux à Rand en fronçant ses sourcils blancs broussailleux. « Tu ne m'avais pas dit qu'elle l'avait déjà vu. Elle m'a presque arraché la tête.

– J'ai cru... je ne sais pas... que peut-être que le Maire y pourrait quelque chose, arriverait à la persuader... » Les mains crispées en poings par l'anxiété, Rand se détourna de la cheminée vers Bran. « Maître al'Vere, que puis-je faire ? » Le gros homme aux formes rebondies secoua la tête dans un geste d'impuissance. Il étala un linge humecté de frais sur le front de Tam, en évitant le regard de Rand. « Je ne peux pas me contenter de rester là à le voir mourir, Maître al'Vere. Il faut que je fasse quelque chose. » Le ménestrel esquissa un mouvement comme pour parler. Rand se retourna vers lui avec empressement. « Avez-vous une idée ? Je suis prêt à tenter n'importe quoi.

– Je me demandais seulement, répliqua Thom en bourrant du pouce sa pipe au long tuyau, si le Maire savait qui a dessiné le Croc du Dragon sur sa porte. » Il examina le fourneau de sa pipe, puis regarda Tam et replaça sans l'allumer sa pipe entre ses dents avec un soupir. « Quelqu'un ne semble plus l'aimer. Ou peut-être que ce sont ses hôtes qu'on n'aime pas. »

Rand lui adressa un regard écœuré, puis se mit à fixer le feu. Ses pensées se bousculaient comme les flammes et, comme les flammes, elles se concentraient sur un objectif unique. Il ne renoncerait pas. Il ne pouvait pas se résigner à demeurer là en spectateur pendant que Tam se mourait. *Mon père*, pensa-t-il farouchement. *Mon père*. Une fois la fièvre passée, cette histoire-là pourrait aussi être tirée au clair. Seulement, la fièvre d'abord. Mais comment ?

Bran al'Vere serra les lèvres en jetant un coup d'œil au dos de Rand et l'air féroce avec lequel il se tourna vers le ménestrel aurait fait hésiter un ours, mais Thom attendait sa réponse comme s'il n'avait rien remarqué.

« C'est probablement l'œuvre d'un des Congar ou d'un Coplin, dit finalement le Maire, bien que la Lumière seule sache pourquoi. C'est une vaste nichée et s'il y a du mal à dire de quelqu'un, ou même s'il n'y en a pas, ils le diront. Comparé à eux, Cenn Buie a la langue dorée.

– Cette charretée arrivée juste avant l'aube ? questionna le ménestrel. Ils n'avaient même pas seulement senti un Trolloc et tout ce qu'ils voulaient savoir c'est quand allait commencer le Festival, comme s'ils ne voyaient pas que la moitié du village était en cendres. »

Maître al'Vere, sombre, acquiesça d'un signe de tête. « Une branche de la famille. Mais aucun d'eux n'est très différent. Cet idiot de Darl Coplin a passé la moitié de la nuit à exiger que je chasse Maîtresse Moiraine et Maître Lan de l'auberge et du village, comme s'il y aurait encore un village sans eux. »

Rand n'avait écouté que d'une oreille la conversation, mais cette dernière phrase l'incita à demander : « Qu'ont-ils fait ?

– Eh bien, elle a suscité une boule de feu qui a jailli d'un ciel nocturne sans nuage, répliqua Maître al'Vere. Elle l'a lancée droit sur les Trollocs. Tu as vu des arbres fracassés par ce genre d'éclair. Les Trollocs n'ont pas mieux résisté.

– Moiraine ? » dit Rand, incrédule, et le Maire eut un hochement de tête affirmatif.

« Maîtresse Moiraine. Et Maître Lan s'est démené comme un tourbillon avec cette épée qu'il a. Son épée ? L'homme lui-même est une arme et en dix endroits à la fois, ou du moins on le dirait. Je veux bien qu'on me brûle, mais je ne le croirais toujours pas si je n'étais pas sorti et ne l'avais constaté moi-même... » Il passa une main sur son crâne chauve. « Les visites de la Nuit de l'Hiver venaient de commencer, nous avions les mains pleines de cadeaux et de gâteaux au miel, et la tête pleine de vin, et voilà les chiens qui grondent et tout d'un coup ces deux-là qui se précipitent en trombe hors de l'auberge et courent d'un bout du village à l'autre en criant de prendre garde aux Trollocs. Je pensais qu'ils avaient bu trop de vin. En somme... des Trollocs ? Puis avant que personne comprenne ce qui se passait, ces... ces créatures étaient dans les rues au milieu de nous, frappaient à droite et à gauche avec leur sabre, jetaient des torches sur les maisons, hurlaient à vous glacer le sang. » Il eut un raclement de gorge dégoûté. « Nous avons couru comme des poules devant un renard entré dans leur poulailler jusqu'à ce que Maître Lan nous insuffle un peu de courage.

– Pas besoin d'être si dur, commenta Thom. Vous avez réagi aussi bien que possible. Tous les Trollocs qui gisent ici ne sont pas tombés sous les coups de ces deux-là.

– Hum... oui, bon. » Maître al'Vere se secoua. « N'empêche, c'est presque trop pour y croire. Une Aes Sedai au Champ d'Emond. Et Maître Lan est un Homme Lige.

– Une Aes Sedai ? murmura Rand. Ce n'est pas possible. Je lui ai parlé. Elle n'est... Elle n'a...

– Tu t'imaginais qu'elles portaient des pancartes ? » dit le Maire, sarcastique. « Aes Sedai » peint en travers du dos et, peut-être, « Danger, défense d'approcher » ? Subitement, il se frappa le front. « Des Aes Sedai. Je suis un vieil imbécile, je perds la tête. Il y a une chance,

Rand, si tu veux courir le risque. Je ne peux pas te conseiller de le faire, et je ne sais pas si j'en aurais le courage à ta place.

– Une chance ? dit Rand. Je courrai n'importe quel risque si ça doit servir à quelque chose.

– Les Aes Sedai peuvent guérir, Rand. Je veux bien qu'on me brûle, mon garçon, tu as entendu les contes. Elles peuvent guérir là où les remèdes échouent. Ménestrel, vous auriez dû vous en souvenir mieux que moi. Les contes de ménestrels sont remplis d'Aes Sedai. Pourquoi n'avez-vous rien dit au lieu de me laisser chercher midi à quatorze heures ?

– Je suis étranger ici, dit Thom avec un regard d'envie à sa pipe non allumée, et Maître Coplin n'est pas le seul qui ne veut rien avoir à faire avec les Aes Sedai. Mieux valait que l'idée vienne de vous.

– Une Aes Sedai », marmotta Rand, essayant d'accorder avec les contes la femme qui lui avait souri. L'aide d'une Aes Sedai était parfois pire que pas d'aide du tout, c'est ce que disaient les contes, comme du poison dans un pâté, et leurs présents avaient un hameçon dedans comme les appâts pour le poisson. Soudain, la pièce dans sa poche, la pièce de monnaie que Moiraine lui avait donnée, parut brûler comme braise. Il avait du mal à se retenir de l'extirper de sa cotte pour la jeter par la fenêtre.

« Personne ne veut avoir affaire avec des Aes Sedai, mon garçon, dit le Maire lentement. C'est la seule chance que je vois, mais ce n'est quand même pas une décision à prendre à la légère. Je ne peux le faire pour toi, cependant je n'ai rien vu que de bon de la part de Maîtresse Moiraine... Moiraine Sedai, devrais-je dire, je suppose. Parfois... » – il jeta un coup d'œil significatif en direction de Tam – « il faut tenter sa chance même si elle semble risquée.

– Quelques contes sont exagérés jusqu'à un certain point, ajouta Thom comme si on lui arrachait les mots. Quelques-uns d'entre eux. D'ailleurs, mon garçon, quel choix as-tu ?

– Aucun », soupira Rand. Tam n'avait toujours pas bougé un muscle ; il avait les yeux caves comme s'il était malade depuis une semaine. « Je vais... je vais la trouver.

– De l'autre côté des ponts, dit le ménestrel, là où

l'on se débarrasse des Trollocs morts. Mais prends garde, mon garçon. Les Aes Sedai font ce qu'elles font pour des raisons à elles et ce ne sont pas toujours les raisons que d'autres imaginent. »

Cette dernière phrase fut prononcée sur le mode d'un cri qui poursuivit Rand après qu'il eut franchi le seuil de la porte. Il devait tenir la garde de l'épée pour empêcher le fourreau de s'emmêler dans ses jambes tandis qu'il courait, mais il ne voulait pas prendre le temps de l'enlever. Il descendit l'escalier quatre à quatre et s'élança hors de l'auberge, oubliant pour le moment sa lassitude. Une chance pour Tam, si petite qu'elle fût, suffisait pour vaincre une nuit sans sommeil, temporairement du moins. Que la chance vînt d'une Aes Sedai, ou quel qu'en fût le prix, il ne voulait pas y réfléchir. Et pour ce qui est d'affronter une Aes Sedai... Il aspira profondément et s'efforça d'aller plus vite.

Les bûchers se dressaient bien au-delà des dernières maisons vers le nord, sur la Route de la Colline-au-Guet, du côté du Bois de l'Ouest. Le vent emportait toujours les colonnes de fumée noire et huileuse loin du village, mais même ainsi une odeur fétide d'une douceur nauséeuse emplissait l'air comme un rôti laissé des heures de trop sur la broche. L'odeur donna un haut-le-cœur à Rand qui ravala énergiquement sa salive en se rendant compte de son origine. Jolie chose à faire avec les feux de Bel Tine. Les hommes qui s'occupaient des feux s'étaient attaché des linges sur le nez et la bouche, mais leurs grimaces montraient clairement que le vinaigre qui imbibait ces linges ne suffisait pas. Même s'il supprimait la puanteur, ils savaient bien qu'elle était là et ils savaient bien ce qu'ils étaient en train de faire.

Deux des hommes débouclaient les courroies du harnais d'un des grands dhurrans passées autour des chevilles d'un Trolloc. Lan, accroupi auprès du cadavre, avait rabattu la couverture assez pour découvrir les épaules du Trolloc et sa tête au museau de chèvre. Au moment où Rand arrivait au pas de course, le Lige détachait un insigne de métal, un trident en émail rouge sang, fixé sur une des épaules garnies de piques du haubert noir du Trolloc.

« Ko'bal », annonça-t-il. Il fit sauter l'insigne sur sa paume et le rattrapa en l'air avec un grognement. « Cela donne sept bandes jusqu'à présent. »

Moiraine, assise en tailleur sur le sol à une courte distance, secoua la tête avec lassitude. Une canne de marche, où étaient sculptés de bout en bout des fleurs et des pampres, était posée en travers de ses genoux, et sa robe avait cet air froissé de ce qui a été porté trop longtemps. « Sept bandes. Sept ! Il n'y en a pas eu autant à agir ensemble depuis les Guerres des Trollocs. Les mauvaises nouvelles s'accumulent les unes sur les autres. J'ai peur, Lan. Je croyais que nous les avions gagnés de vitesse, mais nous sommes peut-être plus à la traîne que jamais. »

Rand la contempla, incapable de parler. Une Aes Sedai. Il avait tenté de se convaincre qu'elle ne paraîtrait pas différente maintenant qu'il savait qui... ou ce qu'il était en train de regarder et, à sa surprise, elle ne l'était pas. Elle n'était plus aussi impeccable, pas avec ces mèches de cheveux qui pointaient dans toutes les directions et un léger trait de suie en travers du nez, pourtant pas réellement différente non plus. Voyons, une Aes Sedai devait sûrement avoir quelque chose qui indiquait ce qu'elle était. D'autre part, si l'apparence extérieure reflétait l'intérieur et si les contes étaient vrais, alors elle devrait ressembler davantage à un Trolloc qu'à une femme plus que belle dont la dignité n'était pas entamée par le fait qu'elle était assise par terre. Et elle pouvait secourir Tam. Quel qu'en fût le prix, c'était cela qui comptait avant tout.

Il respira à fond. « Maîtresse Moiraine... je veux dire, Moiraine Sedai. » Tous deux se tournèrent vers lui et il se figea sous le regard de Moiraine. Non pas le regard calme et souriant du Pré Communal dont il se souvenait. Elle avait le visage las, mais ses yeux noirs étaient des yeux de faucon. Les Aes Sedai. Les Briseuses du monde. Des marionnettistes qui tiraient les ficelles et faisaient danser trônes et nations sur des motifs que seules connaissaient les femmes de Tar Valon.

« Un peu plus de lumière dans l'obscurité », murmura l'Aes Sedai. Elle éleva la voix. « Comment sont tes rêves, Rand al'Thor ? »

Il la dévisagea avec surprise. « Mes rêves ? »

— Une nuit comme celle-là peut donner à un homme de mauvais rêves, Rand. Si tu as des cauchemars, il faut m'en parler. Je peux agir sur les mauvais rêves, parfois.

— Il n'y a rien à redire à mes... il s'agit de mon père. Il

est blessé. Ce n'est guère qu'une égratignure, mais la fièvre le consume. La Sagesse ne veut rien faire. Elle dit qu'elle ne peut pas. Mais les contes... » Elle haussa un sourcil et il s'arrêta, déglutit avec effort. *Par la Lumière, existe-t-il un conte où une Aes Sedai ne soit pas une scélérate ?* Il regarda le Lige, mais Lan semblait s'intéresser davantage au Trolloc mort qu'à ce que Rand pouvait avoir à dire. Cherchant gauchement ses mots sous le regard de Moiraine, il poursuivit : « Je... heu... on raconte que les Aes Sedai savent guérir. S'il vous est possible de le secourir... tout ce que vous pourrez faire pour lui... quel que soit le prix... j'entends par là... » Il respira à fond et termina précipitamment : « Je paierai n'importe quel prix en mon pouvoir si vous le secourez. N'importe lequel.

– N'importe quel prix, répéta Moiraine d'un ton pensif, à demi pour elle-même. Nous parlerons de prix plus tard, Rand, si vraiment on en vient là. Je ne promets rien. Votre Sagesse sait de quoi elle parle. Je ferai de mon mieux, mais il n'est pas en mon pouvoir d'empêcher la Roue de tourner.

– La mort vient tôt ou tard pour tous, dit sombrement le Lige, à moins qu'ils ne servent le Ténébreux, et seuls des fous consentent à payer ce prix. »

Moiraine clappa de la langue. « Ne sois pas si lugubre, Lan. Nous avons quelque raison de nous réjouir. Petite mais une raison. » Elle se servit de sa canne pour se relever. « Mène-moi à ton père, Rand. Je t'assisterai autant que j'en suis capable. Trop de gens ici ont refusé de me laisser les aider. Ils ont entendu les contes, eux aussi, ajouta-t-elle brièvement avec une pointe d'ironie.

– Il est à l'auberge, dit Rand. Par ici. Et merci. Merci ! »

Ils le suivirent, mais son allure l'emporta vite en avant. Il ralentit avec impatience pour qu'ils le rattrapent, puis s'élança de nouveau et de nouveau dut les attendre.

« Je vous en prie, dépêchez-vous », les pressa-t-il, si absorbé par la nécessité de secourir Tam que la témérité de vouloir obliger à se hâter une Aes Sedai ne lui vint même pas à l'esprit. « La fièvre le consume. »

Lan lui jeta un regard irrité. « Ne vois-tu pas qu'elle est lasse ? Même avec un *angreal*, ce qu'elle a fait la nuit dernière, c'était comme de courir par tout le village avec un sac de pierres sur le dos. Je ne sais pas si tu en vaux la peine, berger, quoi qu'elle en dise. »

Rand cilla et tint sa langue.

« Doucement, mon ami », dit Moiraine. Sans ralentir, elle leva le bras pour tapoter l'épaule du Lige. Il s'inclinait au-dessus d'elle dans un mouvement protecteur comme s'il pouvait lui donner de la force rien qu'en restant à proximité. « Tu ne penses qu'à prendre soin de moi. Pourquoi ne penserait-il pas de même pour son père ? » Lan se rembrunit mais ne répliqua rien. « Je viens aussi vite que je peux, Rand, je t'assure. »

Le feu de son regard ou le calme de sa voix – pas exactement douce, plutôt du ton ferme du commandement, Rand ne savait pas lequel des deux croire. Ou peut-être allaient-ils de pair. Une Aes Sedai. Il était engagé, à présent. Il régla son pas sur le leur et essaya de ne pas penser à ce que serait ce prix dont ils devaient parler plus tard.

8.

UN ENDROIT SÛR

Rand n'avait pas encore franchi complètement le seuil que ses yeux cherchaient déjà son père – son père quoi que *quiconque* puisse dire. Tam n'avait pas bougé d'un pouce ; ses paupières étaient toujours closes et son souffle s'exhalait en halètements laborieux, bas et rauques. Le ménestrel aux cheveux blancs interrompit sa conversation avec le Maire – qui était de nouveau penché sur le lit en train de s'occuper de Tam – et lança à Moiraine un regard anxieux. L'Aes Sedai ne lui prêta pas attention. En fait, elle ne prêtait attention à personne sauf à Tam mais, lui, elle le considérait avec intensité, la mine grave.

Thom fourra sa pipe non allumée entre ses dents, puis la retira vivement et la regarda d'un œil maussade. « On ne peut même pas fumer en paix, murmura-t-il. Je ferais mieux de m'assurer qu'un fermier ne me vole pas mon manteau pour tenir chaud à sa vache. Au moins, je peux me servir de ma pipe là-dehors. » Il sortit en hâte de la chambre.

Lan le suivit des yeux, son visage anguleux aussi dépourvu d'expression qu'une pierre. « Je n'aime pas cet homme. Il y a en lui quelque chose dont je me méfie. Je n'en ai même pas vu un cheveu la nuit dernière.

– Il était là, dit Bran qui observait Moiraine d'un air inquiet. Il devait y être. Son manteau ne s'est pas roussi devant l'âtre. »

Ran se moquait que le ménestrel ait passé la nuit caché dans l'écurie. « Mon père ? » demanda-t-il à Moiraine d'un ton suppliant.

Bran ouvrit la bouche mais, avant qu'il ait prononcé un mot, Moiraine dit : « Laissez-moi avec lui, Maître al'Vere. Il n'y a rien que vous puissiez faire ici à présent excepté m'encombrer. »

Bran hésita une minute, partagé entre le déplaisir de recevoir des ordres dans sa propre auberge et la répugnance à désobéir à une Aes Sedai. Finalement, il se redressa pour taper sur l'épaule de Rand. « Allons, viens, mon garçon. Laissons Moiraine Sedai à son... heu... à son... Il y a des quantités de choses pour lesquelles j'aurais besoin de ton aide en bas. Avant que tu aies le temps de dire ouf, Tam va réclamer à grands cris sa pipe et une chope d'ale.

– Puis-je rester ? » demanda Rand à Moiraine, bien qu'elle ne semblât avoir conscience d'aucune présence en dehors de celle de Tam. La prise de Bran se resserra sur son épaule, mais Rand n'en tint pas compte. « Je vous en prie. J'éviterai d'être dans votre chemin, vous ne saurez même pas que je suis là. C'est mon père », ajouta-t-il avec une véhémence qui l'étonna lui-même et fit s'arrondir de surprise les yeux du Maire. Rand espéra que les autres mettraient cela sur le compte de la fatigue ou de la tension d'avoir affaire à une Aes Sedai.

« Oui, oui », répliqua Moiraine avec impatience. Elle avait jeté négligemment sa mante et sa canne sur l'unique fauteuil de la chambre et, maintenant, elle retroussait les manches de sa robe, dénudant ses bras jusqu'au coude. Son attention ne se détournait jamais vraiment de Tam, même quand elle parlait. « Assieds-toi là. Et toi aussi, Lan. » Elle désigna vaguement un long banc contre le mur. Ses yeux allaient lentement des pieds à la tête de Tam, mais Rand avait le sentiment désagréable qu'elle voyait d'une certaine façon *au-delà* de lui. « Vous pouvez parler si vous voulez, continua-t-elle distraitement, mais tout bas. Maintenant allez-vous-en, Maître al'Vere. C'est une chambre de malade ici, pas une salle de réunion. Veillez à ce qu'on ne me dérange pas. »

Le Maire grommela entre ses dents, pas assez fort néanmoins pour attirer l'attention de Moiraine bien sûr, il serra encore une fois l'épaule de Rand puis obéissant, encore qu'à contrecœur, il referma la porte derrière lui.

Murmurant pour elle-même, l'Aes Sedai s'agenouilla près du lit et posa ses mains légèrement sur la poitrine de Tam. Elle ferma les yeux et, pendant un long moment, elle ne fit pas un geste ni n'émit un son.

Dans les contes, les miracles des Aes Sedai étaient toujours accompagnés d'éclairs et de coups de tonnerre ou d'autres signes indiquant des œuvres considérables et de grands pouvoirs. *Le* Pouvoir. Le Pouvoir Unique puisé à la Vraie Source qui fait tourner la Roue du Temps. Ce n'était pas une chose à laquelle il voulait réfléchit, le Pouvoir s'appliquant à Tam, lui-même dans la pièce où le Pouvoir serait utilisé. Dans le même village, c'était déjà assez terrible. Pour autant qu'il le sache, Moiraine aurait tout aussi bien pu s'être endormie, mais il eut l'impression que Tam respirait plus aisément. Elle devait être en train de faire quelque chose. Il était si absorbé qu'il sursauta quand Lan parla à voix basse.

« C'est une belle arme que tu as là. Est-ce que par hasard il y a aussi un héron sur la lame ? »

Pendant un instant, Rand regarda le Lige avec stupeur, ne comprenant pas à quoi il se référait. Il avait complètement oublié l'épée de Tam dans le désarroi d'avoir affaire à une Aes Sedai. L'épée ne paraissait plus aussi lourde. « Oui, il y en a un. Que fait Moiraine ?

– Je ne me serais pas attendu à trouver une épée marquée du héron dans un endroit comme celui-ci, reprit Lan.

– Elle appartient à mon père. » Il jeta un coup d'œil à l'épée de Lan, la garde juste visible au bord de sa mante ; les deux épées paraissaient se ressembler de près, sauf qu'on ne voyait pas de héron sur celle du Lige. Il reporta son regard vers le lit. Tam semblait vraiment respirer mieux ; le râle avait disparu. Il en était sûr. « Il y a longtemps qu'il l'a achetée.

– Chose étrange à acheter pour un berger. »

Rand accorda un coup d'œil en biais à Lan. Pour un étranger, questionner à propos de l'épée était de l'indiscrétion. Et pour un Lige... Pourtant, il sentait qu'il devait répondre d'une manière ou d'une autre. « Il ne s'en est jamais servi, à ma connaissance. Il disait qu'elle n'avait aucune utilité. Jusqu'à hier soir, en tout cas. Je ne savais même pas qu'il la possédait avant ce moment-là.

– Il la disait inutile, hein ? Il n'a pas dû le penser toujours. » Lan effleura du doigt le fourreau suspendu à la ceinture de Rand. « Il y a des endroits où le héron est le symbole d'un excellent tireur à l'épée. Cette lame doit avoir parcouru un étrange chemin pour aboutir chez un éleveur de moutons aux Deux Rivières. »

Rand ne releva pas la question implicite. Moiraine n'avait toujours pas bougé. Est-ce que l'Aes Sedai faisait *vraiment* quelque chose ? Il frissonna et se frotta les bras, peu sûr d'avoir réellement envie de savoir ce qu'elle faisait. Une Aes Sedai.

Une question s'imposa subitement à son esprit, une qu'il ne tenait pas à formuler, une à laquelle il avait besoin d'avoir une réponse. « Le Maire... » Il s'éclaircit la gorge et prit une longue aspiration. « Le Maire a dit que s'il reste quelque chose du village, c'est uniquement à cause de vous et d'elle. » Il se força à regarder le Lige. « Si on vous avait parlé d'un homme dans les bois... Un homme qui terrorise les gens rien qu'en les regardant... Est-ce que cela vous aurait avertis ? Un homme dont le cheval se déplace sans aucun bruit ? Et dont le manteau reste immobile dans le vent ? Est-ce que vous auriez su ce qui allait arriver ? Auriez-vous pu l'arrêter, Moiraine Sedai et vous, si vous aviez été au courant de sa présence ?

— Pas sans une demi-douzaine de mes sœurs », dit Moiraine, et Rand sursauta. Elle était toujours à genoux près du lit, mais elle n'avait plus les mains posées sur Tam et s'était à demi tournée face aux deux sur le banc. Elle n'avait pas élevé la voix, cependant son regard clouait Rand au mur. « Si j'avais su, quand j'ai quitté Tar Valon, que je trouverais des Trollocs et un Myrddraal ici, j'en aurais amené une demi-douzaine, une douzaine même, aurais-je dû les traîner par la peau du cou. Pour moi seul, être avertie un mois à l'avance n'aurait fait que peu de différence. Peut-être rien du tout. On ne peut agir seule que jusqu'à un certain point, même en évoquant le Pouvoir Unique, et il y avait probablement bien plus d'une centaine de Trollocs disséminés dans cette région la nuit dernière. Un Poing complet.

— Ç'aurait quand même été bon à savoir », dit Lan d'un ton sec, cette sécheresse dirigée contre Rand. « Quand l'as-tu vu exactement et où ?

— Cela n'a pas d'importance maintenant, rétorqua Moiraine. Je ne veux pas que le garçon se croie à blâmer

138

en quoi que ce soit, alors que ce n'est pas le cas. Ce maudit corbeau, hier, la façon dont il s'est comporté aurait dû m'avertir. Je suis à blâmer tout autant. Et toi aussi, mon vieil ami. » Elle eut un clappement de langue irrité. « J'ai été trop confiante, jusqu'à l'arrogance, trop sûre que le toucher du Ténébreux ne s'était pas étendu aussi loin. Ni apesanti aussi lourdement, pas encore. Trop sûre. »

Rand cilla. « Le corbeau ? Je ne comprends pas.

– Les charognards. » La bouche de Lan se crispa de dégoût. « Les séides du Ténébreux trouvent souvent des espions chez les créatures qui se nourrissent de la mort. Corneilles et corbeaux surtout. Les rats dans les villes, parfois. »

Un bref frisson parcourut Rand. Les corneilles et les corbeaux, espions du Ténébreux ? Il y avait des corneilles et des corbeaux partout, maintenant. Le toucher du Ténébreux, avait dit Moiraine. Le Ténébreux était toujours là – il le savait, mais si vous vous efforciez de marcher dans la Lumière, de vivre une bonne vie et si vous ne le nommiez pas, il ne pouvait pas vous nuire. C'est ce que tout le monde croyait, ce que tout le monde apprenait en tétant le lait de sa mère. Mais Moiraine avait l'air de dire...

Son regard tomba sur Tam et tout le reste lui sortit de la tête. Son père avait le visage remarquablement moins congestionné qu'il ne l'avait été et sa respiration avait un son plus normal. Rand se serait levé d'un bond si Lan ne l'avait saisi par le bras. « Vous avez réussi. »

Moiraine secoua la tête et soupira. « Pas encore. J'espère que c'est seulement pas encore. Les armes des Trollocs proviennent de forges dans la vallée qu'on appelle Thakan'dar, sur les pentes même du Shayol Ghul. Certaines en gardent une souillure, une infection de mal dans le métal. Ces lames corrompues provoquent des blessures qui ne guérissent pas sans aide ou causent des fièvres mortelles, d'étranges maladies que les remèdes sont impuissants à juguler. J'ai calmé la souffrance de ton père, mais la marque, l'infection est encore en lui. Laissée à elle-même, elle recommencera à croître et le consumera.

– Mais vous ne la laisserez pas à elle-même. » La voix de Rand était moitié prière moitié commandement. Il eut un choc en se rendant compte de la façon dont il avait parlé à une Aes Sedai, mais elle ne parut pas remarquer le ton qu'il avait pris.

« Non, je ne la laisserai pas à elle-même, acquiesça-t-elle simplement. Je suis très fatiguée, Rand, et je n'ai pas eu l'occasion de me reposer depuis hier soir. D'ordinaire, cela n'aurait pas d'importance, mais pour ce genre de blessure... Ceci » – elle tira de son escarcelle un petit paquet de soie blanche – « est un *angreal*. » Elle vit son expression. « Tu sais ce que sont les *angreals*, donc. Bien. »

Inconsciemment, il se pencha en arrière, pour s'éloigner d'elle et de ce qu'elle tenait. Quelques contes mentionnaient les *angreals*, ces reliques de l'Ère des Légendes dont les Aes Sedai se servent pour opérer leurs plus grands miracles. Il fut surpris de la voir déballer une lisse figurine en ivoire, devenue brun foncé avec le temps. Pas plus longue que sa main, c'était une femme en vêtements amples, aux longs cheveux qui lui tombaient sur les épaules.

« Nous avons perdu le secret de leur fabrication, dit-elle. Tant de choses sont perdues, peut-être à jamais. Il en reste si peu que la Souveraine d'Amyrlin a failli ne pas me permettre de prendre celui-ci. C'est bien pour le Champ d'Emond, et pour ton père, qu'elle m'a donné la permission. Mais il ne faut pas que tu aies trop d'espoir. Maintenant, même avec cela, je ne peux guère davantage qu'hier sans lui, et l'infection est forte. Elle a eu le temps de s'aggraver.

– Vous pouvez le secourir, dit Rand avec ferveur. Je sais que vous le pouvez. »

Moiraine sourit, d'un simple fléchissement des lèvres. « Nous verrons. » Puis elle se retourna vers Tam. Elle posa une main sur son front ; l'autre serrait la figurine d'ivoire. Les yeux fermés, son visage prit un air de concentration. Elle semblait à peine respirer.

« Ce cavalier dont tu parlais, dit Lan tout bas, celui qui t'a effrayé, c'était sûrement un Myrddraal.

– Un Myrddraal ! s'exclama Rand. Mais les Évanescents ont vingt pieds de haut et... » Les mots s'éteignirent devant le sourire sans gaieté du Lige.

« Quelquefois, berger, les contes rendent les choses plus grandes que la vérité. Crois-moi, la vérité est assez grande avec un Demi-Homme. Demi-Homme, Rôdeur, Évanescent, Homme-Ombre ; le nom dépend du pays où tu es, mais ils signifient tous Myrddraal. Les Évanescents sont des rejetons des Trollocs, des retours ataviques presque jusqu'à la souche humaine dont se sont servis les Seigneurs de l'Épouvante pour faire les Trollocs. Presque. Mais si l'héritage humain est plus fort, il en est de même pour la tare qui corrompt les Trollocs. Les Demi-Hommes possèdent en quelque sorte des pouvoirs, du genre qui est issu du Ténébreux. Seules les Aes Sedai les plus faibles ne parviendraient pas à triompher d'un Évanescent, à un contre un, mais bien des hommes de bonne renommée sont tombés en leur pouvoir. Depuis les guerres qui ont marqué la fin de l'Ère des Légendes, depuis que les Réprouvés ont été enchaînés, ils ont été le cerveau qui dit aux Poings des Trollocs où frapper. À l'époque des Guerres des Trollocs, les Demi-Hommes ont mené les Trollocs à la bataille sous les Seigneurs de l'Épouvante.

— Il m'a terrorisé, dit Rand d'une voix faible. Il m'a seulement regardé et... » Il frissonna.

« Pas besoin d'avoir honte, berger. Ils m'effraient, moi aussi. J'ai vu des hommes qui ont été soldats toute leur vie paralysés comme un oiseau devant un serpent quand ils étaient face à un Demi-Homme. Dans le Nord, dans les Marches-Frontières le long de la Grande Désolation, il y a un dicton : Les Sans Yeux sont symbole de peur.

— Les Sans Yeux ? » répéta Rand, et Lan hocha la tête.

« Les Myrddraals voient comme des aigles, dans le noir ou la clarté du jour, mais ils n'ont pas d'yeux. Je ne peux imaginer que bien peu de choses plus dangereuses que d'affronter un Myrddraal. Moiraine Sedai et moi, nous avons tous deux tenté de tuer celui qui était ici hier soir, mais nous avons échoué chaque fois. Les Demi-Hommes ont la chance même du Ténébreux. »

Rand avala sa salive. « Un Trolloc a dit que le Myrrdraal voulait me parler. Je n'ai pas compris ce que cela signifiait. »

La tête de Lan se redressa brusquement, ses yeux étaient des pierres bleues. « Tu as parlé à un Trolloc ?

— Pas exactement », balbutia Rand. Le regard du Lige le retenait comme un piège. « C'est lui qui m'a parlé. Il a déclaré qu'il ne me ferait pas de mal, que le Myrddraal voulait s'entretenir avec moi. Puis il a essayé de me tuer. » Il s'humecta les lèvres et frotta sa main sur le cuir grenu de la poignée de l'épée. En phrases courtes et heurtées, il expliqua pourquoi il était revenu à la ferme. « Au lieu de ça, c'est moi qui l'ai tué, conclut-il. Par accident, à la vérité. Il m'a sauté dessus et j'avais l'épée à la main. »

Le visage de Lan s'adoucit légèrement, si l'on peut dire qu'un roc s'adoucit. « Même ainsi, c'est mémorable, berger. Jusqu'à hier soir, il y avait peu d'hommes au sud des Marches à pouvoir dire qu'ils avaient vu un Trolloc, encore moins qu'ils en avaient tué un.

– Et encore moins qui ont mis à mort un Trolloc seul et sans assistance, dit Moiraine d'une voix lasse. C'est fini, Rand. Lan, aide-moi à me lever. »

Le Lige bondit jusqu'à elle, mais il ne fut pas plus rapide que Rand à s'élancer vers le lit. La peau de Tam était fraîche au toucher, bien que son visage eût un air pâle et décoloré comme s'il avait passé trop de temps loin du soleil. Ses yeux étaient encore clos, mais il avait la respiration profonde du sommeil normal.

« Il va aller bien maintenant ? demanda Rand avec anxiété.

– Avec du repos, oui, répliqua Moiraine. Quelques semaines au lit et il sera complètement rétabli. » Elle avait une démarche mal assurée bien que s'appuyant au bras de Lan. Celui-ci enleva d'un geste vif le manteau et la canne de Moiraine posés sur le coussin du fauteuil pour qu'elle puisse s'asseoir, et elle se laissa choir doucement dessus en poussant un soupir. Avec une lenteur soigneuse, elle enveloppa de nouveau l'*angreal* et le remit dans son escarcelle.

Les épaules de Rand tressautèrent ; il se mordit les lèvres pour ne pas rire de joie. En même temps, il dut se passer la main sur les yeux pour essuyer ses larmes. « Merci.

– À l'Ère des Légendes, continua Moiraine, des Aes Sedai savaient ranimer la flamme de la vie et de la santé s'il en subsistait la moindre étincelle. Cette époque est révolue, cependant... peut-être pour toujours. Tant a été perdu ; pas seulement l'art de façonner des *angreals*. Tant de choses qui pouvaient être faites dont nous n'osons même pas rêver, et encore quand nous nous en souvenons. Nous sommes bien moins nombreuses à présent. Certains dons ont pratiquement disparu, et beaucoup de ceux qui restent semblent plus faibles. À présent, il faut à la fois de la force et de la volonté où le corps ait de quoi puiser, sinon même la plus forte d'entre nous ne peut obtenir de guérison. Il est heureux que ton père soit un homme solide, tant de corps que d'esprit. Quoi qu'il en soit, il a usé une grande partie de sa force dans la lutte pour la vie, mais tout ce qui lui reste à faire c'est de récupérer. Cela prendra du temps, par contre l'infection a disparu.

– Je ne pourrai jamais m'acquitter de cette dette, lui dit Rand sans détourner les yeux de Tam, mais ce que je pourrai faire pour vous je le ferai. Absolument n'importe quoi. » Il se rappela alors ce qui se disait du prix à payer et sa promesse. Agenouillé près de Tam, il y était plus décidé que jamais, mais ce n'était toujours pas facile de regarder Moiraine. « N'importe quoi. Pour autant que cela ne nuira pas à mon village ou à mes amis. »

Moiraine leva la main, comme pour écarter le sujet. « Si tu le crois nécessaire. J'aimerais parler avec toi, en tout cas. Tu vas sans doute partir en même temps que nous et alors nous pourrons parler à loisir.

– Partir ! s'exclama-t-il en s'aidant des pieds et des mains pour se relever. Est-ce vraiment si grave ? Il me semblait que tous étaient prêts à commencer à rebâtir. Nous sommes des gens très casaniers aux Deux Rivières. Personne ne s'en va jamais.

– Rand...

– Et où irions-nous ? Padan Fain a dit que le temps est aussi mauvais partout ailleurs. C'est... c'était... le colporteur. Les Trollocs... » Rand avala sa salive, regrettant que Thom Merrilin lui ait dit ce qu'avaient mangé les Trollocs. « Le mieux à faire selon moi, c'est de rester ici, dont nous sommes natifs, aux Deux Rivières, et de remettre les choses en état. Nous avons des récoltes semées dans le sol et bientôt le temps devra se réchauffer assez pour la tonte. Je ne sais pas qui a lancé ces histoires de départ – un des Coplin, je parie – mais qui que ce soit...

– Berger, l'interrompit Lan, tu parles quand tu devrais écouter. »

Il cligna des paupières en les regardant l'un et l'autre. Il se rendit compte qu'il avait riposté du tac au tac, disant pratiquement ce qui lui passait par la tête, et qu'il avait continué à laisser marcher sa langue, alors que Moiraine voulait parler. Pendant qu'une Aes Sedai voulait parler. Il se demanda quoi dire, comment s'excuser, mais Moiraine sourit comme il était encore en train de chercher.

« Je sais bien ce que tu éprouves, Rand », dit-elle, et il eut le sentiment désagréable que c'était exact. « N'y pense plus. » Elle pinça les lèvres et secoua la tête. « Je m'y suis mal prise, je vois. J'aurais dû me reposer d'abord, je suppose. C'est toi qui vas partir, Rand. Toi qui dois partir pour le bien de ton village.

– Moi ? » Il s'éclaircit la gorge et essaya de nouveau. « Moi ? » Le son était un peu meilleur, cette fois. « Pourquoi faut-il que je parte ? Je n'y comprends rien. Je n'ai envie d'aller nulle part. »

Moiraine jeta un coup d'œil à Lan, et le Lige décroisa les bras. Il regarda Rand de dessous son bandeau de cuir et Rand eut de nouveau l'impression d'être pesé dans une balance invisible. « Est-ce qu'on t'a dit, questionna brusquement Lan, qu'il y a des maisons qui n'ont pas été attaquées ?

– La moitié du village est en cendres », protesta-t-il, mais le Lige écarta l'objection d'un geste.

« On a jeté des torches dans quelques maisons pour créer la confusion. Les Trollocs ne s'en sont plus occupés ensuite, pas plus que des gens qui s'en étaient enfuis, à moins qu'ils ne se soient trouvés sur le passage du véritable assaut. La plupart des gens venus des fermes écartées n'ont pas aperçu un cheveu de Trolloc, même de loin. La majorité ignorait même qu'il y avait du grabuge avant de voir le village.

– J'ai entendu en effet parler de Darl Coplin, dit Rand lentement. Cela ne m'a pas frappé, je pense.

– Deux fermes ont été attaquées, continua Lan. La vôtre et une autre. À cause de Bel Tine, tous ceux qui habitaient la deuxième se trouvaient déjà au village. Beaucoup ont eu la vie sauve parce que le Myrddraal ne connaissait pas les coutumes des Deux Rivières. Le Festival et la Nuit de l'Hiver rendaient sa tâche presque impossible mais il ne s'en doutait pas. »

Rand regarda Moiraine, enfoncée dans son fauteuil, mais elle ne dit rien, se contenta de l'observer, un doigt en travers des lèvres. « Notre ferme et quelle autre ? finit-il par demander.

« – La ferme Aybara, répliqua Lan. Ici, au Champ d'Emond, ils ont frappé d'abord la forge et la maison du forgeron, et la maison de Maître Cauthon. »

Rand eut soudain la bouche sèche. « C'est fou », parvint-il à émettre, puis il sursauta comme Moiraine se redressait.

« Pas fou, Rand, dit-elle. Prémédité. Les Trollocs ne sont pas venus au Champ d'Emond par hasard et ils n'ont pas fait ce qu'ils ont fait pour le plaisir de tuer et de brûler, quel que soit le plaisir qu'ils y ont pris. Ils savaient après quoi ou qui ils en avaient. Les Trollocs sont venus tuer ou capturer des jeunes gens d'un certain âge qui habitent près du Champ d'Emond.

– De mon âge ? » La voix de Rand tremblait et il n'en avait cure. « Par la Lumière ! Mat. Et Perrin ?

– Sains et saufs, lui assura Moiraine, si ce n'est un peu noircis de suie.

– Ban Crawe et Lem Thane ?

– N'ont jamais été en danger, dit Lan. Du moins pas plus que quiconque.

– Mais ils ont vu le cavalier, l'Évanescent, eux aussi, et ils ont le même âge que moi.

– La maison de Maître Crawe n'a même pas été endommagée, répliqua Moiraine, et le meunier et sa famille ont dormi pendant la moitié de l'attaque, avant que le bruit les réveille. Ban a dix mois de plus que toi et Lem huit de moins. » Elle eut un sourire ironique devant sa surprise. « Je t'ai averti que j'avais posé des questions. Et j'ai dit aussi *des jeunes gens d'un certain âge*. Toi et tes deux amis avez quelques semaines de différence. C'est vous trois que le Myrddraal cherchait, et personne d'autre. »

Rand changea de position avec malaise, souhaitant qu'elle ne le regarde pas de cette façon, comme si ses yeux pouvaient plonger dans son cerveau et lire ce qu'il y avait dans le moindre recoin. « Que voudraient-ils de nous ? Nous ne sommes que des fermiers, des bergers.

– C'est une question qui n'a pas sa réponse aux Deux Rivières, dit Moiraine à mi-voix, mais la réponse est importante. Des Trollocs là où on ne les a pas vus depuis près de deux mille ans nous en donnent l'indication.

– Des quantités d'histoires racontent des attaques de Trollocs, riposta Rand avec entêtement. Jamais auparavant nous n'en avons eu ici. Les Liges sont en lutte continuelle avec les Trollocs. »

Lan émit un éclat de rire sarcastique. « Mon garçon, je m'attends à combattre les Trollocs tout le long de la Grande Dévastation, mais pas ici, à presque six cents lieues au sud. L'attaque de la nuit passée était aussi chaude que j'y aurais compté dans le Shienar ou dans n'importe laquelle des Marches.

– Chez l'un de vous ou les trois, reprit Moiraine, il y a quelque chose que craint le Ténébreux.

– C'est... c'est impossible. » Rand avança en trébuchant jusqu'à la fenêtre et regarda au-dehors le village, les gens au travail parmi les ruines. « Peu importe ce qui est arrivé, c'est tout à fait impossible. » Quelque chose sur le Pré Communal attira son attention. Il l'examina, puis il comprit que c'était la souche noircie du Mât du Printemps. Quel Bel Tine, avec un colporteur, un ménestrel et des étrangers... Il frissonna, puis secoua violemment la tête. « Non, non, je suis un berger. Le Ténébreux ne peut s'intéresser à moi.

– Amener d'aussi loin un tel nombre de Trollocs sans provoquer une poursuite à cor et à cri des Marches à Caemlyn et au-delà a requis beaucoup d'efforts, déclara Lan d'un ton sévère. J'aimerais savoir comment ils se sont débrouillés. Crois-tu vraiment qu'ils se sont donné tout ce mal rien que pour brûler quelques maisons ?

– Ils reviendront », ajouta Moiraine.

Rand ouvrait la bouche pour discuter avec Lan, mais cela l'arrêta net. Il pivota face à elle. « Ils reviendront ? Ne pouvez-vous les arrêter ? Vous l'avez fait hier soir et vous étiez pris par surprise à ce moment-là. Maintenant, vous savez qu'ils sont ici.

– Peut-être pourrais-je envoyer chercher à Tar Valon quelques-unes de mes sœurs, répliqua Moiraine. Il se peut qu'elles aient le temps d'arriver avant que nous ayons besoin d'elles. Le Myrddraal sait aussi que moi je suis là et il n'attaquera probablement pas – pas ouvertement du moins – par manque de renforts, d'un contingent supplémentaire de Myrddraals et de Trollocs. Avec assez d'Aes Sedai et de Liges, il y a des chances de vaincre les Trollocs, mais je suis incapable de dire combien de batailles cela demandera. »

Une vision dansa dans la tête de Rand : le Champ d'Emond réduit en cendres. Toutes les fermes brûlées,

Et la Colline-au-Guet, la Tranchée-de-Deven et Taren-au-Bac. Tout à feu et à sang. « Non », dit-il, et il sentit en lui-même un arrachement, comme si quelque chose lui échappait des mains. « C'est pourquoi il faut que je parte, n'est-ce pas ? Les Trollocs ne reviendront pas si je ne suis pas ici. » Une dernière trace d'obstination l'entraîna à ajouter : « En admettant que c'est vraiment après moi qu'ils en ont. »

Moiraine haussa les sourcils, l'air étonné apparemment qu'il ne soit pas convaincu, mais Lan répliqua : « Es-tu prêt à parier ton village, berger ? La totalité des Deux Rivières ? »

L'entêtement de Rand s'évanouit. « Non », dit-il de nouveau, et il sentit également de nouveau ce vide intérieur. « Perrin et Mat doivent partir aussi, n'est-ce pas ? » Du moins Tam irait-il mieux. Du moins aurait-il la possibilité de l'entendre confirmer que tout l'épisode de la Route de la Carrière était pures divagations. « Nous pourrions aller à Baerlon, je suppose, ou même à Caemlyn. J'ai entendu dire qu'il y a plus de gens à Caemlyn que dans l'ensemble des Deux Rivières. Nous serions en sûreté là-bas. » Il essaya un rire qui sonna creux. « J'avais rêvé de visiter Caemlyn. Je n'ai jamais pensé que cela se réaliserait de cette façon. »

Il y eut un long silence, puis Lan remarqua : « Je ne compterais pas sur Caemlyn pour être en sécurité. Si le Myrddraal tient assez à toi, ils trouveront un moyen. Les remparts sont un piètre obstacle pour un Demi-Homme. Et tu serais stupide de ne pas croire qu'ils ont vraiment grand besoin de t'avoir. »

Rand avait eu l'impression que son moral était au plus bas mais, à ces mots, il baissa encore.

« Il y a un endroit sûr », dit Moiraine à mi-voix, et Rand tendit l'oreille pour l'écouter. « À Tar Valon, tu serais au milieu d'Aes Sedai et de Liges. Même pendant les Guerres des Trollocs, les forces du Ténébreux craignaient d'attaquer les Remparts Étincelants. Leur unique tentative a été leur plus grave défaite jusqu'à la défaite finale. Et Tar Valon contient toute la science que nous, les Aes Sedai, nous avons amassée depuis le Temps de la Folie. Quelques fragments remontent même à l'Ère des Légendes. À Tar Valon, plus que nulle part ailleurs, tu auras une chance d'apprendre pourquoi le Myrddraal te veut. Pourquoi le Père du Mensonge te veut. Cela, je peux te le garantir. »

Un voyage jusqu'à Tar Valon était presque impensable. Un voyage jusqu'à un endroit où il serait environné d'Aes Sedai. Bien sûr, Moiraine avait guéri Tam – ou du moins avait-elle paru le faire – mais il y avait tout ce que l'on racontait. C'était déjà angoissant de se trouver dans la même pièce qu'une Aes Sedai, mais dans une ville qui en était pleine... Et elle n'avait toujours pas mentionné son prix. Il y avait toujours un prix à payer, d'après les contes.

« Combien de temps va dormir mon père ? demanda-t-il finalement. Il... il faut que je l'avertisse. Il ne faut pas qu'en s'éveillant il découvre que je suis parti. » Il crut entendre Lan pousser un soupir de soulagement. Il regarda Lan avec curiosité, mais le visage de Lan était aussi impassible que d'ordinaire.

« Il ne s'éveillera probablement pas avant notre départ, dit Moiraine. J'ai l'intention de me mettre en route dès que la nuit sera complètement tombée. Même un seul jour de retard risque d'être fatal. Mieux vaudrait que tu lui laisses un mot.

– Dans la nuit ? » dit Rand, hésitant, et Lan acquiesça d'un signe de tête.

« Le Demi-Homme découvrira bien assez tôt que nous sommes partis. Inutile de lui faciliter les choses plus que nous n'y sommes obligés. »

Rand arrangea nerveusement les couvertures de son père. Le chemin était bien long jusqu'à Tar Valon. « En ce cas... en ce cas, je ferais bien d'aller chercher Mat et Perrin.

– Je m'en occupe. » Moiraine se leva vivement et endossa sa mante avec un soudain regain de vigueur. Elle posa la main sur son épaule et il banda toutes ses forces pour ne pas broncher. Elle n'exerçait pas une forte pression, mais elle avait une poigne de fer qui le maintenait aussi sûrement qu'un bâton fourchu cloue au sol un serpent captif. « Le mieux sera de garder tout ceci entre nous. Comprends-tu ? Les mêmes qui ont tracé le Croc du Dragon sur la porte de l'auberge pourraient faire du vilain s'ils étaient au courant.

– Je comprends. » Il soupira de soulagement quand elle retira sa main.

« Je vais dire à Maîtresse al'Vere de t'apporter à dîner, continua-t-elle comme si elle n'avait pas remarqué sa réaction. De plus, tu as besoin de dormir. Le trajet sera dur cette nuit, même si tu es reposé. »

La porte se ferma derrière eux, et Rand resta debout à regarder Tam – à regarder sans rien voir. Ce n'est qu'à cet instant précis qu'il prenait conscience que le Champ d'Emond faisait partie de lui autant qu'il en faisait partie. Il en prenait conscience à présent parce qu'il savait que c'est ce qu'il avait senti qui s'arrachait de lui. Il était maintenant séparé du village. Le Berger de la Nuit le voulait. C'était impossible – il n'était qu'un fermier – mais les Trollocs étaient venus et Lan avait raison sur un point. Il ne pouvait risquer la vie du village sur le pari que Moiraine se trompait. Il ne pouvait même en parler à personne ; les Coplin causeraient sûrement des ennuis pour une chose pareille. Il devait se fier à une Aes Sedai.

« Ne le réveille pas maintenant », dit Maîtresse al'Vere comme le Maire refermait la porte sur sa femme et lui. Du plateau couvert d'une serviette qu'elle portait s'exhalaient des odeurs chaudes, succulentes. Elle le posa sur le coffre adossé au mur, puis écarta fermement Rand du lit. « Maîtresse Moiraine m'a indiqué ce dont il a besoin, dit-elle à voix basse, et cela n'inclut pas que tu tombes sur lui d'épuisement. Je t'ai apporté de quoi manger. Ne laisse pas refroidir.

– Je voudrais bien que tu ne l'appelles pas de cette façon, dit Bran avec humeur. Moiraine Sedai est l'appellation qui convient. Elle pourrait se fâcher. »

Maîtresse al'Vere lui tapota la joue. « Laisse-moi donc m'occuper de ça. Elle et moi, nous avons discuté longuement. Et parle doucement. Si tu réveilles Tam, tu devras en répondre à moi *et* à Moiraine Sedai. » Elle mit sur le titre de Moiraine un accent qui donnait un air stupide à l'insistance de Bran. « Tenez-vous tous les deux hors de mon chemin. » Avec un sourire affectueux à l'adresse de son mari, elle se tourna vers le lit et vers Tam.

Maître al'Vere jeta à Rand un regard de frustration. « Moraine est une Aes Sedai. La moitié des femmes du village se conduisent comme si elles siégeaient dans le Cercle des Femmes et le reste comme si elles étaient des Trollocs. Aucune ne semble se rendre compte qu'il faut être prudent avec les Aes Sedai. Les hommes la regardent peut-être de travers mais, du moins ne font-ils rien qui risque de la provoquer. »

Attention, pensa Rand. Ce n'est pas trop tard pour se

montrer prudent. « Maître al'Vere, demanda-t-il lentement, savez-vous combien de fermes ont été attaquées ?

– Deux seulement à ce que j'ai entendu dire, y compris la vôtre. » Le Maire s'interrompit, songeur, puis haussa les épaules. « Ça ne paraît pas assez, étant donné ce qui est arrivé ici. Je devrais m'en réjouir, mais... Bah, on sera sans doute mieux renseignés d'ici la fin de la journée. »

Rand soupira. Pas besoin de demander quelles fermes. « Ici, au village, est-ce qu'ils ont... Je veux dire, est-ce qu'il y a eu quelque chose indiquant après quoi ils en avaient ?

– Après quoi, mon garçon ? Je ne sais pas ce qu'ils voulaient, si ce n'est peut-être nous tuer tous. Cela s'est passé comme je l'ai dit. Les chiens ont aboyé, Moiraine Sedai et Lan se sont élancés par les rues, puis quelqu'un a crié que la maison de Maître Luhhan et la forge étaient en feu. La maison d'Abell Cauthon s'est enflammée d'un coup – c'est curieux, ça, elle est presque au milieu du village. En tout cas, juste après, les Trollocs se répandaient parmi nous. Non, je ne pense pas qu'ils en avaient après quelque chose de particulier. » Il eut un rire bref pareil à un aboiement qu'il coupa net, avec un regard circonspect vers sa femme. Elle ne se détourna pas de Tam. « À dire vrai, continua-t-il plus bas, ils semblaient dans une aussi grande confusion que nous. Je doute qu'ils s'attendaient à trouver ici une Aes Sedai ou un Lige.

– Je suppose que non », dit Rand avec une grimace.

Si Moiraine avait dit la vérité sur ce point, elle avait probablement dit aussi la vérité concernant le reste. Pendant un instant, il pensa à demander l'avis du Maire mais, manifestement, Maître al'Vere n'en savait guère davantage sur les Aes Sedai que n'importe qui d'autre au village. En outre, Rand hésitait à informer même le Maire de ce qui se passait – de ce que Moiraine avait dit qui se passait. Il ne savait pas trop ce qu'il redoutait le plus, d'être raillé ou d'être cru. Il caressa du pouce la garde de l'épée de Tam. Son père avait voyagé de par le monde ; il devait en connaître plus que le Maire sur les Aes Sedai. Mais si vraiment Tam était parti des Deux Rivières, alors peut-être que ce qu'il avait dit dans le Bois de l'Ouest... Il se frictionna la tête à deux mains pour se changer les idées.

« Tu as besoin de dormir, mon gars, constata le Maire.

– Oui, en effet, ajouta Maîtresse al'Vere. Tu tombes quasiment de sommeil. »

Rand la regarda en clignant des yeux surpris. Il ne s'était même pas rendu compte qu'elle avait quitté le chevet de son père. C'est vrai qu'il avait besoin de sommeil ; la seule idée le fit bâiller.

« Tu peux prendre le lit dans la chambre d'à côté, dit le Maire. Il y a déjà un feu préparé. »

Rand regarda son père ; Tam était encore profondément endormi et cela provoqua un nouveau bâillement. « Je préférerais ne pas bouger d'ici, si vous n'y voyez pas d'inconvénient. Pour quand il se réveillera. »

Les soins aux malades étaient du ressort de Maîtresse al'Vere et le Maire la laissa décider. Elle n'hésita qu'un instant avant d'acquiescer d'un signe de tête. « Mais laisse-le se réveiller tout seul. Si tu troubles son sommeil... » Il essaya de dire qu'il obéirait à ses recommandations, mais les mots s'emmêlèrent dans un autre bâillement. Elle secoua la tête en souriant. « Tu vas t'endormir aussi en un rien de temps. S'il faut que tu restes, blottis-toi près du feu. Et bois un peu de ce bouillon de bœuf avant de t'endormir.

– D'accord », dit Rand. Il aurait consenti à n'importe quoi qui lui permettait de rester dans cette chambre. « Et je ne le réveillerai pas.

– Prends-y bien garde, dit Maîtresse al'Vere d'un ton ferme mais sans sévérité. Je vais t'apporter un oreiller et des couvertures. »

Quand la porte finit par se refermer derrière eux, Rand tira à côté du lit le seul siège qui se trouvait dans la chambre et s'assit à un endroit d'où il pouvait surveiller Tam. Maîtresse al'Vere avait beau jeu de parler de dormir – sa mâchoire craqua en étouffant un bâillement – mais il ne pouvait pas dormir encore. Il risquait que Tam s'éveille n'importe quand et ne demeure peut-être lucide qu'un court moment. Rand devait attendre ce moment-là.

Il grimaça et se tortilla dans son fauteuil, déplaçant machinalement la poignée de l'épée qui s'enfonçait dans ses côtes. Il se sentait encore peu disposé à raconter à quiconque ce qu'avait dit Moiraine, mais c'était Tam, après tout. C'était... Sans s'en rendre compte, il serra les dents avec décision. *Mon père. Je peux tout dire à mon père.*

Il se tortilla encore un peu sur son siège et appuya sa tête contre le dossier. Tam était son père et personne ne pouvait lui ordonner quoi dire ou ne pas dire à son père. Il n'avait qu'à ne pas s'endormir jusqu'à ce que Tam s'éveille... Il n'avait qu'à...

9.

LES DITS DE LA ROUE

Rand courait, le cœur battant comme un tambour, et il regardait avec consternation les collines arides qui l'entouraient. Ce n'était pas seulement un endroit où le printemps tardait à venir ; le printemps n'était jamais venu là et n'y viendrait jamais. Rien ne poussait dans le sol froid qui crissait sous ses bottes, même pas un brin de lichen. Il dépassa dans sa course folle des blocs de pierre deux fois plus grands que lui ; la poussière recouvrait la terre à croire que jamais une goutte de pluie ne l'avait touchée. Le soleil était une boule gonflée rouge sang, plus brûlant que le jour le plus chaud de l'été et assez brillant pour lui brûler les yeux, mais il se détachait sur un ciel pareil à un chaudron de plomb, où des nuages d'un noir et argent absolus bouillonnaient et tournoyaient à tous les points de l'horizon. En dépit de ce tourbillonnement de nuages, aucune brise ne soufflait sur la terre et, malgré le soleil morne, l'air était aussi glaçant qu'au plus fort de l'hiver.

Rand jetait souvent un coup d'œil par-dessus son épaule en courant, mais il n'apercevait pas ses poursuivants. Rien que des collines désolées et des montagnes noires déchiquetées, dont beaucoup étaient sommées de hauts panaches de fumée noire qui s'élevaient pour rejoindre le fourmillement des nuées. S'il était incapable de voir ceux qui le pourchassaient, il pouvait du moins les entendre hurler derrière lui, des voix gutturales qui criaient dans l'allégresse de la poursuite, hurlant de joie à l'idée du sang qu'ils auraient. Des Trollocs. Ils s'approchaient et lui avait presque épuisé ses forces.

Avec une hâte désespérée, il grimpa jusqu'à une crête en lame de couteau, puis tomba à genoux en gémissant. Au-dessous de lui, un pan de roc abrupt, une falaise de mille pieds, descendait à pic dans un vaste canyon. Des brumes vaporeuses couvraient le fond de cette gorge, leur épaisse surface grise ondulait en vagues sinistres, roulait et se brisait contre la falaise au-dessous de lui, mais plus lentement qu'aucune vague de l'océan ne déferle jamais. Des plaques de brouillard s'embrasaient d'une lueur rouge pendant un instant, comme si de grands incendies flamboyaient soudain au-dessous, puis s'éteignaient. Le tonnerre grondait dans les profondeurs de la vallée et la foudre crépitait à travers la grisaille, lançant parfois ses éclairs dans le ciel.

Ce n'était pas la vallée elle-même qui sapait les forces de Rand et emplissait d'impuissance les espaces laissés vides. Au centre de ces vapeurs furieuses surgissait une montagne, plus haute qu'il n'en avait jamais vu dans les Montagnes de la Brume, une montagne aussi noire que la perte de tout espoir. Cette morne aiguille de pierre, dague poignardant les cieux, était la source de sa désolation. Il ne l'avait jamais vue avant, mais il la connaissait. Son souvenir s'évanouissait avec la prestesse du vif-argent dès qu'il essayait de le saisir, mais le souvenir était là. Il savait qu'il était là.

Des doigts invisibles le touchèrent, pesèrent sur ses bras et sur ses jambes dans un effort pour l'entraîner vers la montagne. Son corps frémit, prêt à obéir. Ses bras et ses jambes se raidirent comme s'il pensait pouvoir enfoncer doigts et orteils dans la pierre. Des liens fantômes enlaçaient son cœur, le tiraient, l'attiraient vers la montagne en forme d'aiguille. Des larmes dévalèrent sur son visage et il s'affaissa sur le sol. Il sentit sa volonté s'enfuir comme de l'eau hors d'un seau troué. Encore un peu et il irait où on l'appelait. Il obéirait, ferait ce qu'on lui ordonnait. Brusquement, il découvrit une autre émotion : la colère. Que je te pousse, que je te tire, il n'était tout de même pas un mouton qu'on aiguillonnait du bâton pour qu'il entre dans le parc. La colère se comprima en un nœud dur, et il s'y accrocha, comme il se serait accroché à un radeau pendant une inondation.

« *Sers-moi* », murmura une voix dans le silence de son esprit. Une voix familière. S'il écoutait avec assez d'attention, il était sûr de la reconnaître. *Sers-moi*. Il secoua la tête pour tenter de s'en débarrasser. *Sers-moi*. Il secoua le poing vers la montagne noire. « Que la Lumière te consume, Shai'tan ! »

Brusquement, l'odeur de la mort s'épaissit autour de lui. Une silhouette le domina, en manteau couleur de sang séché, une silhouette avec un visage... Il ne voulait pas voir la face qui le considérait de haut. Il ne voulait pas penser à cette face. Cela lui faisait mal d'y penser, changeait en charbons ardents son esprit. Une main se tendit vers lui. Sans se soucier d'une possible chute par-dessus la crête, il se rejeta loin d'elle. Il fallait qu'il s'éloigne. Très loin. Il tomba en battant l'air des bras, voulant crier, sans souffle pour crier, sans souffle du tout.

Subitement, il n'était plus dans ce pays stérile, il ne tombait plus. De l'herbe brunie par l'hiver s'aplatissait sous ses bottes ; on aurait dit des fleurs. Il rit presque de voir çà et là des arbres et des buissons, tout dégarnis de feuilles qu'ils fussent, émailler la plaine aux douces ondulations où il se trouvait à présent. Dans le lointain s'élevait une seule montagne, au sommet brisé et fendu, mais cette montagne ne causait ni peur ni désespoir. C'était juste une montagne, bien que bizarrement déplacée ici, sans aucune autre en vue.

Un large fleuve coulait près de la montagne et sur une île au milieu de ce fleuve se dressait une ville telle qu'il peut en exister dans un conte de ménestrel, une ville entourée de hautes murailles au miroitement blanc et argent sous le chaud soleil. Avec un mélange de joie et de soulagement, il se mit en route vers ces remparts pour chercher la sécurité et la sérénité qu'il savait instinctivement trouver derrière eux.

En approchant, il distingua les tours élancées, dont beaucoup étaient reliées par de merveilleuses passerelles qui enjambaient le vide. Des ponts aux arches élevées joignaient la cité de l'île aux deux rives du fleuve. Même de loin, il pouvait distinguer la dentelle de pierre de ces arches qui semblaient trop délicates pour résister à l'élan de l'eau qui se précipitait en dessous. Au-delà de ces ponts était la sécurité. Le refuge.

Tout à coup, un frisson parcourut ses os ; une moiteur glacée se posa sur sa peau et l'air autour de lui devint fétide et humide. Sans regarder en arrière, il s'enfuit en courant, loin du poursuivant dont les doigts réfrigérants lui effleuraient le dos et tiraient sur son manteau, il courut loin de la silhouette mangeuse de lumière au visage qui... Il ne pouvait se rappeler le visage sauf comme quelque chose de terrifiant. Il ne voulait pas se rappeler ce visage. Il courait et le sol fuyait sous ses pieds, collines ondulées et plaine unie... Et il avait envie de hurler comme un chien devenu enragé. La ville s'éloignait devant lui. Plus il courait, plus s'éloignaient les remparts blancs étincelants, le havre. Ils diminuèrent de plus en plus jusqu'à ce que seul un point pâle restât sur l'horizon. La main froide du poursuivant l'attrapa au collet. Si ces doigts le touchaient, il savait qu'il deviendrait fou. Ou pire. Bien pire. Au moment même où cette certitude lui vint, il buta et tomba...

« Nooooon ! », hurla-t-il.

... et grogna quand le choc sur des pavés lui coupa la respiration. Surpris, il se releva. Il était aux abords d'un de ces merveilleux ponts qu'il avait vus s'élancer au-dessus du fleuve. Des gens souriants marchaient de chaque côté de lui, des gens aux habits de tant de couleurs qu'ils le faisaient penser à un champ de fleurs sauvages. Certains lui parlèrent, mais il ne comprenait pas, bien que les mots parussent être compréhensibles. Mais les expressions étaient amicales, et les gens lui faisaient signe d'avancer, de continuer sa marche vers le pont de pierre délicatement ouvragé, vers les remparts étincelants veinés d'argent et les tours qui étaient au-delà. Vers la sécurité qui, il le savait, attendait là-bas.

Il se joignit à la foule dont le flot traversait le pont et pénétrait dans la ville par des portes massives qui perçaient les hauts murs impeccables. À l'intérieur se trouvait un lieu merveilleux, dont le moindre bâtiment semblait un palais. C'était comme si on avait dit aux bâtisseurs de prendre pierre, brique et tuile et de créer une beauté à couper le souffle aux mortels. Il n'y avait pas d'édifice, pas de monument qui ne le fît ouvrir tout grands les yeux, bouche bée. De la musique résonnait le long des rues, cent airs différents, mais qui tous se mêlaient au vacarme de la foule pour créer une grandiose et joyeuse harmonie. Les senteurs de doux parfums et d'épices subtiles, de nourritures merveilleuses et de myriades de fleurs, tout flottait dans l'air comme si les bonnes odeurs du monde entier étaient réunies là.

La rue par laquelle il entra dans la ville, large et pavée de pierre lisse et grise, s'étendait droit devant lui jusqu'au cœur de la cité. À son extrémité s'érigeait une tour, plus grande et plus haute qu'aucune autre de la ville, une tour aussi blanche que de la neige fraîchement tombée. C'était là que se trouvaient la sécurité ainsi que les renseignements qu'il cherchait, mais jamais il n'avait rêvé de voir une cité pareille. Allons, quelle importance s'il s'attardait juste un peu avant de se rendre à la tour ? Il s'engagea dans une rue transversale plus étroite où des jongleurs déambulaient parmi des marchands des quatre-saisons vendeurs de fruits inconnus.

Devant lui, au bas de la rue se dressait une tour blanche comme neige. La même tour. Encore juste un petit moment, pensa-t-il, et il tourna un nouveau coin de rue. À l'extrémité de cette rue aussi, il y avait la tour blanche. Obstiné, il tourna dans une autre rue, puis une autre encore, et chaque fois ses regards rencontraient la tour d'albâtre. Il pivota sur lui-même pour la fuir... et s'arrêta dans une glissade. Devant lui, la tour blanche. Il eut peur de regarder derrière lui, craignant de la voir aussi là.

Les visages autour de lui étaient encore amicaux, mais ils exprimaient une espérance déçue, l'espérance qu'il avait brisée. Pourtant, ces gens lui faisaient signe d'avancer, des signes suppliants. Vers la tour. Leurs yeux brillaient d'un besoin terrible que lui seul pouvait satisfaire ; lui seul pouvait les sauver.

D'accord, pensa-t-il. La tour, après tout, c'était là qu'il voulait aller.

Au moment même où il exécutait son premier pas en avant, la déception disparut chez ceux qui l'entouraient, les sourires rayonnèrent sur tous les visages. Ils avancèrent en même temps que lui et des petits enfants jonchèrent sa route de pétales de fleurs. Il regarda derrière lui, tout confus, se demandant pour qui étaient les fleurs, mais derrière lui il y avait encore davantage de gens souriants qui l'encourageaient du geste à continuer son chemin. *Elles doivent être pour moi*, pensa-t-il, et se demanda pourquoi cela ne lui semblait soudain absolument plus étrange. Mais l'étonnement ne dura qu'un instant avant de s'estomper, tout se passait comme cela se devait.

Quelqu'un se mit à chanter, puis quelqu'un d'autre,

jusqu'à ce que toutes les voix s'élèvent en une hymne splendide d'allégresse. Rand ne pouvait toujours pas comprendre les mots, mais une douzaine d'harmonies entremêlées proclamaient joie et salut. Des musiciens gambadaient à travers la masse mouvante de la foule, ajoutant à l'hymne des airs de flûtes, harpes et tambours d'une douzaine de tailles, et tous les chants qu'il avait entendus auparavant se fondirent ensemble sans raccord apparent. Des jeunes filles dansaient autour de lui, posaient sur ses épaules des guirlandes de fleurs au doux parfum, les lui enroulaient autour du cou. Elles lui souriaient et leur plaisir croissait avec chaque pas qu'il faisait. Il ne pouvait s'empêcher de leur sourire en retour. Ses pieds brûlaient d'envie de se joindre à leur danse et, au moment même où l'idée lui en venait, il dansait déjà, d'un même pas accordé, comme s'il savait tout cela de naissance. Il rejeta la tête en arrière et rit ; ses pieds étaient plus légers qu'ils ne l'avaient jamais été quand il dansait avec... Il n'arrivait pas à se rappeler le nom, mais cela paraissait sans importance.

C'est ta destinée, murmura une voix dans sa tête, et ce murmure était un fil conducteur dans le péan.

L'emportant comme une brindille sur la crête d'une vague, la foule s'écoula vers une place immense au milieu de la ville et, pour la première fois, il vit que la tour blanche s'élevait au-dessus d'un grand palais de marbre pâle, sculpté plutôt que bâti, avec des murs courbes, des coupoles bombées et des flèches dressées vers le ciel. L'impression que lui fit l'ensemble lui coupa le souffle. Un large escalier de pierre immaculé y menait depuis la place et, au pied de cet escalier, la foule s'arrêta, mais son chant s'éleva encore plus haut. Les voix qui s'enflaient soutenaient ses pas. *Ta destinée*, chuchota la voix, insistante à présent, ardente.

Il ne dansait plus, mais il ne s'arrêtait pas non plus. Il monta l'escalier sans hésitation. Il était là en terrain familier.

Des volutes couvraient les battants de la porte monumentale en haut de l'escalier, des sculptures si compliquées et si délicates qu'il ne pouvait imaginer de lame de gouge assez fine pour les exécuter. Les battants s'ouvrirent tout grands et il entra. Ils se refermèrent derrière lui avec un fracas retentissant comme le tonnerre. « Nous t'attendions », dit le Myrddraal d'une voix sifflante.

Rand se redressa droit comme un I, haletant et frissonnant, le regard fixe. Tam était encore endormi sur le lit. Sa respiration s'apaisa lentement. Des bûches à demi consumées flamboyaient dans l'âtre, avec une bonne couche de braises rassemblées autour des chenets; quelqu'un était venu s'occuper du feu pendant qu'il dormait. Une couverture gisait à ses pieds, où elle était tombée quand il s'était réveillé. Et aussi la civière de fortune avait disparu; quant à son manteau et à celui de Tam, ils avaient été accrochés près de la porte.

Il essuya la sueur froide sur son visage, d'une main qui n'était pas trop ferme, et se demanda si nommer le Ténébreux dans un rêve attirait son attention de la même façon que lorsqu'on le nommait à haute voix.

Le crépuscule obscurcissait la fenêtre; la lune était haute, ronde et pleine, et les étoiles du soir scintillaient au-dessus des Montagnes de la Brume. Il avait dormi presque toute la journée. Il massa un point douloureux dans son flanc. Apparemment, il avait dormi avec la garde de son épée enfoncée sous les côtes. Entre cela, le vide de son estomac et la nuit précédente, pas étonnant qu'il ait cauchemardé.

Son estomac gargouilla, il se leva, tout ankylosé, et se dirigea vers la table où Maîtresse al'Vere avait laissé le plateau. Il enleva d'une saccade la serviette blanche. Malgré le temps qu'il avait dormi, le bouillon de bœuf était encore chaud, ainsi que le pain croustillant. Visiblement, Maîtresse al'Vere était passée par là; le plateau avait été remplacé. Une fois qu'elle avait décidé que vous aviez besoin d'un repas chaud, elle ne renonçait pas avant que vous l'ayez ingurgité.

Il avala un peu de bouillon, et il prit juste le temps de mettre de la viande et du fromage entre deux morceaux de pain avant de les fourrer dans sa bouche. Y mordant de grosses bouchées, il retourna vers le lit.

Apparemment, Maîtresse al'Vere s'était aussi occupée de Tam. Tam avait été déshabillé, ses vêtements maintenant propres et soigneusement pliés étaient sur la table de chevet, et une couverture était tirée jusque sous son menton. Quand Rand effleura le front de son père, Tam ouvrit les yeux.

« Te voilà, mon garçon. Marine a annoncé que tu étais là, mais je n'ai même pas eu la force de me redresser pour voir. Elle a dit que tu étais trop fatigué et qu'elle n'allait pas te réveiller rien que pour que je te regarde. Même Bran n'arrive pas à la faire céder quand elle a décidé quelque chose. »

Tam avait la voix faible mais le regard clair et calme. L'Aes Sedai a raison, songea Rand. Avec du repos, il se portera aussi bien que d'habitude.

« Puis-je te donner quelque chose à manger ? Maîtresse al'Vere a laissé un plateau.

– Elle m'a déjà nourri... si nourrir est bien le mot qui convient. N'a voulu me servir que du bouillon. Comment un homme éviterait-il les mauvais rêves avec rien que du bouillon dans l'es... » Tam sortit en tâtonnant une main de sous la couverture et toucha l'épée suspendue à la taille de Rand. « Alors, ce n'était pas un rêve. Quand Marine m'a dit que j'étais malade, j'ai cru que j'avais été... Mais tu vas bien... C'est tout ce qui compte. Et la ferme ? »

Rand prit une profonde aspiration. « Les Trollocs ont tué les moutons. Je crois qu'ils ont aussi pris la vache, et la maison a besoin d'un bon nettoyage. » Il parvint à sourire faiblement. « Nous avons plus de chance que certains. Les Trollocs ont incendié la moitié du village. »

Il rapporta à Tam tout ce qui s'était passé, ou du moins la plus grande partie. Tam écouta attentivement et posa des questions précises, si bien qu'il se trouva forcé de raconter son retour de la forêt à la ferme, et cela amena l'histoire du Trolloc qu'il avait tué. Il dut relater que Nynaeve avait déclaré Tam mourant pour expliquer pourquoi l'Aes Sedai l'avait soigné au lieu de la Sagesse. Ce qui fit ouvrir de grands yeux à Tam : une Aes Sedai au Champ d'Emond. Toutefois Rand ne jugea pas nécessaire de se répandre en détails sur chaque étape du trajet pour venir de la ferme, ses peurs ou le Myrddraal sur la route. En tout cas pas sur les cauchemars, alors qu'il dormait à côté de son lit. Surtout, il ne vit pas de raison de mentionner les propos de Tam sous l'effet de la fièvre. Pas encore. Les conclusions de Moiraine, par contre, pas moyen d'éviter ça.

« Voilà un récit qui ferait honneur à un ménestrel, marmotta Tam quand il eut fini. Qu'est-ce que les Trollocs vous voudraient, à vous, les garçons ? Ou le Ténébreux, que la Lumière nous protège !

– Tu crois qu'elle mentait ? Maître al'Vere a confirmé

qu'elle disait la vérité à propos des fermes dont deux seulement ont été attaquées. Et au sujet de la maison de Maître Luhhan et de Maître Gauthon. »

Pendant un instant, Tam demeura silencieux, puis il reprit : « Répète-moi ce qu'elle a dit. Attention, les mots exacts, juste comme elle les a dits. »

Rand se creusa l'esprit. Qui se souvient jamais des mots *exacts* qu'il a entendus ? Il se mordit la lèvre, se gratta la tête et, petit à petit, il y parvint avec toute la précision dont il fut capable. « Je ne me rappelle rien d'autre, conclut-il. Il y a des choses dont je ne jurerais pas qu'elle ne les a pas dites plus ou moins autrement, mais cela s'en rapproche, en tout cas.

– On s'en contentera. Il le faut bien, pas vrai ? Vois-tu, mon garçon, les Aes Sedai sont malignes. Elles ne mentent pas, pas carrément, mais la vérité que te dit une Aes Sedai n'est pas toujours la vérité que tu crois que c'est. Prends garde quand tu seras avec elle.

– J'ai entendu les contes, rétorqua Rand. Je ne suis pas un enfant.

– Non, tu n'es pas un enfant, certes non. » Tam poussa un profond soupir, puis haussa les épaules dans un geste d'agacement. « Néanmoins, je devrais t'accompagner. Le monde en dehors des Deux Rivières ne ressemble en rien au Champ d'Emond. »

C'était l'occasion de demander à Tam qu'il raconte ses excursions dans le monde extérieur, et le reste, mais Rand ne la saisit pas. Au lieu de cela, il resta bouche bée. « Juste comme ça ? Je croyais que tu essaierais de me dissuader. Je croyais que tu aurais cent bonnes raisons pour que je ne parte pas. » Il prit conscience de son espoir que Tam aurait cent raisons, et cent bonnes.

« Peut-être pas cent, dit Tam avec un rire brusque, mais quelques-unes me sont venues à l'esprit. Seulement, elles ne comptent guère. Si les Trollocs en ont après toi, tu seras plus en sûreté à Tar Valon que tu ne pourrais l'être ici. Souviens-toi bien d'être prudent. Les Aes Sedai font les choses pour leurs propres raisons, et ce n'est pas toujours celles qu'on pense.

– Le ménestrel a dit quelque chose comme ça, acquiesça lentement Rand.

– Alors, il sait de quoi il parle. Écoute avec application, réfléchis longuement et tiens ta langue. C'est un bon conseil pour tout ce qu'on a à faire en dehors des

Deux Rivières, mais particulièrement avec les Aes Sedai. Et avec les Liges. Dis quelque chose à Lan et c'est tout comme si tu l'avais dit à Moiraine. Si c'est un Lige, alors il est lié à elle, aussi sûr que le soleil s'est levé ce matin, et il ne lui cèlera pas beaucoup de secrets, si même il en garde. »

Rand ne connaissait pas grand-chose sur les liens entre Aes Sedai et Hommes Liges, bien que cela jouât un grand rôle dans tous les contes qu'il avait entendus au sujet des Hommes Liges. C'était en relation avec le Pouvoir, un don au Lige ou peut-être une espèce d'échange. Les Liges avaient toutes sortes d'avantages, d'après les contes. Ils guérissaient plus vite que les autres hommes et pouvaient se passer plus longtemps de nourriture, d'eau ou de sommeil. Ils étaient censés percevoir les Trollocs, s'ils étaient assez près, et aussi d'autres créatures du Ténébreux, ce qui expliquait pourquoi Lan et Moiraine avaient tenté d'avertir le village avant l'attaque. Quant à ce que les Aes Sedai en tiraient comme avantages, les contes n'en parlaient pas, mais Rand n'était pas près de croire qu'elles n'en tiraient rien.

– Je serai prudent, dit Rand. J'aimerais seulement savoir pourquoi. Ça n'a pas de sens. Pourquoi moi ? Pourquoi nous ?

– J'aimerais bien le savoir, moi aussi, mon garçon. Par le sang et les cendres, j'aimerais bien le savoir. » Tam poussa un profond soupir. « Bon, inutile de vouloir remettre un œuf cassé dans sa coquille, je pense. Quand dois-tu partir ? Je serai sur pied dans un jour ou deux et nous pourrons essayer de reconstituer un troupeau. Oren Dautry a du bon bétail dont il consentira peut-être à se séparer, avec toutes ces pâtures détruites, et Jon Thane aussi.

– Moiraine... l'Aes Sedai a dit que tu devais rester au lit. Elle a dit plusieurs semaines. » Tam ouvrit la bouche, mais Rand poursuivit : « Et elle a parlé à Maîtresse al'Vere.

– Oh. Bah, peut-être que je parviendrai à convaincre Marine. »

Tam n'avait pas trop l'air d'y compter, pourtant. Il lança à Rand un regard perçant. « D'après ta mànière d'éviter de répondre, tu dois partir bientôt. Demain ? Ou ce soir ?

– Ce soir », dit Rand à mi-voix, et Tam hocha tristement la tête.

– Oui. Bon, s'il le faut absolument, mieux vaut ne pas tarder. Mais nous verrons pour cette affaire de « semaines ». – Il tira sur ses couvertures avec plus d'irritation que de force. – « Peut-être que je te suivrai dans quelques jours, de toute façon. Je te rattraperai en route. Nous verrons si Marine peut me garder au lit quand je veux me lever. »

Un coup fut frappé à la porte et Lan passa la tête dans la chambre. « Fais vite tes adieux, berger, et viens. Il risque d'y avoir du grabuge.

– Du grabuge ? » dit Rand, et le Lige grommela avec impatience : « Dépêche-toi donc ! »

Rand attrapa en hâte son manteau. Il commença à déboucler le ceinturon qui soutenait l'épée, mais Tam prit la parole.

« Garde-la. Tu en auras probablement davantage besoin que moi, quoique, la Lumière aidant, aucun de nous deux n'en aura besoin. Sois prudent, mon garçon, tu m'entends ? »

Sans tenir compte de Lan qui continuait à grommeler, Rand se pencha pour étreindre Tam. « Je reviendrai. Je te le garantis.

– Bien sûr que tu reviendras. » Tam rit et lui rendit faiblement son étreinte qu'il termina en tapotant le dos de Rand, « Je le sais bien. Et j'aurai deux fois plus de moutons à te confier pour les soigner quand tu reviendras. Va maintenant, avant que ce gars s'étrangle. »

Rand tenta de s'attarder encore, tenta de trouver les mots pour formuler la question qu'il n'avait pas envie de poser, mais Lan entra dans la chambre, l'attrapa par le bras et l'entraîna dans le couloir. Le Lige avait revêtu une cotte gris-vert mat en écailles de métal qui se chevauchaient. Sa voix était rendue âpre par l'irritation.

« Il faut nous dépêcher. Tu ne comprends donc pas le mot *grabuge* ? »

À l'extérieur de la chambre, Mat attendait, en cotte et manteau, son arc à la main. Un carquois était accroché à sa taille. Mat se balançait anxieusement sur ses talons et ne cessait de jeter vers l'escalier des regards où semblaient se mêler en égale quantité impatience et peur. « Ça ne ressemble pas beaucoup aux contes, n'est-ce pas, Rand ? » dit-il d'une voix enrouée.

« Quel genre de grabuge ? » voulut savoir Rand, mais le Lige le précéda en courant sans répondre, descendant les marches deux par deux. Mat se précipita derrière lui avec des gestes vifs à l'adresse de Rand pour qu'il les suive.

Enfilant son manteau à la diable, il les rattrapa en bas. Seule une faible clarté emplissait la salle commune ; la moitié des chandelles s'étaient consumées et la plupart du reste coulaient. Elle était vide à part eux trois. Mat, posté près d'une des fenêtres de façade, jetait des coups d'œil furtifs au-dehors, comme s'il cherchait à rester invisible. Lan entrebâilla la porte et scruta la cour intérieure.

Se demandant ce qu'il pouvait bien guetter, Rand alla le rejoindre. Le Lige lui murmura d'être prudent, mais entrouvrit un peu plus largement la porte pour que Rand eût la place de regarder, lui aussi.

Tout d'abord, il ne comprit pas bien ce qu'il voyait : une foule de villageois, environ trois douzaines, rassemblés près du squelette consumé du chariot du colporteur, l'obscurité de la nuit repoussée par les torches que portaient certains d'entre eux. Moiraine leur faisait face, le dos tourné à l'auberge, appuyée sur sa canne avec une apparente désinvolture. Hari Coplin était au premier rang de l'attroupement avec son frère, Darl, et Bili Congar. Cenn Buie était là également, l'air mal à l'aise. Rand fut stupéfait de voir Hari agiter le poing à l'adresse de Moiraine.

« Quittez le Champ d'Emond ! » criait le fermier au visage revêche. Quelques voix dans la foule lui firent l'écho, mais avec hésitation, et personne ne s'avança. Ils voulaient bien affronter une Aes Sedai en groupe, mais personne ne tenait à se mettre en vedette. Pas en présence d'une Aes Sedai qui avait toutes les raisons de s'offenser.

« C'est vous qui avez amené ces monstres ! » cria Darl avec colère. Il agita une torche au-dessus de sa tête, et il y eut des cris de « Vous les avez amenés ! » et « C'est votre faute ! » conduits par son cousin Bili.

Hari poussa du coude Cenn Buie, et le vieux couvreur pinça les lèvres et le regarda du coin de l'œil. « Ces choses... ces Trollocs ne se sont montrés qu'après votre arrivée », marmotta Cenn, à peine assez fort pour qu'on l'entende. Il balança la tête d'un côté à l'autre avec obstination, comme s'il souhaitait être ailleurs et cherchait le moyen d'y aller. « Vous êtes une Aes Sedai. Nous ne voulons personne de votre espèce aux Deux Rivières. Les Aes Sedai apportent des ennuis sur leur dos. Si vous restez, vous ne ferez qu'en apporter davantage. »

Son discours ne suscita pas de réaction chez les villageois assemblés, et Hari se crispa de frustration. Brusquement, il saisit la torche de Darl et la brandit en direction de Moiraine. « Partez! cria-t-il. Ou nous vous brûlerons! »

Un silence de mort s'établit, à quelques frottements de pieds près, d'hommes qui reculaient. Les gens des Deux Rivières étaient capables de se battre si on les attaquait, mais la violence était loin d'être courante, et menacer les gens leur était étranger, à part secouer le poing à l'occasion. Cenn Buie, Bili Congar et les Coplin furent laissés seuls en avant. Bili donnait l'impression d'avoir envie de reculer, lui aussi.

Hari eut un sursaut de malaise devant cette absence de soutien, mais il se reprit vite. « Partez! » cria-t-il de nouveau, avec Darl en écho et, plus faiblement, Bili. Hari jeta un regard mauvais aux autres. La plupart détournèrent les yeux.

Soudain, Bran al'Vere et Haral Luhhan sortirent de l'ombre et s'arrêtèrent entre l'Aes Sedai et le groupe hostile. D'une main, le Maire tenait négligemment le gros maillet de bois dont il se servait pour enfoncer les cannelles dans les tonneaux. « Quelqu'un a-t-il suggéré de mettre le feu à mon auberge? » demanda-t-il d'une voix calme.

Les deux Coplin firent un pas en arrière, et Cenn Buie s'écarta discrètement d'eux. Bili Congar plongea dans la foule. « Pas ça, dit vivement Darl. Nous n'avons jamais dit ça, Bran... euh, Maire. »

Bran hocha la tête. « Alors peut-être vous ai-je entendu menacer de faire un mauvais parti aux hôtes de mon auberge?

– C'est une Aes Sedai », commença Hari avec colère, mais ses paroles s'arrêtèrent net quand Haral Luhhan se mit en mouvement.

Le forgeron s'étira simplement, levant ses bras épais au-dessus de sa tête, serrant ses poings massifs jusqu'à ce que ses jointures craquent, mais Hari regarda le colosse comme s'il avait brandi un de ces poings sous son nez. Haral croisa les bras sur sa poitrine. « Je te demande pardon, Hari. Je ne voulais pas t'interrompre. Tu disais ? »

Mais Hari, le dos rond comme s'il essayait de rentrer en lui-même et de disparaître, semblait n'avoir rien de plus à ajouter.

« Vous m'étonnez, bonnes gens, reprit Bran d'une voix profonde. Paet al'Caar, ton fils a eu la jambe cassée hier soir, mais je l'ai vu marcher normalement sur cette jambe, aujourd'hui... grâce à elle. Eward Candwin, tu gisais sur le ventre avec une entaille le long du dos comme un poisson qu'on va nettoyer jusqu'à ce qu'elle pose les mains sur toi. Maintenant, on dirait que ça s'est passé il y a un mois et, sauf erreur de ma part, il y aura à peine une cicatrice. Et toi, Cenn... » Le couvreur commença à se couler dans la foule, puis s'arrêta, retenu en dépit de sa gêne, par le regard de Bran. « Je serais choqué de voir ici n'importe quel membre du Conseil du Village, Cenn, mais toi plus que quiconque. Tu aurais encore le bras qui pend inutile à ton côté, une masse de brûlures et de bleus, sans son intervention. Si tu n'as pas de gratitude, n'as-tu donc pas de vergogne ? »

Cenn leva à demi sa main droite, puis en détourna les yeux avec humeur. « Je ne peux nier ce qu'elle a fait », murmura-t-il, et il avait bien l'air d'avoir honte. « Elle m'a secouru, et d'autres aussi, continua-t-il d'un ton implorant, mais c'est une Aes Sedai, Bran. Si ces Trollocs ne sont pas venus à cause d'elle, pourquoi sont-ils venus ? Nous ne voulons rien avoir à faire avec les Aes Sedai aux Deux Rivières. Qu'elles gardent leurs ennuis pour elles. »

Quelques hommes, à l'abri au milieu de la foule, crièrent alors : « Nous ne voulons pas des ennuis des Aes Sedai ! », « Chassez-la ! », « Pourquoi sont-ils venus si ce n'est à cause d'elle ? »

Le visage de Bran prit un air menaçant mais, avant qu'il ait pu parler, Moiraine fit soudain tournoyer au-dessus de sa tête sa canne sculptée de pampres en la tenant à deux mains. Le sursaut de Rand fit écho à celui des villageois, car une flamme blanche sifflante flamboya à chacune de ses extrémités, toute droite comme une pointe de lance, malgré le mouvement tournant de la canne. Même Bran et Haral s'écartèrent de Moiraine doucement. Elle baissa les bras brusquement droit devant elle, la canne parallèle au sol, mais le feu pâle jaillissait toujours, plus brillant que les torches. Les hommes eurent un mouvement de recul, levèrent les mains pour protéger leurs yeux que blessait cet éclat.

« Est-ce là qu'en est venu le sang d'Aemon ? » La voix de l'Aes Sedai n'était pas forte, mais elle dominait tous les autres sons. « Des petites gens qui se chamaillent pour le droit de se terrer comme des lapins ? Vous avez oublié qui vous étiez, ce que vous étiez, mais j'avais espéré qu'il en restait une petite partie, un souvenir dans les os et le sang. Un vestige qui vous cuirasse pour la longue nuit à venir. »

Personne ne parla. Les deux Coplin avaient l'air de ne plus jamais vouloir ouvrir la bouche.

Bran dit : « Oublié qui nous étions ? Nous sommes ce que nous avons toujours été. D'honnêtes fermiers, bergers et artisans. Des gens des Deux Rivières.

– Au sud, répliqua Moiraine, coule la rivière que vous appelez le Fleuve Blanc, mais loin d'ici à l'est les hommes l'appellent encore de son vrai nom. Manetherendrelle. Dans l'Ancienne Langue, les Eaux de la Demeure dans la Montagne. Des eaux miroitantes qui jadis couraient à travers une région de vaillance et de beauté. Il y a deux mille ans, Manetherendrelle coulait sous les remparts d'une cité montagnarde si belle à voir que les maçons ogiers venaient la contempler et s'en émerveiller. Fermes et villages se pressaient dans cette région, ainsi que dans celle que vous appelez la Forêt des Ombres et au-delà. Mais tous ces gens se considéraient comme le peuple de la Demeure de la Montagne, le peuple de Manetheren.

« Leur roi était Aemon al Caar al Thorin, Aemon fils de Car fils de Thorin, et Eldrene ay Ellan ay Carlan était sa reine. Aemon, un homme si intrépide que le plus grand compliment que l'on pouvait faire sur le courage de quelqu'un, même de la part de ses ennemis, était de dire qu'il avait le cœur d'Aemon. Eldrene, si belle que l'on racontait que les fleurs s'épanouissaient pour la faire sourire. Vaillance, beauté, sagesse, et un amour que la mort ne pouvait rompre. Pleurez si vous avez du cœur, pleurez leur perte, la perte de même leur souvenir. Pleurez la perte de leur lignée. »

Elle se tut, mais personne ne parla. Rand était aussi

envoûté que les autres par le charme qu'elle avait créé. Quand elle reprit son récit, il but ses paroles, et les autres de même.

« Pendant près de deux siècles, les Guerres des Trollocs ont ravagé le monde entier et, partout où il y avait de furieux combats, la bannière à l'Aigle Rouge de Manetheren était au premier rang. Les hommes de Manetheren étaient une épine dans le pied du Ténébreux et une ronce dans sa main. Chantez Manetheren qui n'a jamais voulu plier le genou devant l'Ombre. Chantez Manetheren, l'épée qu'on ne pouvait briser.

« Ils étaient loin, les hommes de Manetheren, sur le Champ de Bekkar appelé le Champ du Sang, quand arriva la nouvelle qu'une armée de Trollocs se dirigeait vers chez eux. Trop loin pour faire autre chose que d'attendre d'être informés de la mort de leur pays, car les forces du Ténébreux étaient décidées à les exterminer. À tuer le chêne puissant en tailladant ses racines à coups de hache. Trop loin pour faire autre chose que prendre le deuil. Mais c'étaient les hommes de la Demeure dans la Montagne.

« Sans hésitation, sans une pensée pour la distance qu'ils devaient parcourir, ils partirent du champ même de la victoire, encore couverts de poussière, de sueur et de sang. Jour et nuit, ils marchèrent, car ils avaient vu les horreurs que laisse derrière elle une armée de Trollocs, et aucun d'eux ne pouvait dormir tant qu'un tel danger menaçait Manetheren. Ils se mouvaient comme si leurs pieds avaient des ailes, marchant plus loin et plus vite que leurs amis ne l'espéraient ou que leurs ennemis ne le craignaient. À n'importe quel autre moment, cette seule marche aurait inspiré des chants. Quand les armées du Ténébreux s'abattirent sur les terres de Manetheren, les hommes de la Demeure dans la Montagne étaient devant elles, le dos à la Tarendrelle. »

Un villageois poussa alors un petit hourra, mais Moiraine continua comme si elle n'avait pas entendu : « L'armée en face des hommes de Manetheren était assez forte pour abattre le cœur le plus brave. Le ciel était noir de corbeaux, la terre noire de Trollocs. Les Trollocs et leurs alliés humains. Les Trollocs et les Amis du Ténébreux par dizaines de milliers, et les Seigneurs de l'Épouvante pour les commander. La nuit, leurs feux de camp étaient plus nombreux que les étoiles, et l'aube laissa voir la bannière de Ba'alzemon à leur tête. Ba'alzemon, Cœur de l'Ombre. Le nom ancien du Père des Mensonges. Le Ténébreux ne devait pas être délivré de sa prison dans le Shayol Ghul, car s'il l'avait été toutes les forces de l'humanité rassemblées n'auraient pu lui résister, mais il y avait là une puissance. Les Seigneurs de l'Épouvante et une puissance maligne qui faisait paraître juste cette bannière destructrice de lumière et glaçait l'âme des hommes qui l'affrontaient.

« Pourtant, ils savaient ce qu'ils devaient faire. Leur patrie était là tout près, de l'autre côté du fleuve. Ils devaient maintenir cette armée, et la puissance qui était avec elle, loin de la Demeure dans la Montagne. Aemon avait envoyé des messagers. On lui avait promis de l'aide s'il pouvait seulement tenir trois jours à la Tarendrelle. Tenir trois jours contre une force qui pouvait les balayer dès la première heure. Vaille que vaille néanmoins, contre une attaque sanglante et par une défense désespérée, ils tinrent une heure, puis la deuxième, puis la troisième. Pendant trois jours, ils se battirent et, bien que le pays fût devenu comme une cour d'abattoir, ils ne perdirent aucun des passages permettant de franchir la Tarendrelle. Le troisième soir, aucun secours n'était arrivé, ni aucun messager, et ils continuèrent à combattre seuls. Pendant six jours. Pendant neuf jours. Et le dixième jour Aemon connut le goût amer de la trahison. Aucun secours ne venait et ils ne pouvaient plus protéger les accès à l'autre berge du fleuve.

– Qu'ont-ils fait ? » s'exclama Hari. La lumière des torches vacillait dans le vent glacé de la nuit, mais personne n'esquissait un mouvement pour se serrer dans son manteau.

« Aemon traversa la Tarendrelle, leur dit Moiraine, détruisant les ponts derrière lui. Et il envoya par tout le pays avertir les gens de fuir, car il savait que la puissance assistant les hordes de Trollocs trouverait le moyen de les amener de l'autre côté du fleuve. Au moment même où Aemon lançait son mot d'ordre, les Trollocs commencèrent à traverser et les soldats de Manetheren reprirent le combat, pour acheter de leur vie toutes les heures de répit possibles afin que les leurs s'échappent. Depuis la ville de Manetheren, Eldrene organisa l'exode de son peuple au cœur des forêts et dans les repaires de la montagne.

« Mais certains ne s'enfuirent pas. D'abord tel un filet d'eau, puis tel un fleuve, puis tel un mascaret, des hommes s'en allèrent non pas chercher la sécurité mais rejoindre cette armée qui se battait pour leur pays. Des bergers avec des arcs, des fermiers avec des fourches et des bûcherons avec des haches. Des femmes y allèrent aussi, chargeant sur leur épaule les armes qu'elles pouvaient trouver et marchant côte à côte avec leurs compagnons. Aucun ne fit ce trajet sans savoir qu'il ne reviendrait jamais. Mais c'était leur pays, ç'avait été celui de leurs pères, ce serait celui de leurs enfants, et ils partaient pour en payer le prix. Pas dix pouces de cette terre ne furent cédés avant d'être trempés de sang, mais finalement l'armée de Manetheren fut refoulée, refoulée jusqu'ici, ce lieu que vous nommez à présent le Champ d'Aemon. Et c'est ici que les hordes des Trollocs les cernèrent. »

Sa voix vibrait de larmes froides. « Les Trollocs morts et les cadavres des renégats humains s'entassaient par monceaux, mais il y en avait toujours davantage qui escaladaient ces charniers par vagues de mort sans fin. Cela ne pouvait se terminer que d'une façon. Pas un homme, pas une femme qui s'étaient rassemblés sous la bannière de l'Aigle Rouge à l'aube de ce jour ne vivaient encore quand la nuit tomba. L'épée qu'on ne pouvait briser était fracassée.

« Dans les Montagnes de la Brume, seule dans la cité désertée de Manetheren, Eldrene sentit mourir Aemon, et son cœur mourut avec lui. Et à la place de son cœur ne resta qu'une soif de vengeance, la soif de venger son amour, venger son peuple, venger sa terre. Poussée par le chagrin, elle tendit la main vers la Vraie Source et lança le Pouvoir Unique contre l'armée des Trollocs. Alors les Seigneurs de l'Épouvante moururent où ils se trouvaient, que ce fût dans leurs conseils secrets ou en train d'exhorter leurs soldats. Le temps d'un souffle, les Seigneurs de l'Épouvante et les généraux des armées du Ténébreux s'enflammèrent brusquement. Le feu consuma leurs corps, et la terreur consuma les soldats de leur armée qui venait de remporter la victoire.

« À présent, ils fuyaient comme des bêtes devant un feu de forêt, sans autre pensée que la fuite. Ils s'enfuirent au nord et au sud. Des milliers se noyèrent en essayant de traverser la Tarendrelle sans l'aide des

Seigneurs de l'Épouvante et, à la Manetherendrelle ils détruisirent les ponts, dans leur frayeur de ce qui pourrait les suivre. Là où ils rencontrèrent des gens, ils massacrèrent et brûlèrent, mais fuir était le besoin qui les étreignait. Jusqu'à ce qu'enfin il n'en restât plus un seul sur les terres de Manetheren. Ils furent dispersés comme la poussière devant un tourbillon de vent. La revanche finale vint plus lentement mais elle vint, quand ils furent pourchassés par d'autres peuples, par d'autres armées, dans d'autres pays. Aucun ne resta en vie de ceux qui commirent des meurtres sur le Champ de bataille d'Aemon.

« Mais le prix fut élevé pour Manetheren. Eldrene avait attiré à elle davantage du Pouvoir Unique qu'un être humain ne pouvait jamais espérer canaliser sans aide. Et de la même façon que les généraux ennemis, de même elle aussi mourut, et les feux qui la consumèrent consumèrent la cité déserte de Manetheren jusqu'aux pierres, jusqu'au roc vif de la montagne. Pourtant, le peuple avait été sauvé.

« Rien ne restait de leurs fermes, de leurs villages ou de leur grande cité. D'aucuns auraient dit qu'il ne leur restait rien, rien sinon fuir vers d'autres terres, où ils pourraient recommencer de zéro. Ils ne le dirent pas. Ils avaient payé pour leur terre natale en sang et en espoir un prix qui n'avait jamais été payé auparavant, et maintenant ils étaient liés à ce sol par des liens plus forts que l'acier. D'autres guerres les ruineraient dans les années à venir jusqu'à ce qu'enfin leur coin de terre soit oublié et qu'enfin ils oublient les guerres et les mœurs de guerre. Jamais Manetheren ne se releva. Ses flèches élancées, ses fontaines jaillissantes devinrent comme un rêve qui s'efface lentement de l'esprit de son peuple. Mais eux et leurs enfants, et les enfants de leurs enfants possédaient la terre qui étaient la leur. Ils la possédèrent quand le défilé des siècles en eut emporté le pourquoi de leur mémoire. Ils l'ont possédée jusqu'à aujourd'hui, jusqu'à vous. Pleurez pour Manetheren. Pleurez pour ce qui est perdu à jamais. »

Les feux au bout de la canne de Moiraine clignotèrent et s'éteignirent, et elle abaissa la canne à son côté comme si elle pesait cent livres. Pendant un long moment, le seul bruit fut le gémissement du vent. Puis Paet al'Caar repoussa de l'épaule les Coplin pour s'ouvrir un passage.

« Je me demande ce qu'il faut penser de votre histoire, déclara le fermier à la longue mâchoire. Je ne suis pas une épine dans le pied du Ténébreux ni ne le serai probablement jamais, non plus. Mais mon Wil marche grâce à vous et, pour ça, j'ai honte d'être ici. Je ne sais pas si vous pouvez me pardonner mais, que vous le fassiez ou non, je pars. Et en ce qui me concerne, vous n'avez qu'à rester au Champ d'Emond aussi longtemps que vous voudrez. »

Avec un brusque plongeon de la tête, presque un salut, il se retourna et se fraya un chemin dans la foule. D'autres, alors, se mirent à murmurer, offrant des excuses embarrassées avant de s'esquiver eux aussi, un par un. Les Coplin, la bouche pincée et l'expression de nouveau menaçante, regardèrent les visages autour d'eux, puis disparurent dans la nuit. Bili Congar s'était éclipsé même avant ses cousins.

Lan tira Rand en arrière et ferma la porte. « Allons-y, mon garçon. » Le Lige se dirigea vers l'arrière de l'auberge. « Venez tous les deux. Vite ! »

Rand hésita, échangeant un regard indécis avec Mat. Pendant que Moiraine avait raconté l'histoire, les dhurrans de Maître al'Vere n'auraient pu le faire bouger de place, mais à présent quelque chose d'autre enracinait ses pieds. Quitter l'auberge et suivre le Lige dans la nuit, c'était cela le vrai commencement. Il se secoua et essaya d'affermir sa résolution. Il n'avait pas d'autre choix que de s'en aller, mais il reviendrait au Champ d'Emond, quelle que fût la longueur de ce trajet qu'ils allaient entreprendre et le temps qu'ils y mettraient.

« Qu'est-ce que vous attendez ? » demanda Lan depuis la porte qui était au fond de la salle commune. Avec un sursaut, Mat se hâta vers lui.

Essayant de se convaincre qu'il se lançait dans une glorieuse aventure, Rand les suivit à travers la cuisine obscure et au-dehors, jusque dans l'écurie.

10.

LES ADIEUX

Une unique lanterne sourde, aux volets mi-clos, était suspendue à un clou planté dans le montant d'une stalle, répandant une faible lueur. Des ombres épaisses obscurcissaient la plupart des stalles. Quand Rand franchit les portes de l'écurie sur les talons de Mat et du Lige, Perrin bondit dans un bruissement de paille de l'endroit où il était assis, adossé contre la porte d'une des stalles. Une lourde cape était enroulée autour de lui.

Lan s'arrêta à peine pour demander : « As-tu regardé comme je te l'ai recommandé, forgeron ?

– J'ai regardé, répondit Perrin. Il n'y a personne d'autre que nous ici. Pourquoi se cacherait-on...

– Prendre des précautions et vivre longtemps vont de pair, forgeron. » Le Lige jeta un rapide coup d'œil qui balaya l'écurie plongée dans l'ombre et l'ombre encore plus épaisse du fenil au-dessus, puis secoua la tête. « Pas le temps, murmura-t-il à moitié pour lui-même. Dépêchez-vous, elle a dit. »

Comme pour mettre ses paroles en accord avec ses actes, il se dirigea à grands pas vers les cinq chevaux attachés, sellés et bridés, à la lisière de la flaque de lumière. Deux étaient l'étalon noir et la jument blanche que Rand avait déjà vus. Les autres, sans être aussi grands ni avoir la robe aussi luisante, paraissaient certainement parmi les meilleurs que les Deux Rivières avaient à offrir. Rapidement mais avec soin, Lan commença à examiner sangles et sous-ventrières, et les courroies de cuir qui attachaient les fontes, les outres à eau et les couvertures roulées derrière les selles.

Rand échangeait avec ses amis des sourires tremblants, tâchant de son mieux de paraître vraiment
pressé de partir.

Pour la première fois, Mat remarqua l'épée à la taille
de Rand et la montra du doigt. « Tu deviens un Lige ? »
Il rit, puis réprima son rire en jetant un coup d'œil à
Lan. Le Lige n'avait pas eu l'air de le remarquer. « Ou
du moins un convoyeur de marchand », continua Mat
avec un large sourire qui semblait seulement un peu
forcé. Il souleva son arc. « L'arme d'un honnête homme
n'est pas assez bonne pour lui. »

Rand eut envie d'exécuter un moulinet avec son
épée, mais la présence de Lan l'en empêcha. Le Lige ne
regardait même pas dans sa direction, mais Rand était
sûr qu'il n'ignorait rien de ce qui se passait autour de
lui. Il se borna à dire avec une désinvolture forcée : « Ce
pourrait être utile », comme si porter une épée n'avait
rien d'extraordinaire.

Perrin fit un mouvement pour essayer de cacher quelque chose sous sa cape. Rand aperçut une large ceinture
de cuir ceignant la taille de l'apprenti forgeron, avec le
manche d'une hache passée dans un tirant de la ceinture.

« Qu'as-tu là ? questionna-t-il.

— Un truc de convoyeur de marchand, pour sûr », se
moqua Mat.

Le jeune homme ébouriffé décocha à Mat un regard
coléreux indiquant qu'il avait déjà eu plus que son
comptant de plaisanteries puis poussa un gros soupir et
rejeta sa cape pour laisser voir la hache. Ce n'était pas
un outil ordinaire de bûcheron. Une large lame en
demi-lune d'un côté et une pointe recourbée de l'autre
en faisaient quelque chose d'aussi étrange pour les
Deux Rivières que l'épée de Rand. La main de Perrin
reposait pourtant dessus dans un geste familier.

« Maître Luhhan l'a forgée il y a environ deux ans
pour le convoyeur d'un marchand de laine mais, quand
elle a été terminée, le gars n'a pas voulu payer le prix
convenu et Maître Luhhan n'a pas voulu en obtenir
moins. Il me l'a donnée quand... » – Il s'éclaircit la gorge
et jeta à Rand le même regard sévère d'avertissement
qu'à Mat – ... quand il m'a vu m'exercer avec. Il a dit
que je pouvais l'avoir puisque, aussi bien, il ne voyait
pas à quoi elle lui servirait.

– T'exercer », répéta Mat avec un petit rire rosse, mais il leva les mains en signe d'apaisement quand Perrin redressa la tête. « Comme tu dis. Autant que l'un de nous sache se servir d'une vraie arme.

– Cet arc est une vraie arme », dit soudain Lan. Il s'appuya du bras sur la selle de son grand cheval noir et les regarda gravement. « Aussi bien que les frondes que je vous ai vues entre les mains, vous garçons du village. Le fait que vous ne vous en êtes jamais servi sauf pour la chasse aux lapins ou pour écarter un loup des moutons ne fait aucune différence. N'importe quoi peut être une arme si l'homme ou la femme qui l'a en main a le courage et la volonté de s'en servir comme telle. Mis à part les Trollocs, vous feriez bien de garder cela clairement à l'esprit avant que nous quittions les Deux Rivières, avant que nous partions du Champ d'Aemon, si vous tenez à arriver vivants à Tar Valon. »

Sa voix froide comme la mort, et son visage dur comme une pierre tombale grossièrement taillée, paralysèrent leurs sourires et leur langue. Perrin grimaça et rabattit sa cape sur la hache. Mat regarda fixement ses pieds et remua de la pointe de son soulier la paille qui jonchait le sol de l'écurie. Le Lige grogna et retourna à ses vérifications, et le silence se prolongea.

« Ça ne ressemble pas beaucoup aux contes, finit par dire Mat.

– Je ne sais pas, répliqua Perrin d'un ton morose. Des Trollocs, un Lige, une Aes Sedai. Que demander de plus ?

– Une Aes Sedai, murmura Mat, comme s'il avait froid tout d'un coup.

– Tu la crois, Rand ? questionna Perrin. Pour quelle raison les Trollocs chercheraient-ils après nous ? »

D'un même mouvement, ils jetèrent un coup d'œil au Lige. Lan paraissait absorbé par la sangle de selle de la jument blanche, mais tous trois reculèrent vers la porte, s'éloignant de Lan. Même ainsi ils se serrèrent les uns contre les autres et parlèrent à voix basse.

Rand secoua la tête. « Je ne sais pas, mais elle avait raison pour nos fermes, quand elle a dit que c'étaient les seules à avoir été attaquées. Et ils ont attaqué la forge et la maison de Maître Luhhan en premier, ici au village. J'ai demandé au Maire. C'est aussi facile de croire qu'ils nous courent après que de croire n'importe quoi d'autre qui me vient en tête. » Brusquement, il se rendit compte qu'ils le regardaient tous les deux avec stupeur.

« Tu as demandé au Maire ? dit Mat, incrédule. Elle a recommandé de n'en parler à personne.

– Je ne lui ai pas expliqué pourquoi je le questionnais, protesta Rand. Veux-tu dire que tu n'as parlé absolument à personne ? Tu n'as fait savoir à personne que tu partais ? »

Perrin se défendit d'un haussement d'épaules : « Moiraine Sedai a spécifié " personne ".

– Nous avons laissé des mots, dit Mat. Pour nos parents. Ils les trouveront dans la matinée. Rand, ma mère croit que Tar Valon est la dernière étape avant le Shayol Ghul. » Il émit un petit rire pour montrer qu'il ne partageait pas son opinion. Un rire pas très convaincant. « Elle essaierait de m'enfermer dans la cave si elle croyait que je songe seulement à y aller.

– Maître Luhhan est entêté comme une mule, ajouta Perrin, et Maîtresse Luhhan est pire. Si tu l'avais vue fouiller dans ce qui reste de la maison en disant qu'elle espérait que les Trollocs reviendraient pour pouvoir leur mettre la main dessus...

– Que le feu me brûle, Rand, reprit Mat. Je sais que c'est une Aes Sedai et tout ça, mais les Trollocs étaient vraiment ici. Elle a insisté pour qu'on ne prévienne personne. Si une Aes Sedai ne sait pas ce qu'il faut faire dans une affaire comme celle-là, qui le saura ?

– Je l'ignore. » Rand se frotta le front. Il avait la migraine ; il n'arrivait pas à se sortir ce rêve de l'esprit. « Mon père la croit. Du moins était-il d'accord que nous devions partir. »

Soudain, Moiraine s'encadra dans la porte. « Tu as parlé à ton père de ce voyage ? » Elle était vêtue de gris foncé de la tête aux pieds, avec une jupe divisée pour monter à califourchon, et l'anneau au serpent était le seul or qu'elle portait à présent.

Rand examina sa canne ; en dépit des flammes qu'il avait vues, il n'y avait pas trace de carbonisation ni de suie. « Je ne pouvais pas partir sans qu'il le sache. »

Elle le considéra pendant un instant en pinçant les lèvres, avant de se tourner vers les autres. « Et, vous aussi, vous avez décidé qu'un mot ne suffisait pas ? » Mat et Perrin prirent la parole en même temps pour l'assurer qu'ils s'étaient bornés à laisser un mot, comme elle l'avait recommandé. Elle eut un hochement de tête approbateur et, d'un geste de la main, leur intima de se taire, puis jeta à Rand un regard sévère. « Ce qui est fait est déjà tissé dans le Dessin. Lan ?

– Les chevaux sont prêts, dit le Lige, et nous sommes munis d'assez de provisions pour atteindre Baerlon et en avoir de reste. Nous pouvons partir à tout moment. Je propose maintenant.

– Pas sans moi. » Egwene se glissa dans l'écurie, un paquet enveloppé d'un châle dans les bras. Rand faillit en choir de son haut.

L'épée de Lan avait jailli à moitié hors du fourreau ; quand Lan vit qui c'était, il l'y renfonça, les yeux soudain sans expression. Perrin et Mat se mirent à protester en chœur pour convaincre Moiraine qu'ils n'avaient rien dit de leur départ à Egwene. L'Aes Sedai n'en tint pas compte ; elle regarda pensivement Egwene, en se tapotant les lèvres d'un doigt.

La capuche de la cape brun sombre d'Egwene était ramenée sur sa tête, mais pas assez pour cacher l'air de défi avec lequel elle affrontait Moiraine. « J'ai ici ce qu'il me faut. Y compris à manger. Et je ne veux pas qu'on me laisse en arrière. Je n'aurai probablement jamais une autre chance de voir le monde au-delà des Deux Rivières.

– Ce n'est pas un projet de pique-nique dans le Bois Humide, Egwene », grommela Mat. Il recula d'un pas quand elle le regarda de dessous ses sourcils froncés.

« Merci, Mat. Je ne m'en serais pas doutée. Pensez-vous, tous les trois, être les seuls à vouloir connaître ce qu'il y a au-delà d'ici ? J'en ai rêvé depuis aussi longtemps que vous et je n'ai pas l'intention de manquer cette occasion.

– Comment as-tu découvert que nous partions ? exigea de savoir Rand. En tout cas, tu ne peux pas venir avec nous. Nous ne partons pas pour le plaisir. Les Trollocs sont à nos trousses. »

Elle lui jeta un regard indulgent, sur quoi il rougit et se raidit d'indignation.

« D'abord, lui dit-elle patiemment, j'ai aperçu Mat qui s'avançait furtivement en s'efforçant de ne pas se faire remarquer. Puis Perrin qui essayait de cacher cette idiote de grande hache sous son manteau. Je savais que Lan avait acheté un cheval, et il m'est soudain venu à l'idée de me demander pourquoi il lui en fallait un autre. Et s'il pouvait en acheter un, il pouvait en acheter d'autres. En ajoutant ça à Mat et Perrin qui se faufilaient en douce, comme des veaux qui veulent passer pour des renards... eh bien, je ne pouvais avoir qu'une seule réponse. Je ne sais pas si je suis surprise ou pas de te trouver là, Rand, après tous tes discours sur les rêves éveillés. Avec Mat et Perrin entraînés là-dedans, je suppose que j'aurais dû me douter que tu en étais aussi.

– Il faut que je parte, Egwene, dit Rand. Nous devons tous partir ou les Trollocs reviendront.

– Les Trollocs ! » Egwene eut un rire incrédule. « Rand, si tu as décidé de voir un peu le monde, libre à toi, mais, je t'en prie, épargne-moi ces idioties.

– C'est vrai », dit Perrin en même temps que Mat s'écriait : « Les Trollocs...

– Assez », dit Moiraine à mi-voix, mais cela interrompit leur conversation aussi net qu'un coup de couteau. « Quelqu'un d'autre a-t-il remarqué ceci ? » Sa voix était douce, mais Egwene avala sa salive et se redressa avant de répondre.

– Après la nuit dernière, ils ne pensent qu'à rebâtir, à ça et à quoi faire si cela se reproduit. Ils sont incapables de voir quoi que ce soit d'autre, à moins qu'on ne le leur mette sous le nez. Et je n'ai dit à personne ce que je soupçonnais. À personne.

– Très bien, dit Moiraine au bout d'un instant. Tu peux nous accompagner. »

Une expression de surprise s'inscrivit sur le visage de Lan. Elle disparut en un instant, le laissant extérieurement calme, mais des paroles furieuses jaillirent de sa bouche : « Non, Moiraine !

– C'est une partie du Dessin, maintenant, Lan.

– Ridicule ! répliqua-t-il. Il n'y a pas de raison qu'elle vienne et il y a toutes les raisons du monde pour qu'elle ne vienne pas.

– Il y a *une* raison, Lan, dit calmement Moiraine. Une partie du Dessin, Lan. » Le visage de pierre du Lige ne montra rien, mais il hocha lentement la tête.

« Mais, Egwene, dit Rand, les Trollocs vont nous pourchasser. Nous ne serons pas en sûreté avant notre arrivée à Tar Valon.

– N'essaie pas de me décourager, dit-elle. Je viens. »

Rand connaissait ce ton de voix. Il ne l'avait pas

entendu depuis qu'elle avait décidé que grimper sur les arbres les plus hauts était bon pour des enfants, mais il s'en souvenait bien. « Si tu crois qu'être pourchassés par les Trollocs sera amusant... » commença-t-il, mais Moiraine l'interrompit.

« Nous n'avons pas le temps de discuter de ça. Il nous faut arriver le plus loin possible au point du jour. Si on la laisse en arrière, Rand elle pourrait réveiller le village avant qu'on ait parcouru une lieue, et cela avertirait sûrement le Myrddraal.

– Je ne ferai pas ça, protesta Egwene.

– Elle peut monter le cheval du ménestrel, dit le Lige. Je lui laisserai assez d'argent pour qu'il en achète un autre.

– Impossible », proclama la voix sonore de Thom Merrilin venant du fenil. Cette fois, l'épée de Lan sortit du fourreau, et il ne l'y remit pas en levant les yeux vers le ménestrel.

Thom jeta en bas une couverture roulée, lança sur son dos sa flûte et sa harpe dans leurs étuis, puis chargea sur son épaule ses sacoches de selles bourrées à craquer. « Ce village n'a pas besoin de moi, à présent, tandis que je n'ai jamais donné de représentations à Tar Valon. Et, bien que je voyage habituellement seul, après la nuit dernière je n'ai aucune objection à voyager en compagnie. »

Le Lige lança à Perrin un regard dur, et Perrin se dandina avec gêne. « Je n'ai pas pensé à regarder dans le fenil », murmura-t-il.

Pendant que le ménestrel dégingandé descendait l'échelle du grenier, Lan parla, solennel et guindé. « Est-ce une partie du Dessin, Moiraine Sedai ?

– Tout est partie du Dessin, mon vieil ami, répliqua Moiraine d'une voix douce. Nous ne pouvons pas nous montrer difficiles. Mais nous verrons. »

Thom posa les pieds sur le sol de l'écurie et s'écarta de l'échelle, en brossant son manteau étoilé de pièces pour en faire tomber la paille. « En fait, dit-il d'un ton plus normal, vous pourriez dire que j'insiste pour voyager en compagnie. J'ai consacré bien des heures en buvant mainte chope de bière à réfléchir comment je pourrais terminer mes jours. La marmite d'un Trolloc n'était pas une de mes conclusions. » Il jeta un regard en biais à l'épée du Lige. « Pas besoin de ça. Je ne suis pas un fromage qu'on coupe en tranches.

« – Maître Merrilin, dit Moiraine, il nous faut partir vite, en courant presque certainement un grand danger. Les Trollocs sont encore là-dehors, et nous partons de nuit. Êtes-vous sûr de vouloir voyager avec nous ? »

Thom les contempla tous avec un sourire moqueur. « Si ce n'est pas trop dangereux pour la jeune fille, ça ne peut pas être trop dangereux pour moi. D'ailleurs, quel ménestrel ne courrait pas des risques pour donner une représentation à Tar Valon ? »

Moiraine acquiesça d'un signe et Lan remit son épée au fourreau. Rand se demanda brusquement ce qui se serait passé si Thom avait changé d'avis ou si Moiraine n'avait pas acquiescé. Le ménestrel se mit à seller son cheval comme si de semblables pensées ne lui étaient jamais venues à l'esprit, mais Rand remarqua qu'il regardait plus d'une fois l'épée de Lan.

« À présent, dit Moiraine, quel cheval pour Egwene ?

– Les chevaux du colporteur ne valent pas mieux que les dhurrans, répliqua aigrement le Lige. Forts, mais ils ont le pas pesant.

– Béla », suggéra Rand, ce qui lui valut de Lan un coup d'œil qui le fit regretter de n'avoir pas gardé le silence. Mais il savait être incapable de dissuader Egwene ; la seule solution qui restait était de l'aider. « Béla n'est peut-être pas aussi rapide que les autres, mais elle est solide. Je la monte quelquefois. Elle peut tenir le train. »

Lan regarda dans la stalle de Béla, en marmonnant en sourdine. « Elle est peut-être un peu meilleure que les autres, finit-il par dire. Je suppose que nous n'avons pas le choix.

– Alors, il faudra qu'elle fasse l'affaire, conclut Moiraine. Rand, trouve une selle pour Béla. Vite, à présent ! Nous n'avons déjà que trop tardé. »

Rand choisit en hâte une selle et une couverture dans la sellerie, puis alla chercher Béla dans sa stalle. La jument tourna la tête pour le regarder avec une surprise somnolente lorsqu'il lui posa la selle sur le dos. D'ordinaire, il la montait à cru : elle n'avait pas l'habitude de la selle. Il émit des sons apaisants tout en resserrant la sangle de selle, et elle accepta cette bizarrerie sans autre réaction que secouer sa crinière.

Il prit à Egwene son baluchon qu'il attacha derrière la selle pendant qu'elle montait et ajustait ses jupes. Elles n'étaient pas fendues pour aller à califourchon, si bien que ses bas de laine étaient découverts jusqu'au genou. Elle portait les mêmes souliers de cuir souple que toutes les autres jeunes filles du village. Ce n'était nullement ce qui convenait pour un voyage jusqu'à la Colline-au-Guet et encore bien moins jusqu'à Tar Valon.

« J'estime toujours que tu ne devrais pas venir, dit-il. Je n'inventais rien au sujet des Trollocs, mais je promets que je prendrai soin de toi.

– Peut-être est-ce moi qui prendrai soin de toi », répliqua-t-elle d'un ton léger. Devant son air exaspéré, elle sourit et se pencha pour lui lisser les cheveux. « Je sais que tu veilleras sur moi, Rand. Nous nous protégerons mutuellement. Mais maintenant tu ferais mieux de t'occuper de monter sur ton cheval. » Tous les autres étaient déjà en selle et l'attendaient ; il en prit conscience. Le seul cheval sans cavalier était Nuage, un grand cheval gris à crinière et queue noires qui appartenait ou avait appartenu à Jon Thane. Il se hissa hâtivement sur la selle, non sans difficulté, car le gris secoua la tête et se déroba de côté quand Rand mit le pied à l'étrier et son fourreau se mit en travers de ses jambes. Ce n'était pas par hasard que ses amis n'avaient pas choisi Nuage. Maître Thane faisait souvent courir le gris plein de feu contre des chevaux de marchands et Rand ne l'avait jamais vu perdre, mais il n'avait jamais vu Nuage se laisser monter facilement non plus. Lan devait avoir donné un prix élevé pour inciter le meunier à le vendre. Comme il se carrait sur la selle, Nuage dansa de plus belle, comme si le gris ne demandait qu'à galoper. Rand saisit fermement les rênes et essaya de croire qu'il n'aurait pas d'ennuis. Peut-être que s'il en était convaincu il pourrait aussi convaincre le cheval.

Une chouette ulula dans la nuit au-dehors, et les jeunes gens du village sursautèrent avant de comprendre ce que c'était. Ils rirent nerveusement et échangèrent des regards penauds.

« La prochaine fois, les rats des champs nous feront grimper aux arbres », dit Egwene avec un petit rire mal assuré.

Lan hocha la tête. « Mieux aurait valu que ce soient des loups.

– Des loups ! » s'exclama Perrin, et le Lige le gratifia d'un regard inexpressif.

« Les loups n'aiment pas les Trollocs, forgeron, et les Trollocs n'aiment pas les loups, ni les chiens non plus. Si j'entendais des loups, je serais sûr qu'il n'y a pas de Trollocs qui nous guettent là-dehors. » Il sortit dans la nuit éclairée par la lune, en maintenant à un pas lent son grand étalon noir.

Moiraine avança derrière lui sans une hésitation et Egwene s'efforça de rester le plus près possible de l'Aes Sedai. Rand et le ménestrel fermaient la marche derrière Mat et Perrin.

L'arrière de l'auberge était sombre et silencieux, des ombres mouchetées de clair de lune emplissaient la cour de l'écurie. Le doux bruit mat des sabots s'éteignait vite, absorbé par la nuit. Dans l'obscurité, le manteau du Lige le transformait aussi en ombre. Seule la nécessité de le laisser montrer le chemin retenait les autres de s'agglomérer autour de lui. Sortir du village sans être vus n'allait pas être tâche facile, conclut Rand en approchant de la barrière. Du moins sans être vus des gens du village. De nombreuses fenêtres laissaient passer une pâle lumière jaune et, si ces lumières paraissaient maintenant très petites dans la nuit, des formes bougeaient souvent à l'intérieur, silhouettes de villageois qui guettaient pour voir ce qu'apporterait cette nuit. Personne ne voulait être de nouveau pris par surprise.

Dans les ombres profondes à côté de l'auberge, juste au moment de quitter la cour de l'écurie, Lan s'arrêta subitement, avec un geste brusque intimant de se taire.

Des bottes martelaient le Pont-aux-Charrettes et, çà et là sur le pont, le clair de lune miroitait sur du métal. Les bottes claquèrent en traversant le pont, crissèrent sur le gravier et s'approchèrent de l'auberge. Aucun son ne venait de ceux qui se tenaient dans l'ombre. Rand soupçonna que ses amis, au moins, étaient trop effrayés pour faire du bruit. Comme lui.

Les pas s'arrêtèrent devant l'auberge dans la grisaille juste au-delà de la faible lueur provenant des fenêtres de la salle commune. Rand se rendit compte de qui il s'agissait seulement quand Jon Thane s'avança, un épieu calé contre son épaule robuste, la poitrine à l'étroit dans un vieux pourpoint sur lequel étaient cousus des disques d'acier qui le recouvraient entièrement. Une douzaine d'hommes du village et des fermes des environs, certains avec des heaumes ou des pièces d'armure qui étaient restées depuis des générations à se couvrir de poussière dans les greniers, tous munis d'un épieu ou d'une hache de bûcheron, ou encore d'une hallebarde rouillée.

Le meunier jeta un coup d'œil par une des fenêtres de la salle commune, puis se tourna avec un bref : « Tout a l'air d'aller bien ici. » Les autres se formèrent en deux rangs désordonnés derrière lui et la patrouille s'enfonça dans la nuit comme si elle marchait au rythme marqué par trois tambours différents.

« Deux Trollocs du Dha'vol les mangeraient tous à leur petit déjeuner, murmura Lan quand le bruit de leurs bottes se fut évanoui, mais ils ont des yeux et des oreilles. » Il fit tourner son étalon. « Venez. »

Lentement, silencieusement, le Lige leur fit retraverser la cour de l'écurie, descendre la rive à travers les saules jusqu'à la Source du Vin. Bien que tout près de la source elle-même, l'eau froide et rapide qui luisait en tournoyant autour des jambes des chevaux, était assez profonde pour clapoter contre la semelle des bottes des cavaliers.

La file de chevaux remonta sur la rive de l'autre côté et chemina en suivant un itinéraire sinueux sous l'adroite conduite du Lige, restant à l'écart des maisons du village. De temps en temps, Lan s'arrêtait, leur indiquant du geste de se taire, bien que personne n'ait vu ni entendu quoi que ce soit. À chaque fois pourtant, une autre patrouille de villageois et de fermiers ne tardait pas à passer. Lentement, ils se dirigèrent vers la lisière nord du village.

Rand scruta l'obscurité en direction des maisons aux toits pointus, essayant de les graver dans sa mémoire. *Quel bel aventurier je fais*, pensa-t-il. Il n'était même pas sorti du village qu'il avait déjà le mal du pays. Mais il continuait à regarder.

Ils laissèrent derrière eux les dernières fermes aux abords du village et se retrouvèrent en rase campagne, parallèlement à la Route du Nord qui menait à Taren-au-Bac. Rand se dit que sûrement aucun ciel nocturne ailleurs ne pouvait être aussi beau que le ciel des Deux Rivières. Le noir transparent semblait s'étendre à l'infini et des myriades d'étoiles scintillaient comme des points lumineux épars à travers du cristal. La lune, qui n'en était plus qu'à une mince tranche de son plein, paraissait presque assez proche pour qu'il la touche en tendant le bras et...

Une forme noire passa d'un vol lent devant la boule argentée de la lune. Le coup sec que Rand imprima aux rênes en tirant machinalement dessus arrêta le cheval gris. Une chauve-souris, se dit-il sans conviction, mais il savait que ce n'en était pas une. Les chauves-souris étaient chose courante à voir le soir, fonçant dans le crépuscule sur des mouches et des picmoys. Les ailes qui portaient cette créature avaient peut-être la même forme, mais elles se mouvaient avec la même ampleur lente et puissante que celles d'un oiseau de proie. Et elle chassait. La façon dont elle décrivait de longs arcs en tout sens ne laissait aucun doute là-dessus. Le pire de tout était sa taille. Si une chauve-souris paraissait aussi grande par rapport à la lune, elle aurait dû être pratiquement à portée de main. Rand essaya d'estimer mentalement à quelle distance elle devait être, et de quelle taille. Son corps devait être aussi grand que celui d'un homme, et ses ailes... Elle repassa devant la lune, descendant subitement en cercle pour s'engloutir dans la nuit.

Il s'aperçut que Lan était revenu vers lui seulement quand le Lige l'attrapa par le bras. « Qu'est-ce que tu restes là à regarder, mon garçon ? Il faut que nous avancions. » Les autres attendaient derrière Lan.

S'attendant à demi à s'entendre dire qu'il laissait la peur des Trollocs triompher sur son bon sens, Rand raconta ce qu'il avait vu. Il espérait que Lan n'en tiendrait pas compte, dirait que c'était une chauve-souris ou un tour que lui avaient joué ses yeux.

Lan grommela un mot qui avait l'air de lui laisser un mauvais goût dans la bouche : *Draghkar*. Egwene et les autres des Deux Rivières scrutèrent nerveusement le ciel dans toutes les directions, mais le ménestrel gémit à voix basse.

« Oui, dit Moiraine. C'est trop d'espérer autre chose. Et si le Myrddraal a un Draghkar à ses ordres, alors il saura bientôt où nous sommes, s'il ne le sait pas déjà. Il nous faut avancer plus vite que ce n'est possible à travers champs. Nous avons une chance d'arriver à Taren-au-Bac avant le Myrddraal, et lui et ses Trollocs ne traverseront pas aussi facilement que nous.

– Un Draghkar ? questionna Egwene. Qu'est-ce que c'est ? »

Ce fut Thom Merrilin qui lui répondit d'une voix enrouée : « Dans la Guerre qui a mis fin à l'Ère des Légendes, pire que les Trollocs et les Demi-Hommes a été créé. »

Moiraine eut un brusque mouvement de tête dans sa direction quand il prit la parole. Même l'obscurité ne suffit pas à dissimuler la sévérité de son regard.

Avant que personne n'ait eu le temps de poser d'autres questions au ménestrel, Lan se mit à donner des directives. « Maintenant nous nous engageons sur la Route du Nord. Si vous tenez à la vie, suivez-moi, conservez la même allure et restez groupés. »

Il fit tourner son cheval et les autres galopèrent sans rien dire derrière lui.

11.

LA ROUTE DE TAREN-AU-BAC

Sur la terre battue de la Route du Nord, les chevaux
s'égrenèrent, queue et crinière flottant au vent dans le
clair de lune tandis qu'ils galopaient vers le nord au
rythme régulier de leurs sabots. Lan menait le train, le
cheval noir et le cavalier vêtu d'ombre presque invisibles dans la nuit froide. La jument blanche de Moiraine égalant l'allure de l'étalon foulée pour foulée était
une flèche pâle lancée dans l'obscurité. Le reste suivait
en ligne serrée, comme s'ils étaient tous attachés à une
corde dont une extrémité était dans les mains du Lige.

Rand galopait le dernier avec Thom Merrilin juste
devant lui et les autres moins distincts au-delà. Le
ménestrel ne tournait jamais la tête, réservant ses yeux
pour regarder dans la direction où ils couraient et non
ce qu'ils fuyaient. Si des Trollocs apparaissaient derrière
eux, ou l'Évanescent sur son cheval silencieux, ou cette
créature ailée, le Draghkar, ce serait à Rand de donner
l'alarme.

Toutes les deux ou trois minutes, il se haussait pour
regarder derrière lui, agrippé aux rênes et à la crinière
de Nuage. Le Draghkar... Pire que les Trollocs et les
Évanescents, avait dit Thom. Mais le ciel était vide, et
ses regards rencontraient sur le sol seulement ombres et
obscurité. Des ombres qui pouvaient cacher une armée.

Maintenant qu'il avait la bride sur le cou, le gris filait
dans la nuit comme un fantôme, suivant avec aisance le
train de l'étalon de Lan. Et Nuage désirait aller plus
vite. Il voulait rejoindre le noir, se forçait pour le rattraper. Rand devait le retenir en gardant une main ferme

sur les rênes. Nuage résistait à ce frein, comme si le cheval gris croyait que c'était une course, luttant à chaque foulée contre Rand pour rester maître de la situation. Rand s'accrochait à la selle et aux rênes, tous les muscles crispés. Il espérait avec ferveur que sa monture ne sentirait pas son malaise. Si Nuage le devinait, il perdrait le seul avantage qu'il détenait, si précaire fût-il.

Couché sur le cou de Nuage, Rand surveillait d'un œil inquiet Béla et sa cavalière. Quand il avait dit que la jument aux poils rudes était en mesure d'égaler le train des autres, il n'avait pas voulu dire « à la course ». Elle tenait seulement l'allure à présent en courant comme il ne l'en aurait jamais crue capable. Lan n'avait pas voulu d'Egwene avec eux. Ralentirait-il pour elle si Béla commençait à faiblir ? Ou essaierait-il de la laisser en plan ? L'Aes Sedai et le Lige croyaient que Rand et ses amis avaient une certaine importance mais, malgré tout ce que Moiraine disait du Dessin, il ne pensait pas qu'ils incluaient Egwene dans cette importance.

Si Béla restait à la traîne, il resterait en arrière, lui aussi, quoi que Moiraine et Lan aient à dire là-dessus. En arrière où étaient l'Évanescent et les Trollocs. En arrière où était le Draghkar. De tout son cœur et du fond de son désespoir, il cria silencieusement à Béla de courir comme le vent, il tenta silencieusement de lui insuffler de la force. *Cours !* Sa peau le picotait, ses os donnaient l'impression de geler, prêts à se fendre. *Que la Lumière lui vienne en aide, cours !* Et Béla courait.

Ils fonçaient, fonçaient, fonçaient toujours vers le nord dans la nuit, tandis que les heures se fondaient en une masse indistincte. De temps à autre, des lumières de ferme apparaissaient comme des éclairs, puis s'effaçaient aussi vite que s'ils les avaient imaginées. Les défis insistants des chiens s'évanouissaient rapidement derrière eux ou s'arrêtaient brusquement, quand les chiens décidaient qu'ils les avaient chassés. Ils couraient à travers une obscurité allégée seulement par un pâle clair de lune noyé d'eau, une pénombre où les arbres surgissaient sans avertissement le long de la route, puis disparaissaient. Pour le reste, les ténèbres les entouraient et seul le cri d'un oiseau de nuit, solitaire et lugubre, troublait le martèlement régulier des sabots.

Sans préalable, Lan ralentit, puis fit arrêter la file de chevaux. Rand ne savait pas depuis combien de temps ils étaient en route, mais il avait les jambes légèrement douloureuses d'avoir serré la selle. Devant eux dans la nuit scintillaient des lumières, comme si un grand essaim de lucioles s'était rassemblé au milieu des arbres.

Rand observa ces lumières avec perplexité, puis eut un hoquet de surprise. Les lucioles étaient des fenêtres, les fenêtres de maisons qui couvraient les flancs et le sommet d'une colline. C'était la Colline-au-Guet. Il avait peine à croire qu'ils étaient allés si loin. Jamais probablement le trajet n'avait été parcouru plus vite qu'ils ne venaient de le faire. Suivant l'exemple de Lan, Rand et Thom Merrilin mirent pied à terre. Nuage se tenait la tête penchée, les flancs haletants. De l'écume, à peine distincte de ses flancs couleur de fumée, moucheтait le cou et les épaules du gris. Rand se dit que Nuage ne porterait personne plus loin ce soir.

« Malgré le grand désir que j'ai de laisser tous ces villages derrière moi, annonça Thom, quelques heures de repos ne me feraient pas de mal à présent. Nous avons sûrement assez d'avance pour nous le permettre ? »

Rand s'étira, se frotta du poing le creux des reins. « Si nous devons passer le reste de la nuit à la Colline-au-Guet, autant y monter tout de suite. »

Une bouffée de vent errante apporta du village un fragment de chanson et des odeurs de cuisine qui lui mirent l'eau à la bouche. Ils faisaient encore la fête à la Colline-au-Guet. Il n'y avait pas eu de Trollocs pour déranger leur Bel Tine. Il chercha Egwene. Elle s'appuyait contre Béla, effondrée d'épuisement. Les autres descendaient aussi de cheval, avec maints soupirs et étirements de muscles douloureux. Seuls le Lige et l'Aes Sedai ne montraient aucun signe de fatigue.

« Je pourrais m'accommoder de quelques chansons, dit Mat avec lassitude. Et peut-être d'un pâté de mouton chaud au *Sanglier Blanc*. » Après une pause, il ajouta : « Je ne suis jamais allé plus loin que la Colline. Le *Sanglier Blanc* n'est pas de beaucoup aussi bien que l'*Auberge de la Source du Vin*.

– Le *Sanglier Blanc* n'est pas si mal, dit Perrin. Un pâté de mouton pour moi aussi. Et beaucoup de thé bouillant pour me dégeler les os.

– Nous ne pouvons pas nous arrêter avant d'avoir traversé la Taren, dit Land d'un ton cassant. Pas plus de quelques minutes.

« – Mais les chevaux, protesta Rand. Ils vont mourir d'épuisement si nous essayons de poursuivre notre chemin ce soir. Moiraine Sedai, sûrement vous... »

Il avait vaguement remarqué qu'elle se déplaçait au milieu des chevaux, mais n'avait pas vraiment prêté attention à ce qu'elle faisait. À présent, elle passa rapidement à côté de lui pour poser les mains sur le cou de Nuage. Rand se tut. Soudain, le cheval encensa avec un hennissement léger, arrachant presque les rênes des mains de Rand. Le gris s'écarta d'un pas de côté en dansant, aussi nerveux que s'il avait passé une semaine à l'écurie. Sans un mot, Moiraine se dirigea vers Béla.

« Je ne savais pas qu'elle pouvait faire cela, dit à mi-voix Rand à Lan, les joues brûlantes.

– Toi plus que les autres, tu aurais dû t'en douter, répliqua le Lige. Tu l'as vue agir avec ton père. Elle effacera toute la fatigue. D'abord celle des chevaux, puis du reste d'entre vous.

– Le reste d'entre nous. Pas vous ?

– Pas moi, berger. Je n'en ai pas besoin. Pas encore. Et pas elle. Ce qu'elle peut faire pour les autres, elle ne le peut pas pour elle-même. Seul un d'entre nous chevauchera fatigué. Tu serais sage d'espérer qu'elle ne soit pas trop fatiguée avant que nous atteignions Tar Valon.

– Trop fatiguée pour quoi ? demanda Rand au Lige.

– Tu avais raison pour ta Béla, Rand, dit Moiraine de l'endroit où elle se tenait, près de la jument. Elle a du cœur et autant d'entêtement que vous autres, gens des Deux Rivières. Aussi étrange que cela paraisse, il se peut qu'elle soit la moins lasse de tous. »

Un hurlement déchira l'obscurité, un son pareil à celui d'un homme mourant sous les coups de poignards acérés, et des ailes fondirent très bas au-dessus du groupe. L'ombre qui planait sur eux rendit la nuit plus noire. Avec des hennissements de panique, les chevaux se cabrèrent frénétiquement.

Le vent des ailes du Draghkar fouetta Rand telle une giclée de boue visqueuse, tel un frémissement glacé dans la pénombre moite d'un cauchemar. Il n'eut même pas le temps d'en ressentir de la peur car Nuage fit une cabriole en criant lui aussi, se tordant farouchement comme pour se débarrasser de quelque chose qui s'agrippait à lui. Rand, qui n'avait pas lâché les rênes, perdit l'équilibre et fut traîné sur le sol, Nuage criant comme si le grand cheval gris sentait des loups le mordre aux jarrets.

Rand parvint tant bien que mal à maintenir sa prise sur les rênes ; en se servant de son autre main autant que de ses jambes, il se releva et courut à grands pas vacillants pour éviter d'être de nouveau renversé. Il respirait par saccades sous l'emprise du désespoir. Impossible de laisser Nuage se sauver. Il avança une main fébrile et attrapa de justesse la bride. Nuage se cabra, le soulevant en l'air ; Rand ne put que se cramponner, espérant contre toute attente que le cheval se calmerait.

La reprise de contact avec le sol donna à Rand un choc qui l'ébranla au point que ses dents claquèrent mais, soudain, le gris s'immobilisa, les naseaux dilatés, les yeux riboulant, les jambes raides, tout tremblant. Rand tremblait aussi, ne tenant debout pratiquement que parce que suspendu à la bride. *Cette secousse doit avoir ébranlé aussi cet imbécile d'animal*, pensa-t-il. Il prit trois ou quatre aspirations profondes et haletantes. C'est alors seulement qu'il put regarder autour de lui et voir ce qu'il était advenu des autres.

Le chaos régnait dans le groupe de cavaliers. Ils s'accrochaient aux rênes que secouaient des mouvements de tête saccadés, essayant sans grand succès de calmer les chevaux cabrés qui les entraînaient de-ci de-là en une masse tourbillonnante. Seuls deux d'entre eux n'avaient apparemment aucun ennui avec leurs montures. Moiraine était assise droite en selle, sa jument blanche s'éloignant pas à pas délicatement de la mêlée comme si rien ne s'était passé hors de l'ordinaire. Lan, à pied, scrutait le ciel, l'épée dans une main, les rênes dans l'autre ; l'étalon noir restait tranquillement à côté de lui.

Les bruits de réjouissances ne parvenaient plus de la Colline-au-Guet. Les gens du village devaient avoir entendu le cri, eux aussi. Rand savait qu'ils allaient écouter un moment et peut-être guetter ce qui en était la cause, puis ils retourneraient à leurs divertissements. Ils oublieraient bientôt l'incident, son souvenir noyé dans les chants, la nourriture, la danse et l'amusement. Quand ils apprendraient la nouvelle de ce qui s'était passé au Champ d'Emond, peut-être quelques-uns se souviendraient-ils et se poseraient des questions. Un violon commença à jouer et, au bout d'un instant, une flûte s'y joignit. Le village se remettait à sa fête.

« En selle ! » commanda sèchement Lan. Il rengaina son épée et bondit sur l'étalon. « Le Draghkar ne se serait pas montré s'il n'avait pas déjà indiqué au Myrddraal où nous étions. » Un autre cri strident leur parvint de très haut, plus faible mais pas moins discordant. La musique en provenance de la Colline-au-Guet se tut peu à peu encore une fois. « Il marque notre piste maintenant pour l'indiquer au Demi-Homme. Il ne doit pas être loin. »

Les chevaux, à présent frais en même temps que frappés de terreur, caracolaient en s'écartant de ceux qui essayaient de les monter. Thom Merrilin, jurant à pleine gorge, fut le premier en selle, mais les autres ne tardèrent pas à se retrouver à cheval. Tous sauf un.

« Vite, Rand ! » cria Egwene. Le Draghkar émit une fois encore un cri perçant, Béla prit le galop et Egwene ne parvint à arrêter la jument en tirant sur les rênes qu'au bout de quelques enjambées. « Vite ! »

Avec un sursaut, Rand se rendit compte qu'au lieu de tenter de se hisser sur Nuage il était resté sur place à scruter le ciel dans un vain effort pour situer la source de ces cris horribles. Encore mieux, sans s'en apercevoir, il avait tiré l'épée de Tam comme pour combattre la chose ailée.

Il rougit, heureux de ce que la nuit le dissimulait. Gauchement, une main occupée par les rênes, il remit sa lame au fourreau avec un coup d'œil hâtif aux autres. Moiraine, Lan et Egwene le regardaient tous, encore qu'il ne fût pas sûr de ce qu'ils pouvaient voir au clair de lune. Les autres semblaient trop absorbés à garder la maîtrise de leurs chevaux pour lui prêter attention. Il posa une main sur le pommeau, s'enleva d'un bond et se retrouva en selle comme s'il n'avait fait que ça toute sa vie. Si l'un de ses amis avait remarqué l'épée, il en entendrait sûrement parler plus tard. Il aurait bien le temps de s'en soucier à ce moment-là.

Dès qu'il fut en selle, tous repartirent au galop, gravissant la route le long du sommet arrondi de la colline. Des chiens aboyèrent dans le village ; leur passage n'était pas totalement inaperçu. *Ou peut-être les chiens sentent-ils des Trollocs*, pensa Rand. Les aboiements et les lumières du village s'évanouirent bien vite derrière eux.

Ils galopaient en groupe serré, les chevaux manquant

de peu se bousculer dans leur course. Lan leur ordonna de se déployer de nouveau, mais personne ne désirait être seul dans la nuit, même si peu que ce soit. Un cri vint de très haut au-dessus d'eux. Le Lige céda et les laissa courir groupés.

Rand était juste derrière Moiraine et Lan, le cheval gris faisant tous ses efforts pour se glisser entre le noir du Lige et la coquette jument de l'Aes Sedai. Egwene et le ménestrel encadraient Rand, tandis que ses amis se pressaient ensemble derrière lui. Nuage, excité par les cris du Draghkar, galopait plus vite que Rand n'aurait pu l'en empêcher, l'aurait-il voulu, pourtant le gris n'arrivait même pas à gagner une foulée sur les deux autres.

Le cri du Draghkar défiait la nuit.

La vaillante Béla allait, le cou tendu, la queue et la crinière flottant au vent de sa course, égalant la foulée des chevaux plus grands qu'elle. *L'Aes Sedai doit avoir fait plus que de la débarrasser de sa fatigue.*

Dans le clair de lune, le visage d'Egwene souriait d'excitation radieuse. Sa natte flottait derrière elle comme la crinière des chevaux, et l'éclat de ses yeux ne venait pas entièrement d'un reflet de lune, Rand en était sûr. Sa bouche en béa de surprise jusqu'à ce qu'un picmoy avalé au passage déclenche chez lui une crise de toux.

Lan avait dû poser une question, car Moiraine cria soudain pour dominer le bruit du vent et du martèlement des sabots : « Je ne peux pas ! Surtout pas depuis le dos d'un cheval au galop. Ils ne sont pas faciles à tuer, même quand on peut les voir. Il nous faut courir et espérer. »

Ils franchirent au galop un lambeau de brouillard, ténu et pas plus haut que les genoux des chevaux. Nuage le dépassa en deux foulées et Ran cligna des yeux en se demandant s'il ne l'avait pas imaginé. Voyons, la nuit était trop froide pour qu'il y ait du brouillard. Une autre traînée de lambeaux gris fila à côté d'eux, plus importante que la première. Elle avait grandi, comme si le brouillard suintait du sol. Au-dessus d'eux, le Draghkar hurla de rage. Le brouillard enveloppa un bref instant les cavaliers, disparut, revint encore et s'évanouit derrière eux. La brume glacée laissa une moiteur froide sur le visage et les mains de

Rand. Puis une muraille gris pâle se dressa devant eux et ils furent soudain enveloppés comme dans un linceul. Son épaisseur étouffait le bruit de leurs sabots qui devenait un son mat, et les cris d'en haut semblaient arriver de derrière un mur. Rand distinguait tout juste la forme d'Egwene et de Thom Merrilin de chaque côté de lui.

Lan ne ralentit pas l'allure « Il y a encore un seul endroit où nous pouvons aller, cria-t-il d'une voix assourdie dont on n'aurait pas su dire d'où elle provenait.

– Les Myrddraals sont rusés, répliqua Moiraine. Je me servirai de sa ruse contre lui. » Ils continuèrent à galoper en silence.

Une brume gris ardoise obscurcissait ciel et terre, si bien que les cavaliers, changés eux-mêmes en ombre, paraissaient flotter à travers des nuages nocturnes. Même les jambes de leurs chevaux donnaient l'impression d'avoir disparu.

Rand changea de position sur sa selle, se recroquevillant pour échapper au brouillard glacé. Savoir que Moiraine avait des dons et même la voir s'en servir était une chose ; mais que ses réalisations lui laissent la peau moite en était une autre. Il se rendit compte qu'il retenait aussi son souffle et se traita de triple imbécile. Il ne pouvait parcourir tout le trajet jusqu'à Taren-au-Bac sans respirer. Elle s'était servie du Pouvoir Unique sur Tam et Tam s'en était apparemment bien trouvé. Bref, il devait se forcer à relâcher sa respiration puis à inhaler. L'air était lourd mais, bien que froid, il ne différait pas par ailleurs de celui d'une autre nuit de brume. Il se le dit, mais sans être certain d'y croire.

Lan les encourageait maintenant à demeurer en groupe serré, à rester à la distance où chacun pouvait voir les contours des autres dans cette grisaille humide et glacée. Néanmoins, le Lige ne ralentissait pas la course éperdue de son étalon. Côte à côte, Lan et Moiraine menaient le train à travers le brouillard, comme s'ils voyaient clairement ce qu'ils avaient devant eux. Les autres ne pouvaient que s'armer de confiance et suivre. Et garder l'espoir.

Les cris aigus qui les avaient poursuivis s'affaiblirent au fur et à mesure qu'ils galopaient, puis disparurent, mais c'était un piètre réconfort. Forêt et fermes, lune et route étaient voilées et cachées. Des chiens lançaient toujours des aboiements sourds · et lointains dans la brume grise quand ils dépassaient des fermes, mais il n'y avait pas d'autre bruit sauf le piétinement monotone des chevaux. Rien ne changeait dans ce brouillard cendreux et sans relief. Rien ne laissait soupçonner le passage du temps sauf les courbatures croissantes des cuisses et du dos.

Des heures avaient dû s'écouler, Rand en était sûr. Ses mains serraient les rênes au point qu'il doutait de pouvoir les lâcher et il se demandait s'il parviendrait à marcher de nouveau normalement. Il ne regarda pardessus son épaule qu'une seule fois. Des ombres dans le brouillard couraient derrière lui, mais il ne pouvait même pas être sûr de leur nombre. Ni même qu'il s'agissait vraiment de ses amis. Le froid et l'humidité transperçaient sa cape, sa cotte et sa chemise, transperçaient même ses os, à ce qu'il lui semblait. Seul l'air qui fouettait sa figure et les muscles de sa monture qui se bandaient et se détendaient sous lui indiquaient qu'il se déplaçait. Cela devait durer depuis des heures.

« Ralentissez, cria Lan tout à coup. Serrez la bride. »

Rand fut si surpris que Nuage se força une voie entre Lan et Moiraine et passa en tête à toute allure pendant une demi-douzaine de foulées avant que Rand réussisse à arrêter le grand gris et regarde autour de lui avec étonnement.

Des maisons se profilaient de tout côté dans le brouillard, des maisons étrangement hautes aux yeux de Rand. Il n'avait jamais vu cet endroit auparavant, mais il en avait souvent entendu des descriptions. Cette hauteur venait des fondations élevées en grès rouge, nécessaires quand la fonte des neiges au printemps dans les Montagnes de la Brume faisait sortir la Taren de son lit. Ils avaient atteint Taren-au-Bac.

Lan le dépassa au trot de son destrier noir. « Ne sois pas si impatient, berger. »

Décontenancé, Rand reprit sa place sans s'expliquer quand le groupe pénétra plus avant dans le village. Il avait la figure brûlante et, pour le moment, le brouillard fut le bienvenu.

Un chien solitaire, invisible dans la brume froide, aboya furieusement contre eux, puis s'éloigna en courant. Çà et là, une lumière éclairait une fenêtre, quand un lève-tôt s'éveillait. Aucun autre bruit que le chien, à part le clop-clop assourdi de leurs chevaux, ne troublait la dernière heure de la nuit.

Rand n'avait rencontré que quelques habitants de Taren-au-Bac. Il essaya de se rappeler le peu qu'il savait d'eux. Ils s'aventuraient rarement dans ce qu'ils appelaient « les villages bas » en levant le nez comme s'ils percevaient une mauvaise odeur. Le petit nombre qu'il avait rencontré portait des noms bizarres, comme Hautdecaute ou Barquenroche. D'une manière générale, les gens de Taren-au-Bac avaient une réputation de sournoiserie et de fourberie. Si vous serrez la main de quelqu'un de Taren-au-Bac, disait-on, comptez-vous les doigts ensuite.

Lan et Moiraine s'arrêtèrent devant une haute maison sombre, qui ressemblait à toutes les autres du village. Le brouillard tournoyait autour du Lige comme de la fumée quand il sauta à bas de sa selle et monta les degrés donnant accès à la porte d'entrée, située audessus de la rue à hauteur de leurs têtes. Au sommet du perron, Lan tambourina du poing sur la porte.

« Je croyais qu'il tenait au silence », marmotta Mat.

Les coups dans la porte continuèrent. Une lumière apparut à la fenêtre de la maison voisine et quelqu'un cria avec humeur, mais le Lige continua son tambourinage.

Soudain, la porte fut ouverte avec violence par un homme en chemise de nuit qui claquait autour de ses chevilles nues. Une lampe à huile dans une main éclairait une tête étroite aux traits anguleux. Il ouvrit la bouche avec colère, puis la laissa ouverte, comme sa tête pivotait pour examiner le brouillard, les yeux exorbités. « Qu'est-ce que c'est que ça ? dit-il. Qu'est-ce que c'est que ça ? » Des tentacules gris glacés pénétrèrent en spirales dans l'entrée et il recula précipitamment devant eux.

« Maître Hautetour, dit Lan. Juste l'homme qu'il me faut. Nous voulons traverser sur votre bac. »

« Il n'a même jamais vu de haute tour », dit ironiquement Mat. Rand fit signe à son ami de se taire. L'homme au visage anguleux leva plus haut sa lampe et les examina avec suspicion

Au bout d'une minute, Maître Hautetour déclara d'un ton maussade : « Le bac traverse de jour, pas la nuit. Jamais. Et pas par ce brouillard non plus. Revenez quand le soleil sera levé, et que le brouillard sera dissipé. »

Il commença à se détourner, mais Lan le saisit au poignet. Le passeur ouvrit la bouche avec fureur. De l'or se mit à luire à la clarté de la lampe tandis que le Lige déposait des pièces une par une dans la paume de l'autre. Hautetour s'humecta les lèvres au tintement de la monnaie et approcha peu à peu sa tête de sa main, comme s'il ne pouvait croire ce qu'il voyait.

« Et autant, reprit Lan, quand nous serons sains et saufs de l'autre côté. Mais nous partons tout de suite.

– Tout de suite ? » Mordillant sa lèvre inférieure, l'homme aux yeux de furet oscilla d'un pied sur l'autre, puis sonda la nuit brumeuse et acquiesça d'un brusque hochement de tête. « Tout de suite, donc. Eh bien, lâchez-moi le poignet, il faut que je réveille mes haleurs. Vous ne vous imaginez pas que je tire le bac tout seul de l'autre côté, non ?

– J'attendrai au débarcadère, dit sèchement Lan. Un petit moment. » Il relâcha sa prise sur le passeur.

Maître Hautetour appliqua d'un geste preste la poignée de pièces d'or contre sa poitrine puis, faisant signe qu'il acceptait, referma hâtivement la porte d'un coup de hanche.

12.

LA TRAVERSÉE DE LA TAREN

Lan descendit l'escalier en disant à ses compagnons de mettre pied à terre et de conduire les chevaux à sa suite dans le brouillard. De nouveau, ils devaient avoir confiance que le Lige savait où il allait. Le brouillard s'enroulait autour des genoux de Rand, dissimulant ses pieds, cachant ce qui se trouvait à plus d'un mètre. Le brouillard n'était pas aussi épais qu'à l'extérieur de la ville, mais Rand distinguait tout juste ses compagnons.

Aucun être humain à part eux ne s'aventurait encore dans la nuit. Quelques autres fenêtres s'étaient éclairées, mais la brume épaisse changeait la plupart en taches confuses et bien souvent cette vague lueur suspendue dans la grisaille était tout ce qui était visible. D'autres maisons, qui en laissaient voir un peu davantage, semblaient flotter sur une mer de nuages ou sortir brusquement de la brume, tandis que leurs voisines restaient cachées, si bien qu'elles auraient pu être seules sur des lieues à la ronde.

Rand se déplaçait avec raideur, courbatu par la longue chevauchée et se demandant s'il n'aurait pas la possibilité de faire à pied le restant du trajet jusqu'à Tar Valon. Non que marcher fût plus facile que monter à cheval en ce moment, bien sûr, mais ses pieds étaient presque la seule partie de son corps à ne pas le faire souffrir. Du moins avait-il l'habitude de la marche.

Une seule fois, quelqu'un parla assez fort pour que Rand comprenne nettement.

« Tu dois prendre cela en main, répliquait Moiraine à quelque chose qu'il n'avait pas entendu dire par Lan. Il se rappellera déjà trop de choses. Si je suis au premier plan de ses pensées... »

Maussade, Rand remit en place sur ses épaules sa cape maintenant trempée, veillant à demeurer près des autres. Mat et Perrin bougonnaient chacun de son côté, marmottant entre leurs dents, avec des exclamations contenues quand l'un d'eux butait du bout du pied contre quelque chose qu'il n'avait pas vu. Thom Merrilin grommelait lui aussi, des mots comme « repas chaud », « feu », « vin épicé » qui parvenaient aux oreilles de Rand, mais ni le Lige ni l'Aes Sedai n'en tenaient compte. Egwene allait sans rien dire, le dos droit et la tête haute. Sa démarche était quelque peu hésitante et laborieuse, en fait, car elle n'avait pas plus qu'eux l'habitude de monter à cheval.

Elle la vit, son aventure, pensa-t-il sombrement, et tant qu'elle durerait il doutait qu'Egwene se préoccupe de petits détails comme le brouillard et l'humidité ou le froid. Il doit y avoir une différence dans la perception qu'on a des choses, lui sembla-t-il, selon que l'on cherche l'aventure ou qu'elle vous est imposée. Certes, les contes font paraître exaltant de galoper dans un brouillard glacé, avec un Draghkar et la Lumière seule savait quoi d'autre à vos trousses. Egwene éprouvait peut-être de l'excitation ; lui ne sentait que le froid et l'humidité, et l'allégresse d'avoir de nouveau un village autour de lui, même si c'était Taren-au-Bac.

Brusquement, il heurta quelque chose de grand et de chaud dans l'obscurité : l'étalon de Lan. Le Lige et Moiraine s'étaient arrêtés, et les autres membres du groupe en firent autant, caressant leurs montures autant pour se réconforter que pour réconforter les animaux. Le brouillard était un peu moins épais par ici, assez pour se voir plus nettement qu'ils n'avaient pu le faire depuis longtemps, mais pas assez pour en distinguer beaucoup plus. Leurs pieds étaient encore masqués par une houle presque plate pareille à de l'eau grise en crue. Les maisons semblaient toutes avoir été englouties.

Rand conduisit Nuage avec prudence un peu plus loin et fut surpris d'entendre ses bottes racler le bois de planches. L'embarcadère du bac. Il recula avec précaution, en faisant aussi reculer le cheval gris. Il avait entendu décrire l'embarcadère du bac de Taren – un pont qui ne menait nulle part ailleurs qu'au bac. La

Taren était censée être large et profonde, avec des courants traîtres capables d'entraîner sous la surface le nageur le plus vigoureux. Beaucoup plus large que la Rivière de la Source du Vin, supposait-il. Et avec le brouillard en supplément... Ce fut un soulagement de sentir de nouveau la terre sous ses pieds.

Un « Psitt ! » véhément de Lan, aussi pénétrant que le brouillard. Le Lige leur adressa des indications par gestes en s'élançant au côté de Perrin et rejetant en arrière le manteau du jeune homme trapu, ce qui découvrit la grande hache. Obéissant bien que toujours sans comprendre, Rand rabattit sa cape sur son épaule pour dégager son épée. Tandis que Lan revenait rapidement vers son cheval, des lueurs mouvantes apparurent dans la brume et des pas étouffés approchèrent.

Des hommes au visage flegmatique vêtus d'habits grossiers suivaient Maître Hautetour. Les torches qu'ils portaient dissipaient par leur chaleur une poche de brouillard autour d'eux. Quand ils s'arrêtèrent, tous les membres du groupe du Champ d'Emond étaient pleinement visibles, leur petite bande entière entourée d'un mur gris paraissant plus dense à cause de la lueur des torches qui s'y reflétait. Le passeur les examina, sa tête étroite penchée de côté, le nez frémissant comme une belette qui renifle la brise pour déceler un piège.

Lan s'appuyait contre sa selle avec une apparente désinvolture, mais une main posée avec ostentation sur la longue poignée de son épée. Il ressemblait un peu à un ressort de métal comprimé, prêt à se détendre.

Rand se hâta d'imiter la pose du Lige, du moins en plaçant la main de son épée. Il croyait ne pas pouvoir arriver à cet air de décontraction redoutable. *Ils riraient probablement si j'essayais.*

Perrin fit jouer sa hache dans sa boucle de cuir et se campa ostensiblement. Mat mit la main à son carquois, bien que Rand ne fût pas sûr de l'état où se trouvait la corde de son arc après avoir séjourné dans toute cette humidité. Thom Merrilin avança majestueusement d'un pas et leva une main vide qu'il tourna lentement. Soudain il fit un grand geste, et un poignard tournoya entre ses doigts. Le manche claqua contre sa paume et, brusquement nonchalant, il se mit à se curer les ongles.

Un petit rire charmé échappa à Moiraine. Egwene applaudit comme si elle assistait à une représentation

pendant le Festival puis s'arrêta, la mine confuse, bien
que sa bouche esquissât quand même un sourire.

Hautetour parut loin d'être amusé. Il regarda fixement Thom, puis s'éclaircit la voix bruyamment. « Il a
été mentionné un supplément d'or pour la traversée. »
Il jeta de nouveau à tous un coup d'œil circulaire maussade et sournois. « Ce que vous m'avez déjà donné est
en sûreté à présent, vous m'entendez ? Il est là où aucun
de vous ne le trouvera.

– Le reste de l'or, répliqua Lan, ira dans votre main
quand nous serons sur l'autre rive. » La bourse de cuir
accrochée à sa ceinture tinta comme Lan lui imprimait
une secousse légère.

Pendant un instant, les yeux du passeur fulgurèrent,
mais il finit par acquiescer d'un signe de tête. « Alors,
allons-y », marmotta-t-il et il avança à grands pas sur le
débarcadère, suivi par ses six aides. Le brouillard s'évaporait autour d'eux à mesure qu'ils progressaient ; les
tourbillons gris se refermaient derrière eux, comblant
bien vite l'espace qu'ils avaient occupé. Rand pressa le
pas pour rester dans le groupe.

Le bac proprement dit était un bateau plat en bois
avec de hauts bords, où l'on montait par une rampe qui
pouvait être relevée pour fermer l'extrémité. Des
cordes aussi épaisses qu'un poignet d'homme couraient
de chaque côté, et ces cordes attachées à des poteaux
massifs au bout de l'embarcadère disparaissaient dans la
nuit au-dessus de la rivière. Les aides du passeur plan-
tèrent leurs torches dans des supports de fer sur les
flancs du bac, attendirent que tous aient amené leurs
chevaux à bord, puis relevèrent la rampe. Le pont craquait sous les sabots et le frottement des pieds, et le bac
oscilla sous le poids.

Hautetour marmotta à moitié entre ses dents, grommelant qu'ils devaient faire tenir les chevaux tranquilles
et rester au centre, hors du chemin des haleurs. Il criait
des ordres à ses aides, les harcelait tandis qu'ils préparaient le bac pour la traversée, mais les hommes se
mouvaient toujours avec la même mauvaise grâce à se
hâter quoi qu'il pût dire et lui-même manquait
d'enthousiasme s'arrêtant souvent à mi-cri pour lever
haut sa torche et scruter le brouillard. Finalement, il
s'arrêta complètement de crier et se dirigea vers l'avant,
où il se tint le regard plongé dans la brume qui couvrait

la rivière. Il ne bougea que lorsqu'un des haleurs lui toucha le bras ; alors il sursauta et lui jeta un regard furieux.

« Quoi ? Oh. C'est toi ? Prêts ? Grand temps. Eh bien, mon gars, qu'est-ce que tu attends ? » Il agita les bras sans se soucier de la torche ni des chevaux qui hennirent et essayèrent de reculer. « Larguez ! Laissez aller ! En route ! » L'homme s'éloigna le dos rond pour obéir et Hautetour scruta encore une fois le brouillard vers l'avant, frottant anxieusement sa main libre sur le devant de sa veste.

Le bac tangua quand ses amarres furent larguées et que le courant puissant s'empara de lui, puis il tangua de nouveau quand les câbles de guidage le retinrent. Les haleurs, trois de chaque côté, saisirent les câbles à l'avant du bac et commencèrent à marcher laborieusement vers l'arrière en marmonnant avec inquiétude comme ils quittaient peu à peu la berge pour le cœur de la rivière masquée de gris.

L'appontement disparut dans la brume qui les entourait, de minces banderoles qui dérivaient en travers du bac entre les torches vacillantes. La barge se balança doucement dans le courant.

Rien ne laissait soupçonner aucun autre mouvement, à part le pas régulier des haleurs, vers l'avant pour empoigner les cordages et de nouveau vers l'arrière pour les haler. Personne ne parlait. Les villageois se tenaient aussi près que possible du centre du bac. On leur avait dit que la Taren était bien plus large que les cours d'eau dont ils avaient l'habitude ; le brouillard la rendait infiniment plus vaste dans leur esprit.

Après quelque temps, Rand se rapprocha de Lan. Des rivières qu'on ne peut traverser à gué ou à la nage, ou même dont on ne peut voir l'autre bord rendent nerveux quiconque n'a rien vu de plus large ou de plus profond qu'un étang du Bois Humide. « Est-ce qu'ils auraient vraiment essayé de nous voler ? demanda-t-il à voix basse. Il avait davantage l'air d'avoir peur que ce soit nous qui le volions. »

Le Lige regarda le passeur et ses aides – aucun ne semblait les écouter – avant de répondre à voix aussi basse : « Avec le brouillard pour les cacher... eh bien, quand ce qu'ils font reste caché, les gens traitent parfois les étrangers d'une manière dont ils s'abstiendraient s'il y avait d'autres yeux pour les voir. Et ceux qui sont les plus prompts à faire du mal à un étranger sont les premiers à penser qu'un étranger leur fera du mal. Ce bonhomme... je crois qu'il vendrait sa mère aux Trollocs comme viande à ragoût si le prix lui convenait. Je m'étonne un peu que tu poses cette question. J'ai entendu comment au Champ d'Emond on parle des habitants de Taren-au-Bac.

– Oui, mais... c'est vrai que tout le monde raconte qu'ils... mais je n'ai jamais cru que réellement ils... » Rand conclut en son for intérieur que mieux valait qu'il cesse de s'imaginer connaître quoi que ce soit en ce qui concernait les gens vivant en dehors du village. « Il pourrait avertir l'Évanescent que nous avons traversé par le bac, finit-il par dire. Peut-être qu'il fera passer les Trollocs après nous. »

Lan eut un gloussement sarcastique. « Voler un étranger est une chose, traiter avec un Demi-Homme en est une tout autre. Le vois-tu vraiment transbordant des Trollocs, surtout dans ce brouillard, quelque quantité d'or qui lui soit offerte ? Ou même parler à un Myrddraal s'il avait le choix ? Cette seule idée le ferait fuir à toutes jambes un mois durant. Je ne pense pas que nous ayons beaucoup à nous tracasser pour les Amis du Ténébreux à Taren-au-Bac. Pas ici... nous sommes à l'abri d'un mauvais coup... au moins pour un moment. De la part de ces bonshommes, en tout cas. Regarde toi-même. »

Hautetour ne scrutait plus le brouillard vers l'autre rive, il s'était retourné. Sa figure pointue penchée en avant et la torche haut levée, il fixait avec intensité Lan et Rand comme s'il les voyait nettement pour la première fois. Les planches du pont craquaient sous les pas des haleurs et, de temps en temps, le piétinement d'un sabot. Brusquement, le passeur tiqua en prenant conscience qu'ils l'observaient en train de les observer. D'un bond, il se retourna vers la rive lointaine ou ce qu'il pouvait bien chercher dans le brouillard.

« Ne parle plus, dit Lan si bas que Rand faillit ne pas comprendre. Ce sont de mauvais jours pour s'entretenir de Trollocs, d'Amis du Ténébreux ou du Père des Mensonges quand des oreilles étrangères nous écoutent. De tels propos risquent de causer bien pire que le Croc du Dragon griffonné sur ta porte. »

Rand n'avait aucun désir de continuer ses questions. Le pessimisme l'accablait encore plus qu'avant. Les Amis du Ténébreux! Comme si les Évanescents, les Trollocs et le Draghkar ne suffisaient pas pour se tracasser. Au moins pouvait-on reconnaître un Trolloc en le voyant.

Soudain des pilotis surgirent comme des ombres dans la brume devant eux. Le bac tossa dans un talonnement sourd contre l'autre rive, alors les haleurs se dépêchèrent d'amarrer solidement le bateau et d'abaisser à cette extrémité la rampe qui toucha le sol avec un son mat, tandis que Mat et Perrin annonçaient haut et fort que la Taren n'était pas moitié aussi large qu'ils l'avaient entendu dire. Lan conduisit son étalon le long de la rampe, suivi de Moiraine et des autres. Comme Rand, le dernier, emmenait Nuage derrière Béla, Maître Hautetour les rappela avec colère.

« Hé là, dites donc! Hé là! Où est mon or?

– Il sera payé. » La voix de Moiraine venait de quelque part dans la brume. Les bottes de Rand passèrent lourdement de la rampe à un débarcadère en bois. « Avec un marc d'argent à chacun de vos hommes, ajouta l'Aes Sedai. Pour la traversée rapide. »

Le passeur hésita, la figure penchée en avant comme s'il sentait un danger, mais à la mention d'argent les haleurs se secouèrent. Certains s'arrêtèrent pour saisir une torche, néanmoins tous descendirent la rampe avec fracas avant que Hautetour ait eu le temps d'ouvrir la bouche. Avec une grimace maussade, le passeur suivit son équipage.

Les sabots de Nuage rendaient un son caverneux dans le brouillard comme Rand cheminait avec précaution sur l'appontement. La brume grise était aussi épaisse ici que sur la rivière. Au bout du débarcadère, le Lige distribuait des pièces, entouré par les torches de Hautetour et de ses compagnons. Tous les autres sauf Moiraine attendaient juste derrière en un groupe anxieux. L'Aes Sedai regardait la rivière, quoique ce qu'elle pouvait voir dépassait l'entendement de Rand. Avec un frisson, il rajusta sa cape, toute trempée qu'elle fût. Il était vraiment parti des Deux Rivières, à présent, et la distance paraissait beaucoup plus grande que la largeur d'un cours d'eau.

« Voilà, dit Lan, tendant une dernière pièce à Hautetour. Comme convenu. » Il ne rangea pas sa bourse et l'homme au visage de fouine la couva des yeux avec avidité.

Un violent craquement retentit et l'appontement trembla. Hautetour se redressa d'une saccade, tournant la tête vers le bac drapé de brume. Les torches restées à bord n'étaient que deux points flous vaguement lumineux. L'appontement gémit et, dans un vacarme de bois brisé, les lueurs jumelles vacillèrent, puis se mirent à tourner. Egwene poussa un cri inarticulé et Thom jura.

« Il s'est détaché ! » hurla Hautetour. Il agrippa ses haleurs et les poussa vers l'extrémité de l'appontement. « Le bac s'est détaché, espèces d'imbéciles ! Rattrapez-le ! Rattrapez-le ! » Les haleurs trébuchèrent de quelques pas en avant sous les bourrades de Hautetour, puis s'arrêtèrent. Les faibles lueurs sur le bac tournaient plus vite, de plus en plus vite. Le brouillard au-dessus d'elles tournoya, absorbé en une spirale. L'appontement trembla. Le craquement du bois qui volait en éclats remplit l'air quand le bac commença à se disloquer.

« Un tourbillon, dit un des haleurs d'une voix pleine de terreur.

– Pas de tourbillons dans la Taren. » Hautetour paraissait anéanti. « Jamais eu de tourbillon...

– Un incident malheureux. » La voix de Moiraine était assourdie par le brouillard qui en fit une ombre quand elle se détourna de la rivière.

« Malheureux, répéta Lan d'un ton neutre. Il semble que vous ne transporterez plus personne de l'autre côté d'ici quelque temps. C'est dommage que vous ayez perdu votre bateau à notre service. » Il puisa de nouveau dans sa bourse, toute prête dans sa main. « Ceci devrait compenser votre perte. »

Pendant un instant, Hautetour contempla l'or qui luisait dans la paume de Lan à la lueur des torches, puis il voûta le dos et ses yeux lancèrent un regard à ses autres passagers. Rendus indistincts par le brouillard, les gens du Champ d'Emond restaient silencieux. Avec un cri de peur inarticulé, le passeur arracha les pièces à Lan, pivota sur lui-même et s'enfonça en courant dans la brume. Ses haleurs n'étaient qu'à un demi-pas derrière lui, leurs torches vite englouties quand ils disparurent vers l'amont.

« Il n'y a plus rien qui nous retienne ici », dit l'Aes

Sedai comme si rien d'extraordinaire ne s'était produit. Guidant sa jument blanche, elle quitta l'appontement et monta sur la berge.

Rand resta à scruter la rivière invisible. *Ç'aurait pu être un hasard. Pas de tourbillons, à ce qu'il a dit, mais cela...* Soudain, il se rendit compte que tous les autres étaient partis. Il grimpa précipitamment la pente douce de la berge.

En l'espace de trois pas, l'épaisse brume avait disparu entièrement. Il s'arrêta net et regarda en arrière. Le long d'une ligne suivant le rivage, la grisaille dense subsistait d'un côté et, de l'autre, brillait un ciel nocturne dégagé, encore sombre même si le contour net de la lune suggérait que l'aube n'était pas loin.

Le Lige et l'Aes Sedai conféraient près de leurs chevaux, non loin de la lisière du brouillard. Les autres formaient un groupe serré légèrement à l'écart ; même dans l'obscurité éclaircie par la lune, leur nervosité était évidente. Tous les yeux étaient fixés sur Lan et sur Moiraine et tous, sauf Egwene, se tenaient en recul comme s'ils étaient tiraillés entre la peur de perdre ces deux-là et celle de s'en trouver trop près. Rand parcourut au pas de course les quelques mètres le séparant d'Egwene, tirant Nuage par la bride, et elle lui adressa un grand sourire. Il ne pensa pas que l'éclat de ses yeux était seulement le reflet du clair de lune.

« Il suit la rivière comme un trait de plume, disait Moiraine d'un ton satisfait. Il n'y a pas dix femmes à Tar Valon qui pourraient le faire sans aide. Et sans parler de le faire depuis la selle d'un cheval au galop.

— Je ne voulais pas me plaindre, Moiraine Sedai, protesta Thom d'une façon étrangement timide de sa part, mais n'aurait-il pas mieux valu nous couvrir un peu plus loin ? Disons jusqu'à Baerlon ? Si ce Draghkar regarde de ce côté de la rivière, nous perdrons tout ce que nous avons gagné.

— Les Draghkars ne sont pas très malins, Maître Merrilin, répliqua sèchement l'Aes Sedai. Redoutables et mortellement dangereux, un œil perçant mais pas beaucoup d'intelligence. Celui-ci annoncera au Myrddraal que ce côté de la rivière est clair mais que la rivière ellemême est masquée sur des lieues dans les deux sens. Le Myrddraal saura ce que cet effort supplémentaire m'a coûté. Il aura à envisager que nous nous échappons peut-être en descendant la rivière et cela le retardera. Il sera obligé de multiplier ses initiatives. Le brouillard devrait tenir assez longtemps pour qu'il ne soit jamais sûr que nous n'avons pas fait le trajet au moins partiellement en bateau. Au lieu de cela, j'aurais pu prolonger un peu le brouillard vers Baerlon, mais alors le Draghkar aurait exploré la rivière en quelques heures et le Myrddraal aurait su exactement vers où nous nous dirigions. »

Thom exhala un souffle bruyant et secoua la tête. « Je m'excuse, Aes Sedai. J'espère que je ne vous ai pas offensée.

– Ah, Moi... ah, Aes Sedai. » Mat s'interrompit pour avaler sa salive de manière audible. « Le bac... est-ce que vous... Je veux dire... je ne comprends pas pourquoi... » Il laissa s'éteindre la fin de sa phrase et un silence s'établit avec une telle intensité que le bruit le plus fort que perçut Rand était celui de sa propre respiration.

Moiraine finit par prendre la parole et sa voix emplit le vide du silence avec sécheresse. « Vous voulez tous des explications mais, en admettant que je vous explique chacun de mes actes, je n'aurais plus de temps pour rien d'autre. » Sous la lune, l'Aes Sedai semblait en quelque sorte plus grande, elle les dominait presque. « Sachez ceci : j'ai l'intention de vous amener sains et saufs à Tar Valon. C'est la seule chose que vous avez besoin de connaître.

– Restons ici et le Draghkar n'aura pas besoin d'inspecter la rivière, intervint Lan. Si je me souviens bien... » Il fit monter son cheval en haut de la berge.

Comme si l'action du Lige avait relâché quelque chose dans sa poitrine, Rand aspira une profonde bouffée d'air. Il entendit les autres respirer pareillement, même Thom, et se rappela un vieux dicton. *Mieux vaut cracher dans l'œil d'un loup que contrarier une Aes Sedai.* Pourtant, la tension avait diminué. Moiraine ne dominait personne ; elle lui venait à peine à la poitrine.

« Nous ne pourrions pas nous reposer un moment, je suppose ? » dit Perrin avec espoir, terminant par un bâillement. Egwene, affaissée contre Béla, soupira de fatigue.

C'était le premier son ressemblant à une plainte émanant d'elle que Rand entendait. *Peut-être se rend-elle compte maintenant que ceci n'est finalement pas une merveilleuse aventure.* Puis, avec un certain sentiment de culpabilité, il se souvint qu'à la différence de lui Egwene n'avait pas dormi la journée entière. « Nous avons vraiment besoin de repos, Moiraine Sedai, dit-il. En somme, nous avons chevauché toute la nuit.

– Alors, je suggère de voir ce que Lan nous réserve, répondit Moiraine. Venez. »

Elle les mena en haut de la berge, dans les bois au-delà de la rivière. Les branches dépouillées épaississaient les ombres. À deux cents mètres au minimum de la Taren, ils arrivèrent à un tertre sombre à côté d'une clairière. Là, une crue avait jadis miné et fait s'écrouler tout un peuplement de lauréoles qu'elle avait brassés dans ses flots en un enchevêtrement épais, une masse apparemment compacte de troncs, de branches et de racines. Moiraine s'arrêta et soudain au ras du sol parut une lumière qui venait de dessous le tas d'arbres.

Tenant un fragment de torche à bout de bras, Lan sortit en rampant du monticule et se redressa. « Pas de visiteurs importuns, dit-il à Moiraine. Et le bois que j'avais laissé est encore sec, alors j'ai allumé un petit feu. Nous aurons chaud pour nous reposer.

– Vous vous attendiez à ce que nous nous arrêtions ici ? demanda Egwene, surprise.

– Cela semblait une halte vraisemblable, répliqua Lan. J'aime être prêt, à titre de précaution. »

Moiraine lui prit la torche. « Veux-tu t'occuper des chevaux ? Quand tu auras fini, je ferai ce que je peux pour la fatigue de chacun. Maintenant, je désire parler à Egwene. Egwene ? »

Rand regarda les deux femmes se courber et disparaître sous l'énorme tas de troncs d'arbre. Il y avait une ouverture basse, à peine assez grande pour y entrer en rampant. La clarté de la torche disparut.

Lan avait compris dans les provisions des musettes une petite quantité d'avoine, mais il empêcha les autres de desseller leurs chevaux. À la place, il sortit les entraves qu'il avait aussi emportées. « Ils se reposeraient mieux sans leur selle mais, si nous devons partir rapidement, il se peut que nous n'ayons pas le temps de les remettre.

– Ils ne m'ont pas l'air d'avoir besoin de repos », commenta Perrin qui essayait de placer une musette sous le nez de sa monture. Le cheval encensa avant de le laisser mettre les courroies en place. Rand avait aussi des difficultés avec Nuage et il fut obligé de s'y reprendre à trois fois avant de passer le sac de toile par-dessus le nez du gris.

« Mais si », leur objecta Lan. Il se redressa après avoir entravé son étalon. « Oh, ils peuvent encore courir. Ils courront à leur allure la plus rapide, si nous les laissons faire, jusqu'à la seconde même où ils tomberont morts d'épuisement qu'ils n'auront jamais ressenti. J'aurais préféré que Moiraine Sedai n'ait pas eu à faire ce qu'elle a fait, mais c'était nécessaire. » Il caressa le cou de l'étalon, et le cheval hocha la tête comme pour en remercier le Lige. « Il nous faudra éviter de les forcer, les prochains jours, jusqu'à ce qu'ils soient remis. Nous irons plus lentement que je ne voudrais mais avec un peu de chance ce sera suffisant.

– Est-ce cela... » Mat déglutit distinctement. « Est-ce cela qu'elle voulait dire ? À propos de notre lassitude ? »

Rand flatta l'encolure de Nuage et regarda dans le vide. Malgré ce qu'elle avait fait pour Tam, il ne désirait nullement que l'Aes Sedai se serve du Pouvoir sur lui. *Par la Lumière, elle a pratiquement admis qu'elle avait coulé le bac !*

« À peu près. » Lan eut un gloussement de rire sarcastique. « Mais tu n'as pas besoin de te tourmenter à l'idée de courir à en mourir. Pas à moins que les choses ne tournent encore plus mal qu'à présent. Penses-y seulement comme à une nuit de sommeil supplémentaire. »

Le cri strident du Draghkar résonna soudain au-dessus de la rivière masquée par le brouillard. Même les chevaux se figèrent sur place. Le cri s'éleva de nouveau, plus proche cette fois, et retentit encore et encore, perçant le crâne de Rand comme avec des aiguilles. Puis les cris faiblirent jusqu'à s'éteindre complètement.

« Une chance, dit tout bas Lan. Il fouille la rivière à notre recherche. » Il eut un bref haussement d'épaules puis, brusquement, devint prosaïque. « Entrons. Un thé bien chaud ne sera pas de trop, ni quelque chose pour nous remplir l'estomac. »

Rand fut le premier à ramper à quatre pattes à travers l'ouverture sous l'enchevêtrement des arbres et à suivre un court tunnel. Au bout, il s'arrêta, toujours

accroupi. Face à lui se trouvait un espace de forme irrégulière, une grotte de bois bien assez grande pour les
contenir tous. Le plafond de troncs et de branches était
trop bas pour permettre, sauf aux femmes, de rester
debout. La fumée d'un petit feu sur un lit de cailloux de
la rivière montait se perdre au travers ; l'appel d'air suffisait à dégager l'espace de la fumée, mais l'entrelace-
ment était trop épais pour laisser voir le moindre scintillement des flammes. Moiraine et Egwene, qui avaient
rejeté leurs mantes de côté, étaient assises en tailleur,
face l'une à l'autre, près du feu.

« Le Pouvoir Unique, disait Moiraine, vient de la
Vraie Source, la force motrice de la Création, la force
qu'a faite le Créateur pour tourner la Roue du Temps. »
Elle unit ses mains devant elle et les poussa paume
contre paume. « Le *Saidin*, la moitié mâle de la Vraie
Source, et la *Saidar*, la moitié femelle, travaillent l'une
contre l'autre et, en même temps, ensemble pour fournir cette force. Le *Saidin* » – elle leva une main, puis la
laissa retomber – « est souillé par l'attouchement du
Ténébreux, comme l'eau par une mince couche d'huile
rance qui flotte dessus. L'eau est toujours pure, mais on
ne peut la toucher sans toucher l'impureté. La *Saidar*
est la seule que l'on puisse utiliser sans dommage. »
Egwene tournait le dos à Rand. Il ne voyait donc pas
son visage, mais elle se penchait en avant avec avidité.

Mat donna une bourrade à Rand par-derrière en
murmurant quelque chose, alors il pénétra dans la
caverne d'arbres. Moiraine et Egwene ne prêtèrent
aucune attention à son entrée. Les autres hommes se
pressèrent derrière lui, se débarrassèrent de leurs manteaux humides, s'installèrent autour du feu et tendirent
les mains à la chaleur. Lan, le dernier à entrer, tira d'un
renfoncement dans le mur des outres d'eau et des sacs
en cuir, y prit aussi une bouilloire et commença à préparer le thé.

Il se désintéressait de ce que disaient les jeunes
femmes, mais les amis de Rand commencèrent à ne plus
se chauffer les mains et à fixer ouvertement Moiraine et
Egwene. Thom feignit de se concentrer sur le bourrage
de sa pipe abondamment sculptée, mais la façon dont il
s'inclinait vers les jeunes femmes le trahissait. Moiraine
et Egwene se conduisaient comme si elles étaient seules.

« Non, dit Moiraine en réponse à une question que

Rand avait manquée, on ne peut pas tarir la Vraie Source, pas plus que la rivière ne peut être tarie par la roue du moulin. La Source est la rivière ; L'Aes Sedai la roue à aubes.

– Et vous croyez vraiment que je peux apprendre ? » demanda Egwene. Son visage brillait d'ardeur. Rand ne l'avait jamais vue si belle, ni si éloignée de lui. « Je peux devenir une Aes Sedai ? »

Rand se leva d'un bond, se cognant la tête contre le plafond trop bas en troncs d'arbre. Thom Merrilin le saisit par le bras, le rasseyant de force.

« Ne fais pas l'imbécile », murmura le ménestrel. Il jeta un coup d'œil – aucune des deux ne paraissait avoir remarqué – et le regard qu'il adressa à Rand était empreint de sympathie. « Ça te dépasse maintenant, mon garçon.

– Enfant, disait Moiraine avec douceur, seul un très petit nombre peut apprendre à toucher la Vraie Source et à utiliser le Pouvoir Unique. Certaines peuvent apprendre à un degré supérieur, d'autres à un degré inférieur. Tu fais partie du petit nombre qui n'a pas besoin d'apprendre. Du moins, atteindre la Source te viendra, que tu le désires ou non. Sans l'enseignement que tu peux recevoir à Tar Valon, pourtant, tu n'apprendras jamais à la canaliser pleinement et tu risques de ne pas survivre. Les hommes qui ont le don inné de toucher le *Saidin* meurent, bien sûr, si l'Ajah Rouge ne les trouve pas et ne les rend pas inoffensifs... »

Thom grommela du fond de sa gorge, et Rand bougea, mal à l'aise. Les hommes comme ceux dont parlait l'Aes Sedai étaient rares – il avait seulement entendu parler de trois dans toute sa vie et, grâce en soit rendue à la Lumière, jamais il n'y en avait eu aux Deux Rivières – mais les dégâts causés par eux avant que les Aes Sedai les trouvent étaient assez considérables pour que la nouvelle s'en répande, comme la nouvelle de guerres ou de tremblements de terre qui détruisent des villes. Il n'avait jamais bien compris ce que faisaient les Ajahs. Selon les contes, c'étaient des associations parmi les Aes Sedai qui semblaient s'occuper surtout à comploter et à se chamailler entre elles, mais les contes étaient catégoriques sur un point. Les Ajahs Rouges tenaient pour leur devoir principal de prévenir une autre Destruction du Monde, et elles l'accomplissaient en pourchassant tout homme qui ne faisait même que rêver d'exercer le Pouvoir Unique. Mat et Perrin eurent brusquement l'air de souhaiter être de retour chez eux dans leur lit.

« ... mais certaines femmes meurent aussi. Il est difficile d'apprendre sans guide. Les femmes que nous ne trouvons pas, celles qui vivent, deviennent souvent... eh bien, dans cette partie du monde elles pourraient devenir les Sagesses de leur village. » L'Aes Sedai s'arrêta, pensive. « Le vieux sang est fort au Champ d'Emond, et le vieux sang chante. J'ai compris ce que tu étais à l'instant où je t'ai vue. Aucune Aes Sedai ne peut rencontrer sans s'en apercevoir une femme capable de canaliser le Pouvoir, ou qui est proche de sa transformation. » Elle fourragea dans l'escarcelle accrochée à sa ceinture et en sortit la petite pierre bleue suspendue à une chaîne d'or qu'elle avait auparavant portée dans ses cheveux. « Tu es tout près de ta transformation, de ton premier contact. Mieux vaut que je te guide dans cette étape. De toute façon, tu éviteras... les effets déplaisants que subissent celles qui doivent découvrir seules leur voie. »

Egwene ouvrit de grands yeux en regardant la pierre, et elle s'humecta les lèvres à plusieurs reprises. « Est-ce que... est-ce qu'elle a le Pouvoir ?

– Bien sûr que non, dit Moiraine d'un ton cassant. Les *choses* n'ont pas le Pouvoir, mon enfant. Même un *angreal* est seulement un instrument. Ceci n'est qu'une jolie pierre bleue. Néanmoins, elle peut émettre de la lumière. Tiens. »

Les mains d'Egwene tremblèrent quand Moiraine déposa la pierre sur le bout de ses doigts. Elle commença à reculer, mais l'Aes Sedai retint ses deux mains dans une des siennes et, de l'autre, effleura doucement le côté de la tête d'Egwene.

« Regarde la pierre, dit l'Aes Sedai à mi-voix. Cela vaut mieux de cette façon que de tâtonner seule. Débarrasse ton esprit et laisse-toi aller. Il n'y a que la pierre et le vide. Je vais commencer. Laisse-toi aller et laisse-moi te guider. Pas de pensées. Laisse-toi aller. »

Rand enfonça ses doigts dans ses genoux ; il serra les mâchoires à en avoir mal. *Il faut qu'elle échoue. Il le faut.*

Une lumière s'épanouit dans la pierre, juste un éclair

bleu qui disparut, pas plus vive qu'une luciole, mais il tressaillit comme s'il avait été ébloui. Egwene et Moiraine regardaient fixement la pierre, le visage sans expression. Il y eut un autre éclair, puis un autre, jusqu'à ce que la lumière azurée se soit mise à palpiter comme un cœur qui bat. *C'est l'Aes Sedai*, pensa-t-il avec désespoir. *C'est Moiraine qui le fait. Pas Egwene.*

Un dernier faible scintillement, puis la pierre redevint un simple colifichet. Rand retint son souffle.

Pendant un instant, Egwene continua à regarder la petite pierre, puis elle leva les yeux vers Moiraine. « Je... j'ai cru sentir... quelque chose, mais... Peut-être vous êtes-vous trompée à mon sujet. Je suis désolée de vous avoir fait perdre votre temps.

– Je n'ai rien perdu, enfant. » Un petit sourire de satisfaction se dessina une seconde sur les lèvres de Moiraine. « Cette dernière lueur était de toi seule.

– Vraiment ? » s'exclama Egwene, puis elle retomba aussitôt dans la dépression. « Mais elle existait à peine.

– Maintenant, tu te conduis comme une sotte petite villageoise. La plupart de celles qui viennent à Tar Valon doivent étudier bien des mois avant de réussir ce que tu viens d'obtenir. Tu iras peut-être même jusqu'au Siège d'Amyrlin, un jour, si tu étudies sans relâche.

– Vous voulez dire ? » Avec un cri de joie, Egwene étreignit l'Aes Sedai. « Oh, merci. Rand, tu as entendu ? Je vais être une Aes Sedai ! »

13.

LES CHOIX

Avant qu'ils ne s'endorment, Moiraine s'agenouilla auprès de chacun tour à tour et leur imposa les mains sur la tête. Lan grommela qu'il n'en avait pas besoin et qu'elle ne devait pas gaspiller ses forces, mais il n'essaya pas de l'en empêcher. Egwene désirait ardemment vivre cette expérience, Mat et Perrin en avaient manifestement peur mais avaient peur aussi de refuser. Thom s'écarta d'une secousse des mains de l'Aes Sedai, mais elle lui saisit la tête, de l'air de qui ne plaisante pas. Le ménestrel fit la grimace pendant toute l'opération. Elle lui adressa un sourire moqueur une fois qu'elle eut retiré ses mains. Il prit une mine encore plus renfrognée, mais il paraissait vraiment reposé. Tous l'étaient.

Rand s'était retiré dans une niche de la paroi inégale où il espérait passer inaperçu. Ses yeux ne demandaient qu'à se fermer, mais il s'obligea à rester éveillé. Il se plaqua un poing contre la bouche pour étouffer un bâillement. Un petit somme, d'une heure ou deux, et il se sentirait très bien. Néanmoins, Moiraine ne l'oublia pas.

Le froid de ses doigts sur sa figure le fit tressaillir et il dit : « Je ne... » Ses yeux s'écarquillèrent de surprise. La fatigue s'écoulait de lui comme de l'eau dévalant une colline ; douleurs et courbatures diminuaient jusqu'à n'être que de vagues souvenirs et disparaissaient. Il regarda bouche bée. Elle se contenta de sourire et retira ses mains.

« C'est fini », dit-elle et, comme elle se relevait avec un soupir de lassitude, il revint à la mémoire de Rand qu'elle ne pouvait pas en faire autant pour elle-même. En vérité, elle ne but qu'un peu de thé, refusant le pain et le fromage que Lan voulait qu'elle mange, avant de se pelotonner près du feu. Elle sembla s'endormir dès qu'elle se fut enroulée dans sa cape.

Les autres, tous sauf Lan, sombraient dans le sommeil là où ils trouvaient assez de place pour s'étendre, mais Rand ne voyait réellement pas pourquoi. Il éprouvait la sensation d'avoir déjà passé une nuit entière dans un bon lit. Pourtant, à peine se fut-il radossé contre la paroi de bois que le sommeil le terrassa. Quand Lan le secoua pour le réveiller, une heure plus tard, il se sentait aussi bien qu'après trois jours de repos.

Le Lige les éveilla tous sauf Moiraine et il réprima sévèrement le moindre bruit susceptible de la déranger. Même ainsi, il ne leur permit qu'un bref séjour dans la confortable grotte en arbres. Avant que le soleil ait gagné deux fois sa hauteur sur l'horizon, plus aucune trace que des gens s'étaient arrêtés là ne demeurait et ils étaient tous en selle et se dirigeaient au nord vers Baerlon, chevauchant lentement pour ménager leurs montures. L'Aes Sedai avait les yeux cernés, mais elle se tenait droite et assurée sur sa selle.

Le brouillard restait épais au-dessus de la rivière derrière eux, mur gris qui résistait aux faibles efforts du soleil pour le dissiper et qui dérobait à la vue les Deux Rivières. Rand cheminait en guettant par-dessus son épaule avec l'espoir d'un dernier coup d'œil, même de Taren-au-Bac, jusqu'à ce que le banc de brouillard ait disparu.

« Je n'ai jamais cru que j'irais si loin de chez moi, remarqua-t-il quand finalement les arbres eurent caché à la fois le brouillard et la rivière. Tu te rappelles le temps où la Colline-au-Guet paraissait tellement loin ? » *C'était il y a deux jours. On aurait dit une éternité.*

« Dans un mois ou deux, nous serons de retour, répliqua Perrin d'une voix tendue. Pense à ce que nous aurons à raconter.

— Même les Trollocs ne peuvent pas nous pourchasser sans arrêt, dit Mat. Hé, qu'on me brûle, c'est impossible. » Il se retourna en se redressant avec un gros soupir, puis se laissa aller lourdement sur sa selle comme s'il ne pensait pas un mot de ce qui avait été dit.

« Ces hommes ! s'exclama Egwene d'un ton sarcastique. Vous vivez l'aventure dont vous êtes toujours à jacasser et déjà vous parlez de rentrer à la maison. » Elle avait la tête haute, mais Rand décela un tremblement dans sa voix maintenant qu'on ne pouvait plus rien voir des Deux Rivières.

Ni Moiraine ni Lan ne firent d'effort pour les rassurer, pas un mot pour dire que, bien entendu, ils reviendraient. Rand s'efforça de ne pas imaginer ce que cela risquait de signifier. Même reposé, il était en proie à suffisamment de craintes pour ne pas en rechercher d'autres. Affaissé sur sa selle, il commença à rêver les yeux ouverts d'être en train de surveiller les moutons à côté de Tam dans une pâture à l'herbe luxuriante, avec des alouettes qui chantaient par un matin de printemps. Et d'une virée au Champ d'Emond, et comment Bel Tine s'était passé à danser sur le Pré Communal, sans autre préoccupation que de ne pas se tromper dans les pas. Il réussit à s'absorber dans ce rêve pendant longtemps.

Le trajet jusqu'à Baerlon dura presque une semaine. Lan maronnait à cause de la lenteur de leur progression, mais c'était lui qui réglait l'allure et obligeait les autres à la garder. Il n'était pas si ménager pour lui-même et son étalon, Mandarb – il avait dit que cela signifiait « Lame d'épée » dans le Vieux Langage. Le Lige couvrait deux fois plus de terrain qu'eux, galopant en tête, son manteau aux couleurs changeantes flottant au vent, pour aller en éclaireur voir ce qu'ils avaient devant eux, ou se laissant dépasser pour remonter leur piste. Tous ceux qui essayaient d'aller plus vite qu'au pas étaient la cible de paroles cinglantes sur le soin à prendre de leurs bêtes, de commentaires mordants sur la manière dont ils se débrouilleraient à pied en cas d'apparition des Trollocs. Même Moiraine n'était pas à l'abri de sa langue si elle laissait la jument blanche accélérer l'allure. Aldieb, c'était le nom de cette jument, dans le Vieux Langage : « Vent d'Ouest », le vent qui amène les pluies de printemps.

Les reconnaissances du Lige ne détectèrent jamais aucun signe de poursuite ou d'embuscade. Il ne parlait qu'à Moiraine de ce qu'il avait vu, et cela à voix basse pour ne pas être entendu, et l'Aes Sedai informait les autres de ce qu'elle jugeait qu'ils avaient besoin de savoir. Au début, Rand regardait par-dessus son épaule autant que devant lui. Il n'était pas le seul. Perrin tâtait souvent sa hache et Mat chevauchait avec une flèche ajustée à son arc. Cependant le paysage derrière eux demeurait vide de Trollocs ou de silhouettes en manteau noir, le ciel vide de Draghkar. Lentement, Rand commença à croire que peut-être ils s'en étaient vraiment tirés.

Il n'y avait pas grand couvert où s'abriter, même dans les parties les plus épaisses des bois. L'hiver s'accrochait aussi âprement au nord de la Taren qu'aux Deux Rivières. Des peuplements de pins, de sapins ou de lauréoles et, çà et là, de quelques calycanthes ou des lauriers émaillaient une forêt qui n'était à part eux que branches grises et nues. Pas même les sureaux n'avaient de feuille. Seuls des brins verts de pousses neuves éparses ressortaient sur des prairies brunes aplaties par les neiges de l'hiver. Là aussi, une grande partie de ce qui poussait n'était qu'orties piquantes, chardons rudes et daturas vénéneux. Sur la terre nue qui tapissait la forêt, un peu de la dernière neige s'accrochait encore, dans des flaques à l'ombre et en coulées sous les branches basses des arbres à feuilles persistantes. Tous tenaient leurs manteaux bien serrés contre eux, car le faible soleil ne dégageait pas de chaleur et le froid de la nuit était perçant. Pas plus d'oiseaux ne volaient ici que dans les Deux Rivières, même pas des corbeaux.

Il n'y avait rien de paisible dans la lenteur de leur cheminement. La Route du Nord – Rand continuait à y penser de cette façon, bien qu'il soupçonnât qu'elle devait porter un nom différent ici, au nord de la Taren – filait encore droit au nord mais, sur les instances de Lan, leur piste sinuait deçà delà dans la forêt aussi souvent qu'elle suivait cette chaussée en terre battue. Un village, une ferme, n'importe quelle trace d'hommes ou de civilisation les envoyait faire des lieues de détour pour les éviter, malgré le peu qu'il y en avait. Pendant tout le premier jour, Rand ne vit, à part la route, aucun signe que des hommes aient jamais été dans ces bois. Il lui vint à l'esprit que même quand il était allé au pied des Montagnes de la Brume il n'aurait pas pu être aussi loin d'une habitation qu'il ne l'était ce jour-là.

La première ferme qu'il aperçut – une vaste maison en pans de bois et une grande écurie aux toits de chaume hauts et pointus, avec une spirale de fumée sortant d'une cheminée en pierre – lui causa un choc.

« Ce n'est pas différent de chez nous », commenta Perrin en regardant, les sourcils froncés, les bâtiments lointains, à peine discernables à travers les arbres. Des gens se déplaçaient dans la cour de ferme, sans se rendre compte encore de la présence des voyageurs.

« Bien sûr que si, dit Mat. C'est que nous ne sommes pas encore assez près pour voir.

– Je te le répète, ce n'est pas différent, insista Perrin.

– Ce doit l'être. Nous sommes au nord de la Taren, après tout.

– Silence, vous deux, gronda Lan. Nous ne voulons pas nous faire remarquer, vous vous rappelez ? Par ici. » Il obliqua vers l'ouest, pour contourner la ferme en passant sous les arbres.

Regardant en arrière, Rand songea que Perrin avait raison. La ferme ressemblait beaucoup à celles des alentours du Champ d'Emond. Il y avait un petit garçon qui rapportait de l'eau du puits et d'autres plus âgés qui s'occupaient des moutons dans un enclos. Il y avait même un hangar pour traiter le tabac. Mais Mat avait raison lui aussi. *Nous sommes au nord de la Taren. Ce doit être différent.*

Immanquablement, ils faisaient halte alors que la lumière s'attardait encore dans le ciel et choisissaient un endroit en pente pour l'écoulement des eaux et abrité du vent qui ne cessait jamais tout à fait mais changeait seulement de direction. Leur feu était toujours petit, invisible à quelques mètres et, une fois que le thé était prêt, de l'eau était jetée sur les flammes et les braises enterrées.

À leur premier arrêt, avant que le soleil se couche, Lan avait commencé à apprendre aux garçons comment utiliser les armes qu'ils avaient avec eux. Il débuta par l'arc. Quand il eut vu Mat mettre trois flèches dans un nœud gros comme une tête d'homme à cent pas dans le tronc fissuré d'un lauréole mort, il dit aux autres de s'exercer à leur tour. Perrin renouvela l'exploit de Mat, et Rand, appelant à lui la flamme et le vide, la sérénité faisant abstraction de tout et qui transformait l'arc en une partie de lui-même, ou lui-même en l'arc, groupa ses trois flèches si bien que les pointes se touchaient. Mat lui asséna une tape de félicitation sur l'épaule.

« D'accord, si vous aviez tous des arcs, dit sèchement le Lige quand ils commencèrent à arborer de larges sourires, et si les Trollocs acceptaient de ne pas avancer à une distance trop proche pour que vous puissiez les utiliser... » Les sourires s'évanouirent brusquement. « Voyons ce que je peux vous apprendre au cas où ils viendraient en fait aussi près. »

Il montra à Perrin quelques tours de main pour se servir de cette hache à large lame ; lever une hache sur quelqu'un, ou quelque chose, d'armé n'avait rien à voir avec couper du bois ou exécuter des moulinets en simulacre de bagarre. Mettant le grand apprenti forgeron à exécuter une série d'exercices, bloquer, parer, frapper, il fit la même chose pour Rand et son épée. Nullement les sauts désordonnés et les coups assénés à tour de bras que Rand avait dans l'idée quand il imaginait la manière de s'en servir, mais des mouvements souples, l'un se fondant dans l'autre, presque une danse.

« Manier la lame ne suffit pas, expliqua Lan, quoi qu'en pensent certains. L'esprit y joue son rôle, le plus grand rôle. Vide ton esprit, berger. Vide-le de la haine ou de la peur, de tout. Consume-les. Vous autres, écoutez vous aussi. La recette peut vous servir avec la hache ou l'arc, avec un épieu, avec un bâton ou même à mains nues. »

Rand le regarda avec stupeur. « La flamme et le vide, récita-t-il d'une voix songeuse. C'est ce que vous voulez dire, n'est-ce pas ? Mon père me l'a enseigné. »

Le Lige le dévisagea en retour d'un regard indéchiffrable.

« Tiens l'épée comme je te l'ai montré, berger. Je ne peux pas transformer un villageois aux souliers boueux en maître d'armes en une heure, mais peut-être puis-je t'empêcher de t'amputer d'un pied. »

Rand soupira et tint l'épée toute droite à deux mains devant lui. Moiraine observait sans expression, mais le lendemain soir elle dit à Lan de continuer les leçons.

Le dîner était toujours le même qu'à midi et le matin : des galettes sans levain, du fromage, de la viande séchée avec de l'eau, sauf que le soir ils buvaient du thé chaud. Thom les divertissait dans la soirée. Lan ne laissait pas le ménestrel jouer de la harpe ou de la flûte – pas besoin d'ameuter toute la région, avait dit le Lige – mais Thom jonglait ou racontait des histoires. « Mara et les trois

rois sans cervelle » ou une des centaines sur Anla le Sage Conseiller, ou quelque chose plein de gloire et d'aventures comme *la Grande Quête du Cor* mais toujours avec une fin heureuse et un joyeux retour au pays.

Pourtant, si la contrée était paisible autour d'eux, si aucun Trolloc ne surgissait au milieu des arbres et aucun Draghkar dans les nuages, il semblait à Rand qu'ils s'arrangeaient eux-mêmes pour augmenter la tension chaque fois qu'elle risquait de disparaître.

Par exemple, le matin où Egwene se réveilla et commença à dénatter ses cheveux. Rand la regardait du coin de l'œil en rangeant son matériel de couchage. Chaque nuit, quand le feu était éteint avec de l'eau, tous s'enveloppaient dans leur couverture sauf Egwene et l'Aes Sedai. Les deux jeunes femmes s'écartaient toujours des autres et parlaient une heure ou deux, revenant quand eux s'étaient endormis. Egwene peigna ses cheveux – Rand compta cent coups – pendant qu'il sellait Nuage, attachant ses sacoches et sa couverture derrière la selle. Puis elle rangea le peigne, rejeta dans son dos sa chevelure libérée et remonta le capuchon de sa mante.

Surpris, il demanda : « Qu'est-ce que tu fais ? » Elle lui jeta un regard de côté sans répondre. C'était la première fois qu'il lui parlait depuis deux jours, il s'en rendit compte, depuis la nuit dans l'abri de troncs d'arbre sur la rive de la Taren, mais il ne se laissa pas arrêter pour autant. « Tu as attendu toute ta vie de porter tes cheveux tressés et maintenant tu renonces ? Pourquoi ? Parce qu'elle ne natte pas les siens ?

– Les Aes Sedai ne se tressent pas les cheveux, dit-elle simplement. Du moins, sauf si elles le désirent.

– Tu n'es pas une Aes Sedai. Tu es Egwene al'Vere du Champ d'Emond et les membres du Cercle des Femmes auraient une attaque si elles te voyaient maintenant.

– Les affaires du Cercle des Femmes ne te concernent pas, Rand al'Thor. Et je *serai* une Aes Sedai. Aussitôt que j'arriverai à Tar Valon. »

Il eut un ricanement moqueur. « Aussitôt que tu seras arrivée à Tar Valon. Pourquoi ? Par la Lumière, explique-moi ça. Tu n'es pas une Amie du Ténébreux.

– Tu crois que Moiraine Sedai est une Amie du Ténébreux ? Vraiment ? » Elle se retourna face à lui, les poings fermés, et il pensa un instant qu'elle allait le frapper. « Après qu'elle a sauvé le village ? Après qu'elle a sauvé ton père ?

— Je ne sais pas ce qu'elle est mais, quelle qu'elle soit, cela ne signifie rien pour les autres. Les récits...

— Conduis-toi en adulte, Rand ! Oublie les contes et sers-toi de tes yeux.

— Mes yeux l'ont vue couler le bac ! Nie-le ! Une fois que tu as une idée en tête, tu n'en démords pas, même si quelqu'un te démontre que tu essaies de te tenir debout sur de l'eau. Si tu n'étais pas une telle idiote aveuglée par la Lumière, tu verrais... !

— Ah, je suis une idiote ? Laisse-moi te dire une chose ou deux, Rand al'Thor ! Tu es la tête de mule la plus entêtée, la plus stupide...

— Vous deux, vous voulez alerter tout le monde à quinze lieues à la ronde ? » demanda le Lige.

Debout, la bouche ouverte, s'efforçant de placer un mot, Rand se rendit brusquement compte qu'il avait crié. Qu'ils avaient crié l'un et l'autre.

Egwene devint cramoisie, elle vira sur ses talons et s'éloigna en marmottant : « Les hommes ! », ce qui semblait comprendre autant le Lige que Rand lui-même.

Rand parcourut le camp d'un coup d'œil circonspect. Tous le regardaient, pas seulement le Lige. Mat et Perrin, le visage blême. Thom, tendu comme s'il était prêt à s'enfuir ou à se battre. Moiraine. Le visage de l'Aes Sedai était dépourvu d'expression, mais son regard parut à Rand lui transpercer la tête. Il tenta désespérément de se rappeler avec exactitude ce qu'il avait dit des Aes Sedai et des Amis du Ténébreux.

« Il est temps de partir », dit Moiraine. Elle se tourna vers Aldieb et Rand frissonna comme si on l'avait délivré d'un piège. Il se demanda s'il n'y avait pas été pris.

Deux soirs plus tard, alors que le feu brûlait bas, Mat lécha sur ses doigts les dernières miettes de fromage et déclara : « Vous savez, je crois que nous les avons semés pour de bon. » Lan était dehors dans le noir, pour une dernière tournée d'inspection. Moiraine et Egwene s'étaient retirées à l'écart pour un de leurs entretiens. Thom somnolait sur sa pipe et les jeunes gens avaient le feu pour eux seuls.

Perrin, qui tisonnait distraitement les braises avec un bâton, répliqua : « Si nous les avons semés, pourquoi

Lan continue-t-il ses reconnaissances ? » Presque endormi, Rand roula sur lui-même, le dos au feu.

« Nous les avons semés là-bas à Taren-au-Bac. » Mat s'allongea, les doigts croisés derrière la nuque, contemplant le ciel illuminé par la lune. « S'ils étaient vraiment à notre poursuite.

– Tu crois que le Draghkar nous donnait la chasse parce qu'il nous avait en sympathie ? demanda Perrin.

– Écoutez donc, arrêtez de vous tracasser pour les Trollocs et compagnie, continua Mat comme si Perrin n'avait rien dit, et pensez maintenant à explorer le monde. Nous sommes là où naissent les contes. À quoi croyez-vous que ressemble une vraie ville ?

– Nous allons à Baerlon », dit Rand d'une voix ensommeillée, mais Mat ricana.

« Baerlon, c'est très bien, mais j'ai vu cette vieille carte qui est chez Maître al'Vere. Si nous tournons vers le sud une fois Caemlyn atteint, la route mène à Illian et au-delà.

– Qu'est-ce qu'Illian a de tellement spécial ? questionna Perrin en bâillant.

– Pour commencer, répliqua Mat, Illian n'est pas pleine d'Aes Sed... »

Un silence tomba et Rand se trouva soudain bien réveillé. Moiraine était déjà revenue. Egwene l'accompagnait, mais c'est l'Aes Sedai, debout juste à la lisière de la clarté du feu, qui retenait leur attention. Mat était là, étendu sur le dos, la bouche encore ouverte, la regardant fixement. Les yeux de Moiraine accrochaient la lumière comme des pierres noires polies. Brusquement, Rand se demanda depuis combien de temps elle se tenait là.

« Les gars étaient seulement... », commença Thom, mais Moiraine parla sans lui laisser le temps de finir.

« Quelques jours de répit et vous êtes prêts à abandonner. » Sa voix calme et posée contrastait de façon frappante avec l'expression de ses yeux. « Un jour ou deux de tranquillité et vous avez déjà oublié la Nuit de l'Hiver.

– On n'a pas oublié, dit Perrin. C'est simplement que... »

Toujours sans élever la voix, l'Aes Sedai lui réserva le même traitement qu'au ménestrel.

– Est-ce là votre sentiment à tous ? Vous êtes tous

pleins d'ardeur pour filer à Illian et oublier les Trollocs, les Demi-Hommes et le Draghkar ? » Elle les parcourut du regard – un regard luisant de cet éclat dur si opposé à son ton de voix prosaïque qui mit Rand mal à l'aise – mais elle ne laissa à personne une chance de prendre la parole. « Le Ténébreux vous recherche, ou l'un de vous ou tous les trois, et si je vous permettais d'aller où vous en avez envie, il vous attrapera. Quoi que veuille le Ténébreux, je m'y oppose, alors écoutez et tenez-vous-le pour dit. Avant de laisser le Ténébreux vous capturer, je vous détruirai moi-même. »

Ce fut ce ton si prosaïque qui convainquit Rand. L'Aes Sedai agirait exactement comme elle l'annonçait si elle le croyait nécessaire. Il eut du mal à s'endormir cette nuit-là, et il ne fut pas le seul. Même le ménestrel ne commença à ronfler que longtemps après que les dernières braises s'étaient éteintes. Pour une fois, Moiraine n'offrit pas son aide.

Ces conversations nocturnes entre Egwene et l'Aes Sedai étaient un sujet irritant pour Rand. Dès qu'elles disparaissaient dans l'obscurité, à l'écart des autres pour être tranquilles, il se demandait ce qu'elles disaient, ce qu'elles faisaient. Qu'est-ce que L'Aes Sedai faisait à Egwene ?

Une nuit, il attendit que les autres hommes soient couchés, Thom ronflant comme une scie qui coupe un nœud dans du chêne, puis il s'éloigna, enroulé dans sa couverture. Utilisant toutes les ressources de l'habilité acquise en traquant les lapins, il se déplaça dans les ombres portées par la lune jusqu'à ce qu'il fût accroupi au pied d'un haut lauréole aux larges feuilles coriaces, assez près pour entendre Egwene et Moiraine qui étaient assises sur un tronc abattu, éclairées par une petite lanterne.

« Demande, disait Moiraine, et si je le peux maintenant je te répondrai. Comprends-moi, il y a beaucoup de choses pour lesquelles tu n'es pas encore prête, que tu ne peux apprendre avant d'avoir appris d'autres choses, qui en exigeront encore d'autres à apprendre avant elles. Mais demande ce que tu veux.

– Les cinq Pouvoirs, dit Egwene lentement. La Terre, le Vent, le Feu, l'Eau, et l'Esprit. Cela ne paraît pas juste que les hommes aient été les plus forts en ayant la haute main sur la Terre et le Feu. Pourquoi ont-ils eu les Pouvoirs les plus forts ? »

Moiraine rit. « Est-ce là ce que tu crois, enfant ? Y a-t-il un roc si dur que le vent et l'eau ne puissent l'user, un feu si fort que l'eau ne puisse le noyer ou le vent l'éteindre ? »

Egwene demeura silencieuse un moment, enfonçant le bout de son pied dans le sol de la forêt. « C'était... c'est eux qui... ont essayé de libérer le Ténébreux et les Réprouvés, n'est-ce pas ? Les Aes Sedai mâles ? » Elle respira un grand coup et reprit plus vite : « Les femmes n'y ont pas participé. Ce sont les hommes qui sont devenus fous et ont détruit le monde.

– Tu as peur, dit Moiraine sombrement. Si tu étais restée au Champ d'Emond, tu serais devenue Sagesse avec le temps. C'était le plan de Nynaeve, n'est-ce pas ? Ou tu aurais siégé dans le Cercle des Femmes et tu aurais réglé les affaires du Champ d'Emond, alors que le Conseil du Village croyait que c'était lui. Mais tu as fait l'impensable. Tu as quitté le Champ d'Emond, quitté les Deux Rivières pour chercher l'aventure. Tu le voulais et, en même temps, tu en as peur. Et tu refuses avec obstination de laisser ta peur te dominer. Autrement, tu ne m'aurais pas demandé comment une femme devient Aes Sedai. Autrement, tu n'aurais pas jeté aux orties la coutume et les conventions.

– Non, protesta Egwene, je n'ai pas peur. Je veux vraiment devenir une Aes Sedai.

– Mieux vaudrait que tu aies peur, mais j'espère que tu garderas cette conviction. De nos jours, peu de femmes sont aptes à devenir des initiées et moins encore le désirent. » Moiraine avait un ton de voix qui donnait à penser qu'elle s'était mise à méditer. « Il n'y en a sûrement jamais eu deux auparavant dans le même village. Le vieux sang est encore fort aux Deux Rivières. »

Dans l'ombre, Rand changea de position. Une branche craqua sous son pied. Il s'immobilisa aussitôt, transpirant et retenant son souffle, mais aucune des jeunes femmes ne se retourna.

« Deux ? s'exclama Egwene. Qui d'autre ? Est-ce Kari ? Kari Thane ? Lara Ayellan ? »

Moiraine eut un clappement de langue exaspéré, puis déclara sévèrement : « Oublie ce que j'ai dit là. Sa route prend une autre direction, je le crains. Occupe-toi de tes propres affaires. Ce n'est pas une route facile que tu as choisie.

– Je ne ferai pas demi-tour, affirma Egwene.

– On verra. Mais tu souhaites tout de même être tranquillisée et je ne peux pas te rassurer, pas comme tu le voudrais.

– Je ne comprends pas.

– Tu veux être certaine que les Aes Sedai sont bonnes et pures, que ce sont les mauvais hommes des légendes qui ont causé la destruction du Monde et pas les femmes. Eh bien, c'étaient les hommes, mais ils n'étaient pas plus méchants que d'autres hommes. Ils étaient fous, pas méchants. Les Aes Sedai que tu rencontreras à Tar Valon sont humaines, pas différentes des autres femmes, sauf pour le don qui nous met à part. Elles sont braves et peureuses, fortes et faibles, bonnes et cruelles, chaleureuses et froides. Devenir une Aes Sedai ne te transformera pas. »

Egwene prit une grande aspiration. « Je suppose que c'est cela qui m'effrayait, d'être transformée par le Pouvoir. Ça et les Trollocs. Et l'Évanescent. Et... Moiraine Sedai, au nom de la Lumière, pourquoi les Trollocs sont-ils venus au Champ d'Emond ? »

La tête de l'Aes Sedai vira soudain et son regard plongea droit dans la cachette de Rand. Il en eut le souffle coupé ; son regard était aussi dur que lorsqu'elle les avait menacés, et il avait le sentiment qu'il pouvait pénétrer les branches épaisses du lauréole. *Par la Lumière, que fera-t-elle si elle me surprend à écouter ?*

Il s'efforça de se renfoncer au plus épais de l'obscurité. Comme il avait les yeux sur les jeunes femmes, il se prit le pied dans une racine et il faillit tomber dans des broussailles sèches qui l'auraient dénoncé par un craquement de branches cassées pareil à des détonations de feu d'artifice. Haletant, il s'éloigna à quatre pattes, en silence autant par chance que par ses précautions. Son cœur battait si fort qu'il crut que c'est lui qui allait le trahir. *Idiot ! Épier une Aes Sedai !*

De retour à l'endroit où dormaient les autres, il réussit à se faufiler sans bruit entre eux. Lan remua quand il se laissa tomber sur le sol et remonta vivement sa couverture, mais le Lige se réinstalla avec un soupir. Il était seulement retourné dans son sommeil. Rand relâcha un long souffle silencieux.

Un instant après, Moiraine sortit de la nuit, s'arrêtant à un endroit d'où elle pouvait étudier les formes assou-

224

pies. Le clair de lune la nimbait de lumière. Rand ferma les paupières et respira régulièrement, tout en écoutant de son mieux pour déceler si les pas approchaient. Mais non. Quand il rouvrit les yeux, elle était partie.

Lorsque le sommeil vint finalement, ce fut par à-coups, plein de rêves qui le mirent en nage, où tous les hommes du Champ d'Emond prétendaient être le Dragon Réincarné et où toutes les femmes avaient dans les cheveux une pierre bleue comme la ferronnière que portait Moiraine. Il ne tenta plus de recommencer à surprendre ce que disaient Moiraine et Egwene.

C'est jusqu'au sixième jour que s'étendit le long voyage. Le soleil sans chaleur glissait lentement vers la cime des arbres, tandis qu'une poignée de légers nuages s'éloignaient vers le nord. Les rafales de vent se firent plus violentes pendant un moment et Rand rajusta son manteau sur ses épaules en marmottant à part soi. Il se demandait s'ils atteindraient jamais Baerlon. La distance qu'ils avaient parcourue déjà depuis la rivière était plus que suffisante pour l'amener de Taren-au-Bac jusqu'à la Rivière Blanche mais, chaque fois qu'il l'interrogeait, Lan répliquait toujours que ce n'était qu'un court trajet méritant à peine le nom de voyage. Cela lui donnait l'impression d'être perdu.

Lan parut devant eux dans les bois, de retour d'une de ses expéditions de reconnaissance. Il tira sur ses rênes et chevaucha à côté de Moiraine, tête penchée vers la sienne.

Rand fit la grimace mais ne posa pas de questions. Lan refusait purement et simplement de prêter l'oreille à toutes les questions de ce genre qui lui étaient adressées.

Seule Egwene, parmi les autres, sembla remarquer le retour de Lan, tellement ils s'étaient habitués à cet arrangement, et elle ne s'avança pas, elle non plus. Même si l'Aes Sedai avait commencé à se conduire comme si Egwene avait les gens du Champ d'Emond en charge, cela ne lui donnait pas voix au chapitre quand le Lige faisait son rapport. Perrin portait l'arc de Mat, plongé dans le silence pensif qui semblait peser de plus en plus sur eux à mesure qu'ils s'éloignaient des Deux Rivières. La marche lente des chevaux permettait à Mat de s'exercer à jongler avec trois petits cailloux sous l'œil attentif de Thom Merrilin. Le ménestrel avait donné des leçons chaque soir, comme Lan.

Lan termina ce qu'il était en train de dire à Moiraine et elle se tourna sur sa selle pour examiner les autres. Rand essaya de ne pas se raidir quand son regard passa sur lui. S'attardait-il un peu plus longtemps que sur l'un de ses compagnons? Il eut le sentiment gênant qu'elle savait qu'il avait écouté dans le noir.

« Hé, Rand, appela Mat, j'arrive à jongler avec quatre! » Rand agita la main en guise de réponse sans bouger la tête. « Je t'avais prédit que je parviendrais à quatre avant toi. Je... oh, regarde! »

Ils avaient atteint le sommet d'une petite colline et, en dessous d'eux, à un quart de lieue à peine à travers les arbres et les ombres du soir qui s'allongeaient, Baerlon était là.

Rand eut le souffle coupé, essayant de sourire tout en béant d'étonnement.

Une enceinte de pieux en bois de près de vingt pieds de haut entourait la ville, avec des tours de guet en bois çà et là, tout du long. À l'intérieur, le haut des toits de tuile et d'ardoise luisait au soleil couchant, et des panaches de fumée s'élevaient des cheminées. De centaines de cheminées. Il n'y avait pas un toit de chaume en vue. Une large route partait de la ville vers l'est et une autre vers l'ouest, et sur chacune au moins une douzaine de chariots et deux fois autant de chars à bœufs avançaient lentement vers la palissade. Il y avait des fermes disséminées autour de la ville, d'un nombre plus dense au nord tandis que quelques-unes seulement trouaient la forêt au sud, mais elles auraient aussi bien pu ne pas exister en ce qui concernait Rand. *C'est plus grand que le Champ d'Emond, la Colline-au-Guet et la Tranchée-de-Deven réunis! Avec aussi peut-être Taren-au-Bac.*

« Alors, c'est ça, une ville », dit à mi-voix Mat, penché sur l'encolure de son cheval pour mieux voir.

La seule réaction de Perrin fut de secouer la tête. « Comment tant de gens peuvent-ils vivre en un même endroit? »

Egwene se contentait de contempler.

Thom Merrilin jeta un coup d'œil à Mat, puis roula les yeux et souffla dans sa moustache. « Une ville! s'exclama-t-il, sarcastique.

– Et toi, Rand, demanda Moiraine, que dis-tu de ton premier aperçu de Baerlon?

– Je trouve que c'est bien loin de chez nous, répliqua-t-il lentement, suscitant un éclat de rire chez Mat.

– Il vous faudra aller encore plus loin, dit Moiraine. Beaucoup plus loin. Mais il n'y a pas d'autre choix, sinon fuir et se cacher, puis recommencer à fuir pour le restant de vos jours. Et ce ne seraient pas de nombreux jours. Vous devrez vous en souvenir quand le voyage deviendra pénible. Vous n'avez pas le choix. »

Rand échangea des regards avec Mat et Perrin. À voir leur expression, ils pensaient la même chose que lui. Comment pouvait-elle parler comme s'ils avaient le choix, après ce qu'elle avait dit ? *C'est l'Aes Sedai qui a fait le choix pour nous.*

Moiraine continua comme si leurs réflexions n'étaient pas évidentes. « Le danger reprend ici. Attention à ce que vous dites à l'intérieur de cette enceinte. Surtout, ne mentionnez ni Trollocs ni Demi-Hommes ou autres du même acabit. Vous ne devez même pas penser au Ténébreux. Il y a des gens à Baerlon qui ont encore moins d'affection pour les Aes Sedai que les habitants du Champ d'Emond. Et il y a peut-être même des Amis du Ténébreux. » Egwene eut un haut-le-corps et Perrin marmonna quelque chose. Le visage de Mat pâlit, mais Moiraine poursuivit avec calme : « Nous devons attirer l'attention le moins possible. » Lan était en train de troquer son manteau aux tons gris et verts changeants pour un autre, brun foncé, plus banal, bien que coupe et tissu fussent de bonne qualité. Son manteau aux couleurs changeantes formait une grosse bosse dans une de ses fontes. « Nous n'utiliserons pas nos vrais noms ici, ajouta Moiraine. Ici, on me connaît sous le nom d'Alys et Lan est Andra. Souvenez-vous-en. Bon. Entrons à l'intérieur de l'enceinte avant que la nuit nous surprenne. Les portes de Baerlon sont fermées du coucher au lever du soleil. »

Lan passa en tête pour descendre la colline et traverser les bois en direction de la palissade. La route longeait une demi-douzaine de fermes – aucune n'en était proche et personne parmi les paysans qui finissaient leurs tâches ne sembla remarquer les voyageurs – pour se terminer devant une lourde porte de bois, renforcée par de larges bandes de fer noir. Elle était hermétiquement fermée, encore que le soleil ne fût pas encore couché.

Lan s'approcha à cheval de l'enceinte et tira sur une corde effilochée qui pendait le long de la porte. Une cloche résonna de l'autre côté de la palissade. Brusquement, une figure ratatinée sous un bonnet qui avait vu des temps meilleurs les examina d'un air soupçonneux depuis le haut de l'enceinte, les fixant d'un regard irrité entre les extrémités raccourcies de deux des pieux, trois bons empans au-dessus de leurs têtes.

« Qu'est-ce que c'est que tout ça, hein ? Il est trop tard pour ouvrir cette porte. Trop tard, je vous dis. Faites le tour jusqu'à la Porte de Pont-Blanc si vous voulez... » La jument de Moiraine avança vers un endroit où l'homme en haut de l'enceinte pouvait la voir clairement. Soudain ses rides se creusèrent en un sourire brèche-dents et il parut écartelé entre l'envie de parler et celle d'accomplir son devoir. « Je ne savais pas que c'était vous, Maîtresse. Attendez. Je descends tout de suite. J'arrive. J'arrive. »

Sa tête plongea hors de vue, mais Rand pouvait encore entendre des adjurations étouffées de ne pas bouger, qu'il venait. À grands grincements dus au manque d'usage, le battant de droite se rabattit lentement vers l'extérieur. Il s'arrêta quand il fut juste assez ouvert pour laisser passer un seul cheval à la fois, et le portier montra sa tête dans l'ouverture, leur adressa encore son sourire édenté, puis s'écarta précipitamment de leur chemin. Moiraine entra à la suite de Lan, avec Egwene juste derrière elle.

Rand lança Nuage au trot après Béla et se retrouva dans une rue étroite bordée de grandes palissades en bois et d'entrepôts, hauts et sans fenêtre, aux larges portes hermétiquement closes. Moiraine et Lan étaient déjà descendus de cheval et s'entretenaient avec le portier tout ridé, alors Rand mit aussi pied à terre.

Le petit homme, vêtu d'une cotte et d'un manteau très raccommodés, tenait son bonnet d'une main et baissait brusquement la tête chaque fois qu'il parlait. Il examina ceux qui descendaient de cheval derrière Lan et Moiraine et secoua la tête. « Des campagnards de la plaine. » Il eut un grand sourire. « Eh bien, Maîtresse Alys, vous vous êtes mise à ramasser des paysans de la plaine avec du foin dans les cheveux ? » Son regard tomba alors sur Thom Merrilin. « Vous n'êtes pas un éleveur de moutons. Je me rappelle vous avoir laissé sortir il y a quelques jours, oui-da. Ils n'ont pas aimé vos tours dans le pays d'en bas, eh, ménestrel ?

– J'espère que vous vous êtes souvenu d'oublier de nous avoir laissés passer, Maître Alvin, dit Lan en pressant une pièce de monnaie dans la main libre du portier, et de nous avoir laissés rentrer aussi.

– Pas besoin de ça, Maître Andra. Pas besoin. Vous m'avez donné largement assez quand vous êtes sortis. Largement. »

Néanmoins, Alvin escamota la pièce aussi adroitement que s'il était lui aussi jongleur. « J'lai dit à personne et je ne le voudrais pas non plus. Surtout à ces Blancs Manteaux », termina-t-il avec un froncement de sourcils. Il pinça les lèvres pour cracher, puis avec un coup d'œil à Moiraine ravala sa salive.

Rand cligna des paupières mais resta bouche close. Les autres également, bien que pour Mat ce fût apparemment avec effort. *Les Enfants de la Lumière*, songea Rand, perplexe. Les récits concernant les Enfants que racontaient les colporteurs, les marchands et convoyeurs de marchands variaient de l'admiration à la haine, mais tous étaient d'accord pour affirmer que les Enfants détestaient les Aes Sedai autant que les Amis des Ténèbres. Il se demanda si cela présageait déjà encore des ennuis.

« Les Enfants sont dans Baerlon ? s'exclama Lan.

– Pour sûr. » Le portier hocha la tête. « Sont arrivés le même jour que vous êtes partis, je m'en souviens. N'y a personne ici qui les aime. La plupart ne le laissent pas voir, bien sûr.

– Ont-ils dit pourquoi ils sont ici ? questionna Moiraine, toute son attention concentrée.

– Pourquoi ils sont là, Maîtresse ? Naturellement qu'ils l'ont dit... Oh, j'avais oublié. Vous étiez dans les plaines. Évidemment, vous n'avez rien entendu d'autre que des bêlements de moutons. Ils prétendent qu'ils sont ici à cause de ce qui se passe là-bas dans le Ghealdan. Le Dragon, vous savez... celui qui s'appelle lui-même le Dragon. Ils disent que le gars est en train de susciter le mal – et je crois bien que c'est ce qu'il fait – et ils sont ici pour écraser ce mal, seulement le Dragon, il est là-bas dans le Ghealdan, pas ici. Juste un prétexte pour se mêler des affaires des autres, c'est ce que j'imagine. Il y a déjà eu le Croc du Dragon sur les portes de certaines gens. » Cette fois, il cracha pour de bon.

« Ont-ils causé beaucoup d'ennuis, alors ? » demanda Lan, et Alvin secoua la tête avec vigueur.

« Ce n'est pas qu'ils n'aimeraient pas ça, je pense, mais le Gouverneur n'a pas plus confiance en eux que moi. Il ne veut en laisser entrer qu'une dizaine environ à la fois dans l'enceinte de la ville et ce que ça les met en rage ! Le reste campe un peu plus loin au nord, à ce que j'ai appris. Je parie qu'à cause d'eux les fermiers regardent par-dessus leur épaule. Ceux qui entrent, ils ne font que se promener avec ces manteaux blancs en toisant de haut les honnêtes gens. Marchez dans la Lumière, qu'ils disent, et c'est un ordre. Ils en sont presque venus aux coups plus d'une fois avec les conducteurs de chariots, les mineurs, les fondeurs et les autres, et même avec la garde, mais le Gouverneur veut que tout se passe sans heurt, et c'est comme ça que ça se passe jusqu'à présent. S'ils pourchassent le mal, alors pourquoi ne sont-ils pas là-haut dans la Saldea ? Y a des ennuis là-haut à ce qu'on m'a raconté. Ou en bas dans le Ghealdan ? Il y a eu une grande bataille là-bas, paraît-il. Vraiment grande. »

Moiraine aspira doucement une bouffée d'air. « J'ai entendu dire que les Aes Sedai allaient dans le Ghealdan.

– Oui, Maîtresse Alys, elles y sont allées. » Alvin recommença à agiter la tête de haut en bas. « Elles sont allées dans le Ghealdan, en effet, et c'est ce qui a déclenché cette bataille ou, en tout cas, c'est ce qu'on m'a expliqué. On dit que quelques-unes de ces Aes Sedai sont mortes. Peut-être toutes. Je connais des gens qui ne tiennent pas aux Aes Sedai, mais moi je dis : qui d'autre va arrêter un faux Dragon ? Hein ? Et ces sacrés imbéciles d'hommes qui croient pouvoir devenir Aes Sedai, ou quelque chose du même genre. Qu'est-ce que c'est que ça ? Sûr, y en a qui racontent – pas les Blancs Manteaux, attention, et pas moi, mais des gens – que peut-être ce type est vraiment le Dragon Réincarné. Il peut faire des choses, à ce que j'ai appris. Utiliser le Pouvoir Unique. Ils sont des milliers à le suivre.

– Ne soyez pas stupide », dit Lan d'un ton cassant, et une expression mortifiée crispa le visage d'Alvin.

– Je répète seulement ce que j'ai entendu, hein ? Juste ce que j'ai entendu, Maître Andra. On dit, y en a qui le disent, qu'il mène ses armées vers le sud-est, vers

Tear. » Sa voix devint lourde de signification. « On dit qu'il les appelle le Peuple du Dragon.

– Les noms ne signifient pas grand-chose », répliqua calmement Moiraine. Si ce qu'elle avait appris l'inquiétait, elle n'en donnait présentement aucun signe extérieur. « Vous pourriez appeler votre mule Peuple du Dragon si vous vouliez.

– Aucune chance, Maîtresse, riposta Alvin avec un gloussement de rire. Pas avec les Blancs Manteaux dans les parages, pour sûr. Je ne crois pas que personne d'autre aimerait un nom comme ça, non plus. Je vois ce que vous voulez dire, mais... oh, non, Maîtresse. Pas *ma* mule.

– Sage décision, sans aucun doute, conclut Moiraine. À présent, il nous faut partir.

– Et ne vous tracassez pas, Maîtresse, dit Alvin en inclinant profondément la tête. N'ai vu personne. » Il se précipita vers la porte et se mit à la tirer à grandes saccades pour la fermer, et il abaissa la bâcle qui la clôturait au moyen d'une corde. « En fait, Maîtresse, cette porte n'a pas été ouverte depuis des jours.

– La Lumière vous éclaire, Alvin, dit Moiraine.

Elle quitta la place la première, les emmenant à sa suite. Rand regarda derrière lui, une fois : Alvin était encore devant la porte. Il avait l'air d'astiquer une pièce de monnaie avec un coin de son manteau en riant sous cape.

Leur chemin les conduisit par des rues en terre battue, à peine assez large pour deux charrettes, désertes, toutes bordées par des entrepôts et, de temps en temps, par de hautes palissades. Rand marcha un moment à côté du ménestrel. « Thom, qu'est-ce que c'était, cette histoire de Tear et du Peuple du Dragon ? Tear est une ville loin d'ici, près de la Mer des Tempêtes, n'est-ce pas ?

– *Le Cycle de Karaethon* », répliqua Thom d'un ton bref.

Rand battit des paupières. *Les Prophéties du Dragon.* « Personne ne raconte les... ces sagas aux Deux Rivières. Pas au Champ d'Emond, en tout cas. La Sagesse écorcherait les gens tout vifs s'ils s'y risquaient.

– Cela ne m'étonnerait pas, ma foi », dit Thom, sarcastique. Il jeta un coup d'œil à Moiraine qui marchait devant avec Lan, vit qu'elle ne pouvait pas l'entendre et continua : « Tear est le plus grand port de la Mer des Tempêtes, et la Pierre de Tear est le fort qui le garde. On dit que la Pierre est la première forteresse bâtie après la Destruction du Monde et, depuis tout ce temps, elle n'est jamais tombée, quoique plus d'une armée ait essayé. Une des Prophéties dit que la Pierre de Tear ne tombera que lorsque le Peuple du Dragon viendra à la Pierre. Une autre dit que la Pierre ne tombera pas tant que l'Épée qui ne peut être touchée ne sera pas brandie par la main du Dragon. » Thom eut une grimace. « La chute de la Pierre sera une des preuves principales que le Dragon est né de nouveau. Puisse la Pierre tenir jusqu'à ce que je redevienne poussière.

– L'Épée qui ne peut pas être touchée ?

– C'est ce que dit la Prophétie. Je ne sais pas si c'est vraiment une épée. Quoi qu'il en soit, elle se trouve dans le Cœur de la Pierre, la citadelle centrale de la forteresse. Nul ne peut y entrer hormis les Grands Seigneurs de Tear, et ils ne parlent jamais de ce qu'il y a à l'intérieur. Certainement pas à des ménestrels, en tout cas. »

Rand fronça les sourcils. « La Pierre ne peut tomber avant que le Dragon brandisse l'Épée, mais comment la brandira-t-il à moins que la Pierre ne soit déjà tombée ? Le Dragon est-il censé être un grand seigneur de Tear ?

– Il n'y a guère de chance, répliqua le ménestrel avec ironie. Tear déteste tout ce qui a rapport avec le Pouvoir, encore plus qu'Amador, et Amador est la place forte des Enfants de la Lumière.

– Alors comment la prophétie peut-elle s'accomplir ? objecta Rand. Je voudrais bien que le Dragon ne revienne jamais, seulement une prophétie qui ne peut s'accomplir n'a pas grand sens. On dirait un conte destiné à faire croire aux gens que le Dragon ne renaîtra jamais. Est-ce cela ?

– Tu poses trop de questions, mon garçon, répliqua Thom. Une prophétie qui se réalise facilement ne vaudrait pas grand-chose, hein, dis-moi ? » Soudain sa voix s'anima. « Ah, nous y voici. Où que ce soit. »

Lan s'était arrêté près d'une section de palissade à hauteur de tête, qui ne présentait pas de différence avec celles le long desquelles ils étaient passés. Il glissa la lame de sa dague entre deux des planches. Brusquement, il émit un grognement de satisfaction, tira et une partie de la palissade pivota comme une porte. C'était en fait une porte, comme le constata Rand, bien que prévue pour n'être ouverte que par l'autre côté. C'est ce que démontrait la clenche de métal que Lan avait soulevée avec sa dague. Moiraine entra aussitôt, tirant Aldieb après elle. Lan fit signe aux autres de suivre et ferma la marche en rabattant la porte derrière lui.

Une fois franchie la palissade, Rand se retrouva dans la cour de l'écurie d'une auberge. Un bruyant remue-ménage et un cliquetis de vaisselle provenaient de la cuisine du bâtiment, mais ce qui le frappa était ses dimensions. Il couvrait deux fois plus de surface que l'*Auberge de la Source du Vin* et, en outre, était haut de trois étages. Une bonne moitié des fenêtres étaient éclairées dans le crépuscule tombant. Il s'émerveilla de cette ville capable de contenir tant d'étrangers.

Ils ne s'étaient pas plus tôt avancés au fond de la cour que trois hommes en tablier de toile sale s'encadrèrent dans les larges portes voûtées de l'immense écurie. L'un deux, un grand type sec et nerveux et le seul qui ne tenait pas de fourche à fumier, s'avança en agitant les bras.

« Hé là ! Hé là ! Vous ne pouvez pas entrer par ici ! Il faut faire le tour par-devant ! »

La main de Lan se dirigea de nouveau vers sa bourse mais, au même instant, un autre homme à la circonférence aussi vaste que celle de Maître al'Vere sortit en hâte de l'auberge. Des houppes de cheveux dépassaient au-dessus de ses oreilles, et son tablier d'un blanc éclatant valait une enseigne proclamant qu'il était l'aubergiste.

« Tout va bien, Mutch, dit le nouvel arrivant. Tout va bien. Ces gens sont des hôtes attendus. Prenez donc soin de leurs chevaux. Grand soin. »

Mutch salua en portant d'un air renfrogné ses doigts repliés à son front, puis fit signe à ses deux compagnons d'approcher pour l'aider. Rand et les autres se hâtèrent de détacher sacoches de selle et couvertures roulées pendant que l'aubergiste se tournait vers Moiraine. Il lui adressa une profonde révérence et un sourire sincère.

« Bienvenue, Maîtresse Alys. Bienvenue. C'est un plaisir de vous voir, vous et Maître Andra, l'un et l'autre. Un très grand plaisir. Votre belle conversation nous a manqué. Oui, elle nous a manqué. Je dois dire que je me suis inquiété, vous sachant aller vers le bas pays et tout ça. Ah, je veux dire à une époque comme celle-ci, avec le temps complètement détraqué et les loups qui hurlent au ras de l'enceinte, la nuit. » Brusquement, il frappa à deux mains son ventre rond et secoua la tête. « Me voilà en train de bavarder au lieu de vous emmener à l'intérieur. Venez. Venez. Des repas brûlants et des lits bien chauds, c'est ce qu'il vous faut. Et ici il y a les meilleurs de Baerlon. Tout ce qu'il y a de meilleur.

– Et aussi des bains chauds, j'en suis sûre, Maître Fitch ? » dit Moiraine, et Egwene lui fit écho avec ferveur : « Oh, oui.

– Des bains ? dit l'aubergiste. Eh, certes, les meilleurs et les plus chauds de Baerlon. Venez. Bienvenue au *Cerf et le Lion*. Bienvenue à Baerlon. »

14.

LE CERF ET LE LION

À l'intérieur, l'auberge était aussi bourdonnante d'activité, et même davantage, que les sons qui en sortaient ne l'avaient indiqué. Le groupe du Champ d'Emond entra à la suite de Maître Fitch par la porte de service et bientôt se fraya un chemin sinueux autour et au travers d'un flot constant d'hommes et de femmes en long tablier, qui tenaient bien haut des écuelles contenant de la nourriture et des plateaux de boissons. Les porteurs murmuraient de rapides excuses quand ils se trouvaient sur le chemin de quelqu'un, mais ne ralentissaient jamais le pas. Un des hommes prit à la hâte les ordres de Maître Fitch et disparut en courant.

« L'auberge est quasi pleine, j'en ai peur, dit l'aubergiste à Moiraine. Presque jusqu'aux chevrons. Dans toutes les auberges de la ville, c'est pareil. Avec l'hiver que nous venons d'avoir... Ma foi, dès que le temps s'est assez dégagé pour qu'ils descendent des montagnes, nous avons été envahis – oui, c'est le mot – envahis par les ouvriers des mines et des fonderies qui tous débitaient les histoires les plus horribles. De loups et pire encore. Le genre d'histoire que racontent les gens quand ils ont été claquemurés tout l'hiver. J'ai du mal à croire qu'il en reste un seul là-haut, tant nous en avons ici. Mais n'ayez crainte. On peut être un peu encombrés, mais je m'arrangerai de mon mieux pour vous et pour Maître Andra. Et pour vos amis aussi, bien entendu. » Il jeta un ou deux coups d'œil intrigués à Rand et les autres ; Thom mis à part, leurs vêtements les dénonçaient comme gens de la campagne, et le manteau de ménestrel de Thom en faisait aussi un étrange compagnon de voyage pour *Maîtresse Alys* et *Maître Andra*. « Je m'arrangerai de mon mieux. Soyez-en assurée. »

Rand·contempla le remue-ménage autour d'eux et s'efforça d'éviter d'être piétiné, bien qu'aucun des serviteurs ne parût vraiment présenter ce danger. Il ne cessait de songer à la façon dont Maître al'Vere et sa femme tenaient l'*Auberge de la Source du Vin*, avec de temps à autre un peu d'aide de leurs filles.

Mat et Perrin tendaient le cou avec intérêt vers la salle commune d'où déferlait une vague de rires, de chants et de cris joviaux chaque fois que s'ouvrait la large porte à l'extrémité du couloir. Murmurant qu'il allait aux nouvelles, le Lige disparut d'un air sombre par cette porte battante, englouti sous une vague d'hilarité.

Rand avait envie de le suivre mais il avait encore plus envie de prendre un bain. Se mêler tout de suite aux gens et aux rires lui aurait bien plu, mais la salle commune apprécierait mieux sa présence quand il serait propre. Mat et Perrin étaient apparemment du même avis ; Mat se grattait subrepticement.

« Maître Fitch, dit Moiraine, à ce que j'ai compris il y a des Enfants de la Lumière à Baerlon. Y aurait-il des risques de troubles ?

— Oh, ne vous tracassez pas à ce sujet, Maîtresse Alys. Ils se livrent à leurs mauvais tours habituels. Prétendent qu'il y a une Aes Sedai en ville. » Moiraine haussa un sourcil et l'aubergiste écarta ses mains dodues. « Ne vous en inquiétez pas. Ils ont déjà essayé. Il n'y a pas d'Aes Sedai à Baerlon, et le Gouverneur le sait. Les Blancs Manteaux croient que s'ils montrent une Aes Sedai, une femme qu'ils proclament une Aes Sedai, les gens les laisseront tous entrer dans nos murs. Ma foi, je suppose que certains le feraient. Oui, certains. Mais la plupart des gens savent ce que mijotent les Blancs Manteaux et ils soutiennent le Gouverneur. Personne ne veut que survienne du mal à une vieille femme inoffensive juste pour donner aux Enfants un prétexte de se déchaîner.

— Je suis heureuse de l'apprendre », dit Moiraine, impassible. Elle posa la main sur le bras de l'aubergiste. « Min est-elle encore ici ? J'aimerais lui parler, si elle y est. »

L'arrivée des serviteurs qui devaient les conduire aux

bains empêcha Rand de saisir la réponse de Maître Fitch. Moiraine et Egwene disparurent derrière une femme replète au sourire avenant, les bras chargés de serviettes. Le ménestrel, Rand et ses amis se trouvèrent suivre un garçon mince aux cheveux noirs dont le nom était Ara.

Rand essaya de questionner Ara sur Baerlon, mais l'autre ouvrit à peine la bouche, sauf pour commenter que Rand avait un drôle d'accent, puis le premier coup d'œil à la salle des bains fit sortir de la tête de Rand toute idée de conversation. Une douzaine de grandes baignoires de cuivre étaient disposées en rond sur le sol carrelé qui s'inclinait en pente douce vers un orifice d'écoulement au centre de la grande pièce aux murs de pierre. Une serviette épaisse, proprement pliée, et un gros pain de savon jaune étaient placés sur un tabouret derrière chaque baignoire, et de grands chaudrons de fonte noire chauffaient sur des feux le long d'une des parois. Sur le mur opposé, des bûches qui flambaient dans une vaste cheminée ajoutaient à la chaleur générale.

« Presque aussi bien qu'à l'*Auberge de la Source du Vin* chez nous », déclara Perrin loyalement, quoique sans grand respect pour la vérité.

Thom eut un glapissement de rire et Mat riposta d'un ton sarcastique : « On dirait que nous avons amené un Coplin avec nous sans le savoir. »

D'une secousse des épaules, Rand rejeta sa cape et se déshabilla, pendant qu'Ara remplissait quatre des baignoires en cuivre. Personne ne traîna après Rand pour choisir une baignoire. Une fois leurs vêtements tous empilés sur les tabourets, Ara leur apporta à chacun un grand seau d'eau chaude et une louche. Quand il eut fini, il s'assit sur un tabouret près de la porte, adossé au mur, les bras croisés, apparemment plongé dans ses pensées.

Il n'y eut pas beaucoup de temps perdu en conversation pendant qu'ils se savonnaient et s'aspergeaient de louchées d'eau fumante pour se débarrasser d'une semaine de crasse. Puis ce fut l'installation dans les baignoires pour s'y laisser tremper longuement ; Ara avait fait chauffer l'eau de telle sorte que s'y allonger fut une lente opération ponctuée de soupirs de délices. L'air de la pièce, déjà chaud, devint brûlant et humide de vapeur. Pendant un bon moment, on n'entendit aucun son à part, de temps en temps, un profond soupir de détente comme les muscles ankylosés se relaxaient et que le froid qu'ils en étaient venus à croire permanent abandonnait leurs os.

« Besoin d'autre chose ? » demanda tout à coup Ara. Il était assez mal placé pour se moquer de l'accent des autres. Maître Fitch et lui parlaient comme s'ils avaient de la bouillie plein la bouche. « D'autres serviettes ? Encore de l'eau chaude ?

– Rien », répondit Thom de sa voix la plus sonore. Les yeux fermés, il agita la main d'un geste indolent. « Allez profiter de votre soirée. Tout à l'heure, je veillerai à ce que vous soyez récompensé mieux que convenablement de vos services. »

Il s'immergea plus profondément dans la baignoire jusqu'à ce que l'eau le recouvre en entier, sauf ses yeux et son nez.

Ara tourna la tête vers les tabourets derrière les baignoires, où étaient entassés leurs effets et possessions. Il jeta un coup d'œil à l'arc, mais son regard s'attarda surtout sur l'épée de Rand et la hache de Perrin. « Est-ce qu'il y a aussi des troubles dans le bas pays ? questionna-t-il brusquement. Dans les Rivières ou comment vous appelez ça ?

– Les Deux Rivières, énonça Mat en prononçant distinctement chaque mot bien séparé. C'est les Deux Rivières. Quant aux troubles, eh bien...

– Qu'entendez-vous par cet " aussi " ? demanda Rand. Y a-t-il eu des troubles ici ? »

Perrin, tout au plaisir du bain, murmura : « C'est bon ! C'est bon ! » Thom se souleva un peu et ouvrit les yeux.

« Ici ? riposta ironiquement Ara. Des troubles ? Des mineurs qui se bagarrent à coups de poing dans les rues au petit matin, ce ne sont pas des troubles. Ou alors... » Il se tut et les dévisagea un instant. « Je veux parler de l'espèce de troubles qui sévit dans le Ghealdan, finit-il par préciser. Non, je ne crois pas. Rien d'autre que des moutons dans votre plaine, n'est-ce pas ? Ne vous formalisez pas. Je voulais simplement dire que c'est tranquille par chez vous. N'empêche, l'hiver a été bizarre. S'est produit des choses bizarres dans les montagnes. J'ai entendu raconter l'autre jour qu'il y avait des Trollocs dans la Saldea. Mais ce sont les Marches, là-bas, hein ? » Il s'arrêta, la bouche encore ouverte qu'il ferma d'un coup, apparemment surpris d'avoir tant parlé.

Rand s'était crispé au mot *Trollocs* et tenta de masquer sa réaction en tordant son gant de toilette au-dessus de sa tête.

« Des Trollocs ? » gloussa gaiement Mat. Rand lui jeta une giclée d'eau, mais Mat se contenta de s'essuyer la figure avec un large sourire. « J'en ai à vous raconter, moi, sur les Trollocs. »

Pour la deuxième fois depuis qu'il avait grimpé dans sa baignoire, Thom prit la parole. « Pourquoi ne pas t'abstenir ? Je suis un peu fatigué d'entendre répéter par toi mes propres histoires.

— C'est un ménestrel », expliqua Perrin, sur quoi Ara lui jeta un regard dédaigneux.

« J'ai vu le manteau. Vous allez donner une représentation ?

— Minute, protesta Mat. Qu'est-ce que c'est que ces façons de dire que je raconte les histoires de Thom ? Êtes-vous tous...

— C'est seulement que tu ne les racontes pas aussi bien que Thom », coupa précipitamment Rand, et Perrin prit le relais : « Tu ne cesses d'en rajouter pour essayer de les améliorer et cela ne va jamais.

— Et tu t'embrouilles par-dessus le marché, ajouta Rand. Mieux vaut laisser Thom s'en charger. »

Ils parlaient tous si vite qu'Ara les contemplait bouche bée. Mat aussi les regardait d'un air ahuri comme si ses compagnons étaient subitement devenus fous. Rand se demanda comment le faire taire autrement qu'en lui sautant dessus.

La porte s'ouvrit d'un coup pour laisser entrer Lan, son manteau brun perché sur une épaule, en même temps qu'une bouffée d'air plus frais qui dissipa momentanément la vapeur. « Ah, dit le Lige en se frottant les mains, voilà ce que j'attendais. » Ara ramassa un seau, que Lan écarta du geste. « Non, je me servirai moi-même. » Il laissa tomber son manteau sur un des tabourets, poussa le garçon de bains hors de la pièce malgré ses protestations et ferma la porte avec autorité derrière lui. La tête penchée pour écouter, il attendit là un instant et, quand il se tourna vers eux, sa voix était dure et il poignarda Mat du regard. « C'est une bonne

239

chose que je sois revenu à ce moment, jeune fermier. Tu n'écoutes donc pas ce qu'on te dit ?

– Je n'ai rien fait, protesta Mat. Je n'allais lui parler que des Trollocs, pas de... » Il se tut et recula devant l'expression du Lige, se collant le dos à la paroi de la baignoire.

« Ne parle pas de Trollocs, dit Lan sévèrement. Ne pense même pas aux Trollocs. » Avec un grognement de colère, il commença à remplir une baignoire. « Sang et cendres, tu ferais bien de t'en souvenir, le Ténébreux a des yeux et des oreilles là où l'on s'y attend le moins. Et si les Enfants de la Lumière apprenaient que les Trollocs te donnent la chasse, ils brûleraient d'envie de mettre la main sur toi. Pour eux, cela équivaut à te qualifier d'Ami du Ténébreux. Tu n'en as peut-être pas l'habitude mais, jusqu'à ce que nous arrivions là où nous allons, ne te fie à personne, à moins que Maîtresse Alys ou moi ne te disions le contraire. » Devant l'insistance qu'il mit sur le nom qu'avait pris Moiraine, Mat tressaillit.

« Il y avait quelque chose que ce garçon ne tenait pas à nous apprendre, dit Rand. Quelque chose qu'il pensait être des troubles mais il n'a pas voulu expliquer ce que c'était.

– Probablement les Enfants, répondit Lan en ajoutant de l'eau chaude dans son bain. La plupart des gens les considèrent comme des pestes. Pourtant, certains ne sont pas du même avis et il ne vous connaissait pas assez pour se risquer. Vous auriez pu courir alerter les Blancs Manteaux, pour autant qu'il le sache. »

Rand hocha la tête ; cet endroit avait déjà l'air pire que Taren-au-Bac.

« Il a raconté qu'il y avait des Trollocs dans le... la Saldea, c'est ça ? » dit Perrin.

Lan lança son seau vide sur le sol avec fracas. « Tu veux à toute force en parler, hein ? Il y a toujours des Trollocs dans les Marches, forgeron. Mets-toi bien dans la tête que nous ne cherchons pas plus à attirer l'attention que des souris dans un champ. Concentre-toi là-dessus. Moiraine veut vous amener tous vivants à Tar Valon et je vous y conduirai si c'est possible mais, si du mal lui arrive à cause de vous... »

Le reste du bain se passa en silence, le rhabillage aussi.

Quand ils quittèrent la salle des bains, Moiraine était debout à l'extrémité du couloir en compagnie d'une jeune femme svelte pas beaucoup plus grande qu'elle. Du moins Rand eut-il l'impression qu'il s'agissait d'une femme, en dépit de ses cheveux noirs coupés court et de la chemise et du pantalon d'homme qu'elle portait. Moiraine dit quelque chose et la jeune femme jeta un regard acéré sur eux, puis inclina la tête à l'adresse de Moiraine et s'éloigna d'un pas pressé.

« Eh bien, dit Moiraine quand ils approchèrent, je suis sûre qu'un bain vous a donné de l'appétit à tous. Maître Fitch nous a attribué une salle à manger particulière. » Elle fit volte-face pour les guider en continuant à converser à bâtons rompus de leurs chambres, de la foule entassée en ville et des espoirs de l'aubergiste que Thom accorderait à la salle commune la faveur d'un peu de musique et d'un conte ou deux. Elle ne mentionna pas la jeune femme, si c'était bien une femme.

La salle à manger particulière avait une table en chêne ciré avec une douzaine de chaises autour et un tapis épais par terre. Quand ils entrèrent, Egwene, ses cheveux brillants lavés de frais laissés flottant autour de ses épaules, se détourna du feu crépitant dans l'âtre devant lequel elle se chauffait les mains. Rand avait largement eu le temps de réfléchir durant le long silence dans la salle des bains. Les avertissements constants de Lan de ne se fier à personne et surtout la crainte de leur faire confiance témoignée par Ara l'avait amené à comprendre combien ils étaient seuls en vérité. Apparemment, ils ne pouvaient se fier qu'à eux-mêmes, et il n'était pas encore très sûr de savoir jusqu'à quel point ils pouvaient se fier à Moiraine ou à Lan. Seulement à eux-mêmes. Et à Egwene. Moiraine avait dit que cela lui serait arrivé de toute façon, cette faculté d'atteindre la Vraie Source, elle n'en était pas responsable, et cela signifiait que ce n'était pas sa faute. Et elle était encore Egwene.

Il ouvrit la bouche pour s'excuser, mais Egwene se raidit et lui tourna le dos avant qu'il ait eu le temps de prononcer un mot. Regardant ce dos d'un air morose, il ravala ce qu'il s'apprêtait à dire. *Très bien, alors. Si elle veut adopter cette attitude, je n'y peux rien.*

Maître Fitch entra à ce moment, tout affairé, suivi de

quatre femmes en tablier blanc aussi long que le sien, avec un plat contenant trois poulets rôtis et les autres portant de l'argenterie, de la vaisselle en faïence et des jattes couvertes. Les femmes se mirent aussitôt à dresser le couvert pendant que l'aubergiste s'inclinait devant Moiraine.

« Mes excuses, Maîtresse Alys, pour vous avoir infligé cette longue attente mais, avec tant de monde à l'auberge, c'est merveille que l'on arrive à servir quelqu'un. Je crains que le repas ne soit pas non plus ce qu'il devrait être. Juste les poulets, des navets et des pois chiches avec un peu de fromage après. Non, ce n'est pas ce que cela devrait être. Je vous présente sincèrement mes excuses.

– Un festin, répliqua Moiraine avec un sourire. Par ces temps troublés, un vrai festin, Maître Fitch. »

L'aubergiste s'inclina de nouveau. Ses mèches folles, pointant dans toutes les directions comme s'il y passait constamment les mains, rendaient la révérence comique, mais son sourire était si plaisant que quiconque riait aurait ri avec lui et non de lui. « Mes remerciements, Maîtresse Alys. Mes remerciements. » Il se redressa, fronça les sourcils et, avec un coin de son tablier, essuya une poussière imaginaire sur la table. « Ce n'est pas ce que je vous aurais servi il y a un an, bien sûr. Loin de là. L'hiver. Oui, l'hiver. Mes caves se vident et le marché n'a pratiquement plus de marchandise. Qui peut blâmer les fermiers ? Qui ? Impossible de prédire quand ils auront une autre récolte. Non, impossible. Ce sont les loups qui ont le mouton et le bœuf destinés à aller sur la table des humains et... »

Brusquement, il se rendit compte que ce n'était pas le genre de conversation propre à préparer ses hôtes à attaquer un bon repas. « Ah, quel bavard je fais ! Un vieux moulin à paroles, voilà ce que je suis. Un moulin à paroles. Mari, Cinda, laissez ces braves gens manger en paix. » Il chassa à grands gestes les serveuses et, comme elles quittaient la salle, il se retourna vivement pour s'incliner encore une fois devant Moiraine. « J'espère que le repas vous plaira, Maîtresse Alys. Si vous avez besoin de quelque chose, vous n'avez qu'à le dire, j'irai le chercher. Vous n'avez qu'à parler. C'est un plaisir de vous servir, vous et Maître Andra. Un plaisir. » Il plongea encore dans un profond salut et s'en fut, en fermant doucement la porte derrière lui.

Lan s'était appuyé mollement le dos au mur, comme à demi endormi, pendant cet interlude. À présent, d'un bond il se redressa et gagna la porte en deux longues enjambées. Il pressa son oreille contre un panneau et écouta attentivement le temps de compter lentement jusqu'à trente, puis il tira le battant d'un coup sec et passa la tête dans le couloir. « Ils sont partis, dit-il finalement en refermant la porte. Nous pouvons parler en sécurité.

– Je sais que vous dites de ne se fier à personne mais, si vous soupçonnez l'aubergiste, pourquoi séjourner ici ? demanda Egwene.

– Je ne le soupçonne pas plus qu'un autre, répliqua Lan, mais jusqu'à ce que nous arrivions à Tar Valon, je suspecte tout le monde. Là-bas, je n'en suspecterai que la moitié. »

Rand commença à sourire, croyant que le Lige plaisantait. Puis il se rendit compte qu'il n'y avait pas trace d'humour sur le visage de Lan. Il soupçonnerait réellement les gens à Tar Valon. Existait-il un seul endroit sûr ?

« Il exagère, leur dit Moiraine d'un ton apaisant. Maître Fitch est un brave homme, honnête et digne de confiance. Néanmoins, il aime bien parler et, avec la meilleure volonté du monde, il pourrait laisser échapper quelque chose qui tomberait dans la mauvaise oreille. Et je ne me suis encore jamais arrêtée dans une auberge où la moitié des femmes de chambre n'écoutent pas aux portes et ne passent pas plus de temps à bavarder qu'à faire les lits. Venez, asseyons-nous avant que le repas ne refroidisse. »

Ils s'installèrent autour de la table, avec Moiraine à la place d'honneur et Lan en face d'elle, et pendant un temps chacun fut trop occupé à remplir son assiette pour parler. Le repas n'était peut-être pas un festin mais, après une semaine ou presque de pain sans levain et de viande séchée, il en avait le goût. Après un moment, Moiraine demanda : « Qu'as-tu appris dans la salle commune ? » Couteaux et fourchettes s'immobilisèrent, dressés en l'air, et tous les yeux se tournèrent vers le Lige.

« Pas grand-chose d'agréable, répliqua Lan. Alvin a dit vrai, pour autant du moins que les rumeurs sont exactes. Il y a eu une bataille dans le Ghealdan, et

Logain a été vainqueur. Une douzaine d'histoires différentes circulent, mais elles s'accordent toutes sur ce point. »

Logain ? Ce devait être le faux Dragon. C'était la première fois que Rand entendait donner un nom à cet homme. Lan semblait presque le connaître.

« Les Aes Sedai ? » questionna Moiraine à mi-voix, et Lan secoua la tête.

« Je ne sais pas. Certains disent qu'elles ont toutes été tuées, d'autres aucune. » Il eut un reniflement de mépris. « D'aucuns disent même qu'elles sont passées du côté de Logain. Il n'y a rien de sûr et je n'ai pas voulu montrer trop d'intérêt.

– Oui, dit Moiraine. Rien de bien agréable. » Avec un profond soupir, elle ramena son attention vers la table. « Et pour ce qui nous concerne ?

– Là, les nouvelles sont meilleures. Pas d'incident bizarre, pas d'étrangers dans les parages qui pourraient être des Myrddraals, certainement pas de Trollocs. Et les Blancs Manteaux sont occupés à fomenter des troubles contre le Gouverneur Adan parce qu'il ne veut pas coopérer avec eux. Ils ne feront même pas attention à nous, sauf si nous nous signalons nous-mêmes.

– Bien, conclut Moiraine. Cela s'accorde avec ce qu'a dit la servante des bains. Les bavardages ont leurs bons côtés. À présent » – elle s'adressa à toute la compagnie –, « nous avons encore un long trajet devant nous, mais la semaine passée n'a pas été facile non plus, aussi je propose de rester ici cette nuit et la nuit prochaine, et de partir le matin suivant de bonne heure. » Tous les jeunes s'épanouirent ; une ville pour la première fois. Moiraine sourit, mais elle poursuivit : « Qu'en dit Maître Andra ? »

Lan regarda d'un œil neutre les visages ravis. « D'accord, si pour changer ils se rappellent ce que je leur ai recommandé. »

Thom eut un reniflement sardonique sous ses moustaches. « Ces campagnards lâchés dans une... ville. » Il renifla encore et secoua la tête.

Avec la foule qui remplissait l'auberge, trois chambres seulement restaient disponibles, une pour Moiraine et Egwene, deux pour les hommes. Rand se retrouva en partager une avec Lan et Thom au troisième étage sur l'arrière de l'auberge, juste sous les avant-toits surplombants, avec une seule petite fenêtre qui donnait sur la cour de l'écurie. La nuit était tombée complètement et les lumières de l'auberge formaient une flaque au-dehors. C'était déjà une petite chambre et le lit supplémentaire dressé pour Thom la rendait plus petite encore, malgré l'étroitesse des trois lits. Qui étaient durs aussi, comme le découvrit Rand en se laissant choir sur le sien. Absolument pas la meilleure chambre.

Thom ne resta que le temps de sortir de leurs étuis sa flûte et sa harpe, puis partit en s'exerçant déjà à prendre des poses majestueuses. Lan l'accompagna.

C'est bizarre, songea Rand en bougeant pour trouver une position moins inconfortable sur son lit. Une semaine auparavant il aurait filé comme un trait dans la salle en bas juste pour une chance de voir jouer un ménestrel, juste parce qu'une rumeur avait annoncé qu'il en viendrait un. Cependant, il avait écouté Thom raconter ses histoires tous les soirs pendant une semaine, Thom serait là le lendemain soir et le soir suivant, et le bain chaud avait assoupli dans ses muscles des crampes qu'il avait crues installées là pour toujours, de plus son premier repas chaud depuis une semaine l'induisait à la torpeur. Somnolant à demi, il se demanda si Lan connaissait vraiment le faux Dragon, Logain. Une acclamation assourdie vint d'en bas, c'était la salle commune qui saluait l'arrivée de Thom, mais Rand dormait déjà.

Le couloir en pierre était obscur, rempli d'ombres et désert à l'exception de Rand. Il était incapable de découvrir d'où provenait la clarté, le peu qu'il y en avait; les murs gris ne comportaient ni chandelles ni lampes, rien n'expliquant la faible lueur qui paraissait simplement être là. L'air était immobile et humide, et quelque part dans le lointain de l'eau gouttait avec un ploc-ploc caverneux continuel. Quel que soit ce lieu, ce n'était pas l'auberge. Il fronça les sourcils, se frotta le front. L'auberge? La tête lui faisait mal, et réfléchir n'était pas facile. Il y avait eu quelque chose à propos de... d'une auberge? Quoi qu'il en soit, ce quelque chose s'était effacé de sa mémoire.

Il s'humecta les lèvres et souhaita avoir à boire. Il avait terriblement soif, la gorge sèche comme de l'amadou. Ce fut le bruit des gouttes qui le décida. N'ayant pas d'autre incitation que sa soif, il partit vers ce *ploc-ploc-ploc* continu.

Le couloir s'allongeait sans couloir pour le croiser et sans le plus léger changement dans l'apparence. Ses seules caractéristiques étaient les portes grossières, situées par paires à intervalles réguliers, une de chaque côté du couloir, le bois fendu et sec en dépit de l'humidité de l'air. Les ombres reculaient devant lui, demeurant les mêmes, et le bruit des gouttes ne se rapprochait pas. Après un long moment, il décida d'essayer une de ces portes. Elle s'ouvrit aisément et il entra dans une pièce sinistre aux murs de pierre.

Une des parois se découpait en une série d'arcades donnant sur un balcon de pierre grise et, au-delà, sur un ciel comme Rand n'en avait jamais vu. Des nuages striés de noir et de gris, de rouge et d'orange, fuyaient comme poussés par des vents de tempête, se mêlant et s'entre-mêlant sans fin. *Personne* n'avait jamais pu voir un ciel pareil ; ce ciel ne pouvait exister.

Il détourna avec effort ses yeux du balcon, cependant le reste de la pièce ne valait pas mieux. Des courbes bizarres et des angles singuliers, comme si la pièce était sortie quasiment au petit bonheur par fusion de la pierre, et des colonnes qui semblaient pousser hors du ciel gris. Des flammes rugissaient dans l'âtre à la façon d'un feu de forge sous l'action du soufflet, néanmoins elles ne donnaient pas de chaleur. D'étranges pierres ovales constituaient le foyer ; elles avaient l'air de pierres ordinaires, lisses et mouillées malgré le feu, quand il les regardait de face pourtant, quand il les apercevait du coin de l'œil, elles paraissaient alors être des visages, les visages d'hommes et de femmes qui se convulsaient d'angoisse et hurlaient silencieusement. Les chaises à haut dossier et la table cirée au milieu de la pièce étaient parfaitement ordinaires, mais cela en soi mettait le reste en relief. Un seul miroir était accroché au mur, par contre celui-là n'était pas du tout un miroir ordinaire. Quand Rand s'y regarda, il ne vit que du flou à l'endroit où aurait dû être son image. Tout ce qu'il y avait d'autre dans la pièce y était nettement réfléchi, sauf lui.

Un homme se tenait devant la cheminée. Rand ne l'avait pas remarqué quand il était entré. S'il n'avait pas su que c'était impossible, il aurait dit qu'il n'y avait eu personne là jusqu'à ce qu'il regarde effectivement cet homme. Vêtu d'habits sombres de bonne coupe, il était apparemment en pleine maturité et Rand supposa que les femmes devaient lui trouver belle mine.

« Encore une fois, nous voici face à face », dit cet homme et, juste un instant, sa bouche et ses yeux devinrent des ouvertures dans des cavernes sans fond remplies de flammes.

Avec un cri, Rand se jeta à reculons hors de la pièce avec tant de brusquerie qu'il traversa le corridor en trébuchant et se heurta à la porte qui se trouvait là, l'ouvrant du coup. Il se retourna, saisit la poignée pour ne pas tomber – et se retrouva en train de contempler avec des yeux écarquillés une salle de pierre, avec un ciel impossible vu à travers les arcades donnant sur un balcon, et une cheminée...

« Tu ne peux pas m'échapper si aisément », dit l'homme.

Rand se tordit sur lui-même, retomba à quatre pattes et se précipita hors de la pièce en essayant de se redresser sans ralentir. Cette fois, il n'y avait pas de corridor. Il s'arrêta pile à demi accroupi non loin de la table cirée et regarda l'homme près de la cheminée. Cela valait mieux que de regarder les pierres de l'âtre ou le ciel.

« C'est un rêve », dit-il en se redressant. Il entendit derrière lui le déclic de la porte qui se fermait. « C'est une espèce de cauchemar. » Il ferma les yeux en se concentrant pour se réveiller. Quand il était enfant, la Sagesse avait dit que si l'on faisait cela dans un cauchemar, il se dissipait. *La... Sagesse ? Quoi ?* Si seulement ses pensées cessaient de lui échapper. Si seulement sa tête cessait d'avoir mal, alors il pourrait réfléchir clairement.

Il rouvrit les yeux. La pièce était toujours la même, le balcon, le ciel. L'homme près de la cheminée.

« Est-ce un rêve ? dit l'homme. Quelle importance ? » Une fois encore, un instant, sa bouche et ses yeux devinrent des trous de regard dans une fournaise qui semblait s'étendre à l'infini. Sa voix ne changea pas ; il ne parut pas se rendre compte de ce qui arrivait.

Rand sursauta légèrement cette fois-ci, mais il parvint à se retenir de crier. *C'est un rêve. Ce doit être un rêve.* Tout de même, il marcha à reculons jusqu'à la porte, sans jamais quitter des yeux le gars près du feu, et il essaya la poignée de la porte. Elle ne bougea pas ; la porte était fermée à clef.

« Tu sembles avoir soif, dit l'homme près du feu. Bois. »

Sur la table, il y avait un gobelet, qui avait le brillant de l'or et qui était agrémenté de rubis et d'améthystes. Il y était déjà avant. Rand aurait voulu s'arrêter de sursauter. Ce n'était qu'un rêve. Il avait comme de la poussière dans la bouche. « Oui, un peu », dit-il en prenant le gobelet. L'homme se pencha en avant avec attention, le guettant, une main sur le dos de la chaise. L'odeur de vin aux épices fit prendre conscience à Rand de l'intensité de sa soif, comme s'il n'avait rien eu à boire depuis des jours. *Est-ce vrai ?*

Le vin à mi-chemin de sa bouche, il s'arrêta. De la fumée sourdait du dos de la chaise entre les doigts de l'homme. Et ces yeux le guettaient si âprement, avec un scintillement rapide de flammes par intermittence.

Rand passa la langue sur ses lèvres et reposa le vin, sans y goûter. « Je n'ai pas aussi soif que je croyais. » L'homme se redressa brusquement, le visage inexpressif. Sa déception n'aurait pas été plus manifeste s'il avait juré. Rand se demanda ce qu'il y avait dans le vin. Mais c'était une question stupide, naturellement. Tout cela n'était qu'un rêve. *Alors, pourquoi ce rêve ne s'interrompt-il pas ?* « Que voulez-vous ? demanda-t-il avec autorité. Qui êtes-vous ? »

Des flammes montèrent dans les yeux et la bouche de l'homme ; Rand crut les entendre ronfler. « Certains m'appellent Ba'alzamon. »

Rand se retrouva devant la porte, secouant frénétiquement la poignée. Toute idée de rêve avait disparu. Le Ténébreux. La poignée refusait de bouger mais il continuait à essayer de la tourner.

« Es-tu celui-là ? dit soudain Ba'alzamon. Tu ne peux pas me le dissimuler toujours. Tu ne peux même pas te cacher de moi, ni sur la montagne la plus haute ni dans la grotte la plus profonde. Je te connais jusqu'au moindre de tes cheveux. »

Rand se retourna pour faire face à l'homme – pour affronter Ba'alzamon. Il avala sa salive. Un cauchemar. Il tâtonna derrière son dos pour essayer une dernière fois la poignée de la porte, puis se redressa de toute sa taille.

« Cherches-tu la gloire ? reprit Ba'alzamon. La puissance ? T'a-t-on dit que l'Œil du Monde serait à ton service ? Quelle gloire ou quelle puissance a une marionnette ? Les fils qui te font mouvoir ont mis des siècles à se tisser. Ton père a été choisi par la Tour Blanche, comme un étalon qu'on attrape au lasso et qu'on mène à la monte. Ta mère n'était rien d'autre qu'une jument poulinière pour leurs desseins. Et ces desseins aboutissent à ta mort. »

Rand serra les poings. « Mon père est un honnête homme et ma mère était une honnête femme. Je vous défends de parler d'eux ! »

Les flammes ricanèrent. « Tiens, tu as un peu de cran, finalement. Peut-être es-tu *celui-là*. Ça ne te sera pas utile à grand-chose. Le Trône d'Amyrlin se servira de toi jusqu'à ce que tu sois consumé, tout comme on s'est servi de Davian, de Yurian Arc-de-Pierre, de Guaire Amalasan et de Raolin Fléau-du-Ténébreux. Tout comme on se sert de Logain. Jusqu'à ce qu'il ne reste rien de toi.

– Je ne sais pas... » Rand tourna la tête d'un côté à l'autre. Cet instant de pensée claire, né de la colère, était passé. Même s'il avait essayé de le ressaisir, il aurait été incapable de se rappeler comment il y était parvenu la première fois. Ses pensées tourbillonnaient. Il en saisit une, comme un radeau dans un maelstrom. Il se força à parler et sa voix s'affermit à mesure qu'il prononçait les mots.

« Vous... êtes enchaîné... dans le Shayol Ghul. Vous et tous les Réprouvés... enchaînés par le Créateur jusqu'à la fin des temps.

– La fin des temps ? railla Ba'alzamon. Tu vis comme un insecte sous une pierre et tu crois que ta boue est l'univers. La mort du temps m'apportera une puissance dont tu ne pourrais même pas rêver, espèce de vermisseau.

– Vous êtes enchaîné...

– Imbécile, je n'ai jamais été enchaîné ! » Les flammes de son visage flambèrent avec une telle violence que Rand recula en s'abritant derrière ses mains. La sueur de ses paumes sécha à la chaleur. « Je me tenais à côté de Lews Therin Meurtrier-des-Siens quand il a commis l'acte qui lui a valu son surnom. C'est moi qui lui ai dit de tuer sa femme, ses enfants et toute la parentèle de son sang ainsi que tout être vivant qui l'aimait ou qu'il aimait. C'est moi qui lui ai rendu un moment de raison pour qu'il sache ce qu'il avait fait. As-tu jamais entendu un homme hurler jusqu'à en perdre l'âme, vermisseau ? Il aurait pu me frapper alors. Il n'aurait pas gagné, mais il aurait pu essayer. Au lieu de cela, il a appelé son précieux pouvoir à agir sur sa propre tête, si bien que la terre s'est ouverte et a fait se dresser le Mont-Dragon pour marquer sa tombe.

« Mille ans plus tard, j'ai envoyé les Trollocs ravager le Sud et, pendant trois siècles, ils ont saccagé le monde. Ces imbéciles aveugles de Tar Valon ont dit que j'avais été vaincu à la fin, mais la Deuxième Alliance, l'Alliance des Dix Nations était rompue sans espoir, et qui demeurait-il alors pour s'opposer à moi ? J'ai murmuré à l'oreille d'Arthur Aile-de-Faucon, et dans tout le pays les Aes Sedai sont mortes. J'ai murmuré encore, et le Grand Roi a envoyé ses armées de l'autre côté de l'Océan d'Aryth, de l'autre côté de la Mer du Monde, et scellé deux destins. Le destin de son rêve d'un pays et d'un peuple uniques, et un destin encore à venir. J'étais là à son lit de mort quand ses conseillers lui ont dit que seule une Aes Sedai pouvait lui sauver la vie. J'ai parlé, et il a condamné ses conseillers au bûcher. J'ai parlé, et les dernières paroles du Grand Roi ont été pour crier que Tar Valon devait être détruite.

« Quand des hommes tels que lui n'ont pu me résister, quelle chance as-tu, crapaud accroupi près d'une mare dans la forêt ? Tu me serviras, ou tu danseras jusqu'à ta mort, marionnette aux fils tirés par les Aes Sedai. Et alors tu seras *à moi*. Les morts m'appartiennent !

— Non, murmura Rand. Ceci est un rêve. C'est un rêve !

— Crois-tu être à l'abri de moi dans tes rêves ? Regarde ! » Ba'alzamon tendit impérieusement le doigt, et la tête de Rand se tourna pour le suivre des yeux, sans que lui l'ait tournée, *il ne voulait pas* la tourner.

Le gobelet avait disparu de la table. A sa place était ramassé sur lui-même un gros rat clignotant dans la lumière, reniflant l'air avec méfiance. Ba'alzamon courba le doigt et, avec un cri aigu, le rat arqua le dos en arrière, les pattes de devant levées, en équilibre instable sur ses pattes de derrière. Le doigt se replia davantage, et le rat bascula, cherchant désespérément à se rattraper, ses pattes battant le vide avec des petits cris aigus, son dos s'arquant de plus en plus. Avec un craquement sec comme une brindille qui se casse, le rat eut un violent tremblement, puis s'immobilisa, gisant presque plié en deux à la renverse.

Rand avala sa salive. « Tout peut arriver en rêve », marmotta-t-il. Sans regarder, il frappa encore du poing la porte. Sa main lui fit mal, mais il ne se réveilla toujours pas.

« Alors, va chez les Aes Sedai. Va à la Tour Blanche, et dis-leur. Raconte ce... rêve au Trône d'Amyrlin. » L'homme rit ; Rand sentit la brûlure des flammes sur sa figure. « C'est une façon de leur échapper. Elles ne se serviront pas de toi, alors. Non, pas quand elles sauront que je sais. Mais te laisseront-elles vivre pour répandre l'histoire de ce qu'elles font ? Es-tu assez fou pour le croire ? Les cendres de maints de tes semblables jonchent les pentes de Mont-Dragon.

– Ceci est un rêve, dit Rand, haletant. C'est un rêve, et je vais me réveiller.

– Ah, oui ? » Du coin de l'œil, il vit le doigt de l'homme se déplacer pour se pointer vers lui. « Ah, oui, tu crois ? » Le doigt se recourba, et Rand hurla en arquant le dos à la renverse, tous les muscles de son corps le forçant à se courber davantage. « Te réveilleras-tu jamais ? »

Rand se redressa d'une secousse convulsive dans l'obscurité, crispant ses mains sur du tissu. Une couverture. Un clair de lune blafard brillait à travers l'unique fenêtre. Les formes plongées dans l'ombre des deux autres lits. Un ronflement montant de l'un d'eux, comme de la toile qu'on déchire : Thom Merrilin. Quelques braises rougeoyaient dans l'âtre parmi les cendres.

C'était donc bien un rêve, comme ce cauchemar à l'*Auberge de la Source du Vin*, le jour de Bel Tine, tout ce qu'il avait entendu et fait se mélangeant pêle-mêle avec des contes anciens et des inepties sorties on ne sait d'où. Il remonta la couverture sur ses épaules, mais ce n'était pas le froid qui lui donnait le frisson. Il avait aussi mal à la tête. Peut-être Moiraine avait-elle un moyen de supprimer les rêves. *Elle avait dit qu'elle pouvait quelque chose contre les cauchemars.*

Il eut un ricanement en se rallongeant. Les rêves étaient-ils vraiment assez graves pour qu'il demande l'aide d'une Aes Sedai? D'autre part, que pouvait-il faire à présent qui le compromette davantage? Il avait quitté les Deux Rivières, il était parti avec une Aes Sedai. Mais il n'y avait pas eu le choix, bien sûr. Alors, quel parti prendre sinon se fier à elle? Une Aes Sedai! C'était aussi angoissant que les rêves, quand on y pensait. Il se blottit sous sa couverture essayant de trouver la sérénité du vide, comme Tam le lui avait enseigné, mais le sommeil mit longtemps à venir.

15.

ÉTRANGERS ET AMIS

Le soleil qui inondait son lit étroit finit par tirer Rand d'un sommeil profond mais agité. Il ramena un oreiller par-dessus sa tête, mais cela n'occulta pas vraiment la clarté et, en fait, il n'avait pas vraiment envie de se rendormir. D'autres rêves avaient succédé au premier. Il ne pouvait se rappeler que celui-là, mais il savait qu'il n'en désirait pas plus.

Avec un soupir, il rejeta l'oreiller de côté et s'assit, s'étira en grimaçant. Toutes les courbatures qu'il avait crues dissipées par le trempage dans la baignoire étaient revenues. Et sa tête aussi était douloureuse. Cela ne le surprit pas. Un rêve pareil suffirait à donner mal à la tête à n'importe qui. Les suivants s'étaient déjà estompés, mais pas celui-là.

Les autres lits étaient vides. La lumière se déversait par la fenêtre selon un angle aigu : le soleil était haut sur l'horizon. À cette heure-là, à la ferme, il aurait déjà préparé quelque chose à manger et serait bien avancé dans ses corvées. Il se précipita à bas du lit en grommelant rageusement entre ses dents. Une ville à voir, et ils ne l'avaient même pas réveillé. Au moins quelqu'un avait-il pris soin qu'il y ait de l'eau dans le broc, et chaude encore aussi.

Il se lava et s'habilla rapidement, hésitant un instant devant l'épée de Tam. Lan et Thom avaient laissé leurs sacoches de selle et leurs couvertures roulées dans la pièce, bien entendu, mais l'épée du Lige était invisible. Lan portait son épée au Champ d'Emond avant même que soit entrevu le moindre signe de danger. Il décida d'imiter l'exemple de son aîné. Se disant que ce n'était pas parce qu'il avait souvent rêvé de marcher dans une vraie ville avec une épée au côté, il en boucla le ceinturon et jeta son manteau sur son épaule, comme un sac.

Dévalant les marches deux par deux, il descendit en hâte vers la cuisine. C'était sûrement l'endroit où trouver le plus vite de quoi manger et, pour son unique journée à Baerlon, il ne tenait pas à perdre plus de temps qu'il n'en avait déjà gâché. *Sang et cendres, ils auraient tout de même pu me réveiller.*

Maître Fitch était dans la cuisine, affrontant une femme rondelette aux bras couverts de farine jusqu'au coude, qui était évidemment la cuisinière. Ou plutôt, c'était elle qui l'affrontait en lui secouant un doigt sous le nez. Serveuses et filles de cuisine, marmitons tourne-broches et garçons de salle s'affairaient à leurs tâches, feignant avec soin de ne pas voir ce qui se passait devant eux.

« ... mon Cirri est un bon chat, déclarait la cuisinière d'un ton sec, et je ne veux rien entendre d'autre, vous m'entendez ? Vous plaindre qu'il exécute trop bien son métier de chat, voilà ce que vous faites, si vous me demandez ce que j'en pense.

– J'ai eu des plaintes, parvint à placer Maître Fitch. Des plaintes, Maîtresse. La moitié des clients...

– Je ne veux rien entendre. Rien entendre du tout. S'ils veulent se plaindre de mon chat, alors qu'ils s'occupent *eux-mêmes* de leur cuisine. Mon pauvre vieux chat, qui exerce simplement son métier de chat, et moi, nous irons là où l'on nous appréciera, vous pouvez y compter. » Elle dénoua son tablier et s'apprêta à le passer par-dessus sa tête.

Le « Non ! » de Maître Fitch jaillit comme un glapissement et il bondit pour l'en empêcher. Ils tournèrent en rond, la cuisinière qui essayait d'ôter son tablier et l'aubergiste qui s'efforçait de le remettre en place. Il protesta d'une voix essoufflée : « Non, Sara. Pas besoin de ça. Pas de ça, je vous dis ! Qu'est-ce que je ferais sans vous ? Cirri est un bon chat. Un excellent chat. C'est le meilleur chat de Baerlon. S'il y en a d'autres qui se plaignent, je leur dirai d'être bien contents que le chat exerce son office de chat. Oui, bien contents. Vous ne devez pas partir. Sara ? Sara ! »

La cuisinière interrompit leur ronde et parvint à lui

arracher son tablier. « Bon, alors. Ça va. » Serrant le tablier à deux mains, elle ne le rattacha pas encore. « Mais si vous vous attendez à ce que j'aie quelque chose de prêt pour midi, vous seriez sage de sortir d'ici et de me laisser m'y mettre. C'est peut-être votre auberge, mais c'est ma cuisine. À moins que vous n'ayez envie de vous charger de préparer le repas ? » Elle feignit de lui tendre le tablier.

Maître Fitch recula, les mains larges ouvertes. Il ouvrit la bouche, puis s'arrêta, regardant autour de lui pour la première fois. Le personnel de cuisine évitait toujours avec soin d'avoir l'air de voir la cuisinière et l'aubergiste, et Rand entreprit une fouille intensive des poches de sa veste, bien qu'à part la pièce donnée par Moiraine il n'y eût rien dedans sauf quelques sous de cuivre et une poignée d'objets divers. Son couteau de poche, sa pierre à aiguiser. Deux cordes de rechange pour son arc, un bout de ficelle qu'il pensait susceptible de lui servir.

« Je suis sûr, Sara, dit Maître Fitch prudemment, que tout sera à la hauteur de votre perfection habituelle. » Sur quoi il jeta un dernier regard soupçonneux au personnel, puis s'en alla aussi dignement qu'il en fut capable.

Sara attendit qu'il soit parti avant de renouer activement les cordons de son tablier, puis elle fixa son regard sur Rand. « Je suppose que vous voulez quelque chose à manger, hein ? Bon, entrez donc. » Elle lui adressa un bref sourire. « Je ne mords pas, dame non, quoi que vous ayez peut-être vu ce que vous n'auriez pas dû voir. Ciel, donnez à ce garçon du pain, du fromage et du lait. C'est tout ce qu'il y a pour l'instant. Asseyez-vous, mon petit. Vos amis sont tous partis sauf un garçon qui ne se sentait pas bien, à ce que j'ai compris, et je pense que vous voudrez sortir aussi. »

Une des serveuses apporta un plateau, pendant que Rand approchait un tabouret de la table. Rand se mit à manger tandis que la cuisinière recommençait à pétrir son pain, mais elle n'avait pas fini de parler.

« Ne vous tracassez pas pour ce que vous venez de voir, vous savez. Maître Fitch est un bien brave homme, quoique les meilleurs d'entre vous ne vaillent pas chipette. C'est les gens qui se plaignent qui l'énervent, et de quoi ont-ils à se plaindre ? Est-ce qu'ils aimeraient mieux trouver des rats vivants que des rats morts ? À vrai dire, ça ne ressemble pas à Cirri d'abandonner son ouvrage derrière lui. Et plus d'une douzaine ? Cirri n'en laisserait pas entrer autant dans l'auberge, ça non. Sans compter que c'est un endroit propre où l'on ne devrait pas avoir ces ennuis-là. Et tous avec le dos rompu. » Elle hocha la tête devant tant de bizarreries.

Le pain et le fromage se changèrent en cendres dans la bouche de Rand. « Ils avaient le dos rompu ? »

La cuisinière agita une main enfarinée. « Il faut penser à des choses plus agréables, voilà ma façon d'envisager la vie. Il y a un ménestrel, vous savez. Dans la salle commune en ce moment même. Mais d'ailleurs vous êtes arrivé avec lui, n'est-ce pas ? Vous êtes un de ceux qui accompagnaient Maîtresse Alys hier soir, hein ? Je m'en doutais. Je n'aurai guère de chance de voir ce ménestrel moi-même, à mon avis, pas avec l'auberge bondée comme elle est, pour la plupart de gueux venus des mines. » Elle asséna sur la pâte un coup particulièrement vigoureux. « Pas le genre qu'on accepte ici d'habitude, seulement la ville entière en est remplie. Ils ont peut-être plus de qualités que certains, pourtant, je suppose. Voyons, je n'ai pas vu de ménestrel depuis avant l'hiver et... »

Rand mangeait mécaniquement, sans trouver de goût à rien, sans écouter ce que disait la cuisinière. Des rats morts, le dos brisé. Il termina en hâte son petit déjeuner, balbutia des remerciements et se dépêcha de sortir. Il fallait qu'il se confie à quelqu'un.

La grande salle du *Cerf et le Lion* avait peu en commun, à part sa destination, avec la salle de l'*Auberge de la Source du Vin*. Elle en avait deux fois la largeur et trois fois la longueur, et des fresques pittoresques représentant des édifices surchargés d'ornements, avec des jardins aux grands arbres et aux fleurs de couleurs vives, étaient peintes sur la partie haute des murs. Au lieu d'une seule énorme cheminée, un âtre flamboyait dans chaque mur, et une quantité de tables remplissaient la salle dont les chaises, les tabourets ou les bancs étaient presque tous occupés.

Chaque homme dans la foule de clients, la pipe entre les dents et la chope au poing, se penchait en avant, l'attention fixée sur le même point de mire : Thom, debout sur une table au milieu de la salle, son manteau bigarré jeté sur une chaise voisine. Même Maître Fitch tenait un pot en argent et un chiffon à reluire dans des mains immobiles.

« ... caracolant sur leurs sabots d'argent, le cou fièrement cambré », déclarait Thom, avec pour ainsi dire l'air non seulement d'être à cheval mais aussi de faire partie d'un long cortège de cavaliers. « Les crinières soyeuses ondulent quand ils secouent la tête. Mille bannières flottantes tracent des arcs-en-ciel sur un fond de ciel infini. Cent trompettes à la voix d'airain font vibrer l'air et les tambours résonnent comme le tonnerre. Vagues après vagues de vivats déferlent, émis par des milliers de spectateurs, déferlent au-dessus des toits et des tours d'Illian, s'abattent et se brisent sans que les entendent les oreilles des milliers de cavaliers dont les yeux et les cœurs rayonnent et se dilatent à la pensée de leur quête sacrée. La Grande Quête du Cor commence, la chevauchée à la recherche du Cor de Valère qui appellera hors de leur tombe les héros des siècles passés afin qu'ils aillent combattre pour la Lumière... »

C'était ce que le ménestrel appelait *plain-chant* pendant ces nuits autour du feu dans leur voyage vers le nord. Les histoires, disait-il, se content en trois voix : *grand chant, plain-chant et ordinaire*, ce qui voulait simplement dire raconter comme on parlerait de la récolte à son voisin. Thom contait des histoires en voix ordinaire, mais il ne prenait pas la peine de cacher son mépris pour ce ton de voix.

Rand referma la porte sans entrer et s'appuya lourdement contre le mur. Il n'obtiendrait pas de conseils de Thom. Moiraine – comment *réagirait-elle* si elle était au courant ?

Il prit conscience que des gens le dévisageaient en passant et s'aperçut qu'il parlait tout seul. Il lissa son sarrau et se redressa. Il lui fallait se confier à quelqu'un. La cuisinière avait dit qu'un des leurs n'était pas sorti. Cela lui coûta un effort de ne pas courir.

Quand il frappa à la porte de la chambre où les autres avaient dormi et qu'il y passa la tête, seul Perrin était là, couché sur son lit, pas encore habillé. Il tourna la tête sur l'oreiller pour regarder Rand, puis referma les yeux. L'arc et le carquois de Mat étaient accotés dans le coin.

« On m'a appris que tu ne te sentais pas bien », dit Rand. Il entra et s'assit sur le lit d'à côté. « Je voulais juste parler... Je... » Il ne savait pas comment commencer, il le comprit. « Si tu es malade, reprit-il en se levant à demi, peut-être devrais-tu dormir. Je m'en irai.

– Je ne sais pas si je pourrais jamais dormir désormais, soupira Perrin. J'ai eu un cauchemar, s'il faut tout t'avouer, et j'ai été incapable de me rendormir. Mat s'empressera bien de t'avertir. Il riait, ce matin, quand j'ai expliqué pourquoi j'étais trop fatigué pour sortir avec lui, mais il a rêvé lui aussi. Je l'ai écouté se retourner comme une crêpe en marmottant la plus grande partie de la nuit et ne va pas me raconter qu'il a passé une bonne nuit. » Il jeta un bras épais en travers de ses yeux. « Par la Lumière, ce que je suis fatigué. Peut-être que si je reste ici juste une heure ou deux je me sentirai assez d'aplomb pour me lever. Mat n'en finira pas de se moquer de moi si je ne visite pas Baerlon à cause d'un rêve. »

Rand se rassit lentement sur le lit. Il s'humecta les lèvres et dit très vite : « A-t-il tué un rat ? »

Perrin rabaissa son bras et le regarda avec stupeur. « Toi aussi ? » finit-il par demander. Comme Rand hochait la tête affirmativement, il déclara : « Je voudrais bien être rentré à la maison. Il m'a raconté... il a dit... Qu'est-ce qu'on va faire ? As-tu mis Moiraine au courant ?

– Non, pas encore. Peut-être que je m'abstiendrai. Je ne sais pas. Et toi ?

– Il a dit... Sang et cendres, Rand, je me le demande. » Perrin se releva brusquement sur un coude. « Penses-tu que Mat a eu le même rêve ? Il a ri, mais ça sonnait faux, et il avait une drôle de tête quand j'ai expliqué que je n'avais pas pu dormir à cause d'un rêve.

– Peut-être que oui », répliqua Rand. Avec une certaine confusion, il se sentit soulagé de ne pas être le seul. « J'allais demander conseil à Thom. Il a une grande expérience du monde. Toi..., tu n'es pas d'avis qu'on avertisse Moiraine, hein ? »

Perrin retomba sur son oreiller. « Tu connais ce qu'on raconte sur les Aes Sedai. Crois-tu qu'on puisse se fier à Thom ? Si on peut se fier à quelqu'un. Rand, au cas où nous en sortirions vivants, où nous reviendrions chez nous, et que tu m'entendes parler de quitter le Champ d'Emond, même pour aller seulement jusqu'à la Colline-au-Guet, donne-moi des coups de pied. D'accord ?

– Il ne faut pas dire des choses pareilles », protesta Rand. Il arbora un sourire aussi joyeux qu'il le put. « Bien sûr qu'on rentrera chez nous. Allons, lève-toi. On est dans une ville et on a tout un jour pour la visiter. Où sont tes habits ?

– Vas-y, toi. Je veux juste rester couché ici un petit moment. » Perrin remit son bras en travers de ses yeux. « Va devant. Je te rejoindrai dans une heure ou deux.

– C'est toi qui y perds, répliqua Rand en se levant. Pense à ce que tu risques de manquer. » Il s'arrêta à la porte. « Baerlon. Combien de fois avons-nous parlé de visiter Baerlon un jour ? » Perrin resta couché là, les yeux couverts, sans dire un mot. Après une minute, Rand sortit et ferma la porte derrière lui.

Dans le couloir, il s'appuya contre le mur, tandis que son sourire s'effaçait. Il avait encore mal à la tête ; cela empirait au lieu de se dissiper. Il n'était pas capable non plus d'éprouver grand enthousiasme pour Baerlon, pas maintenant. Il n'était pas en état de s'enthousiasmer pour quoi que ce soit.

Une femme de chambre passa, les bras chargés de draps, et lui jeta un coup d'œil préoccupé. Avant qu'elle ait eu le temps d'ouvrir la bouche, il quitta le couloir en mettant son manteau. Thom n'en aurait pas fini dans la grande salle avant des heures. Autant visiter ce qu'il pourrait. Peut-être retrouverait-il Mat et apprendrait si Ba'alzemon avait figuré aussi dans ses rêves à lui. Il descendit plus lentement cette fois, en se massant la tempe.

L'escalier aboutissait près de la cuisine, alors il prit ce chemin pour sortir, saluant Sara d'un signe de tête mais pressant l'allure quand elle parut vouloir reprendre ses discours là où elle s'était arrêtée. L'écurie était vide, à l'exception de Mutch, qui se tenait sur le seuil, et un des autres palefreniers qui y entrait avec un sac sur l'épaule. Rand salua aussi Mutch, mais le valet d'écurie lui lança un regard féroce et alla à l'intérieur. Rand se prit à souhaiter que le reste de la ville ressemble davantage à Sara qu'à Mutch. Prêt à voir à quoi ressemblait une ville, il hâta le pas.

La porte de la cour de l'écurie était ouverte ; il s'arrêta, surpris. La rue était bondée de gens serrés comme des moutons dans un parc, des gens emmitouflés jusqu'aux yeux dans des capes et des manteaux, le chapeau bien enfoncé pour se protéger du froid, allant et venant d'un pas vif, comme si le vent qui sifflait sur les toits les poussaient, ils se dépassaient en jouant des coudes avec à peine un mot ou un regard. *Tous des étrangers, pensa-t-il. Ils ne se connaissent ni les uns ni les autres.*

Les odeurs aussi étaient étrangères, piquantes, aigres et douces, associées dans un mélange qui lui fit se frotter le nez. Même en plein Festival, il n'avait jamais vu tant de gens pressés les uns contre les autres. Pas même moitié autant. Et il ne s'agissait que d'une des rues. Maître Fitch et la cuisinière avaient dit que la ville entière était comble. La ville entière... comme ça ?

Il s'écarta lentement de la porte, de la rue remplie de monde. Au fond, ce n'était pas bien de sortir en laissant Perrin malade dans son lit. Et si Thom finissait de conter ses histoires pendant que Rand était parti en ville ? Le ménestrel pouvait sortir, lui aussi, et Rand avait besoin de se confier à quelqu'un. Mieux vaudrait attendre un peu. Il soupira de soulagement en tournant le dos à la rue grouillante.

Rentrer dans l'auberge ne le tentait pas, pourtant, pas avec son mal de tête. Il s'assit sur un tonneau renversé contre l'arrière de l'auberge avec l'espoir que l'air froid le soulagerait.

Mutch venait de temps en temps à la porte de l'écurie le regarder et, même depuis l'autre côté de la cour, il distinguait son air renfrogné et désapprobateur. Étaient-ce les gens de la campagne que cet homme n'aimait pas ? Ou avait-il été embarrassé du fait que Maître Fitch les avait accueillis, après que lui, Mutch, avait voulu les chasser parce qu'ils entraient par-derrière ? *Peut-être est-ce un Ami du Ténébreux*, pensat-il, s'attendant à rire sous cape de cette idée, mais ce n'était pas drôle. Rand passa la main sur la garde de l'épée de Tam. Il ne restait plus grand-chose de vraiment drôle.

« Un berger avec une épée portant la marque du héron, dit tout bas une voix de femme, c'en est presque assez pour me faire croire n'importe quoi. Dans quel ennui vous trouvez-vous, garçon de la plaine ? »

Rand tressaillit et se leva d'un bond. C'était la jeune femme aux cheveux coupés court qui se trouvait en compagnie de Moiraine quand il avait quitté la salle des bains, vêtue de chausses et d'une cotte de garçon. Elle était un peu plus âgée que lui, estima-t-il, avec des yeux sombres encore plus grands que ceux d'Egwene, et curieusement grave.

« Vous êtes Rand, n'est-ce pas ? continua-t-elle. Mon nom est Min.

– Je n'ai pas d'ennuis », répliqua-t-il. Il ne savait pas ce que Moiraine lui avait dit, mais il se rappelait l'avertissement de Lan : ne pas attirer l'attention. « Qu'est-ce qui vous donne à croire que j'ai des ennuis ? Les Deux Rivières sont un endroit tranquille et nous sommes tous des gens tranquilles. Ce n'est pas un endroit à ennuis, sauf en ce qui concerne les récoltes ou les moutons.

– Tranquille ? dit Min avec un petit sourire. J'ai entendu parler de vous autres des Deux Rivières. J'ai entendu les plaisanteries sur les bergers à la tête de bois, et il y a aussi des gens qui se sont rendus dans la plaine.

– Tête de bois ? répéta Rand en fronçant les sourcils. Quelles plaisanteries ?

– Ceux qui savent, poursuivit-elle comme s'il n'avait rien dit, racontent que vous vous promenez tout sourire et politesse, doux et mous comme du beurre. En surface, au moins. En dessous, selon eux, vous êtes tous durs comme des racines de vieux chêne. Appuyez trop fort et vous atteignez la pierre. Mais la pierre n'est pas enfoncée très creux chez vous ou vos amis. C'est comme si un orage avait décapé presque toute la couche du dessus. Moiraine ne m'a pas tout dit, mais je vois ce que je vois. »

Des racines de vieux chêne ? De la pierre ? Cela ne ressemblait guère au genre de propos que tiendraient les marchands ou les gens de leur entourage. Il tressaillit cependant à la dernière phrase.

Il jeta un coup d'œil rapide autour de lui ; la cour de l'écurie était vide, et les fenêtres les plus proches fermées. « Je ne connais personne appelé... comment donc, déjà ?

– Maîtresse Alys, alors, si vous préférez, répliqua Min d'un air amusé qui fit monter le rouge aux joues de Rand. Il n'y a personne assez près pour entendre.

– Qu'est-ce qui vous donne à croire que Maîtresse Alys a un autre nom ?

– Parce qu'elle me l'a dit, répondit Min si patiemment qu'il rougit encore. Non qu'elle ait eu le choix, je suppose. J'avais vu qu'elle était... différente... tout de suite. Quand elle s'est arrêtée ici auparavant, en descendant vers le bas pays. Elle savait qui j'étais. J'ai parlé à... d'autres comme elle, avant.

— Vous avez *vu*? releva Rand.

— Eh bien, je suppose que vous n'allez pas vous empresser de raconter ça aux Enfants. Étant donné vos compagnons de voyage. Les Blancs Manteaux n'aimeraient pas ce que je fais, pas plus qu'ils n'aiment ce qu'elle fait.

— Je ne comprends pas.

— Elle dit que je vois des fragments du Dessin. » Min eut un petit rire et secoua la tête. « Cela me paraît trop imposant, à moi. Je vois simplement des choses quand je regarde les gens et, parfois, je sais ce qu'elles veulent dire. Je regarde un homme et une femme qui ne se sont même jamais parlé et je sais qu'ils se marieront. Et ils se marient. Ce genre de chose. Elle voulait que je vous regarde. Vous tous ensemble. »

Rand frissonna. « Et qu'avez-vous vu ?

— Quand vous êtes tous en groupe ? Des étincelles qui tourbillonnent autour de vous, par milliers, et une grande ombre, plus sombre que le milieu de la nuit. C'est si net que je me demande pourquoi tout le monde ne le voit pas. Les étincelles essaient de remplir l'ombre et l'ombre essaie d'absorber les étincelles. » Elle haussa les épaules. « Vous êtes tous engagés ensemble dans quelque chose de dangereux, mais je ne discerne rien de plus.

— Nous tous ? marmotta Rand. Egwene ? Mais ils ne pourchassaient... je veux dire... »

Min ne parut pas remarquer ce qui lui avait échappé. « La jeune fille ? Elle y participe. Comme le ménestrel. Vous tous. Vous êtes amoureux d'elle. » Il la regarda, ébahi. « Je le sais, même sans voir d'images. Elle vous aime, elle aussi, mais elle n'est pas pour vous ni vous pour elle. Pas comme vous le désirez tous les deux.

— Qu'est-ce que c'est censé signifier ?

— Quand je la regarde, je vois la même chose lorsque je regarde... Maîtresse Alys. D'autres choses aussi, des choses que je ne comprends pas, mais je sais ce que *cela* signifie. Elle ne refusera pas.

— Tout ça, c'est des bêtises », dit Rand, troublé. Son mal de tête s'atténuait, devenait engourdissement, sa tête lui donnait l'impression d'être bourrée de laine. Il avait envie de fuir cette jeune femme et ses visions. Mais néanmoins... « Qu'est-ce que vous voyez, quand vous regardez... le reste d'entre nous ? »

– Toutes sortes de choses, dit Min en souriant, comme si elle savait ce qu'il voulait vraiment connaître. La Guerre... heu... Maître Andra a sept tours en ruine autour de la tête, un bébé dans un berceau qui tient une épée et... » Elle secoua la tête. « Des hommes comme lui – vous comprenez – ont toujours tant d'images qu'elles se bousculent. Les images les plus fortes autour du ménestrel sont un homme – pas lui – qui jongle avec le feu, et la Tour Blanche, mais cela n'a aucun sens pour un homme. Les choses les plus nettes que je vois autour du grand frisé sont un loup, une couronne brisée et des arbres qui fleurissent tout autour de lui. Et l'autre – un aigle rouge, un œil dans le plateau d'une balance, une dague avec un rubis, un cor, et une figure qui rit. Il y a d'autres choses, mais vous voyez ce que je veux dire. Cette fois-ci, je ne peux rien en tirer comme signification. » Elle attendit alors, toujours souriante, jusqu'à ce qu'enfin il s'éclaircisse la gorge et demande :

« Et pour moi ? »

Son sourire manqua de peu devenir un éclat de rire. « Le même genre de choses que pour les autres. Une épée qui n'est pas une épée, une couronne de lauriers en or, un bâton de mendiant, vous qui versez de l'eau sur du sable, une main sanglante et un fer chauffé à blanc, trois femmes debout penchées au-dessus d'une civière funéraire où vous êtes allongé, un roc noir avec du sang...

– Ça va, coupa-t-il avec malaise, vous n'avez pas besoin de tout énumérer.

– Mais, surtout, je vois des éclairs autour de vous, quelques-uns qui vous frappent, d'autres qui émanent de vous. J'ignore le sens de tout cela, à part une chose. Vous et moi, on se rencontrera de nouveau. » Elle lui lança un regard interrogateur comme si elle ne comprenait pas cela non plus.

« Pourquoi ne se rencontrerait-on pas ? dit-il. Je repasserai par ici en revenant chez moi.

– Pour ça, je suppose que oui. » Soudain son sourire était revenu, ironique et mystérieux, et elle lui tapota la joue. « Mais si je vous disais tout ce que j'ai vu, vous auriez les cheveux qui se crisperaient d'horreur et deviendraient aussi frisés que ceux de votre ami aux épaules larges. »

Il s'écarta brusquement comme si sa main était chauffée au rouge. « Que voulez-vous dire ? Avez-vous vu des choses concernant des rats ? Ou des rêves ?

— Des rats ! Non, pas des rats. Quant aux rêves, c'est peut-être votre idée des rêves, je n'ai jamais cru que c'était la mienne. »

Il se demanda si elle était folle, à sourire comme ça. « Il faut que je parte, dit-il en la contournant insensiblement. Je... je dois rejoindre mes amis.

— Alors, allez-y. Mais vous n'y échapperez pas. »

Il ne se mit pas exactement à courir, mais chaque pas qu'il faisait était plus rapide que le précédent.

« Courez si vous voulez, lui lança-t-elle. Vous ne pouvez pas m'échapper. »

Son rire l'incita à accélérer l'allure pour traverser la cour de l'écurie et s'engager dans la rue, dans la foule grouillante. Ses dernières paroles se rapprochaient trop de ce qu'avait dit Ba'alzemon. Il se heurtait aux gens en se frayant un chemin dans la foule, ce qui lui valut des mots durs et des regards noirs, mais il ne ralentit pas avant d'être à plusieurs rues de l'auberge.

Au bout d'un moment, il recommença à faire attention à son environnement. Il avait la tête comme un ballon mais, nonobstant, il regardait et prenait plaisir à ce qu'il voyait. Il se dit que Baerlon était une ville superbe, même si ce n'était pas exactement de la même façon que les villes dans les histoires de Thom. Il s'aventura dans de larges rues pavées et d'étroites ruelles tortueuses où le hasard et les mouvements de la foule l'entraînaient. De la pluie était tombée durant la nuit et les rues non pavées avaient déjà été transformées en fondrières par les nombreux passants, mais les rues boueuses n'étaient pas une nouveauté pour lui. Aucune des rues du Champ d'Emond n'était pavée.

Il n'y avait pas de palais, en tout cas, et seules quelques maisons étaient beaucoup plus grandes que celles de chez lui, mais toutes avaient un toit d'ardoise ou de tuile aussi beau que le toit de l'*Auberge de la Source du Vin*. Il supposa qu'il y aurait un palais ou deux à Caemlyn. Quant aux auberges, il en compta neuf, pas une plus petite que la *Source du Vin* et la majorité aussi grandes que *Le Cerf et le Lion*, et il y avait encore une quantité de rues qu'il n'avait pas visitées.

Des boutiques étaient installées de place en place dans chaque rue, avec des auvents, qui abritaient des tables couvertes de marchandises, tout depuis du tissu jusqu'à des livres, des pots et des bottes. C'était comme si cent chariots de colporteurs avaient déversé leur contenu. Il restait tellement en contemplation admirative que plus d'une fois il dut s'esquiver bien vite devant le regard soupçonneux d'un boutiquier. Il n'avait pas compris l'expression du premier marchand. Quand la lumière se fit dans son esprit, il eut d'abord une réaction de colère jusqu'à ce qu'il se rappelle qu'ici il était un étranger. Il n'aurait pas pu acheter grand-chose, de toute façon. Il en eut le souffle coupé quand il vit combien de pièces de cuivre s'échangeaient contre une douzaine de pommes décolorées ou une poignée de navets ratatinés, du genre qu'on donnait aux chevaux aux Deux Rivières, mais les gens semblaient tout prêts à payer.

Il y avait assurément plus qu'assez de gens, à son avis. Pendant un temps, leur seul nombre faillit l'accabler. Certains portaient des vêtements de plus belle coupe que n'importe qui aux Deux Rivières – presque aussi élégants que ceux de Moiraine – et pas mal d'entre eux avaient de longs manteaux doublés de fourrure qui leur battaient les chevilles. Les mineurs dont chacun parlait à l'auberge avaient le maintien voûté de ceux qui fouillent sous terre. Mais la plupart des gens n'avaient pas l'air différent de ceux avec qui il avait grandi, ni dans leur vêture ni dans leur figure. Il s'y était attendu, plus ou moins. En fait, quelques-uns avaient une telle ressemblance avec les natifs des Deux Rivières qu'il les aurait fort bien vus appartenir à l'une ou l'autre des familles qu'il connaissait dans les parages du Champ d'Emond. Ce bonhomme grisonnant, aux oreilles en anse de pot, assis sur un banc à l'extérieur d'une des auberges, qui regardait tristement au fond d'une chope vide aurait pu aisément être un cousin germain de Bili Congar. Le tailleur à la figure chevaline qui cousait devant son échoppe aurait pu être le frère de Jon Thane, jusqu'à la même lune chauve en arrière de la tête. Un portrait quasiment craché de Samel Crawe dépassa Rand à un tournant et...

N'en croyant pas ses yeux, il dévisagea un petit homme osseux, aux longs bras et au grand nez qui se frayait un chemin à travers la foule, vêtu d'habits qui avaient tout du paquet de haillons. Il avait les yeux creux et le visage hâve et sale, comme s'il n'avait ni mangé ni dormi depuis des jours, mais Rand aurait juré... L'homme en haillons l'aperçut alors et s'arrêta pile, sans se soucier des gens qui faillirent buter contre lui. Le dernier doute s'évanouit dans l'esprit de Rand.

« Maître Fain ! appela-t-il. Nous vous avions tous imaginé... »

Vif comme l'éclair, le colporteur détala, mais Rand se faufila à sa suite, lançant des excuses par-dessus son épaule aux gens qu'il heurtait. À travers la foule, il aperçut Fain qui se précipitait dans une ruelle et s'y engagea derrière lui.

Après quelques pas dans la ruelle, le colporteur s'était arrêté subitement. Une haute palissade la transformait en impasse. Comme Rand s'immobilisait en dérapant, Fain se retourna brutalement vers lui, le corps ramassé dans une posture méfiante et s'éloignant à reculons. Il agita ses mains sales pour intimer par signes à Rand de rester où il était. Sa cotte comportait plus d'une déchirure et son manteau était usé et en loques, comme s'il avait été mis à plus rude contribution que ce pour quoi il avait été prévu.

« Maître Fain, dit Rand d'une voix hésitante. Qu'est-ce qu'il y a ? C'est moi, Rand al'Thor, du Champ d'Emond. Nous pensions tous que les Trollocs vous avaient pris. »

Fain gesticula avec brusquerie et, toujours ramassé sur lui-même, courut en crabe pendant quelques pas vers l'extrémité libre de la ruelle. Il n'essaya pas de passer devant Rand ni même de s'approcher. « Chut ! » dit-il d'une voix âpre. Il tournait constamment la tête pour essayer de tout voir dans la rue au-delà de Rand. « Ne parlez pas » – sa voix baissa jusqu'à n'être plus qu'un chuchotement rauque – « *d'eux*. Y a des Blancs Manteaux en ville.

– Ils n'ont aucun motif de nous faire un mauvais parti. Revenez avec moi au *Cerf et le Lion*, dit Rand. Je suis là avec des amis. Vous en connaissez la plupart. Ils seront contents de vous voir. Nous pensions tous que vous étiez mort.

– Mort ? s'écria le colporteur indigné. Pas Padan Fain. Padan Fain sait de quel côté sauter et où atterrir. » Il rajusta ses loques comme si c'étaient des habits de gala. « Je l'ai toujours su et le saurai toujours. Je vivrai longtemps. Plus longtemps que... » Sans transition, son visage se crispa et ses mains agrippèrent le devant de son manteau. « Ils ont brûlé mon chariot et toutes mes marchandises. Ils n'avaient pas de raison de faire ça, hein ? Je n'ai pas pu arriver jusqu'à mes chevaux. *Mes* chevaux à moi, mais ce gros vieil aubergiste les avait enfermés dans son écurie. J'ai dû me dépêcher pour ne pas avoir la gorge tranchée et qu'est-ce que ça m'a valu ? Tout ce qui me reste, c'est ce que j'ai sur le dos. Hein, est-ce que c'est juste ? Hein, dites-moi ?

– Vos chevaux sont en sécurité dans l'écurie de Maître al'Vere. Vous les reprendrez quand vous voudrez. Si vous m'accompagnez à l'auberge, je suis sûr que Moiraine vous aidera à retourner aux Deux Rivières.

– Aaaaah ! Elle est... c'est elle, l'Aes Sedai, hé ? » Fain prit un air circonspect. « Peut-être, quoique... » Il se passa nerveusement la langue sur les lèvres. « Combien de temps resterez-vous à cette... Qu'est-ce c'était ? Comment l'avez-vous appelée... *Le Cerf et le Lion ?*

– Nous partons demain, dit Rand. Mais quel rapport avec...

– Vous ne savez pas ce que c'est, répliqua Fain d'une voix larmoyante, vous qui êtes là le ventre plein après une bonne nuit dans un lit douillet. J'ai à peine fermé l'œil depuis cette nuit-là. Mes bottes sont tout usées à force de courir. Quant à ce que j'ai eu à manger... » Son visage se convulsa. « Je ne veux pas me trouver même à des lieues d'une Aes Sedai » – il cracha ces derniers mots – « ni à des lieues et des lieues, mais peut-être que j'y serai obligé. Je n'ai pas le choix, hein ? Rien que l'idée que ses yeux se posent sur moi, qu'elle sache seulement où je suis... » Il allongea les mains vers Rand comme s'il voulait attraper son manteau, mais elles s'arrêtèrent court, frémissantes, et il recula carrément d'un pas. « Promettez-moi que vous ne la préviendrez pas. Elle m'effraie. Il n'y a pas besoin de lui dire, il n'y a pas de raison qu'une Aes Sedai sache même que je suis vivant. Il faut me le promettre. Il le faut !

– Je promets, dit Rand pour l'apaiser, mais vous

n'avez pas à avoir peur d'elle. Venez avec moi. Pour le moins vous aurez un repas chaud.

– Peut-être. Peut-être. » Fain se frotta le menton d'un air pensif. « Demain, vous dites ? Pendant ce temps-là... Vous n'oublierez pas votre promesse ? Vous ne la laisserez pas...

– Je ne la laisserai pas vous faire de mal, lui assura Rand, qui se demanda comment il pourrait empêcher une Aes Sedai d'agir comme elle l'entendait, quelles que soient ses intentions.

« Elle ne me fera rien, déclara Fain. Non, rien du tout. Je ne la laisserai pas faire. »

Il passa comme une flèche devant Rand et se perdit dans la foule.

« Maître Fain ! appela Rand. Attendez ! »

Il jaillit hors de la ruelle juste à temps pour entrevoir un manteau en loques qui disparaissait au coin de rue suivant. Appelant toujours, il lui courut après, fonça au détour de la rue. Il n'eut que le temps de voir un dos d'homme avant de le heurter et les deux s'abattirent en tas dans la boue.

« Vous ne pouvez pas regarder où vous allez ? » marmotta une voix sous lui, et Rand se releva tant bien que mal, stupéfait.

« Mat ? »

Mat s'assit sur son séant avec une expression lugubre et commença à racler avec les mains la gadoue qui maculait son manteau. « Tu dois vraiment te changer en citadin. Dormir toute la matinée et renverser les gens. » Il se remit sur pied, regarda ses mains boueuses, puis marmonna et les essuya sur son manteau. « Écoute, tu ne devineras jamais qui j'ai cru voir à l'instant.

– Padan Fain, dit Ran.

– Padan Fain... Comment le savais-tu ?

– J'étais en train de lui parler, mais il s'est enfui.

– Alors les Trol... » Mat s'interrompit pour regarder avec circonspection autour d'eux, mais le flot de la foule passait sans même leur accorder un coup d'œil. Rand se réjouit de voir qu'il avait acquis un peu de prudence. « Alors, ils ne l'ont pas eu. Je me demande pourquoi il a quitté le Champ d'Emond, comme ça, sans un mot ? Probable aussi qu'il a pris les jambes à son cou et qu'il a couru sans s'arrêter jusqu'ici. Mais pourquoi courait-il maintenant ? »

Rand secoua la tête et le regretta aussitôt; elle lui donnait l'impression d'être prête à se détacher de ses épaules. « Je ne sais pas, sauf qu'il a peur de M... Maîtresse Alys. » Pas facile, cette obligation de surveiller constamment sa langue. « Il ne veut pas qu'elle sache qu'il était ici. Il a exigé que je promette de ne pas lui en parler.

— Bon, son secret ne risque rien de ma part, répliqua Mat. J'aimerais mieux, moi aussi, qu'elle ignore où je suis.

— Mat ? » Un flot de gens continuait à passer près d'eux sans leur prêter la moindre attention, mais Rand baissa tout de même la voix. « Mat, as-tu eu un cauchemar, cette nuit ? Où un homme tuait un rat ? »

Mat le dévisagea sans ciller. « Toi aussi ? finit-il par dire. Comme Perrin, je suppose. J'ai failli le lui demander ce matin, mais... Il l'a eu, sûrement. Sang et cendre. Maintenant quelqu'un nous oblige à rêver. Rand, je voudrais que personne ne sache où je suis.

— Il y avait des rats morts partout dans l'auberge, ce matin. » Il n'éprouvait pas autant de peur en le disant qu'il en aurait ressenti auparavant. Il ne ressentait pas grand-chose. « Ils avaient le dos brisé. » Sa voix lui résonnait dans les oreilles. S'il tombait malade, il lui faudrait aller trouver Moiraine. Il fut surpris que même l'idée de laisser le Pouvoir Unique s'exercer sur lui ne l'inquiète pas.

Mat respira un grand coup, rajusta sa cape et regarda autour de lui comme s'il cherchait où aller. « Qu'est-ce qui nous arrive, Rand ? Quoi donc ?

— Je ne sais pas. Je vais demander conseil à Thom. Pour savoir s'il faut le dire à quelqu'un d'autre.

— Non ! Pas à elle. Peut-être à lui, mais pas à elle. »

La brusquerie du ton prit Rand par surprise. « Alors, lui, tu l'as cru ? » Il n'eut pas besoin de préciser qui désignait ce « lui »; la grimace de Mat était éloquente : il comprenait.

« Non, dit Mat lentement. C'est à cause des risques, voilà tout. Si nous lui en parlons à elle et qu'il ait menti; alors il n'arrivera peut-être rien. Peut-être. Mais peut-être que sa présence dans nos rêves suffirait pour... je ne sais quoi. » Il s'arrêta et avala sa salive. « Si on ne lui en parle pas à elle, peut-être qu'on aura d'autres rêves. Rats ou pas rats, les rêves valent mieux que... Souviens-toi du bac. Mon avis est qu'on se tienne tranquille.

– D'accord. » Rand se rappelait le bac – et la menace de Moiraine aussi, mais tout cela paraissait dater d'une éternité. « D'accord.

– Perrin ne dira rien, hein ? reprit Mat en sautillant sur la pointe des pieds. Il faut qu'on retourne le trouver. S'il lui en parle, elle se doutera que nous avons été dans le même bateau. Tu peux parier ce que tu veux là-dessus. Viens donc. » Il partit à vive allure à travers la foule.

Rand resta sur place à le regarder jusqu'à ce que Mat retourne l'attraper par le bras. Quand il sentit son contact, il cligna des yeux, puis suivit son ami.

« Qu'est-ce que tu as ? demanda Mat. Tu vas te rendormir ?

– Je crois que j'ai un rhume », dit Rand. Sa tête était tendue comme un tambour et presque aussi vide.

« Tu prendras du bouillon de poule quand on reviendra à l'auberge », dit Mat. Il bavarda constamment pendant qu'ils cherchaient leur chemin dans les rues bondées.

Rand fit un effort pour l'écouter, et même pour répondre de temps à autre, mais *c'était bien un effort*. Il n'était pas fatigué ; il n'avait pas sommeil. Il avait seulement l'impression d'aller à la dérive. Un moment après, il se surprit à parler de Min à Mat.

« Une dague avec un rubis, hein ? s'exclama Mat. J'aime bien ça. Pour ce qui est de l'œil, je ne sais pas. Es-tu sûr qu'elle n'inventait pas ? Il me semble qu'elle comprendrait ce que tout ça signifie si elle est vraiment devineresse.

– Elle n'a pas dit qu'elle était devineresse, corrigea Rand. Je pense qu'elle voit vraiment des choses. Rappelle-toi, Moiraine lui parlait pendant qu'on finissait de se baigner. Et elle sait qui est Moiraine. »

Mat le regarda en fronçant les sourcils. « Je croyais qu'on ne devait pas se servir de ce nom, en principe.

– Non », marmonna Rand. Il se frotta la tête à deux mains. Se concentrer était si dur.

« Je crois bien que tu es malade pour de bon », dit Mat, les sourcils toujours froncés. Soudain, il tira Rand par la manche pour l'arrêter. « Regarde-les. »

Trois hommes avec des hauberts et des casques de fer coniques, astiqués jusqu'à briller comme de l'argent, descendaient la rue en direction de Rand et de Mat,

Même leurs manches en mailles luisaient. Leurs longues capes, d'un blanc éclatant et brodées sur la poitrine à gauche d'un soleil, frôlaient presque la boue et les flaques dans la rue. Ils avaient la main posée sur la poignée de leur épée, et ils regardaient autour d'eux comme s'il avaient sous les yeux des choses grouillantes, sorties de sous une bûche pourrie. Personne pourtant ne leur rendait leur regard. Personne même ne paraissait les remarquer. Néanmoins, les trois hommes n'avaient pas à se frayer un chemin dans la foule ; le flot animé s'écartait devant les hommes en cape blanche comme par un effet du hasard, leur laissant pour avancer un espace vide qui se déplaçait avec eux.

« Tu crois que ce sont des Enfants de la Lumière ? » demanda Mat à voix normale. Un passant le regarda avec suspicion, puis pressa le pas.

Rand hocha affirmativement la tête. Les Enfants de la Lumière. Les Blancs Manteaux. Des hommes qui haïssaient les Aes Sedai. Des hommes qui disaient aux gens comment vivre et faisaient des ennuis à ceux qui refusaient d'obéir. Si on pouvait employer un mot aussi faible qu'ennui pour des fermes brûlées et pire. *Je devrais être effrayé,* songea-t-il. Ou *curieux.* Quelque chose de toute façon. Au lieu de cela, il les examinait passivement.

« Ils ne m'ont pas l'air tellement exceptionnels, commenta Mat. Mais pleins d'eux-mêmes par exemple, hein ?

– Peu importe ce qu'ils sont, dit Rand. L'auberge. Il faut qu'on avertisse Perrin.

– Comme Eward Congar. Il a toujours le nez en l'air, lui aussi. » Subitement, Mat sourit, un pétillement dans l'œil. « Tu te rappelles quand il est tombé du Pont-aux-Charrettes et qu'il a dû rentrer à pied, tout trempé ? Ça lui a rabattu le caquet pendant un mois.

– Quel rapport avec Perrin ?

– Tu vois ça ? » Mat désigna une charrette reposant sur ses brancards dans une ruelle juste avant les Enfants. Un seul piquet maintenait en place une douzaine de tonneaux empilés sur le fond plat « Regarde. » En riant, il fila comme un trait dans la boutique du coutelier sur leur gauche.

Rand le regarda partir, sachant qu'il devrait s'interposer. Cette expression dans les yeux de Mat indiquait toujours qu'il allait se livrer à une de ses farces. Mais, bizarrement, il s'aperçut qu'il attendait avec plaisir ce que Mat s'apprêtait à faire. Quelque chose lui disait que ce sentiment était mauvais, qu'il était dangereux, mais il sourit d'avance tout de même.

Une minute plus tard, Mat apparut au-dessus de lui, à moitié sorti d'une fenêtre de mansarde sur le toit de tuile de la boutique. Il avait en main sa fronde qui commençait déjà à tourner. Les yeux de Rand revinrent à la charrette. Presque aussitôt, il y eut un craquement brusque et le piquet qui empêchait les barils de rouler se cassa juste au moment où les Blancs Manteaux arrivaient à la hauteur de la ruelle. Les gens s'écartèrent d'un saut quand les tonneaux dévalèrent le long des brancards avec un roulement caverneux et rebondirent dans la rue, projetant de la boue et de l'eau boueuse dans toutes les directions. Les trois Enfants ne sautèrent pas moins vite que tous les autres, leur air supérieur remplacé par la surprise. Des passants tombèrent en éclaboussant encore plus, mais les trois Enfants se mouvaient avec agilité et évitèrent aisément les tonneaux. Ils ne purent pourtant éviter la boue qui giclait et qui macula leurs capes blanches.

Un homme barbu avec un long tablier sortit précipitamment de la ruelle, agitant les bras avec des cris de colère mais, après un coup d'œil aux trois qui essayaient en vain de secouer la boue de leurs capes, il s'éclipsa dans la ruelle plus vite qu'il n'en avait jailli. Rand jeta un coup d'œil vers le toit de la boutique ; Mat n'y était plus. C'était un coup facile pour n'importe quel garçon des Deux Rivières, mais l'effet obtenu était en tout cas de premier ordre. Il ne put s'empêcher de rire. L'humour était un peu gros mais quand même drôle. Quand il se retourna vers la rue, les trois Blancs Manteaux avaient les yeux braqués sur lui.

« Tu trouves quelque chose drôle, hein ? » Celui qui parlait se tenait un peu en avant des autres. Il avait un regard arrogant et fixe, avec une lueur dedans comme s'il était au courant d'un fait important que lui connaissait et personne d'autre.

Le rire de Rand s'arrêta net. Les Enfants et lui étaient seuls avec la boue et les barils. La foule qui les entourait avait trouvé une occupation urgente à l'un ou l'autre bout de la rue.

« C'est la crainte de la Lumière qui te paralyse la langue ? » La colère du Blanc Manteau semblait pincer encore plus son visage étroit. Il jeta un coup d'œil de dérision à l'épée dont la poignée saillait hors de la cape de Rand. « Tu es peut-être responsable de ça, hein ? » À la différence de ses compagnons, il avait un nœud d'or au-dessous du soleil sur son manteau.

Rand eut un geste dans l'intention de couvrir son épée mais, au lieu de cela, il rejeta la cape par-dessus son épaule. Au fond de lui-même, il ressentait une folle surprise de cette réaction, mais c'était une pensée lointaine. « Les accidents arrivent, dit-il, même aux Enfants de la Lumière. »

L'homme au visage étroit leva un sourcil. « Tu es dangereux à ce point-là, petit ? » Il n'était pas beaucoup plus âgé que Rand.

« La marque du héron, Seigneur Bornhald », dit l'un des autres, en avertissement.

L'homme au visage étroit donna de nouveau un coup d'œil à la poignée d'épée de Rand – le héron de bronze se voyait nettement – et ses yeux s'écarquillèrent passagèrement. Puis son regard remonta vers le visage de Rand et il eut un reniflement dédaigneux. « Il est trop jeune. Tu n'es pas d'ici, hein ? dit-il froidement à Rand. Tu viens d'où ?

– Je viens d'arriver à Baerlon. » Un picotement d'émotion parcourut bras et jambes de Rand. Il éprouvait de l'excitation, presque la chaleur de l'ivresse. « Vous ne connaîtriez pas une bonne auberge, par hasard ?

– Tu évites ma question, riposta d'un ton sec Bornhald. Quel mal y a-t-il en toi que tu ne veuilles pas me répondre ? » Ses compagnons se portèrent de chaque côté de lui, le visage dur et sans expression. En dépit de la boue sur leurs capes, ils n'avaient rien de drôle à présent.

Le fourmillement avait envahi Rand ; la chaleur avait tourné à la fièvre. Il avait envie de rire, tant il se sentait bien. Une petite voix dans sa tête lui criait que quelque chose n'allait pas, mais tout ce à quoi il pouvait penser, c'était combien il se sentait plein d'énergie, presque à en éclater. Souriant, il se balançait sur ses talons et attendait la suite. Vaguement, de façon détachée, il se demandait ce qu'elle serait.

L'expression du chef s'assombrit. Un des autres tira son épée, assez pour qu'apparaisse un pouce d'acier, et parla d'une voix frémissante de colère : « Quand les Enfants de la Lumière posent une question, espèce de rustaud aux yeux gris, ils attendent des réponses, ou... » Il s'interrompit comme l'homme au visage étroit lança un bras en travers de sa poitrine. Bornhald eut un brusque mouvement de tête vers le haut de la rue.

Une patrouille du Guet était arrivée, une douzaine d'hommes aux casques d'acier rond et aux pourpoints de cuir cloutés, portant des bâtons d'escrime comme s'ils savaient s'en servir. Ils restaient là en silence, les surveillant, à dix pas.

« Cette ville a perdu la Lumière », grommela l'homme qui avait à demi dégainé son épée. Il éleva la voix pour crier au Guet : « Baerlon est dans l'Ombre du Ténébreux ! » Sur un geste de Bornhald, il renfonça violemment sa lame dans son fourreau.

Bornhald reporta son attention sur Rand. La flamme de l'initié brillait dans ses yeux. « Les Amis du Ténébreux ne nous échappent pas, jeunot, même dans une ville qui se tient dans l'ombre. On se retrouvera, tu peux y compter ! »

Il pivota sur ses talons et partit, ses deux compagnons tout près derrière lui, comme si Rand avait cessé d'exister. Pour le moment, du moins. Quand ils atteignirent la partie peuplée de la rue, le même vide apparemment accidentel qu'avant se reforma devant eux. Les hommes du Guet hésitèrent en regardant Rand puis, le bâton sur l'épaule, suivirent les trois Blancs Manteaux. Ils devaient écarter les passants pour avancer, aux cris de « Place au Guet ». Peu de gens faisaient d'eux-mêmes place, et encore à regret.

Rand se balançait toujours sur ses talons, attendant. Le picotement était si fort qu'il en tremblait presque ; il avait l'impression de brûler. Mat sortit de la boutique en le regardant avec stupeur. « Tu n'es pas malade, finit-il par dire. Tu es fou ! »

Rand respira à fond et, tout d'un coup, c'était parti, comme une bulle qu'on crève. Il chancela quand la sensation s'évanouit et que l'envahit la conscience de ce qu'il venait de faire. Il se passa la langue sur les lèvres et rencontra le regard de Mat. « Je crois qu'on ferait mieux de rentrer à l'auberge, maintenant, dit-il d'une voix mal assurée.

– Oui, répliqua Mat, je crois que ce serait plus sage. »

La rue avait recommencé à se remplir et plus d'un passant dévisageait les deux garçons et murmurait quelque chose à un compagnon. Rand était sûr que l'histoire se répandrait. Un fou avait essayé de provoquer une bagarre avec trois Enfants de la Lumière. Cela fournissait un beau sujet de conversation. *Peut-être que les rêves me rendent fou.*

Les deux garçons s'égarèrent plusieurs fois dans le dédale des rues mais, au bout d'un moment, ils tombèrent sur Thom Merrilin qui formait à lui tout seul une procession grandiose dans la foule. Le ménestrel dit qu'il était sorti pour se dégourdir les jambes et prendre un peu l'air mais, chaque fois qu'on regardait à deux fois sa mante colorée, il annonçait d'une voix sonore : « Je suis au *Cerf et le Lion* ce soir seulement. »

C'est Mat qui commença de façon décousue à raconter à Thom le rêve et leur hésitation à en informer Moiraine, mais Rand s'y mit aussi, car il y avait des différences dans la façon dont ils se souvenaient. Ou *peut-être chaque rêve était-il un peu différent,* pensa-t-il. En majeure partie, cependant, les rêves étaient identiques.

Ils n'avaient guère avancé dans leur récit quand Thom se mit à leur prêter toute son attention. Quand Rand mentionna Ba'alzamon, le ménestrel les saisit chacun par une épaule, en leur ordonnant de tenir leur langue, se dressa sur la pointe des pieds pour voir pardessus les têtes des passants, puis les poussa hors de la foule dans une impasse, déserte à part quelques caisses et un chien jaune efflanqué, couché en rond pour échapper au froid.

Thom observa longuement la foule, guettant si quelqu'un s'arrêtait pour écouter, avant de reporter son attention sur Rand et sur Mat. Ses yeux bleus fouillaient les leurs, entre deux regards rapides pour surveiller l'entrée de l'impasse. « Ne prononcez jamais ce nom dans un endroit où des inconnus peuvent l'entendre. » Sa voix était basse et pressante. « Pas même où un inconnu *pourrait* l'entendre. C'est un nom très dangereux, même quand les Enfants de la Lumière ne rôdent pas dans les rues. »

Mat eut un gloussement ironique. « Je pourrais vous en raconter sur les Enfants de la Lumière », dit-il avec un regard caustique à l'adresse de Rand.

Thom ne lui prêta pas attention. « Si au moins un seul d'entre vous avait eu ce rêve... » Il tira furieusement sur sa moustache. « Racontez-moi tout ce dont vous vous souvenez. Tous les détails. » Tandis qu'il écoutait, il continua sa surveillance prudente.

« ... il a énuméré le nom des hommes qu'il prétendait manipulés » conclut Rand. Il pensait avoir dit le reste. « ... Guaire Amalsan. Raolin Fléau-du-Ténébreux.

– Davian, ajouta Mat avant qu'il ait eu le temps de reprendre haleine. Et Yurian Arc-de-Pierre.

– Et Logain, compléta Rand.

– Des noms dangereux », marmotta Thom. Ses yeux semblèrent les sonder encore plus intensément. « Presque aussi dangereux que cet Autre, de quelque manière qu'on le considère. Tous morts maintenant, à l'exception de Logain. Certains depuis longtemps. Raolin Fléau-du-Ténébreux depuis près de deux mille ans. Mais néanmoins aussi dangereux. Mieux vaut ne pas prononcer ces noms-là, même quand vous êtes seuls. La plupart des gens n'en reconnaîtraient pas un, mais si cela revenait aux oreilles de la personne qu'il ne faut pas...

– Qui étaient-ils donc ? questionna Rand.

– Des hommes, murmura Thom. Des hommes qui ont ébranlé les colonnes du ciel et fait vaciller le monde jusqu'en ses fondations. » Il secoua la tête. « Peu importe. Oubliez-les. Ils sont devenus poussière maintenant.

– Est-ce que les... ont-ils été manipulés, comme il l'a dit ? questionna Mat. Et tués ?

– On pourrait dire que la Tour Blanche les a tués. On le pourrait. » Les lèvres de Thom se pincèrent un instant, puis il secoua de nouveau la tête. « Mais manipulés... ? Non, à mon sens, non. La Lumière sait si le Trône d'Amyrlin trame assez d'intrigues, mais je ne vois pas cela sous cet angle. »

Mat frissonna. « *Il* a dit tant de choses. Des choses ahurissantes. Tout ce qu'il a dit sur Lews Therin Meurtrier-des-Siens, et Artur Aile-de-Faucon. Et l'Œil du Monde. Au nom de la Lumière, c'est censé être quoi ?

– Une légende, répliqua lentement le ménestrel. Peut-être. Une légende aussi célèbre que *Le Cor de Valère,* du moins dans les Marches. Là-haut, les jeunes gens partent en quête de l'Œil du Monde comme ceux d'Illian recherchent le Cor. Peut-être une légende. ·

– Que décidons-nous, Thom ? questionna Rand. Est-ce qu'on l'avertit ? Je ne veux plus avoir de rêves pareils. Peut-être y pourrait-elle quelque chose.

– Peut-être qu'on n'aimerait pas ce qu'elle pourrait », objecta Mat avec humeur.

Thom les observait et réfléchissait en se caressant la moustache avec la jointure d'un doigt replié. « Ma foi, tenez-vous tranquilles, conclut-il à la fin. N'en parlez à personne, pour le moment du moins. Vous pourrez toujours changer d'avis si vous y êtes obligés, mais une fois que vous vous êtes confiés, impossible de revenir en arrière et vous voilà pire que jamais liés à... à elle. » Il se redressa soudain, si bien que son dos ne fut presque plus voûté. « L'autre garçon ! Vous dites qu'il a eu le même rêve. Est-ce qu'il a assez de jugeote pour garder bouche close ?

– Je le crois », répondit Rand au même moment où Mat s'écriait : « Nous retournions à l'auberge pour le mettre en garde.

– La Lumière veuille que nous n'arrivions pas trop tard ! »

Sa cape voltigeant autour de ses chevilles, les pièces disparates rapportées palpitant au vent, Thom sortit de l'impasse à grandes enjambées en tournant la tête par-dessus son épaule. « Eh bien ? Vos pieds sont rivés au sol ? »

Rand et Mat se précipitèrent derrière lui, mais il n'attendit pas qu'ils le rejoignent. Cette fois, il ne marqua pas d'arrêt pour les gens qui regardaient son manteau, pas plus que pour ceux qui saluaient en lui un ménestrel. Il fendait la presse dans les rues bondées comme si elles étaient vides, Rand et Mat courant à moitié pour suivre dans son sillage. En moins de temps que Rand ne s'y attendait, ils arrivèrent en hâte au *Cerf et le Lion*.

Comme ils allaient entrer, Perrin surgit à toute vitesse, essayant de jeter sa cape sur ses épaules tout en courant. Il faillit tomber dans ses efforts pour ne pas entrer en collision avec eux. « Je partais vous chercher, vous deux », s'exclama-t-il d'une voix haletante quand il eut repris son équilibre.

Rand le saisit par le bras. « As-tu parlé du rêve à quelqu'un ?

– Réponds que tu ne l'as pas fait, s'écria Mat d'un ton impératif.

277

– C'est très important », déclara Thom.

Perrin les regarda d'un air ahuri. « Non, je n'ai rien dit. Je viens seulement de me lever il n'y a pas une heure. » Ses épaules s'affaissèrent. « J'ai chopé une migraine à force d'essayer de ne pas y penser, alors encore moins question d'en parler. Pourquoi l'avez-vous mis au courant ? » Il indiqua de la tête le ménestrel.

« On devait se confier à quelqu'un, sinon on serait devenu fou, répliqua Rand.

– J'expliquerai plus tard, ajouta Thom avec un regard significatif vers le va-et-vient de gens qui entraient au *Cerf et le Lion* ou en sortaient.

– D'accord », répondit avec lenteur Perrin, qui n'avait toujours pas l'air dans son assiette. Soudain, il se frappa le crâne. « Vous m'avez presque fait oublier pourquoi je vous cherchais, non pas que je n'aurais pas aimé le pouvoir. Nynaeve est à l'auberge.

« Sang et cendres ! » jaillit en glapissement de la gorge de Mat. « Comment a-t-elle abouti ici ? Moiraine... le bac... »

Perrin eut un gloussement sarcastique. « Tu crois qu'une bagatelle comme un bac coulé était capable de l'arrêter ? Elle a déniché Hautetour – Je ne sais pas comment il a retraversé l'eau, mais elle a dit qu'il s'était retranché dans sa chambre et refusait d'approcher d'un pas de la rivière – en tout cas, elle l'a houspillé jusqu'à ce qu'il trouve une barque assez solide pour la porter avec son cheval et qu'il la passe à la rame. Lui-même. Elle lui a juste laissé le temps de trouver un de ses haleurs pour manier une paire de rames supplémentaires.

– Par la Lumière ! s'exclama Mat dans un souffle.

– Que fait-elle ici ? » s'enquit Rand. Mat et Perrin lui lancèrent l'un et l'autre un coup d'œil méprisant.

« Elle est venue nous chercher, expliqua Perrin. Elle est avec... avec Maîtresse Alys en ce moment même, et l'atmosphère là-bas est assez froide pour qu'il neige.

– Si on allait simplement ailleurs quelque temps ? questionna Mat. Comme le dit mon père, il n'y a qu'un fou pour plonger la main dans un nid de guêpes quand il n'y est pas obligé. »

Rand intervint. « Elle ne peut pas nous contraindre à repartir. La Nuit de l'Hiver aurait dû suffire à le lui faire comprendre. Si elle ne comprend pas, il faudra que nous l'y obligions. »

Les sourcils de Mat se haussaient un peu plus haut à chaque mot et, quand Rand se tut, il siffla entre ses dents. « Tu n'as jamais tenté de convaincre Nynaeve de voir quelque chose qu'elle se refuse à voir ? Moi, si. Mon avis est de nous esquiver jusqu'à la nuit et de rentrer à ce moment-là discrètement.

– D'après ce que j'ai observé de cette jeune femme, remarqua Thom, je ne pense pas qu'elle abandonne avant d'avoir dit son mot. Si on ne la laisse pas dire ce qu'elle a à dire bientôt, elle pourrait fort bien persévérer jusqu'à ce qu'elle attire une attention dont aucun de nous ne veut. »

Cela mit fin tout net à leurs tergiversations. Ils échangèrent un regard, respirèrent à fond et entrèrent d'un pas martial comme s'ils allaient affronter des Trollocs.

16.

LA SAGESSE

Perrin les précéda dans les profondeurs de l'auberge. Rand était tellement absorbé par ce qu'il désirait dire à Nynaeve qu'il ne vit Min que lorsqu'elle le saisit par le bras et l'attira à l'écart. Les autres continuèrent pendant quelques pas dans le couloir avant de se rendre compte qu'il s'était arrêté. Alors, ils s'arrêtèrent aussi, moitié impatients d'avancer moitié peu désireux de poursuivre leur chemin.

« Ce n'est pas le moment pour ça, mon garçon », l'avertit Thom d'un ton bourru.

Min jeta un regard aigu au ménestrel à cheveux blancs. « Allez jongler », lui lança-t-elle sèchement, en entraînant Rand encore plus loin des autres.

« Je n'ai vraiment pas le temps, protesta Rand. Certainement pas pour discuter de bêtises comme de s'échapper et autres billevesées du même genre. » Il essaya de libérer son bras mais, chaque fois qu'il le dégageait, elle l'agrippait de nouveau.

« Je n'ai pas de temps non plus pour votre sottise. Voulez-vous vous tenir tranquille ! » Elle jeta un bref coup d'œil aux autres, puis se rapprocha en baissant la voix.

« Une femme vient juste d'arriver – plus petite que moi, jeune, des yeux noirs, des cheveux noirs tressés en une natte qui lui descend jusqu'à la taille. Elle y participe, tout comme vous. »

Pendant un instant, Rand ne put que la regarder fixement. *Nynaeve ? Comment peut-elle être impliquée dans cette aventure ? Par la Lumière, comment puis-je y être impliqué ?* « C'est impossible.

– Vous la connaissez ? murmura Min.

– Oui, et elle ne peut pas être mêlée à... ce que vous...

– Les étincelles, Rand, elle a rencontré Maîtresse Alys qui rentrait et il y a eu des étincelles rien qu'entre elles deux. Hier, je ne voyais pas d'étincelles à moins que vous ne soyez trois ou quatre ensemble mais, aujourd'hui, tout est plus violent, plus acharné. » Elle regarda les amis de Rand qui attendaient avec impatience et frissonna avant de se retourner vers lui. « C'est presque un miracle que l'auberge ne prenne pas feu. Vous êtes tous plus en danger aujourd'hui qu'hier. Depuis qu'elle est là. »

Rand eut un coup d'œil vers ses amis. Thom, les sourcils froncés en un V broussailleux, se penchait en avant, prêt à agir pour l'obliger à se dépêcher.

« Elle ne fera rien pour nous nuire, dit-il à Min. Il faut que j'y aille, à présent. » Il réussit cette fois à récupérer son bras.

Sans tenir compte de son exclamation de protestation étranglée, il rejoignit les autres et ils repartirent dans le couloir. Rand regarda une fois en arrière. Min le menaça du poing et tapa du pied.

« Que voulait-elle te dire ? demanda Mat.

– Nynaeve en est, elle aussi », dit Rand sans réfléchir, pour ensuite adresser à Mat un regard d'avertissement qui le laissa bouche bée, puis un air de compréhension se peignit sur le visage de Mat.

« De quoi en est-elle ? demanda Thom à voix basse. Est-ce que cette jeune femme sait quelque chose ? »

Pendant que Rand tentait encore de rassembler ses idées pour répondre, Mat prit la parole. « Bien sûr qu'elle y participe, dit-il avec humeur. Elle participe à la malchance qui nous poursuit depuis la Nuit de l'Hiver. Peut-être que de voir apparaître la Sagesse ne te touche pas mais, en ce qui me concerne, j'aimerais autant voir les Blancs Manteaux ici.

– Elle a vu arriver Nynaeve, expliqua Rand. Elle l'a vue parler à Maîtresse Alys et a pensé qu'elle pouvait avoir affaire avec nous. » Thom le regarda du coin de l'œil et hérissa sa moustache avec un gloussement moqueur, toutefois les autres parurent accepter l'explication de Rand. Il n'aimait pas avoir de secrets pour ses amis, mais le secret de Min risquait d'être aussi dangereux pour elle qu'un des leurs pour eux.

Perrin s'arrêta soudain devant une porte; en dépit de sa carrure, il paraissait curieusement intimidé. Il prit une profonde aspiration, regarda ses compagnons, aspira de nouveau, puis ouvrit lentement la porte et entra. Un par un, les autres suivirent. Rand était le dernier et il ferma la porte derrière lui avec la plus grande répugnance.

C'était la salle où ils avaient dîné la nuit d'avant. Un feu pétillait dans l'âtre et il y avait au milieu de la table un plateau d'argent luisant sur lequel étaient posés un pichet et des coupes en argent luisant aussi. Moiraine et Nynaeve étaient assises chacune à un bout de la table et ne se quittaient pas des yeux. Tous les autres sièges étaient vides. Moiraine avait les mains posées sur la table, aussi immobiles que son visage. Nynaeve, la natte ramenée par-dessus son épaule, en serrait le bout dans son poing; elle tirait constamment dessus à petits coups, comme quand elle se montrait plus obstinée que d'habitude à l'égard du Conseil du Village. *Perrin avait raison.* Malgré le feu, on avait l'impression de geler, et ce froid venait des deux femmes assises à la table.

Lan, appuyé au manteau de la cheminée, fixait les flammes et se frottait les mains pour les réchauffer. Egwene, plaquée le dos au mur, était emmitouflée dans sa cape, le capuchon sur la tête, Mat et Perrin s'arrêtèrent, incertains, une fois la porte franchie.

Rand se secoua avec malaise et marcha jusqu'à la table. *Il faut quelquefois attraper le loup par les oreilles*, se rappela-t-il. Mais il se rappelait aussi un autre vieux dicton. *Quand on tient un loup par les oreilles, c'est aussi difficile de le relâcher que de continuer à le tenir.* Il sentit sur lui le regard de Moiraine et celui de Nynaeve, et son visage devint brûlant, mais il s'assit quand même, à mi-chemin entre les deux.

Pendant un instant, la salle resta aussi figée qu'une gravure, puis Egwene et Perrin, et finalement Mat, allèrent à regret vers la table et prirent place – au milieu, avec Rand. Egwene ramena encore plus en avant son capuchon, assez pour cacher la moitié de sa figure, et ils évitèrent tous de regarder quelqu'un.

« Eh bien, déclara Thom avec un rire ironique depuis la porte, au moins est-ce une bonne chose de faite.

– Puisque tout le monde est là, dit Lan, quittant la cheminée pour remplir de vin une des coupes d'argent, peut-être finirez-vous par accepter ceci. » Il présenta la coupe à Nynaeve qui la regarda d'un air soupçonneux. « Pas besoin d'avoir peur, dit-il patiemment. Vous avez vu l'aubergiste apporter le vin et personne d'entre nous n'a eu l'occasion d'y verser quoi que ce soit. Il n'y a aucun danger. »

La Sagesse pinça les lèvres avec irritation au mot *peur*, mais elle prit la coupe en murmurant « merci ».

« J'aimerais savoir, continua-t-il, comment vous nous avez trouvés.

– Moi aussi, dit Moiraine qui se pencha en avant avec une attention soutenue. Peut-être voudrez-vous bien parler, maintenant qu'on vous a amené Egwene et les garçons ? »

Nynaeve but du vin à petites gorgées avant de répondre à l'Aes Sedai. « Vous ne pouviez aller nulle part ailleurs qu'à Baerlon. Pourtant, pour plus de sûreté, j'ai suivi votre piste. Qu'est-ce que vous avez fait comme tours et détours, mais je suppose que vous ne teniez pas à rencontrer des gens convenables.

– Vous avez... suivi notre piste ? dit Lan, vraiment surpris pour la première fois de mémoire de Rand. Je dois devenir négligent.

– Vous avez laissé très peu de traces, mais je sais traquer aussi bien que n'importe qui dans les Deux Rivières, sauf peut-être Tam al'Thor. » Elle hésita, puis ajouta : « Jusqu'à ce que mon père meure, il m'a emmenée à la chasse et m'a appris ce qu'il aurait appris aux fils qu'il n'a pas eus. » Elle regarda Lan avec défi, mais il hocha seulement la tête d'un air approbateur.

« Si vous pouvez suivre une piste que j'ai tenté de cacher, il vous a bien enseignée. Peu de gens y réussissent, même dans les Marches. »

Brusquement, Nynaeve baissa le nez sur sa coupe. Les yeux de Rand s'arrondirent. Elle rougissait. Nynaeve ne se montrait jamais déconcertée si peu que ce soit. Irritée, oui ; en colère, souvent ; mais jamais décontenancée. Pourtant, elle avait indubitablement les joues rouges à présent et essayait de le masquer en buvant le vin.

« Peut-être maintenant répondrez-vous à quelques-unes de mes questions, dit Moiraine doucement. J'ai déjà répondu aux vôtres assez franchement.

– Par un grand sac d'histoires de ménestrel, rétorqua

Nynaeve. Les seuls *faits* que je vois, c'est que quatre jeunes gens ont été enlevés, pour la Lumière sait quelle raison, par une Aes Sedai.

– On vous a dit qu'on ne connaît pas ça ici, dit sèchement Lan. Il vous faut apprendre à tenir votre langue.

– Pourquoi donc ? demanda Nynaeve. Pourquoi vous aiderais-je à vous cacher, vous ou ce que vous êtes ? Je suis venue pour ramener Egwene et les garçons au Champ d'Emond, pas pour vous aider à les escamoter. »

Thom intervint d'une voix méprisante : « Si vous voulez qu'ils revoient leur village – ou vous-même, d'ailleurs, mieux vaudrait que vous soyez plus prudente. Il y a des gens à Baerlon qui la tueraient » – il désigna Moiraine d'un mouvement brusque de la tête – « pour ce qu'elle est. Lui aussi. » Il indiqua Lan, puis s'avança soudain et mit les poings sur la table. Il dominait Nynaeve, et sa longue moustache et ses sourcils broussailleux semblèrent subitement menaçants.

Les yeux de Nynaeve se dilatèrent et elle commença à se rejeter en arrière pour s'écarter de lui ; puis elle raidit le dos par défi. Thom ne parut pas le remarquer ; il continua d'une voix à la douceur inquiétante. « Ils envahiraient l'auberge comme des fourmis meurtrières sur une rumeur, un murmure. Si forte est leur haine, leur envie de tuer ou de prendre quiconque comme ces deux-là. Et la jeune fille ? Les garçons ? Vous-même ? Vous êtes pleinement associée avec eux, assez pour les Blancs Manteaux, en tout cas. Vous n'aimeriez pas leur façon de poser des questions, surtout quand il s'agit de la Tour Blanche. Les Inquisiteurs des Blancs Manteaux vous présument coupable au préalable et ils ont une seule sentence pour ce genre de culpabilité. Ils ne se soucient pas de trouver la vérité ; ils croient déjà la connaître. Tout ce qu'ils cherchent avec leurs fers rouges et leurs tenailles, c'est une confession. Rappelez-vous donc que certains secrets sont trop dangereux pour qu'on les énonce tout haut, même quand vous vous imaginez savoir qui écoute. » Il se redressa en marmottant : « J'ai l'impression d'avoir souvent répété ça, ces derniers temps.

– Bien parlé, ménestrel », dit Lan. Le Lige avait de nouveau ce regard évaluateur. « Je suis étonné de tant de sollicitude de votre part. »

Thom haussa les épaules. « On sait que je suis arrivé

avec vous, moi aussi. Je n'aime pas l'idée d'un Inquisiteur armé d'un fer rouge en train de m'adjurer de me repentir de mes péchés et de marcher dans la Lumière.

– Voilà simplement une raison de plus pour qu'ils rentrent avec moi dans la matinée, interposa Nynaeve d'un ton sec. Ou cet après-midi, aussi bien. Plus vite nous serons loin de vous et sur le chemin du retour au Champ d'Emond, mieux ce sera.

– Nous ne pouvons pas », dit Rand, et il fut heureux que ses amis parlent tous en même temps. De cette façon, le regard irrité de Nynaeve devait se déployer de-ci de-là ; elle n'épargna personne, néanmoins. Mais il avait parlé le premier et tous se turent en le regardant. Même Moiraine se rappuya au dossier de son siège, l'observant par-dessus ses doigts joints en château. Ce fut avec effort qu'il affronta le regard de la Sagesse. « Si nous retournons au Champ d'Emond, les Trollocs y retourneront aussi. Ils... nous pourchassent. Je ne sais pas pourquoi, mais c'est comme ça. Peut-être pourrons-nous en trouver la raison à Tar Valon. Peut-être pourrons-nous découvrir comment les arrêter. C'est le seul moyen... »

Nynaeve leva les bras au ciel. « On croirait entendre Tam. Il s'est fait transporter à la réunion du village et il s'est efforcé de convaincre tout le monde. Il avait déjà essayé au Conseil. La Lumière sait comment votre... Maîtresse Alys » – elle investit ce nom d'une charge de mépris – « ... s'est débrouillée pour le persuader ; il a d'ordinaire une miette de bon sens de plus que la majorité des gens. En tout cas, les membres du Conseil sont en général une bande d'imbéciles mais pas assez bêtes pour ça, et personne d'autre non plus. Ils sont tombés d'accord qu'on devait vous retrouver. Puis Tam a voulu être celui qui allait à votre recherche, alors qu'il ne peut pas tenir debout. La bêtise doit être un trait de famille. »

Mat s'éclaircit la voix, puis marmonna : « Et papa, qu'est-ce qu'il a dit ?

– Il a peur que tu joues tes tours à des étrangers et qu'on te cogne sur la tête. Il paraissait avoir davantage peur de ça que de... Maîtresse Alys que voilà. Mais il faut dire qu'il n'a jamais été beaucoup plus intelligent que toi. »

Mat sembla ne pas trop savoir comment prendre ce

qu'elle avait dit, ou comment répliquer ou même s'il fallait répliquer.

« Je pense..., commença Perrin avec hésitation, je veux dire, je suppose que Maître Luhhan n'était pas trop content non plus de mon départ.

— T'attendais-tu à ce qu'il le soit ? » Nynaeve secoua la tête d'un air dégoûté et regarda Egwene. « Peut-être ne devrais-je pas être surprise par cette idiotie insensée de votre part à tous les trois, mais je croyais que d'autres avaient plus de jugement. »

Egwene se rejeta contre son dossier pour être abritée par Perrin. « J'ai laissé un billet », dit-elle d'une voix faible. Elle tira sur le capuchon de sa mante comme si elle avait peur qu'on voie ses cheveux dénattés. « J'ai tout expliqué. » Le visage de Nynaeve s'assombrit.

Rand soupira. La Sagesse était sur le point d'exploser dans une des remontrances cinglantes dont elle était coutumière, et celle-ci donnait à penser qu'elle serait de premier ordre. Si Nynaeve prenait position dans la chaleur de la colère – si par exemple elle disait qu'elle avait l'intention de les ramener au Champ d'Emond quoi qu'on puisse objecter, il serait presque impossible de l'en faire démordre. Il ouvrit la bouche.

« Un billet ! » s'exclama Nynaeve au moment où Moiraine déclarait : « Nous devons toujours avoir cet entretien, vous et moi, Sagesse. »

Rand aurait-il pu s'arrêter qu'il n'y aurait pas manqué, mais les paroles jaillirent comme si c'était une vanne qu'il avait ouverte et non la bouche. « Tout cela est bel et bon mais ne change rien à rien. Nous ne pouvons pas retourner là-bas. Nous devons continuer. » Il parlait plus lentement en terminant et sa voix tomba, de sorte qu'il finit dans un murmure, l'Aes Sedai et la Sagesse le regardant l'une comme l'autre. C'était le genre de regard que lui adressaient les femmes quand il les rencontrait en train de discuter des affaires du Cercle des Femmes, ce regard qui disait qu'il s'immisçait dans quelque chose qui ne le concernait pas. Il se radossa à son siège en regrettant de ne pas être ailleurs.

« Sagesse, reprit Moiraine, il vous faut admettre qu'ils sont plus en sécurité avec moi qu'ils ne le seraient dans les Deux Rivières.

— Plus en sécurité ! » Nynaeve secoua la tête avec dédain. « C'est vous qui les avez amenés ici, où sont les

Blancs Manteaux. Ces mêmes Blancs Manteaux qui, si le ménestrel dit vrai, peuvent leur faire du mal à cause de *vous*. Expliquez-moi comment ils sont plus à l'abri, Aes Sedai.

– Il y a beaucoup de dangers dont je ne peux les préserver, concéda Moiraine, pas plus que vous ne les garantirez de la foudre s'ils rentrent chez eux. Mais ce n'est pas de la foudre qu'ils doivent avoir peur ni même des Blancs Manteaux. C'est du Ténébreux et des séides du Ténébreux. De cela je peux les protéger. Le contact avec la Vraie Source, le contact avec la *Saidar*, me donne le pouvoir de cette protection comme à toute Aes Sedai. » Nynaeve pinça les lèvres avec scepticisme, Moiraine serra aussi les siennes, de colère, mais elle continua, le ton à la limite de l'impatience : « Même ces pauvres hommes qui se trouvent exercer le Pouvoir pour un court moment acquièrent ce don, bien que parfois le contact avec le *Saidin* protège, mais parfois la souillure les rend plus vulnérables. Par contre, moi, ou n'importe quelle Aes Sedai, je peux étendre ma protection à ceux qui sont près de moi. Aucun Évanescent ne peut leur causer de mal aussi longtemps qu'ils sont à côté de moi comme ils le sont à présent. Aucun Trolloc ne peut s'approcher à moins de douze cents pas sans que Lan le sache, car il sent le mal. Pouvez-vous leur en offrir moitié autant s'ils reviennent avec vous au Champ d'Emond ?

– Vous agitez des épouvantails, dit Nynaeve. Nous avons un proverbe, aux Deux Rivières : « Que l'ours batte le loup ou que le loup batte l'ours, c'est le lapin qui perd toujours. » Déplacez votre combat ailleurs et laissez en dehors de cette histoire les gens du Champ d'Emond.

– Egwene, pria Moiraine au bout d'un instant, emmène les autres et laisse-moi seule un moment avec la Sagesse. » Son visage était impassible ; Nynaeve se carra devant la table comme pour un combat de catch.

Egwene se dressa d'un bond, son désir de dignité luttant visiblement avec son désir d'éviter l'affrontement entre elle et la Sagesse au sujet de ses cheveux dénattés. Elle n'eut aucune difficulté par contre à rassembler chacun d'un regard. Mat et Perrin se levèrent précipitamment en repoussant leurs sièges qui raclèrent le sol, et ils émirent des murmures polis tout en s'efforçant de ne pas courir vers la sortie. Même Lan se dirigea vers la porte, sur un signe de Moiraine, entraînant Thom avec lui.

Rand suivit et le Lige ferma la porte derrière eux, puis se posta pour monter la garde de l'autre côté du couloir. Sur un regard de Lan, les autres s'éloignèrent à une courte distance ; la moindre chance d'écouter aux portes ne leur était même pas accordée. Quand ils furent allés assez loin à son goût, Lan s'appuya contre le mur. Même sans son manteau aux couleurs changeantes, il était si immobile qu'il serait aisément passé inaperçu jusqu'à ce qu'on arrive juste à côté de lui.

Le ménestrel murmura qu'il avait mieux à faire de son temps et partit avec un sévère : « Rappelez-vous ce que je vous ai dit », jeté par-dessus l'épaule aux garçons. Personne d'autre ne semblait avoir envie de s'en aller.

« Qu'est-ce qu'il sous-entend par là ? » demanda distraitement Egwene, les yeux sur la porte qui cachait Moiraine et Nynaeve. Elle jouait continuellement avec ses cheveux, comme partagée entre continuer à cacher qu'ils n'étaient plus tressés et repousser en arrière le capuchon de sa mante.

« Il nous a donné un conseil », répliqua Mat.

Perrin jeta à Mat un coup d'œil d'avertissement. « Il a recommandé de ne pas ouvrir la bouche avant d'être sûrs de ce que nous allions dire.

– C'est un bon conseil », commenta Egwene, mais il était clair que ça ne l'intéressait pas vraiment.

Rand était absorbé dans ses pensées. Comment Nynaeve pouvait-elle bien être impliquée dans leur aventure ? Comment l'un d'entre eux pouvait-il avoir affaire à des Trollocs, des Évanescents et Ba'alzamon qui apparaissait dans leurs rêves ? C'était fou. Il se demanda si Min avait averti Moiraine de l'arrivée de Nynaeve. *Qu'est-ce qu'elles se racontent là-dedans ?*

Il n'avait aucune idée du temps qu'il était resté là debout quand la porte s'ouvrit enfin. Nynaeve sortit et sursauta quand elle vit Lan. Le Lige murmura quelque chose qui fit qu'elle secoua la tête avec humeur, puis il se glissa devant elle pour entrer.

Elle se tourna vers Rand et, pour la première fois, il se rendit compte que les autres avaient disparu sans bruit. Il n'avait pas envie d'affronter seul la Sagesse, mais comment s'en aller maintenant qu'il avait ren-

contré le regard de Nynaeve ? *Un regard particulièrement scrutateur*, pensa-t-il. Il se redressa de toute sa
taille quand elle s'approcha.

Elle désigna l'épée de Tam. « Elle semble bien t'aller
maintenant. Pourtant, je préférerais le contraire. Tu as
grandi, Rand.

– En une semaine ? » Il rit, mais d'un rire forcé, et
elle hocha la tête comme s'il n'avait pas compris.
« Est-ce qu'elle vous a convaincue ? demanda-t-il. C'est
vraiment le seul moyen. » Il s'arrêta, pensant aux étincelles de Min. « Est-ce que vous nous accompagnez ? »

Nynaeve ouvrit de grands yeux. « Vous accompagner ! Pourquoi cela ? Mavra Mallen est venue de la
Tranchée-de-Deven veiller au grain jusqu'à mon retour,
mais elle voudra rentrer dès que possible. J'espère
encore vous rendre raisonnables et vous persuader de
rentrer avec moi.

– Nous ne pouvons pas. » Il crut voir bouger à la
porte encore ouverte, mais ils étaient seuls dans le couloir.

« Tu me l'as dit, et elle aussi. » Nynaeve se rembrunit.
« Si seulement *elle* n'y était pas mêlée... On ne peut pas
se fier aux Aes Sedai, Rand.

– Vous avez l'air de nous croire pour de bon, dit-il
lentement. Comment s'est passée la réunion du village ? »

Nynaeve jeta un regard en arrière vers la porte avant
de répondre ; il n'y avait plus de mouvement dans
l'embrasure à présent. « C'était la pagaille, mais pas
besoin qu'elle sache que nous sommes incapables de
nous occuper de nos affaires mieux que cela. Et ce que
je crois, c'est uniquement que vous êtes tous en danger
aussi longtemps que vous resterez avec elle.

– Il s'est passé quelque chose, insista-t-il. Pourquoi
voulez-vous que nous revenions si vous pensez qu'il y a
même une seule chance que nous ayons raison ? Et
pourquoi vous ? Autant envoyer le Maire lui-même que
la Sagesse.

– Tu as vraiment grandi. » Elle sourit et, pendant un
instant, cet amusement incita Rand à danser d'un pied
sur l'autre. « Je peux me souvenir d'un temps où tu
n'aurais pas mis en question ni où je décidais d'aller ni
ce que je décidais de faire, où que ce fût et quoi que ce
fût. Un temps qui date juste d'une semaine. »

Il s'éclaircit la voix et continua avec entêtement : « Ça n'a pas de sens. Pourquoi êtes-vous là, en réalité ? »

Elle lança un bref coup d'œil à la porte toujours déserte, puis passa le bras sous le sien. « Parlons en marchant. » Il se laissa emmener et, quand ils furent assez loin de la porte pour n'être pas entendus, elle poursuivit : « Comme je le disais, la réunion a été tumultueuse. Tout le monde a été d'accord pour envoyer quelqu'un à votre recherche, mais le village s'est divisé en deux groupes. L'un voulait aller à votre rescousse, bien qu'il y ait eu beaucoup de discussions pour savoir comment s'y prendre étant donné le fait que vous étiez avec une... avec des gens comme *elle*. »

Il fut content qu'elle se soit souvenue de surveiller ses paroles. « Les autres ont cru Tam ? questionna-t-il.

– Pas exactement, mais ils estimaient que tu ne devrais pas être non plus avec des étrangers, surtout des étrangers comme *elle*. Encore que, dans un cas comme dans l'autre, presque tous les hommes auraient voulu être de l'expédition. Tam et Bran al'Vere, avec le trébuchet symbole de sa charge autour du cou et Haral Luhhan jusqu'à ce qu'Alsbet l'oblige à se rasseoir. Même Cenn Buie. Que la Lumière me sauve des hommes qui pensent avec le poil qu'ils ont sur la poitrine. Je ne sais d'ailleurs pas s'il en existe d'autres. » Elle renifla avec vigueur et leva vers lui un regard accusateur. « Quoi qu'il en soit, je voyais bien qu'il s'écoulerait encore un jour, peut-être davantage, avant qu'ils arrivent à une décision et je ne sais pourquoi... je ne sais pourquoi, j'étais sûre qu'on ne devrait pas oser attendre aussi longtemps. Alors j'ai convoqué le Cercle des Femmes et j'ai expliqué ce qui était à faire. Je ne dirais pas que ça leur ait plu, mais elles ont compris que c'était la bonne solution. Voilà pourquoi je suis ici ; parce que les hommes du Champ d'Emond sont des imbéciles entêtés. Probablement qu'ils discutent toujours pour désigner qui envoyer, bien que j'aie prévenu que je m'en chargeais. » Le récit de Nynaeve justifiait sa présence mais n'était pas pour le rassurer : elle était toujours déterminée à les ramener avec elle.

« Qu'est-ce qu'elle vous a dit dans la salle ? » demanda-t-il. Moiraine aurait sûrement énuméré tous les arguments mais, si elle en avait omis un, lui s'en chargerait.

« Toujours la même chose, répliqua Nynaeve. Et elle voulait se renseigner sur vous, les garçons. Pour voir si elle pouvait déduire par raisonnement pourquoi vous... avez attiré le genre d'attention... dont elle parle. » Elle s'arrêta, le guettant du coin de l'œil. « Elle a essayé de le masquer mais ce qu'elle voulait surtout savoir, c'est si l'un de vous était né en dehors des Deux Rivières. »

Rand sentit soudain son visage se tendre comme une peau de tambour. Il parvint à émettre un gloussement rauque. « Elle pense vraiment à des trucs bizarres. J'espère que vous lui avez assuré que nous sommes tous nés au Champ d'Emond.

– Bien sûr », répondit-elle. Il n'y avait eu que le temps d'un battement de cœur avant sa réponse, si bref qu'il l'aurait manqué s'il ne l'avait pas guetté.

Il cherchait quoi dire, mais il avait la langue sèche comme un morceau de cuir. *Elle sait.* C'était la Sagesse, après tout, et la Sagesse était censée tout savoir sur tout le monde. *Si elle sait, ce n'était pas un rêve né de la fièvre. Oh, que la Lumière m'aide, père !*

« Tu ne te sens pas bien ? demanda Nynaeve.

– Il a... il a dit que je... n'étais pas son fils. Quand il avait le délire... à cause de la fièvre. Il a dit qu'il m'avait trouvé. Je pensais que c'était seulement... » Sa gorge commença à le brûler et il dut s'arrêter.

« Oh, Rand. » Elle s'arrêta et lui prit le visage entre ses deux mains. Ce pour quoi elle put lever les bras. « Les gens disent des choses bizarres quand ils ont la fièvre. Des choses déformées. Des choses qui ne sont pas vraies ou pas réelles. Écoute-moi. Tam al'Thor est parti courir l'aventure quand il était un garçon pas plus âgé que toi. Je peux tout juste me rappeler quand il est revenu au Champ d'Emond avec une épouse étrangère, une rousse, et un bébé dans les langes. Je me souviens de Kari al'Thor qui le tenait dans ses bras avec tout l'amour et le ravissement que j'ai jamais vu une femme prodiguer et recevoir. Son enfant, Rand. Toi. À présent, ressaisis-toi et ne te conduis plus comme un fou.

– Naturellement », répliqua-t-il. *Je suis né en dehors des Deux Rivières.* « Naturellement. » Peut-être que Tam avait eu un rêve suscité par la fièvre et peut-être qu'il avait trouvé un bébé après la bataille. « Pourquoi ne l'avez-vous pas dit à Moiraine ?

– Ça ne regarde pas cette étrangère.

– Est-ce qu'un des autres est né ailleurs ? » Dès la question posée, il secoua la tête. « Non, ne répondez pas. Cela ne me regarde pas non plus. » Mais ce serait agréable de savoir si Moiraine lui portait un intérêt particulier, au-delà de celui qu'elle leur portait à tous. *Serait-ce tellement agréable ?*

« Non, cela ne te regarde pas, acquiesça Nynaeve. Peut-être cela ne signifie-t-il rien. Peut-être qu'elle cherche à l'aveuglette une raison, n'importe laquelle, justifiant que ces créatures vous recherchent. *Vous tous.* »

Rand parvint à sourire. « Alors vous croyez effectivement qu'ils nous donnent la chasse. »

Nynaeve eut un hochement de tête sarcastique. « Tu as vraiment appris à décortiquer le sens de ce qu'on dit depuis que tu la connais. »

– Qu'allez-vous faire maintenant ? » demanda-t-il.

Elle le regarda longuement ; il soutint son regard avec fermeté. « Aujourd'hui, je vais prendre un bain. Pour le reste, il faudra voir, n'est-ce pas ? »

17.

GUETTEURS ET CHASSEURS

Après que la Sagesse l'eut quitté, Rand se rendit à la salle commune. Il avait besoin d'entendre rire des gens, d'oublier ce qu'avait dit Nynaeve autant que les ennuis qu'elle pourrait causer.

La salle était bondée, c'est un fait, mais personne ne riait, bien que toutes les chaises et les bancs aient été occupés et que des gens se soient alignés debout le long des murs. Thom donnait encore une représentation, juché sur une table devant la paroi du fond, avec des gestes assez grandioses pour remplir l'immense salle. C'était de nouveau la *Grande Quête du Cor* mais nul ne s'en plaignait, bien entendu. Si nombreuses étaient les anecdotes sur chacun des Chasseurs et si nombreux les Chasseurs dont parler, qu'il n'y avait pas deux façons semblables de conter l'histoire. La réciter d'un bout à l'autre aurait pris une semaine ou davantage. Le seul bruit qui rivalisait avec la voix et la harpe du ménestrel était le crépitement du feu dans la cheminée.

« ... aux huit coins du monde chevauchent les Chasseurs, aux huit piliers du ciel où soufflent les vents du temps, où le destin saisit par les cheveux aussi bien les puissants que les humbles. Or donc le plus vaillant des Chasseurs est Rogosh de Talmour, Rogosh Œil-d'Aigle, renommé à la cour du Grand Roi, redouté sur les pentes du Shayol Ghul... » Les Chasseurs étaient toujours de vaillants héros, tous tant qu'ils étaient.

Rand repéra ses deux amis et se glissa à la place que lui ménagea Perrin au bout de leur banc. Des odeurs de cuisine qui s'infiltraient dans la salle lui rappelèrent qu'il avait faim, mais même les gens qui avaient à manger devant eux n'y prêtaient guère attention. Les femmes qui auraient dû servir étaient en extase, les mains crispées sur leurs tabliers et les yeux attachés sur le ménestrel, sans que quiconque s'en formalise. Écouter valait mieux que manger, quelle que fût l'excellence de la nourriture.

« ... depuis le jour de sa naissance, le Ténébreux avait marqué Blaes comme sienne, mais de cœur avec lui elle n'est nullement – non, que non pas Blaes de Matuchin ! Elle est solide comme le frêne, svelte comme la branche d'osier, belle comme la rose. Blaes aux cheveux d'or. Prête à mourir plutôt que céder. Mais écoutez ! Résonnant du haut des tours de la cité, les trompettes sonnent audacieuses et hardies. Ses hérauts proclament l'arrivée d'un guerrier légendaire à la cour de Blaes. Les tambours roulent tel le tonnerre, les cymbales retentissent ! Rogôsh Œil-d'Aigle vient rendre hommage... »

L'Engagement de Rogosh Œil-d'Aigle se déroula jusqu'à sa fin, mais Thom s'arrêta seulement pour s'humecter la gorge à une chope de bière avant d'enchaîner avec la *Résistance de Lian*, qui fut suivie à son tour par la *Chute d'Aleth-Loriel*, *L'Épée de Gaidal Cain* et *la Dernière Chevauchée de Buad d'Albhain*. Les pauses s'allongèrent à mesure que la soirée s'avançait et quand Thom troqua sa harpe contre sa flûte, chacun sut que c'était la fin du récital d'épopées pour la soirée. Deux hommes se joignirent à Thom, avec un tambour et un tympanon mais restèrent assis près de la table alors que lui demeurait dessus.

Les trois jeunes gens du Champ d'Emond commencèrent à applaudir dès la première note de *Le Vent qui secoue le Saule*, et ils n'étaient pas les seuls. C'était une chanson favorite dans les Deux Rivières et aussi à Baerlon, à ce qu'il semblait. Çà et là des voix reprenaient même les paroles et ne détonnaient pas assez pour qu'on les oblige à se taire.

> *Mon aimée a disparu, emportée par le vent,*
> *Le vent qui secoue le saule,*
> *Et toute la contrée subit l'assaut*
> *Du vent qui ébranle le saule,*
> *Mais je la garderai en moi*
> *Dans mon cœur et mon souvenir,*

Et avec sa force pour blinder mon âme,
Son amour pour me tenir chaud au cœur,
Je me tiendrai où un jour nous avons chanté
Même si la bise secoue le saule.

La deuxième chanson n'était pas aussi mélancolique. En fait, *Un Seul Seau d'eau* parut même plus gai que d'habitude par comparaison, ce qui pouvait bien avoir été l'intention du ménestrel. Les gens se précipitèrent pour repousser les tables le long des murs afin de dégager une piste de danse et se mirent à bondir au point que les murs tremblèrent à force de taper du talon et de virevolter. La première danse se termina avec des danseurs qui riaient à se tenir les côtes en quittant la piste, tandis que d'autres les remplaçaient.

Thom joua les notes d'ouverture de *Les Oies sauvages passent*, puis marqua un temps pour que les gens prennent place pour le *reel*, un branle au rythme vif et allègre.

« Je crois que je vais essayer quelques pas », dit Rand en se levant. Perrin le suivit aussitôt. Mat fut le dernier à réagir et se retrouva laissé pour garder les manteaux ainsi que l'épée de Rand et la hache de Perrin.

« Rappelez-vous que je veux danser, moi aussi », leur cria Mat.

Les danseurs formèrent deux longues files qui se tenaient face à face, les hommes d'un côté, les femmes de l'autre. Le tambour et le tympanon scandèrent d'abord la mesure et tous les danseurs commencèrent à plier le genou en cadence. La jeune fille vis-à-vis de Rand, avec ses cheveux noirs coiffés en nattes qui lui rappelaient le pays, lui adressa un sourire timide, puis un clin d'œil qui ne l'était nullement. La flûte de Thom entonna subitement la mélodie et Rand s'avança à la rencontre de la jeune fille aux cheveux noirs ; elle rejeta la tête en arrière et rit quand il la fit tourner et la passa au danseur suivant dans la rangée.

Tout le monde riait dans la salle, pensa-t-il en dansant autour de sa partenaire suivante, une des serveuses dont le tablier flottait follement. Le seul visage qui ne souriait pas était celui d'un homme blotti près d'une des cheminées, et ce bonhomme avait une cicatrice qui lui traversait la face d'une tempe à la mâchoire opposée, lui déviant le nez et tirant un coin de sa bouche vers le bas.

Ayant croisé son regard, l'homme grimaça et Rand détourna les yeux, gêné. Peut-être qu'avec cette cicatrice le gars ne pouvait pas sourire.

Il attrapa sa partenaire suivante au moment où elle tournait et il lui fit exécuter un cercle complet avant de la passer à un autre danseur. Trois femmes dansèrent avec lui encore, tandis que la musique accélérait son rythme, puis il se retrouva avec la jeune fille aux cheveux noirs pour une rapide promenade qui changea complètement le sens des rangées. Elle riait toujours et lui dédia un autre clin d'œil.

Le balafré le regardait de travers. Rand manqua son pas, et ses joues devinrent brûlantes. Il n'avait pas voulu offenser le bonhomme ; il ne croyait pas vraiment l'avoir dévisagé fixement. Il se tourna pour rencontrer sa partenaire suivante et oublia le balafré. La suivante à venir à lui était Nynaeve.

Il s'embrouilla dans les pas, buta contre ses propres pieds et manqua de peu marcher sur ceux de Nynaeve. Elle dansait assez gracieusement pour compenser sa propre gaucherie, tout en souriant.

« Je te croyais meilleur danseur », dit-elle avec un rire quand ils changèrent de partenaire.

Il n'eut qu'un instant pour se reprendre avant de changer de nouveau, et il se vit dansant avec Moiraine. S'il s'était senti maladroit avec la Sagesse, ce n'était rien comparé à ce qu'il éprouva avec l'Aes Sedai. Elle glissait sans heurt sur le parquet, sa robe tourbillonnant autour d'elle ; lui, faillit tomber deux fois. Elle le gratifia d'un sourire de sympathie, qui aggrava les choses au lieu de l'aider. Ce fut un soulagement de continuer avec sa nouvelle partenaire, même si c'était Egwene.

Il retrouva un peu d'assurance. Somme toute, cela faisait des années qu'il dansait avec elle. Ses cheveux n'étaient toujours pas nattés, mais elle les avait noués dans le dos avec un ruban rouge. *Elle n'a probablement pas pu décider s'il fallait plaire à Moiraine ou à Nynaeve*, pensa-t-il aigrement. Elle avait les lèvres entrouvertes et paraissait vouloir dire quelque chose, mais elle ne parla pas, et ce n'est pas lui qui allait entamer la conversation le premier. Pas après la façon dont elle avait coupé court à sa précédente tentative dans la salle à manger particulière. Ils se regardèrent fixement avec gravité et se séparèrent en dansant sans un mot.

Il fut bien content de retourner vers le banc après le branle. La musique reprit pour une autre danse, une gigue, pendant qu'il s'asseyait. Mat se hâta de se joindre aux danseurs et Perrin se glissa sur le banc à sa place.

« Tu l'as vue ? commenta Perrin avant même d'être assis. Hein ?

– Laquelle ? demanda Rand. La Sagesse ou Maîtresse Alys ? J'ai dansé avec les deux.

– L'Aes... Maîtresse Alys aussi ? s'exclama Perrin. J'ai dansé avec Nynaeve. Je ne savais même pas qu'elle dansait. Elle ne participe jamais à aucune danse chez nous.

– Je me demande, commenta pensivement Rand, ce que le Cercle des Femmes dirait de voir danser la Sagesse. Peut-être que c'est pour ça. »

Puis la musique, les battements de mains et les chansons résonnèrent trop fort pour parler davantage. Rand et Perrin claquèrent des mains en cadence avec les autres quand les danseurs tournèrent autour de la piste. À plusieurs reprises, il eut conscience que le balafré le dévisageait. L'homme avait des raisons d'être ombrageux, avec cette cicatrice, mais Rand ne voyait pas comment s'y prendre à présent sans aggraver les choses. Il se concentra sur la musique et évita de regarder dans cette direction.

Danses et chants continuèrent jusqu'à la nuit. Les serveuses se rappelèrent finalement leur devoir ; Rand fut heureux d'engloutir du ragoût bien chaud et du pain. Chacun mangea là où il était, assis ou debout. Rand participa encore à trois danses et exécuta mieux les pas quand il se retrouva avec Nynaeve puis aussi avec Moiraine. Cette fois, toutes deux le complimentèrent sur sa façon de danser, ce qui le fit bafouiller. Il dansa encore avec Egwene ; elle le fixa, le regard sombre et toujours apparemment sur le point de parler, toutefois sans jamais dire un mot. Il fut aussi silencieux, mais il était sûr de ne pas l'avoir regardée de travers, quoi que pût dire Mat quand il retourna s'asseoir sur le banc.

Vers minuit, Moiraine partit. Egwene, après un regard tourmenté de l'Aes Sedai à Nynaeve, se hâta de la suivre. La Sagesse les observa avec une expression indéchiffrable, puis se joignit délibérément à une autre danse avant de se retirer, elle aussi, avec l'air d'avoir marqué un point au désavantage de l'Aes Sedai.

Bientôt Thom remettait sa flûte dans son étui et discutait avec bonne humeur avec ceux désireux de continuer encore. Lan arriva pour rassembler Rand et les autres.

« Nous devons partir de bonne heure, expliqua le Lige en se penchant tout près pour être entendu malgré le vacarme, et nous avons besoin de tout le repos que nous pouvons prendre.

– Il y a un bonhomme qui n'a cessé de me regarder, dit Mat. Avec une balafre en travers de la figure. Vous ne croyez pas que ce pourrait être... un des *Amis* dont vous nous avez recommandé de nous méfier ?

– Comme ça ? demanda Rand en passant le doigt en travers de son nez jusqu'au coin de sa bouche. Il m'a regardé, moi aussi. » Il fit des yeux le tour de la salle. Les gens s'en allaient peu à peu et la plupart de ceux qui restaient s'agglutinaient autour de Thom. « Il n'est pas là maintenant.

– Je l'ai vu, répliqua Lan. Selon Maître Fitch, c'est un espion des Blancs Manteaux. Nous n'avons pas à nous en soucier. »

Peut-être que non, mais Rand voyait bien que quelque chose tracassait le Lige.

Rand jeta un coup d'œil à Mat – il arborait l'expression figée qu'il avait toujours quand il cachait quelque chose. *Un espion des Blancs Manteaux. Bornhald voudrait-il à ce point-là prendre sa revanche sur eux ?* « Nous partons de bonne heure ? questionna-t-il. Vraiment tôt ? » Peut-être seraient-ils loin avant que rien ne se passe.

« Dès l'aube », précisa le Lige.

Quand ils quittèrent la salle commune, Mat chantonnait pour lui-même des bribes de chanson et Perrin s'arrêtait de temps en temps pour essayer un nouveau pas qu'il avait appris. Thom se joignit à eux, plein d'entrain. Lan avait le visage impassible quand ils se dirigèrent vers l'escalier.

« Où Nynaeve dort-elle ? demanda Mat. Maître Fitch a dit que nous avions les dernières chambres.

– Elle a un lit, dit Thom brièvement, avec Maîtresse Alys et la jeune fille. »

Perrin siffla entre ses dents et Mat murmura : « Sang et cendres ! Je ne voudrais pas être dans les souliers d'Egwene pour tout l'or de Caemlyn ! »

Ce n'était pas la première fois que Rand aurait aimé voir Mat réfléchir sérieusement plus de deux minutes à la fois. Leurs propres souliers n'étaient pas si confortables juste à ce moment. « Je vais chercher du lait », dit-il. Peut-être cela l'aiderait-il à dormir. *Peut-être que je ne rêverai pas cette nuit.*

Lan lui jeta un regard sévère. « Il y a quelque chose qui se trame cette nuit. Ne t'éloigne pas. Et, rappelle-toi, nous partons quand tu es assez réveillé pour te tenir en selle ou pour qu'on t'y attache. »

Le Lige commença à monter l'escalier ; les autres le suivirent, leur gaieté éteinte. Rand resta seul dans le couloir. Après avoir été au milieu de tant de gens, cela donnait une réelle impression d'isolement.

Il se dépêcha de gagner la cuisine où une laveuse de vaisselle était encore de service. Elle lui remplit une chope avec du lait que contenait une grande cruche en grès.

Quant il sortit de la cuisine en buvant, une forme vêtue de noir mat vint à sa rencontre depuis le fond du couloir, levant des mains pâles pour rabattre le capuchon sombre qui dissimulait le visage. La mante pendait immobile pendant que la silhouette bougeait et la face... Une face d'homme au teint blême comme une larve vivant sous une pierre et sans yeux. Des cheveux noirs huileux aux joues bouffies, c'était aussi lisse qu'une coquille d'œuf. Rand s'étrangla, recracha du lait en pluie.

« Tu es l'un d'eux, garçon », dit l'Évanescent dans un murmure rauque pareil au son d'une lime que l'on frotte doucement sur un os.

Laissant choir la chope, Rand recula. Il voulait courir, mais il ne pouvait que forcer ses pieds à effectuer un pas hésitant à la fois. Il était incapable d'échapper à la fascination de cette face sans yeux ; elle retenait son regard prisonnier et lui tournait l'estomac. Il essaya de crier au secours, de hurler ; sa gorge était comme de la pierre. Chaque respiration hachée était douloureuse.

L'Évanescent s'approcha en glissant, sans se hâter. Sa démarche avait une grâce sinueuse, mortelle, une grâce de vipère, la similitude accentuée par l'armure en plaques qui se chevauchaient sur sa poitrine. Ses lèvres minces et exsangues se courbaient en un sourire cruel, rendu plus moqueur par la peau lisse et pâle là où auraient dû se trouver les yeux. La voix rendait celle de Bornhald chaude et douce par comparaison. « Où sont les autres ? Je sais qu'ils sont ici. Parle, garçon, et je te laisse la vie. »

Le dos de Rand tapa contre du bois, une paroi ou une porte – il fut incapable de s'obliger à se retourner pour vérifier ce que c'était. Maintenant que ses pieds s'étaient arrêtés, il ne pouvait plus les remettre en mouvement. Il frissonna, en voyant approcher le Myrddraal. Son tremblement s'accrut avec chaque lente enjambée glissante.

« Parle, te dis-je, sinon... »

Un rapide martèlement de bottes parvint du dessus, de l'escalier au bout du couloir, et le Myrddraal s'arrêta net et pivota sur lui-même. Le manteau resta immobile. Pendant un instant, l'Évanescent pencha la tête comme si ce regard sans yeux pouvait percer la paroi de bois. Une épée apparut dans une main d'un blanc de cadavre, une lame du même noir que le manteau. La lumière du couloir semblait terne en présence de cette lame. Le claquement de semelles de bottes devint plus fort et l'Évanescent se retourna en un éclair vers Rand, d'un mouvement presque désossé. La lame noire se dressa, les lèvres se retroussèrent dans un rictus.

Tremblant, Rand comprit qu'il allait mourir. L'acier noir tel le cœur de la nuit fonça vers sa tête... et s'immobilisa.

« Tu appartiens au Grand Seigneur des Ténèbres. » Cette voix avait un son râpeux d'ongles égratignant une ardoise. « Tu es à lui. »

Dans une volte-face qui le transforma en une masse noire indistincte, l'Évanescent s'éloigna précipitamment de Rand dans le couloir. Les ombres du fond l'atteignirent, le happèrent et il disparut.

Lan sauta les dernières marches, atterrissant avec fracas dans le couloir, l'épée à la main.

Rand s'efforça de retrouver sa voix. « L'Évanescent, dit-il, haletant. C'était... » Brusquement, il se rappela son épée. Pas une minute il n'y avait pensé quand il avait eu le Myrddraal devant lui. À présent, il dégaina gauchement l'épée au héron, sans se préoccuper de savoir s'il était trop tard. « Il est parti par là ! »

Lan hocha la tête distraitement ; il semblait écouter quelque chose d'autre. « Oui, il s'en va ; il disparaît. Pas le temps de le poursuivre, maintenant. Nous partons, berger. »

D'autres bottes trébuchaient en descendant l'escalier ; Mat, Perrin et Thom, chargés de couvertures et de sacs de selle. Mat était encore en train de boucler son rouleau de couvertures, son arc gauchement coincé sous le bras.

« On part ? » demanda Rand. Il remit son épée au fourreau et prit ses affaires des mains de Thom. « Maintenant ? Dans la nuit ?

– Tu veux attendre que le Demi-Homme revienne, berger ? riposta le Lige avec impatience. Ou une demi-douzaine d'entre eux ? Il sait où nous sommes, à présent.

– Je chevaucherai encore avec vous, si vous n'y voyez pas d'objections majeures, dit Thom au Lige. Trop de gens se rappellent que je suis arrivé en votre compagnie. Je crains qu'avant demain ici ne soit un endroit dangereux où être connu comme votre ami.

– Venez avec nous, ménestrel, ou allez au Shayol Ghul, à votre guise. » Le fourreau de Lan claqua tant il mit de force à rengainer son épée.

Un palefrenier passa en flèche près d'eux, venant de la porte de service, puis Moiraine apparut en compagnie de Maître Fitch et, derrière eux, Egwene avec dans les bras ses affaires qu'enveloppait son châle. Et Nynaeve. Egwene avait l'air effrayée, presque au bord des larmes, mais le visage de la Sagesse était un masque de colère froide.

« Il faut que vous le preniez au sérieux, disait Moiraine à l'aubergiste. Vous aurez sûrement des ennuis ici au matin. Des Amis du Ténébreux, peut-être ; peut-être pire. Quand cela arrivera, précisez vite que nous sommes partis. N'offrez pas de résistance. Laissez simplement savoir à qui sera là que nous sommes partis pendant la nuit, et on ne devrait pas vous ennuyer davantage. C'est après nous qu'on en a.

– Ne vous tracassez pas pour les ennuis, répliqua d'un ton jovial Maître Fitch. Absolument pas. S'il y en a qui viennent dans mon auberge pour essayer de chercher des crosses à mes clients... eh bien, ils seront vite expédiés par mes garçons et moi. Très vite. Et ils n'apprendront rien sur vous, ni quand ni où vous êtes partis ou même que vous avez jamais été là. Je n'ai rien à faire de ces espèces-là. Pas un mot ne sera dit sur vous par quelqu'un d'ici. Pas un traître mot !

— Mais...

— Maîtresse Alys, il faut absolument que je m'occupe de vos chevaux, si vous voulez partir tout de suite. » Il dégagea sa manche qu'elle avait saisie et partit au pas de course en direction des écuries.

Moiraine eut un soupir de contrariété. « Quel homme têtu, têtu. Il ne veut rien écouter.

— Vous croyez que les Trollocs pourraient venir nous pourchasser ici ? demanda Mat.

— Les Trollocs ! Bien sûr que non, le rembarra Moiraine. Il y a d'autres choses à craindre et la moindre n'est pas comment on nous a découverts. » Sans tenir compte de Mat qui s'était hérissé, elle continua : « L'Évanescent ne croira pas que nous allons rester ici, maintenant que nous savons qu'il nous a trouvés, mais Maître Fitch prend trop à la légère les Amis du Ténébreux. Il les croit de pauvres hères qui se cachent dans l'ombre, mais on trouve des Amis des Ténèbres dans les boutiques et les rues de chaque cité, et dans les plus hauts conseils aussi. Le Myrddraal les envoie peut-être bien se renseigner sur nos projets. » Elle tourna les talons et s'éloigna, Lan lui emboîtant le pas.

En partant pour l'écurie, Rand se mit à marcher à côté de Nynaeve. Elle portait ses sacs de selle et ses couvertures, elle aussi. « Ainsi vous venez, finalement », dit-il. *Min avait vu juste.*

« Il y avait vraiment quelque chose là, en bas ? demanda-t-elle à voix basse. Elle a dit que c'était... » Elle s'arrêta brusquement et le regarda.

« Un Évanescent », répondit-il. Il était stupéfait d'en parler aussi calmement. « Il était dans le couloir avec moi, puis Lan est arrivé. »

Nynaeve resserra sa mante autour d'elle pour lutter contre le vent comme ils quittaient l'auberge. « Peut-être y a-t-il quelque chose qui vous donne la chasse, mais je suis venue pour vous ramener en sûreté au Champ d'Emond, vous tous, et je ne repartirai pas avant de l'avoir fait. Je ne veux pas vous laisser seuls avec quelqu'un de *son* espèce. » Des lumières bougeaient dans l'écurie où les palefreniers sellaient les chevaux.

« Mutch ! cria l'aubergiste depuis la porte de l'écurie

où il se tenait avec Moiraine, secouez-vous ! » Il se retourna vers elle, s'efforçant apparemment de l'apaiser plutôt que de l'écouter quand elle parlait, bien qu'il le fît avec déférence, intercalant des saluts entre les ordres qu'il lançait aux garçons d'écurie.

Les chevaux furent sortis, les valets grommelant à cause de la hâte et de l'heure tardive. Rand prit le ballot d'Egwene et le lui tendit quand elle fut sur le dos de Béla. Elle le regarda avec de grands yeux pleins de crainte. *Du moins ne croit-elle plus que c'est une belle aventure.*

Il eut honte dès qu'il l'eut pensé. Elle était en danger à cause de lui et des autres. Même rentrer seule à cheval au Champ d'Emond serait plus sûr que de continuer. « Egwene, je... »

Les mots lui moururent dans la bouche. Elle était trop entêtée pour tourner bride, pas après avoir dit qu'elle irait jusqu'au bout, à Tar Valon. *Et qu'avait donc vu Min ? Elle y participe. Par la Lumière, en quoi ?*

« Egwene, dit-il, je suis navré. J'ai l'impression que je ne sais plus penser juste. »

Elle se pencha pour lui serrer bien fort la main. Dans la lumière venue de l'écurie, il voyait clairement son visage. Elle n'avait plus l'air aussi effrayée qu'avant.

Une fois tout le monde en selle, Maître Fitch insista pour les escorter jusqu'à la porte, les valets leur éclairant le chemin avec leurs lampes. L'aubergiste rondelet leur souhaita bon voyage et s'inclina en leur assurant qu'il garderait le secret et en les invitant à revenir. Mutch les regarda partir avec autant d'aigreur qu'il les avait vus arriver.

En voilà un, songea Rand qui n'expédierait personne avec perte et fracas ou même sans perte ni fracas. Mutch dirait au premier venu qui le lui demanderait quand ils étaient partis, et tout ce à quoi il pourrait penser d'autre à leur sujet. Parvenu un peu plus loin dans la rue, il se retourna. Une silhouette, la lampe haute, scrutait la rue dans leur direction. Il n'avait pas besoin de distinguer son visage pour savoir que c'était Mutch.

Les rues de Baerlon étaient désertes à cette heure de la nuit ; seules quelques faibles lueurs çà et là filtraient des volets clos ; et la clarté de la lune à son dernier quartier croissait et décroissait avec les nuages poussés par le vent. De temps en temps, un chien aboyait dans une ruelle quand ils en croisaient une, mais aucun autre son ne troublait la nuit, hormis le martèlement des sabots de leurs chevaux et le sifflement du vent sur les toits. Les cavaliers gardaient un silence encore plus profond, ensevelis dans leurs manteaux et leurs pensées.

Le Lige menait le train, comme d'habitude, avec Moiraine et Egwene juste derrière. Nynaeve se tenait près de la jeune fille et les autres fermaient la marche en groupe serré. Lan maintenait les chevaux à une vive allure de marche.

Rand surveillait les rues autour d'eux avec circonspection et il remarqua que ses amis faisaient de même. Les ombres mouvantes projetées par la lune rappelaient les ombres au bout du couloir et la façon dont elles avaient paru aller au-devant de l'Évanescent. Parfois un bruit dans le lointain, comme un tonneau qui se renverse ou un autre aboiement de chien, faisait vivement tourner les têtes. Lentement, peu à peu, en cheminant par la ville, tous rapprochèrent leurs chevaux de l'étalon noir de Lan et de la jument blanche de Moiraine.

À la Porte de Caemlyn, Lan mit pied à terre et tambourina du poing sur la porte d'un petit bâtiment de pierre accoté à l'enceinte de la ville. Un homme de garde fatigué parut en se frottant la figure, à demi endormi. Quand Lan parla, sa somnolence se dissipa et son regard dépassa le Lige pour aller vers les autres.

« Vous voulez partir ? s'exclama-t-il. Maintenant ? De nuit ? Vous devez être fous !

— À moins qu'il y ait un ordre du Gouverneur qui interdise notre départ », dit Moiraine. Elle aussi était descendue de cheval, mais elle restait loin de l'huis, en dehors de la lumière qui s'en répandait dans la rue sombre.

« Pas exactement, Maîtresse. » L'homme du Guet lui adressa un regard scrutateur, plissant le front dans un effort pour distinguer son visage. « Mais les portes restent fermées du coucher du soleil jusqu'à son lever. Personne ne doit entrer excepté de jour. C'est l'ordre. En tout cas, il y a des loups là-dehors. Ils ont tué une douzaine de vaches la semaine passée. Ils pourraient tuer un homme aussi facilement.

— Interdiction d'entrer mais rien pour ce qui est de sortir, dit Moiraine comme si cela réglait la question.

Vous voyez ? Nous ne vous demandons pas de désobéir au Gouverneur. »

Lan déposa quelque chose dans la main de l'homme du Guet. « Pour votre peine, murmura-t-il.

– Il me semble... », dit lentement l'autre. Il lança un coup d'œil à sa main ; l'or étincela avant qu'il le fourre vivement dans sa poche. « ... il me semble en effet que sortir n'a pas été mentionné. Une minute, s'il vous plaît. » Il passa la tête à l'intérieur. « Arin ! Dar ! Venez ici m'aider à ouvrir la porte. Il y a des gens qui veulent s'en aller. Ne discutez pas. Faites ce que je vous dis. »

Deux autres membres du Guet surgirent du poste de garde et s'arrêtèrent pour dévisager avec une surprise ensommeillée ce petit groupe de huit personnes qui voulait partir. Pressés par leur collègue, ils approchèrent d'un pas traînant et manœuvrèrent la grande roue qui soulevait la barre épaisse placée en travers des battants, puis s'appliquèrent à tourner la manivelle d'ouverture de la porte. Le mécanisme émit un rapide cliquetis, mais les battants bien huilés s'écartèrent en silence. Ils n'étaient même pas tout à fait ouverts au quart lorsqu'une voix glaciale s'éleva dans l'ombre.

« Qu'est-ce que c'est ? L'ordre n'est-il pas que ces portes soient fermées jusqu'au lever du soleil ? »

Cinq hommes en cape blanche s'avancèrent dans la lumière provenant de l'embrasure du poste de garde. Leurs capuchons tirés en avant leur cachaient le visage, mais chaque homme avait la main posée sur son épée, et le soleil d'or sur la gauche de leur poitrine annonçait clairement qui ils étaient. Mat murmura quelque chose d'inaudible. Les hommes du Guet arrêtèrent de tourner leur manivelle et échangèrent des regards inquiets.

« Ce n'est pas votre affaire », dit le premier homme du Guet d'un ton belliqueux. Cinq capuchons blancs se tournèrent vers lui, et il termina d'une voix plus faible : « Les Enfants n'ont pas de pouvoir ici. Le Gouverneur...

– Les Enfants de la Lumière ont le pouvoir partout où les hommes marchent dans la Lumière, dit l'homme au manteau blanc qui avait parlé. Là seulement où règne l'Ombre du Ténébreux, les Enfants se voient opposer un refus, hein ? » Sa capuche vira de l'homme du Guet à Lan, puis soudain il examina le Lige une seconde fois, circonspect.

Le Lige n'avait pas bronché ; en fait, il semblait parfaitement à son aise. Mais il n'y a pas beaucoup de gens qui regardent les Enfants avec une telle désinvolture. Le visage sans expression de Lan aurait aussi bien pu être tourné vers un cireur de souliers. Quand le Blanc Manteau parla de nouveau, ce fut d'un ton soupçonneux.

« Quelle sorte de gens veut quitter l'enceinte de la cité pendant la nuit par les temps qui courent ? Avec des loups qui chassent dans le noir et l'ouvrage du Ténébreux qu'on voit voler au-dessus de la ville ? » Il eut un coup d'œil pour le bandeau de cuir tressé qui ceignait le front de Lan et retenait ses longs cheveux. « Un homme du Nord, hein ? »

Rand se tassa sur sa selle. Un Draghkar. Ce devait être ça, à moins que le Blanc Manteau n'appelle ouvrage du Ténébreux tout ce qu'il ne comprenait pas. Avec un Évanescent à l'auberge du *Cerf et le Lion*, il aurait dû s'attendre à un Draghkar mais, pour le moment, il n'y pensait guère. Il avait l'impression de connaître la voix du Blanc Manteau.

« Des voyageurs, répliqua calmement Lan. Sans intérêt pour vous ou les vôtres.

– Tout le monde intéresse les Enfants de la Lumière. »

Lan secoua légèrement la tête. « Cherchez-vous vraiment encore des ennuis avec le Gouverneur ? Il a limité votre nombre dans la ville, il a même ordonné de vous suivre. Que décidera-t-il quand il découvrira que vous harcelez d'honnêtes citoyens à ses portes ? » Il se tourna vers les hommes du Guet. « Pourquoi vous êtes-vous arrêtés ? » Ils hésitèrent, remirent la main à la manivelle, puis hésitèrent de nouveau quand le Blanc Manteau parla.

« Le Gouverneur ignore ce qui se passe sous son nez. Il y a le mal qu'il ne voit ni ne sent, mais les Enfants de la Lumière voient. » Les hommes du Guet se regardèrent ; leurs mains s'ouvraient et se fermaient, comme s'ils regrettaient les lances laissées au poste de garde. « Les Enfants de la Lumière sentent le mal. » Les yeux du Blanc Manteau se tournèrent vers les cavaliers. « Nous le sentons et nous l'éradiquons. Partout où il se trouve. »

Rand essaya de se faire tout petit, mais son mouvement attira l'attention de l'autre.

« Qu'avons-nous là ? Quelqu'un qui ne tient pas à ce qu'on le remarque ? Qu'est-ce que vous... Ah ! » L'homme rabattit de la main le capuchon de sa cape blanche, et Rand se retrouva en train de regarder le visage qu'il savait devoir y être. Bornhald hocha la tête avec une satisfaction évidente. « Il est clair, homme du Guet, que je vous ai sauvé d'un grand malheur. Ce sont des Amis du Ténébreux que vous alliez aider à échapper à la Lumière. On devrait vous signaler à votre Gouverneur pour qu'il vous punisse ou peut-être vous livrer aux Inquisiteurs pour découvrir votre intention véritable cette nuit. » Il marqua une pause, contemplant la peur de l'homme du Guet ; elle ne semblait avoir aucun effet sur lui. « Cela ne vous plairait pas, hein ? À la place, je vais emmener ces bandits à notre camp pour qu'on puisse les questionner dans la Lumière... à votre place, hein ?

– Vous allez m'emmener dans votre camp, Blanc Manteau ? » La voix de Moiraine venait soudain de toutes les directions à la fois. Elle s'était reculée dans l'obscurité à l'approche des Enfants, et des ombres compactes l'entouraient. « Vous voulez me questionner ? » La nuit la nimbait quand elle avança d'un pas ; elle en paraissait plus grande. « Vous allez me barrer la route ? » Un autre pas, et Rand s'étrangla à demi. Elle *était* plus grande, sa tête au niveau de celle de Rand assis sur son cheval gris. Des ombres se massaient autour de son visage comme des nuées d'orage.

« Une Aes Sedai ! » cria Bornhald, et cinq épées jaillirent des fourreaux. « À mort ! » Les quatre autres hésitèrent, mais lui fit cingler son épée vers elle du même mouvement qu'il l'avait tirée au clair.

Rand poussa un cri comme Moiraine levait sa canne pour intercepter la lame. Ce bois délicatement sculpté ne pouvait absolument pas arrêter de l'acier brandi avec vigueur. L'épée rencontra la canne et des étincelles jaillirent comme d'une fontaine, un vrombissement rejeta Bornhald contre ses compagnons en cape blanche. Tous les cinq s'affalèrent en bloc. Des spirales de fumée s'élevèrent de l'épée de Bornhald sur le sol à côté de lui, la lame repliée à angle droit là où elle avait fondu, presque coupée en deux.

« Vous osez m'attaquer ! » La voix de Moiraine retentissait comme le mugissement d'un vent de tempête.

L'ombre s'enroulait autour d'elle, se drapait comme une mante à capuchon ; elle paraissait aussi haute que l'enceinte de la ville. De ses yeux s'abaissait un regard fulgurant, une géante contemplant des insectes.

« En route ! » cria Lan. En un éclair, il saisit les rênes de la jument de Moiraine et sauta en selle sur son propre cheval. « Tout de suite ! » commanda-t-il. Ses épaules effleurèrent chaque battant quand son étalon passa ventre à terre par l'étroite ouverture, comme une pierre qu'on lance.

Pendant un instant, Rand resta paralysé, le regard plein de stupeur. Moiraine dépassait à présent de la tête et des épaules la palissade de l'enceinte. Les hommes du Guet comme les Enfants de la Lumière s'étaient reculés devant elle en tremblant, tassés le dos contre le poste de garde. Le visage de l'Aes Sedai se perdait dans la nuit mais ses yeux, grands comme des lunes pleines, brillaient d'impatience autant que de colère quand ils se portèrent sur Rand. Ravalant sa salive, il donna des coups de talon dans les flancs de Nuage et partit au galop à la suite des autres. À cinquante pas de l'enceinte, Lan les fit arrêter et Rand se retourna. La silhouette ombreuse de Moiraine surmontait de haut la palissade, sa tête et ses épaules formant une masse plus noire sur le ciel nocturne, entourées d'un halo d'argent par la lune qu'elles cachaient. Comme Rand regardait bouche bée, l'Aes Sedai franchit d'un pas la palissade d'enceinte. Les battants se mirent frénétiquement en mouvement. Dès que ses pieds touchèrent le sol à l'extérieur, elle reprit soudain sa taille normale.

« Retenez la porte ! » cria une voix mal assurée à l'intérieur de l'enceinte. Rand pensa que c'était Bornhald. « On doit les poursuivre et les arrêter. » Mais les hommes du Guet ne ralentirent pas la manœuvre de fermeture. Les battants se rejoignirent avec un claquement et, peu après, la bâcle se mit en place d'un coup sec et les scella. *Peut-être que certains de ces autres Blancs Manteaux ne sont pas aussi pressés que Bornhald d'affronter une Aes Sedai.*

Moiraine se hâta vers Aldieb, donnant une caresse aux naseaux de la jument blanche avant de glisser sa canne sous la sangle de la selle. Rand n'avait pas besoin, cette fois, de regarder pour savoir qu'il n'y avait même pas une entaille à la canne.

« Vous étiez plus grande qu'un géant », dit Egwene, le souffle court, en changeant d'assiette sur le dos de Béla. Personne d'autre ne parla, mais Mat et Perrin avaient écarté leurs chevaux de l'Aes Sedai.

« Vraiment ? dit Moiraine d'un air absent en se hissant en selle.

– Je vous ai vue, protesta Egwene.

– L'esprit joue des tours, la nuit ; les yeux voient ce qui n'existe pas.

– Ce n'est pas le moment de plaisanter », commença Nynaeve avec humeur, mais Moiraine lui coupa la parole.

« Ce n'est pas le moment, en effet. Ce que nous avons gagné au *Cerf et le Lion*, nous l'avons peut-être perdu ici. » Elle jeta un coup d'œil en arrière vers la porte et secoua la tête. « Si seulement je pouvais croire que le Draghkar est à terre. » Et, avec un reniflement de dédain pour elle-même, Moiraine ajouta : « Ou si seulement le Myrddraal était vraiment aveugle. À tant faire que d'émettre des vœux, autant souhaiter l'impossible. Peu importe. Ils savent par où nous devons passer mais, avec de la chance, nous aurons une marche d'avance sur eux. Lan ! »

Le Lige partit vers l'est par la Route de Caemlyn et les autres suivirent juste derrière, les sabots de leurs montures frappant en cadence la terre battue de la voie.

Ils gardaient une allure aisée, une marche rapide que les chevaux pouvaient soutenir pendant des heures sans aide de l'Aes Sedai. Toutefois, ils n'avaient pas cheminé une heure que Mat s'exclamait en désignant la direction d'où ils venaient : « Voyez donc, là-bas ! »

Tous tirèrent sur les rênes et regardèrent.

Des flammes éclairaient la nuit au-dessus de Baerlon, comme si quelqu'un avait bâti un bûcher grand comme une maison, teignant de rouge le dessous des nuages. Des étincelles emportées par le vent jaillissaient dans le ciel.

« Je l'avais averti, dit Moiraine, mais il n'a pas voulu le prendre au sérieux. » Aldieb dansait de côté, écho de la frustration de l'Aes Sedai. « Il n'a pas voulu en tenir compte.

– L'auberge ? demanda Perrin. C'est *le Cerf et le Lion* ? Comment pouvez-vous en être sûre ?

– Jusqu'où veux-tu faire aller une coïncidence ? répliqua Thom. Ce pourrait être la maison du Gouverneur, mais ça ne l'est pas. Et ce n'est pas un entrepôt, ni le poêle de quelque cuisine ni la meule de foin de ta grand-mère.

– Peut-être que la Lumière brille un peu sur nous cette nuit », dit Lan, et Egwene s'emporta contre lui.

« Comment pouvez-vous dire cela ? L'auberge du pauvre Maître Fitch brûle ! Il y a peut-être des gens qui sont blessés !

« S'ils ont attaqué l'auberge, dit Moiraine, peut-être que notre sortie de la ville et mon... exhibition sont passées inaperçues.

– À moins que ce ne soit ce que le Myrddraal veut que nous pensions », commenta Lan.

Moiraine hocha la tête dans le noir. « Possible. En tout cas, il faut continuer au plus vite. Il y aura peu de repos pour tous cette nuit.

– C'est trop facile pour vous de dire cela, Moiraine ! s'exclama Nynaeve. Et les gens à l'auberge ? Les gens doivent être blessés et l'aubergiste a perdu son gagne-pain à cause de vous ! Malgré tous vos discours de marcher dans la Lumière, vous êtes prête à continuer sans une pensée pour lui. S'il a des ennuis, c'est à cause de vous !

– À cause de ces trois-là, rectifia Lan avec colère. L'incendie, les blessés, la marche forcée... tout est à cause de ces trois-là. Qu'il faille payer un prix est la preuve qu'il vaut d'être payé. Le Ténébreux veut ces garçons, et tout ce qu'il veut si fort on doit l'empêcher de l'avoir. Ou préférez-vous laisser l'Évanescent les prendre ?

– Du calme, Lan, dit Moiraine. Du calme. Sagesse, vous pensez que je peux aider Maître Fitch et les gens à l'auberge ? Eh bien, vous avez raison. » Nynaeve s'apprêta à parler, mais Moiraine lui intima d'un geste de se taire et continua : « Je peux revenir seule et apporter de l'aide. Pas trop, bien sûr. Sinon cela attirerait l'attention sur ceux que j'ai aidés, une attention dont ils ne me sauraient pas gré, surtout avec les Enfants de la Lumière en ville. Et cela ne laisserait que Lan pour vous protéger, tous tant que vous êtes. Il est très brave, mais il en faudrait plus que lui si un Myrddraal et un Poing de Trollocs vous trouvent. Bien sûr, nous pourrions nous en retourner tous, bien que je doute de pouvoir nous introduire dans Baerlon sans qu'on nous remarque. Et cela vous exposerait tous à quiconque a allumé cet incendie, sans parler des Blancs Manteaux. Qu'est-ce que vous choisiriez à ma place, Sagesse ?

– Je ferais quelque chose, murmura automatiquement Nynaeve.

– Et selon toute probabilité vous offririez sa victoire au Ténébreux, répliqua Moiraine. Rappelez-vous ce qu'il veut... *qui* il veut. Nous sommes en guerre, aussi sûrement que n'importe qui dans le Ghealdan, bien qu'il y ait là-bas des milliers de gens engagés et ici seulement nous huit. Je m'arrangerai pour que de l'or soit envoyé à Maître Fitch, assez pour rebâtir *le Cerf et le Lion*, de l'or impossible à identifier comme provenant de Tar Valon. Et aussi de l'aide pour ceux qui ont été blessés. Davantage risquerait de les mettre en danger. C'est loin d'être simple, vous voyez. Lan ! » Le Lige fit tourner son cheval et reprit la route.

De temps en temps, Rand regardait en arrière. En fin de compte, il n'aperçut plus que la lueur sur les nuages, et même cela se perdit dans l'obscurité. Il espéra que Min s'en serait tirée saine et sauve.

Tout était encore noir comme dans un four quand le Lige les mena enfin hors de la terre battue de la route et sauta à bas de sa selle. Rand estima qu'il ne restait pas plus de deux heures avant l'aube. Ils entravèrent les chevaux, toujours sellés, et campèrent sans feu.

« Une heure », les avertit Lan tandis que tous sauf lui s'enveloppaient dans leurs couvertures. Il monterait la garde pendant leur sommeil. « Une heure, puis nous devrons repartir. » Le silence s'installa parmi eux.

Après quelques minutes, Mat parla en un murmure qui atteignait à peine Rand. « Je me demande ce que Dav a fait de ce blaireau. » Rand secoua la tête sans rien dire et Mat hésita. Il finit par ajouter : « Je nous croyais en sécurité, tu sais, Rand. Pas l'ombre de quoi que ce soit depuis que nous avions franchi la Taren et, là, nous étions dans une ville, avec des murs autour de nous. J'ai pensé que nous étions à l'abri. Et puis ce rêve. Et un Évanescent. Allons-nous jamais nous retrouver en paix ?

– Pas avant d'être entrés à Tar Valon, répliqua Rand. C'est ce qu'elle nous a dit.

– Et là nous serons en sécurité ? » demanda Perrin à voix basse, et tous trois regardèrent la masse obscure qui était l'Aes Sedai. Lan s'était fondu dans l'ombre ; il aurait pu se trouver n'importe où.

Rand bâilla tout à coup. Au bruit, les autres tiquèrent nerveusement. « Je crois qu'on ferait mieux de dormir un peu, dit-il. Rester éveillé ne servira à rien. »

Perrin dit à mi-voix : « Elle aurait dû faire quelque chose. »

Personne ne répondit.

Rand se tortilla sur le côté pour éviter une racine, essaya de se coucher sur le dos, puis roula d'une pierre sur le ventre et une autre racine. Ce n'était pas un bon emplacement pour camper, cet endroit où ils s'étaient arrêtés, pas comme ceux choisis par le Lige dans leur marche vers le nord depuis la Taren. Il s'endormit en se demandant si les racines qui lui labouraient les côtes provoqueraient des cauchemars et s'éveilla quand Lan lui toucha l'épaule, les côtes douloureuses et très content, s'il avait eu des rêves, de ne pas s'en souvenir.

C'était encore l'obscurité qui précède l'aube mais, une fois les couvertures roulées et attachées derrière leurs selles, Lan leur refit prendre la direction de l'est. Au lever du soleil, ils déjeunèrent, les yeux mal ouverts, de pain et de fromage avec de l'eau, mangeant pendant que leurs chevaux avançaient. Tous sauf Lan. C'est-à-dire que lui mangeait aussi, mais il n'avait pas les yeux à demi fermés et il ne se tassait pas sur sa selle. Il avait remis son manteau aux couleurs changeantes qui claquait autour de lui, passant de divers gris à divers verts, et il n'y prêtait attention que pour le maintenir à l'écart du bras qui maniait l'épée. Son visage restait inexpressif, par contre ses yeux ne cessaient de scruter les alentours, comme s'il s'attendait à tout moment à une embuscade.

18.

LA ROUTE DE CAEMLYN

La Route de Caemlyn n'était pas très différente de la Route du Nord qui traversait les Deux Rivières. Elle était considérablement plus large, bien sûr, et son état témoignait d'une beaucoup plus grande fréquentation, mais c'était toujours de la terre battue, bordée de chaque côté par des arbres qui n'auraient pas été déplacés dans les Deux Rivières, surtout depuis que seuls les arbres à feuilles persistantes étaient verdoyants.

Le pays lui-même, pourtant, était différent car, à midi, la Route les amena au milieu de collines basses. Pendant deux jours, elle passa par ces collines – taillée quelquefois en plein milieu si leurs dimensions auraient imposé un grand détour mais n'étaient pas assez grandes pour rendre trop difficile d'y creuser un chemin. Comme l'angle du soleil changeait chaque jour, il devint apparent que la Route, si droite qu'elle paraissait à vue d'œil, s'incurvait lentement vers le sud, tout en se dirigeant vers l'est. Rand avait rêvé sur la vieille carte de Maître al'Vere – la moitié des garçons du Champ d'Emond avaient rêvé dessus – et, autant qu'il se le rappelait, la Route tournait autour de quelque chose qu'on appelait les Collines d'Absher jusqu'à ce qu'elle atteigne Pont-Blanc.

De temps en temps, Lan les faisait descendre de cheval au sommet d'une des collines, d'où il pouvait avoir un bon point de vue sur la Route, derrière et devant, et aussi sur le paysage environnant. Le Lige étudiait le panorama, pendant que les autres se dégourdissaient les jambes ou s'asseyaient sous les arbres pour manger.

313

« D'habitude, j'aime le fromage », dit Egwene, le troisième jour après leur départ de Baerlon. Elle était assise, appuyée au tronc d'un arbre, avec une moue devant un repas qui était encore une fois le même que le petit déjeuner et le même que serait le souper. « Pas une chance d'avoir du thé. Un bon thé bien chaud. » Elle resserra son manteau autour d'elle et tourna autour de l'arbre, dans le vain espoir d'éviter les tourbillons du vent.

« Une décoction d'herbe-aux-cinq-coutures et de racine de donnessa, disait Nynaeve à Moiraine, c'est ce qu'il y a de mieux pour la fatigue. Elle dégage la tête et atténue la sensation de brûlure dans les muscles fatigués.

– Certainement », murmura l'Aes Sedai en regardant Nynaeve du coin de l'œil.

Nynaeve serra les dents, mais continua sur le même ton : « Maintenant, si vous devez vous passer de sommeil...

– Pas de thé ! dit sèchement Lan à Egwene. Pas de feu ! Nous ne pouvons pas encore les voir, mais ils sont là-bas derrière, quelque part, un Evanescent ou deux et leurs Trollocs, et ils savent que nous prenons cette route. Pas besoin de leur dire exactement où nous sommes.

– Je n'en demandais pas, murmura Egwene de dessous sa mante. Je regrettais seulement.

– S'ils savent que nous sommes sur la route, pourquoi n'allons-nous pas directement au pont Blanc ? demanda Perrin.

– Même Lan ne peut pas couper à travers la campagne et aller aussi vite que par la route, dit Moiraine, interrompant Nynaeve, surtout pas à travers les Collines d'Absher. » La Sagesse poussa un soupir exaspéré. Rand se demanda ce qu'elle mijotait ; après avoir ignoré complètement l'Aes Sedai le premier jour, Nynaeve avait passé les deux suivants à essayer de lui parler de plantes médicinales. Moiraine s'écarta de la Sagesse en ajoutant : « Pourquoi croyez-vous que la route tourne pour les éviter ? Et il nous faudra bien revenir sur cette route à un moment donné. Nous risquons de les trouver devant nous au lieu de derrière nous à nous suivre. »

Rand n'eut pas l'air convaincu et Mat murmura quelque chose à propos d'un « long circuit ».

« Avez-vous vu une ferme depuis ce matin ? demanda Lan. Ou même la fumée d'une cheminée ? Non, parce que c'est désert de Baerlon au pont Blanc, et Pont-Blanc est l'endroit où nous devons traverser l'Arinelle. C'est le seul pont sur l'Arinelle au sud de Maradon, dans la Saldea. »

Thom eut un rire sec et souffla dans sa moustache. « Qu'est-ce qui les empêche d'avoir quelqu'un, ou quelque chose, déjà au pont Blanc ? »

De l'ouest vint la plainte funèbre d'un cor. Lan tourna vivement la tête pour regarder la route derrière eux. Rand se sentit parcouru par un frisson glacé. Une partie de lui restait assez calme pour penser : à quatre lieues pas davantage.

Moiraine s'épousseta les mains. « Il est temps de partir. » L'Aes Sedai monta sur sa jument blanche.

Ce qui détermina une bousculade vers les chevaux, accélérée par une deuxième sonnerie de cor. Cette fois, d'autres répondirent, les sons ténus arrivant de l'ouest comme un thrène. Rand se prépara à mettre Nuage au galop immédiatement et ses compagnons tinrent leurs rênes prêtes avec le même sentiment d'urgence. Tous sauf Moiraine et Lan. Le Lige et l'Aes Sedai échangèrent un long regard.

« Emmène-les, Moiraine Sedai, finit par dire Lan. Je reviendrai dès que possible. Tu sauras si j'ai échoué. » Posant la main sur le pommeau de la selle de Mandarb, il s'enleva et enfourcha l'étalon noir, puis descendit la colline au galop. En direction de l'ouest. Les cors retentirent de nouveau.

« Que la Lumière t'accompagne, dernier Seigneur des Sept Tours », dit Moiraine presque trop bas pour que Rand l'entende. Elle prit une profonde aspiration, puis tourna Aldieb vers l'est. « Il nous faut continuer », reprit-elle, et elle partit à un trot lent et régulier. Les autres la suivirent en file serrée.

Rand pivota une fois sur sa selle pour regarder Lan, mais le Lige était déjà hors de vue parmi les collines basses et les arbres dénudés. Elle l'avait appelé *dernier Seigneur des Sept Tours*. Il se demanda ce que cela signifiait. Il avait cru être le seul à l'entendre, mais Thom mâchonnait le bout de sa moustache, et son visage avait un air sombre et méditatif. Le ménestrel semblait être au courant de beaucoup de choses.

Les cors s'appelèrent et se répondirent encore une fois derrière eux. Rand bougea sur sa selle. Ils étaient plus près, cette fois-ci ; il en était sûr. Trois lieues, peut-être deux et demie. Mat et Egwene regardèrent par-dessus leur épaule et Perrin se tassa comme s'il s'attendait à ce que quelque chose le frappe dans le dos. Nynaeve poussa son cheval en avant pour parler à Moiraine.

« Ne pouvons-nous aller plus vite ? demanda-t-elle. Ces cors se rapprochent. »

L'Aes Sedai secoua la tête. « Et pourquoi nous font-ils savoir qu'ils sont là ? Peut-être pour que nous nous hâtions sans réfléchir à ce qui pourrait être devant. »

Ils continuèrent à la même allure soutenue. Par intervalles, les cors donnaient de la voix derrière eux et, chaque fois, le son se rapprochait. Rand s'efforça de ne pas réfléchir à leur proximité, mais cette pensée s'imposait malgré lui à chaque lamentation d'airain. Deux lieues, songeait-il avec anxiété quand, au détour de la colline, Lan surgit soudain au galop.

Il arrêta l'étalon à la hauteur de Moiraine. « Au moins trois Poings de Trollocs, chacun mené par un Demi-Homme. Peut-être cinq.

— Si vous étiez assez près pour les voir, dit Egwene avec inquiétude, ils auraient pu vous voir aussi. Ils pourraient être sur vos talons.

— On ne l'a pas vu. » Nynaeve se redressa quand tous la regardèrent. « J'ai suivi sa piste, rappelez-vous.

— Chut, ordonna Moiraine. Lan nous dit qu'il y a peut-être cinq cents Trollocs derrière nous. » Un silence suffoqué s'ensuivit, puis Lan reprit :

« Et ils réduisent la distance. Ils seront sur nous dans une heure ou moins. »

À demi pour elle-même, l'Aes Sedai dit : « S'ils en avaient autant auparavant, pourquoi ne s'en sont-ils pas servis au Champ d'Emond ? S'ils ne les avaient pas, comment se fait-il qu'ils soient là ?

— Ils sont déployés pour nous pousser devant eux, avec des éclaireurs pour patrouiller devant les corps principaux.

— Nous pousser vers quoi ? » s'interrogea Moiraine.

Comme pour lui répondre, un cor sonna au loin vers l'ouest, un long gémissement auquel répondirent d'autres cette fois, tous devant eux. Moiraine arrêta

Aldieb; les autres l'imitèrent. Thom et les jeunes du Champ d'Emond regardaient autour d'eux avec crainte. Les cors poussaient leur cri devant et derrière eux. Rand leur trouva une note triomphale.

« Qu'est-ce qu'on fait, maintenant ? questionna Nynaeve sur un ton aigre et comminatoire. Où allons-nous ?

– Tout ce qui reste, c'est le nord ou le sud, dit Moiraine, réfléchissant à haute voix plutôt que répondant à la Sagesse. Au sud, il y a les collines d'Absher arides et désertes, ainsi que la Taren sans moyen pour la traverser ni circulation par bateau. Au nord, nous pouvons atteindre l'Arinelle avant la nuit et nous aurons une chance de trouver un bateau marchand. Si la glace est rompue à Maradon.

– Il y a un endroit où les Trollocs n'iront pas, dit Lan, mais Moiraine tourna la tête avec brusquerie.

« Non ! » Elle appela d'un signe le Lige, il approcha la tête de la sienne afin que leur discussion ne puisse être surprise.

Les cors sonnèrent et le cheval de Rand dansa nerveusement.

« Ils essaient de nous faire peur », grommela Thom en s'efforçant de calmer sa monture. On aurait dit qu'il était à moitié en colère et que les Trollocs avaient à moitié réussi. « Ils essaient de nous épouvanter au point d'être saisis de panique et de nous enfuir. Alors, ils nous tiendront. »

Egwene tournait la tête à chaque sonnerie de cor, regardant d'abord en avant puis en arrière, comme si elle cherchait les premiers Trollocs. Rand avait envie de l'imiter mais tenta de le dissimuler. Il rapprocha Nuage d'Egwene.

« Nous allons au nord », annonça Moiraine.

Les cors émirent une lamentation aiguë quand ils quittèrent la route et s'engagèrent au trot dans les collines environnantes.

C'étaient des collines basses, mais le trajet qu'ils suivaient montait et descendait sans cesse, sans une ligne de même niveau, sous des arbres aux branches dénudées, à travers des broussailles mortes. Les chevaux ne grimpaient péniblement une pente que pour en redescendre une autre au petit galop. Lan menait un train dur à suivre, plus rapide que sur la route.

Des branches fouettaient la figure et la poitrine de Rand. Des lianes desséchées lui attrapaient les bras et parfois lui arrachaient le pied de l'étrier. Les cors plaintifs se rapprochaient toujours, et toujours plus fréquents.

Lan avait beau les pousser durement, ils n'avançaient pas très vite. Ils gravissaient deux mètres et en descendaient autant pour progresser finalement d'un seul, et chacun de ces mètres était un effort et une lutte. Et les cors se rapprochaient. *Une lieue*, pensa Rand. *Peut-être*.

Après un temps, Lan commença à sonder des yeux le terrain de-ci de-là, les méplats durs de son visage aussi près de dénoter de l'inquiétude que Rand les avait jamais vus. Une fois, le Lige se dressa sur ses étriers pour contempler le chemin parcouru. Tout ce que Rand pouvait voir, c'était des arbres. Lan se rassit sur sa selle et, inconsciemment, renvoya son manteau en arrière pour dégager son épée en recommençant à fouiller la forêt des yeux.

Rand adressa à Mat un regard interrogateur, mais Mat se contenta d'une grimace en direction du dos du Lige et d'un haussement d'épaules exprimant l'impuissance.

À ce moment, Lan se retourna et prit la parole. « Il y a des Trollocs tout près. » Ils arrivaient en haut d'une colline et commençaient à redescendre de l'autre côté. « Une partie des éclaireurs envoyés en avant des autres. Probablement. Si nous tombons sur eux, restez près de moi à tout prix et faites comme moi. Nous devons continuer dans la même direction.

– Sang et cendres ! » murmura Thom. Nynaeve indiqua d'un geste à Egwene de se tenir à côté d'elle.

Des bouquets épars d'arbres toujours verts procuraient le seul vrai abri, mais Rand essayait de regarder dans toutes les directions à la fois, son imagination transformant en Trollocs les troncs gris des arbres aperçus du coin de l'œil. Et, aussi, les cors se rapprochaient. Et directement derrière eux. Il en était sûr. Derrière et plus près.

Ils arrivèrent en haut d'une autre colline.

En dessous d'eux, abordant le bas de la pente, marchaient des Trollocs porteurs de perches munies à l'extrémité de grandes boucles de cordes ou de longs crochets. Beaucoup de Trollocs. Leur ligne s'étendait au loin de chaque côté, ses extrémités hors de vue mais, à son centre, juste en face de Lan, chevauchait un Évanescent.

Le Myrddraal sembla hésiter quand les humains parurent au sommet de la colline mais, aussitôt après, il tira une épée, avec cette lame noire dont Rand se souvenait avec tant de malaise, et la brandit au-dessus de sa tête. La rangée de Trollocs se précipita en avant.

Le Myrddraal n'avait pas encore bougé que l'épée de Lan était déjà dans sa main. « Restez avec moi ! » ordonna-t-il, et Mandarb plongea le long de la pente sus aux Trollocs. « Pour les Sept Tours ! » cria Lan à pleins poumons.

La gorge de Rand se serra, il éperonna le cheval gris ; tout leur groupe s'élança derrière le Lige. Rand fut surpris de trouver l'épée de Tam serrée dans son poing. Incité par le cri de guerre de Lan, il s'en trouva un : « Manetheren ! Manetheren ! »

Perrin le reprit à son compte : « Manetheren ! Manetheren ! »

Par contre, Mat cria : « *Caraï an Caldazar ! Caraï an Ellisande ! Al Ellisande* ! »

L'Évanescent se détourna des Trollocs pour regarder les cavaliers qui le chargeaient. L'épée noire se figea audessus de sa tête et l'ouverture de son capuchon pivota, cherchant parmi les cavaliers qui accouraient.

Puis Lan fut sur le Myrddraal tandis que les humains tombaient sur le rang des Trollocs. La lame du Lige croisa l'acier noir des forges de Thakan'dar avec un « clang » de grande cloche dont le tintement résonna dans le vallon, tandis qu'une lueur bleue remplissait l'air comme un éclair en nappe.

Les presque-humains au mufle de bêtes grouillèrent autour de chacun des humains, brandissant à la manière de fléaux leurs perches et leurs crocs. Ce n'est que Lan et le Myrddraal qu'ils évitèrent avec soin ; ces deux-là se battaient dans un cercle dégagé, les chevaux noirs synchronisant leurs pas, les épées rendant coup pour coup. L'air luisait et retentissait.

Nuage roulait les yeux et hurlait, se cabrant et cherchant à frapper de ses sabots les faces grondantes aux dents pointues qui les cernaient. Des corps lourds se pressaient, épaule contre épaule, autour de Rand. Enfonçant ses talons brutalement, il força le gris à avancer sans se soucier des conséquences, maniant son épée avec fort peu de l'art que Lan avait tenté de lui inculquer, frappant comme s'il coupait du bois à la hache. *Egwene!* Il la cherchait désespérément tandis qu'il faisait avancer le cheval gris à coups de talon, se frayant un chemin à travers les corps velus du tranchant de son épée comme s'il taillait des broussailles.

La jument blanche de Moiraine s'élançait et revenait au plus léger mouvement de la main de l'Aes Sedai sur les rênes. Moiraine avait le visage aussi dur que Lan tandis qu'elle brandissait sa canne. Une flamme enveloppait les Trollocs, puis se déployait avec un rugissement qui laissait des silhouettes difformes immobiles sur le terrain. Nynaeve et Egwene chevauchaient tout près de l'Aes Sedai avec une énergie frénétique, montrant les dents avec presque autant de férocité que les Trollocs, leur poignard de ceinture à la main. Ces lames courtes n'auraient servi à rien contre un Trolloc qui se serait approché. Rand essaya de mener Nuage dans leur direction, mais le gris avait pris le mors aux dents. Criant et ruant, Nuage fonçait en avant, en dépit de la force que mettait Rand à tirer sur les rênes.

Un espace s'ouvrit devant les trois femmes, car les Trollocs voulaient fuir la canne de Moiraine mais, quand ils tentaient de l'éviter, elle leur courait sus. Les flammes grondaient et les Trollocs hurlaient de rage et de fureur. Par-dessus la rage et la furie retentissait le tintement du glaive du Lige contre celui du Myrddraal; des éclairs bleus flamboyaient dans l'air autour d'eux, encore et encore.

Un nœud coulant au bout d'une perche chercha à pêcher la tête de Rand. D'un coup maladroit de taille, il trancha en deux la perche, puis hacha le Trolloc à face de bouc qui la tenait. Un croc attrapa son épaule par-derrière et se prit dans son manteau, le tirant brusquement en arrière. Il se cramponna frénétiquement au pommeau de sa selle pour conserver son assiette, manqua perdre son épée. Nuage, poussant un cri, se contorsionna. Rand s'accrocha désespérément à sa selle et à ses rênes; il se sentait glisser, pouce par pouce, cédant à la traction du croc. Nuage pivota sur lui-même; pendant un instant, Rand vit Perrin, à demi hors de sa selle, qui s'efforçait d'arracher sa hache à trois Trollocs. Ils l'avaient saisi par un bras et par les deux jambes. Nuage plongea et seuls les Trollocs remplirent la vision de Rand.

L'un d'eux se précipita et lui agrippa la jambe, dégageant son pied de l'étrier. Haletant, il lâcha la selle pour le frapper. Aussitôt le croc l'enleva de sa selle, le tirant vers la croupe du cheval ; son étreinte désespérée sur les rênes fut tout ce qui le retint de tomber. Nuage se cabra et cria. Et au même instant la traction cessa. Le Trolloc qui lui avait agrippé la jambe leva les mains en l'air et hurla. Tous les Trollocs hurlèrent, un hurlement comme si tous les chiens du monde étaient devenus enragés.

Autour des humains, les Trollocs s'affalaient en se tordant sur le sol, s'arrachaient les cheveux, se griffaient la face. Tous les Trollocs. Mordant la terre, happant le vide, hurlant, hurlant, hurlant.

Alors Rand vit le Myrddraal. Toujours bien droit sur la selle de son cheval qui dansait follement, brandissant toujours son épée noire, il n'avait plus de tête.

« Il ne mourra pas avant la nuit. » Thom dut crier entre deux respirations entrecoupées pour être entendu par-dessus les hurlements qui résonnaient sans relâche. « Pas complètement. C'est du moins ce que j'ai entendu dire.

– En route ! » ordonna Lan avec colère. Le Lige avait déjà rassemblé Moiraine et les deux autres jeunes femmes et les avait fait grimper à mi-chemin de la colline voisine. « Il y en a d'autres que ceux-là ! » En effet, dominant les clameurs des Trollocs gisant à terre, les cors sonnaient de nouveau leur chant funèbre à l'est, à l'ouest et au sud.

Chose étonnante, Mat était le seul à avoir été désarçonné. Rand s'avança vers lui au trot, mais Mat rejeta à l'écart un nœud coulant avec un frisson, ramassa son arc et se remit tant bien que mal en selle sans aide, encore qu'en se frottant la gorge.

Les cors donnaient de la voix comme des chiens sur la piste d'un cerf. Des chiens cernant la proie. Si Lan avait mené auparavant un train dur à soutenir il le doublait à présent, tant et si bien que les chevaux grimpèrent la colline plus vite qu'ils n'avaient descendu l'autre pente, et se jetèrent presque au bas de la suivante. Mais les cors se rapprochaient toujours, de sorte qu'on entendait les cris gutturaux de la poursuite à chaque pause des cors, puis les humains atteignirent enfin le sommet d'une colline à l'instant où les Trollocs apparaissaient sur celle qui était derrière eux. La crête était noire de Trollocs, la face grimaçante au mufle hurlant, et trois Myrddraals qui les dépassaient en épouvante. Cent empans seulement séparaient les deux partis.

Le cœur de Rand se ratatina comme un vieux grain de raisin. *Trois !*

Les épées noires des Myrddraals se dressèrent comme une seule ; les Trollocs déferlèrent le long de la pente dans un chœur de cris de triomphe, leurs perches oscillant au-dessus de leur flot bouillonnant et rapide.

Moiraine descendit d'Aldieb. Elle retira calmement quelque chose de sa bourse, le déballa. Rand aperçut de l'ivoire sombre. *L'angreal.* Avec l'*angreal* d'une main et la canne de l'autre, l'Aes Sedai se campa face à l'assaut des Trollocs et des glaives noirs des Évanescents, leva haut sa canne et la planta en terre.

Le sol résonna comme un chaudron de fer heurté par un maillet. Le bruit métallique décrut, s'évanouit. Pendant un instant, donc, il resta silencieux. Tout était silencieux. Le vent mourut. Les Trollocs se turent ; même leur assaut ralentit, puis s'arrêta. Pendant le temps d'un battement de cœur, tout demeura en attente. Puis, peu à peu, le tintement sourd s'éleva de nouveau, se changea en un grondement bas qui grandit jusqu'à ce que la terre gémisse.

Le sol trembla sous les sabots de Nuage. C'était l'œuvre d'une Aes Sedai, telle que le racontaient les histoires ; Rand se souhaita à cent lieues de là.

Le tremblement devint un ébranlement qui fit frissonner les arbres autour d'eux. Le cheval gris broncha et faillit tomber. Même Mandarb et Aldieb, qui n'avaient pas de cavalier, titubèrent comme ivres et ceux qui étaient à cheval durent s'accrocher aux rênes et à la crinière, à n'importe quoi, pour conserver leur équilibre.

L'Aes Sedai se tenait toujours droite comme au début, l'*angreal* en main, sa canne fichée à la verticale au sommet de la colline et ni elle ni la canne ne bougèrent d'un pouce malgré le sol qui tremblait et frémissait alentour. Or voilà que la terre se mit à onduler, se soulevant devant sa canne, à onduler vers les Trollocs comme les ondulations sur une mare, des ondulations qui grandissaient à mesure qu'elles avançaient, déracinant des buissons morts, lançant des feuilles sèches en l'air, se renforçaient, devenaient des vagues de terre roulant vers les Trollocs. Des arbres dans le creux du val cinglaient l'air comme des badines aux mains de petits garçons. Sur la pente d'en face, des Trollocs tombaient en tas, culbutés sans relâche par la terre enragée.

Pourtant, comme si le sol ne se cabrait pas autour d'eux, les Myrddraals s'avançaient en ligne, sans que leurs chevaux d'un noir absolu ne manquent jamais un pas, chaque sabot accordé aux autres. Les Trollocs roulaient sur le sol autour des coursiers noirs, hurlant et essayant de se cramponner au sol qui les soulevait, mais les Myrddraals continuaient leur lente marche en avant.

Moiraine leva sa canne et la terre s'immobilisa, mais elle n'en avait pas fini. Elle pointa la canne vers le val entre les collines et une flamme jaillit du sol, en fontaine de vingt pieds de haut. Elle écarta les bras et le feu fila à droite et à gauche, aussi loin que l'œil pouvait le suivre, s'étala en un mur qui séparait humains et Trollocs. La chaleur était telle que Rand mit les mains devant sa figure, même là où il était au sommet de la colline. Les montures noires des Myrddraals, en dépit de leurs étranges pouvoirs, crièrent devant le feu, se cabrèrent et luttèrent contre leurs cavaliers, quand les Myrddraals les frappèrent pour tenter de les obliger à traverser les flammes.

« Sang et cendres », dit Mat faiblement. Rand hocha la tête sans rien dire.

Brusquement, Moiraine vacilla et serait tombée si Lan n'avait sauté à bas de son cheval pour la rattraper. « Continuez ! », dit-il aux autres. La dureté de sa voix contrastait avec la douceur avec laquelle il souleva l'Aes Sedai pour la rasseoir sur sa selle. « Ce feu ne durera pas toujours. Hâtez-vous ! Chaque minute compte ! »

Le mur de flammes rugissait comme s'il allait en vérité brûler à jamais, mais Rand ne discuta pas. Ils galopèrent vers le nord aussi vite qu'ils purent pousser leurs chevaux. Les cors au loin manifestèrent leur déception par leur sonorité lancinante, comme s'ils savaient déjà ce qui s'était produit, puis se turent.

Lan et Moiraine rattrapèrent bientôt les autres, bien que Lan menât Aldieb par la bride tandis que l'Aes Sedai vacillait et se retenait des deux mains au pommeau de sa selle.

« Ça va aller bientôt », dit-elle en voyant leur expression tourmentée. Elle paraissait lasse mais confiante et son regard en imposait toujours. « Je ne suis pas au mieux de ma forme quand je travaille avec la Terre et le Feu. Ce n'est pas grand-chose. »

Tous deux reprirent la tête à une allure de marche rapide. Rand ne pensait pas Moiraine capable de rester en selle à un train supérieur. Nynaeve chevauchait devant lui à côté de l'Aes Sedai, la soutenant d'une main. Pendant un moment, tandis que le groupe progressait à travers les collines, les deux femmes chuchotèrent, puis la Sagesse plongea la main sous son manteau et en sortit un petit paquet qu'elle donna à Moiraine. Moiraine le défit et en avala le contenu. Nynaeve ajouta quelque chose, puis reprit son rang parmi les autres, ignorant leurs regards interrogateurs. Rand eut l'impression qu'elle avait un petit air satisfait, en dépit de leur situation.

Il ne se souciait pas vraiment de savoir ce que mijotait la Sagesse. Il frottait continuellement la garde de son épée et chaque fois qu'il se rendait compte de ce qu'il faisait il la regardait avec stupeur. *Alors, c'est ça, une bataille.* Il ne s'en rappelait pas grand-chose, aucun détail précis. Tout se mêlait dans sa tête, une masse confuse de faces velues et de peur. La peur et la chaleur. Il avait eu la sensation d'une chaleur aussi forte qu'à midi en plein été pendant que cela durait. Il ne comprenait pas. Le vent glacé essayait de geler les perles de sueur sur son front et tout son corps.

Il jeta un coup d'œil à ses deux amis. Mat essuyait son visage en sueur avec le bord de son manteau. Perrin, l'œil fixé sur quelque chose au loin et n'aimant pas ce qu'il voyait, ne semblait pas se rendre compte des perles luisant sur son front.

Les collines devinrent plus petites et le pays commença à s'aplanir mais, au lieu de forcer l'allure, Lan s'arrêta. Nynaeve eut un mouvement comme pour rejoindre Moiraine, mais le Lige lui adressa un regard qui la fit s'arrêter. Lui et l'Aes Sedai continuèrent à avancer en rapprochant leurs têtes et, aux gestes de Moiraine, il devint clair qu'ils n'étaient pas d'accord. Nynaeve et Thom les regardaient fixement, la Sagesse avec une moue préoccupée, le ménestrel marmottant et marquant le pas pour regarder en arrière le chemin qu'ils avaient parcouru, mais tous les autres évitaient carrément de les regarder. Qui sait ce qui pourrait sortir d'une dispute entre une Aes Sedai et un Lige ?

Après quelques minutes, Egwene parla tout bas à Rand, en jetant un regard gêné aux deux encore en pleine discussion. « Ces choses que vous avez criées aux Trollocs. » Elle s'arrêta, comme incertaine sur la manière de continuer.

« Et alors ? » demanda Rand. Il se sentait un peu mal à l'aise – pousser des cris de guerre convenait aux Liges ; les natifs des Deux Rivières ne se conduisaient pas de cette façon, quoi qu'en dise Moiraine – mais si Egwene se moquait de lui à cause de ça... « Mat a dû raconter dix fois cette histoire.

– Et mal la raconter », intervint Thom. Mat grogna une protestation.

« De quelque manière qu'il l'ait arrangée, reprit Rand, nous l'avons tous entendue des centaines de fois. En outre, il fallait bien crier quelque chose. Je veux dire, c'est ce qu'on fait en un moment pareil. Tu as entendu Lan.

– Et on en a le droit, ajouta pensivement Perrin. Moiraine a expliqué que nous descendons tous de ces gens de Manetheren. Ils ont combattu le Ténébreux, et nous combattons le Ténébreux. Ça nous donne un droit. »

Egwene renifla comme pour montrer ce qu'elle en pensait. « Je ne parlais pas de ça. Qu'est-ce que... qu'est-ce que tu criais, toi, Mat ? »

Mat haussa les épaules, mal à l'aise. « Je ne me rappelle pas. » Il les regarda, sur la défensive. « Eh bien, non. C'est tout brumeux. Je ne sais pas ce que c'était ni d'où ça venait, ni ce que ça veut dire. » Il eut un rire d'excuse. « Je ne pense pas que ça signifie quoi que ce soit.

– Je... je crois que si, répliqua lentement Egwene. Quand tu as crié, j'ai eu l'impression, juste une minute, que je te comprenais, mais à présent c'est passé. » Elle soupira et secoua la tête. « Peut-être as-tu raison. Bizarre ce qu'on peut s'imaginer à un moment pareil, hein ?

– *Caraï an Caldazar* », dit Moiraine. Ils se retournèrent tous pour la regarder. « *Caraï an Ellisande. Al Ellisande.* En l'honneur de l'Aigle Rouge. En l'honneur de la Rose du Soleil. La Rose du Soleil. L'antique cri de guerre de Manetheren et le cri de guerre de son dernier roi. On appelait Eldren la Rose du Soleil. » Le sourire de Moiraine embrassait Egwene et Mat à la fois, encore que son regard fût demeuré peut-être un instant de plus sur lui que sur elle. « Le sang de la lignée d'Arad est encore puissant dans les Deux Rivières. Le vieux sang chante encore. »

Mat et Egwene se regardèrent, et tous les autres regardèrent ces deux-là. Egwene ouvrait de grands yeux et sa bouche esquissait un sourire qu'elle réprimait chaque fois qu'il se formait, comme si elle ne savait pas trop comment prendre cette histoire de vieux sang. Mat le savait, à voir son air rembruni.

Rand croyait deviner ce que pensait Mat. La même chose que lui. Si Mat descendait des anciens rois de Manetheren, peut-être était-ce après lui qu'en avaient réellement les Trollocs et non après tous les trois. Cette idée lui fit honte. Ses joues se colorèrent et, quand il surprit une grimace de confusion sur le visage de Perrin, il comprit que son ami avait eu la même idée.

« Je ne peux pas dire que j'aie jamais entendu une chose pareille », dit Thom après une minute. Il se secoua et devint brusque. « À un autre moment, j'aurais même pu en tirer une histoire mais, pour l'instant... Avez-vous l'intention de séjourner ici le reste de la journée, Aes Sedai ?

– Non », répliqua Moiraine en rassemblant ses rênes.

Un cor trolloc émit son chant funèbre depuis le sud comme pour souligner ce mot. D'autres cors répondirent à l'est et à l'ouest. Les chevaux hennirent et reculèrent nerveusement de côté.

« Ils ont dépassé le feu », annonça calmement Lan. Il se tourna vers Moiraine. « Tu n'es pas assez forte pour ce que tu veux faire, pas encore, pas sans repos. Et ni Myrddraals ni Trollocs n'entreront là-bas. »

Moiraine leva la main comme pour l'interrompre, puis soupira et la laissa retomber. « Très bien, dit-elle avec irritation. Tu as raison, je suppose, mais j'aurais préféré une autre solution. » Elle tira sa canne de dessous sa sangle de selle. « Réunissez-vous tous autour de moi. Aussi près que possible. Plus près. »

Rand poussa Nuage pour qu'il se rapproche de l'Aes Sedai. Sur les instances de Moiraine, ils se pressèrent en cercle de plus en plus serré autour d'elle, jusqu'à ce que chaque cheval ait la tête sur la croupe ou le garrot d'un autre. Seulement alors, l'Aes Sedai fut satisfaite. Puis, sans un mot, elle se dressa sur ses étriers et fit tourner sa canne au-dessus de leurs têtes, s'étirant pour être sûre qu'elle les couvrait tous.

Rand tressaillait chaque fois que la canne passait au-dessus de lui. Il ressentait un fourmillement à chaque passage. Il aurait pu suivre la canne sans la voir, juste en observant les frissons quand elle passait au-dessus des autres. Ce ne fut pas une surprise pour lui de constater que Lan était le seul à ne pas être affecté.

Subitement, Moiraine pointa la canne vers l'ouest. Des feuilles mortes tournoyèrent et des branches fouettèrent l'air comme si un tourbillon de poussière courait le long de la ligne qu'elle traçait. Quand la trombe invisible disparut, elle se rassit sur sa selle avec un soupir.

« Pour les Trollocs, dit-elle, notre odeur et nos traces sembleront suivre cette direction. Le Myrddraal verra clair au bout d'un temps, mais alors...

– À ce moment-là, compléta Lan, nous aurons disparu.

– Votre canne est très puissante », commenta Egwene, ce qui lui valut un reniflement de Nynaeve.

Moiraine claqua la langue. « Je t'ai dit, enfant, que les choses n'ont pas de puissance. Le Pouvoir Unique vient de la Vraie Source, et seul un esprit vivant peut l'exercer. Ceci n'est même pas un *angreal*, seulement une aide à la concentration. » Elle glissa avec lassitude la canne sous sa sangle de selle. « Lan ?

– Suivez-moi, dit le Lige, et taisez-vous. Tout sera perdu si les Trollocs nous entendent. »

Il les mena derechef vers le nord, non à l'allure forcée qu'ils avaient adoptée avant mais plutôt la marche rapide avec laquelle ils avaient parcouru la Route de Caemlyn. Le pays continuait à s'aplatir, mais la forêt restait aussi touffue.

Leur trajet n'allait plus en ligne droite comme auparavant, car Lan choisit un itinéraire qui serpentait à travers du sol dur et des affleurements rocheux, et il ne les laissa plus se frayer un chemin à travers des fouillis de broussailles au lieu de prendre la peine de les contourner. De temps en temps, il restait en arrière, étudiant avec attention la trace qu'ils laissaient. La moindre toux qui leur échappait provoquait de sa part un grognement brusque.

Nynaeve chevauchait à côté de l'Aes Sedai, son inquiétude pour elle et son antipathie en conflit visible sur sa figure. Il y avait aussi une nuance de plus, songea Rand, presque comme si la Sagesse voyait un but devant elle. Les épaules de Moiraine étaient affaissées et elle tenait les rênes et la selle à deux mains, vacillant à chaque pas d'Aldieb. Il était évident qu'établir la fausse piste, si peu de chose que cela paraisse à côté d'un tremblement de terre et d'un mur de flamme, l'avait épuisée, consumant une force qu'elle n'avait plus à dépenser.

Rand aurait presque souhaité que les cors recommencent à sonner. Du moins était-ce un moyen de connaître à quelle distance se trouvaient les Trollocs derrière eux. Et les Évanescents.

Il ne cessait de regarder en arrière et ne fut donc pas le premier à voir ce qu'il y avait devant. Quand il l'aperçut, il ouvrit de grands yeux, perplexe. Une vaste masse irrégulière s'étendait de chaque côté à perte de vue, généralement aussi haute que les arbres qui poussaient jusqu'à ses pieds, avec des flèches encore plus hautes çà et là. Des lianes et des plantes grimpantes défeuillées les recouvraient en couches épaisses. Une falaise ? *Les lianes faciliteront l'escalade, mais nous n'arriverons jamais à hisser les chevaux là-haut.*

Soudain, quand ils se furent un peu rapprochés, il vit une tour. C'était bien une tour, avec un drôle de dôme pointu qui la coiffait, et non quelque sorte de formation rocheuse. « Une ville ! » s'exclama-t-il. Et un rempart autour de la ville, et les flèches étaient des tours de guet sur la muraille. Sa bouche béa. Cette cité devait être dix fois plus grande que Baerlon. Cinquante fois plus grande.

Mat hocha la tête. « Une ville, acquiesça-t-il, mais que fait une ville au milieu d'une forêt comme celle-là ? »

– Et pas habitée », ajouta Perrin. Quand ils se retournèrent vers lui, il désigna le rempart. « Est-ce que des habitants laisseraient des plantes grimpantes pousser sur tout de cette façon ? Vous savez quels dégâts elles causent à un mur. Regardez ces écroulements. »

Ce que voyait Rand s'ajusta de nouveau dans son esprit. Perrin avait raison. Presque sous chaque partie basse du rempart, il y avait une colline recouverte de broussailles : de la blocaille tombée du mur au-dessus. Pas deux tours de guet n'avaient la même hauteur.

« Je me demande quelle ville c'était, dit Egwene d'un ton rêveur. Je me demande ce qui lui est arrivé. Je ne me rappelle pas l'avoir vue sur la carte de papa.

– On l'appelait Aridhol, dit Moiraine. Au temps des Guerres des Trollocs, c'était une alliée de Manetheren. » Contemplant le rempart massif, éle ne paraissait presque pas consciente de la présence des autres, même de celle de Nynaeve qui la soutenait d'une main sur son bras pour rester en selle. « Plus tard, Aridhol est morte et on a donné un autre nom à cet endroit.

– Quel nom ? questionna Mat.

– Par ici », dit Lan. Il arrêta Mandarb en face de ce qui avait été jadis une porte assez large pour qu'y entrent cinquante hommes de front. Seules restaient les bretèches en ruine, couvertes de vigne vierge ; de la porte il n'y avait pas trace. « Nous entrons ici. » Les cors trollocs émettaient des clameurs aiguës dans le lointain. Lan regarda avec attention dans la direction du son, puis observa le soleil qui descendait vers la cime des arbres, à mi-chemin de l'ouest. « Ils ont découvert que c'était une fausse piste. Venez. Il nous faut trouver un abri avant la nuit.

– Quel nom ? » questionna de nouveau Mat.

Moiraine répondit quand ils entrèrent dans la cité. « Shadar Logoth, dit-elle. On l'appelle Shadar Logoth. »

19.

L'ATTENTE-DE-L'OMBRE

Des pavés fendus craquèrent sous les sabots des chevaux quand Lan les mena dans la ville. Elle était tout
entière en ruine, pour autant que le voyait Rand, et
aussi abandonnée que l'avait dit Perrin. Il n'y avait
même pas un pigeon et, des fentes des murs aussi bien
qu'entre les pavés, sortaient des mauvaises herbes, pour
la plupart vieilles et mortes. Il y avait plus de bâtiments
au toit effondré que de bâtiments au toit intact. Les
murs affaissés vomissaient des éboulis de brique et de
pierre dans les rues. Des tours s'interrompaient,
abruptes et ébréchées, comme des bâtons rompus. Des
monceaux inégaux de débris, avec quelques arbres
rabougris poussant sur leurs pentes, auraient pu être des
restes de palais ou des blocs entiers d'immeubles de la
cité.

Pourtant, ce qui demeurait debout était suffisant pour
couper le souffle à Rand. Le plus grand édifice de Baerlon aurait disparu dans l'ombre de presque tous ceux
d'ici. Son regard rencontrait partout où il se posait des
palais de marbre clair surmontés de dômes immenses.
Chaque bâtiment paraissait avoir au moins une cou-
pole ; certains en avaient quatre ou cinq, chacune de
forme différente. De longues promenades bordées de
colonnes couvraient des centaines de pas, aboutissant à
des tours qui semblaient aller jusqu'au ciel. À chaque
croisement se dressait une fontaine de bronze, ou la
flèche d'albâtre d'un monument, ou une statue sur un
piédestal. Si les fontaines étaient à sec, la majorité des
flèches écroulées et beaucoup de statues brisées, ce qui

subsistait était si majestueux qu'il ne pouvait que s'émerveiller.

Et je croyais que Baerlon était une ville ! Je veux bien être brûlé, mais Thom a dû rire sous cape. Moiraine et Lan aussi.

Il était tellement absorbé dans sa contemplation qu'il fut pris par surprise quand Lan s'arrêta devant un bâtiment de pierre blanche qui avait eu jadis deux fois les dimensions du *Cerf et le Lion* de Baerlon. Rien n'indiquait ce qu'il avait été quand la ville était vivante et superbe, peut-être simplement une auberge. Des étages supérieurs n'existait plus qu'une coquille vide – on voyait le ciel d'après-midi par les châssis vides des fenêtres, le verre et le bois en avaient disparu depuis longtemps – mais le rez-de-chaussée paraissait en assez bon état.

Moiraine, les mains sur le pommeau de sa selle, examina avec attention le bâtiment avant de hocher la tête. « Celui-ci ira. »

Lan sauta à bas de son cheval et souleva l'Aes Sedaï dans ses bras pour la poser à terre. « Faites entrer les chevaux, ordonna-t-il. Trouvez une pièce par-derrière pour servir d'écurie. Remuez-vous, paysans. On n'est pas dans le Pré Communal du village. » Il disparut à l'intérieur, portant l'Aes Sedai.

Nynaeve se précipita à bas de sa monture et se dépêcha de le suivre, étreignant son sac d'herbes et d'onguents. Egwene marchait sur ses talons. Elles laissèrent leurs montures sur place.

« Faites entrer les chevaux », marmotta Thom d'un ton sarcastique, et il souffla dans sa moustache. Il descendit de cheval, lent et raide, se frotta les reins avec son poing, poussa un long soupir, puis prit la bride d'Aldieb. « Eh bien ? » dit-il en levant un sourcil à l'adresse de Rand et de ses amis.

Ils se hâtèrent de mettre pied à terre et rassemblèrent les autres chevaux. L'entrée, sans rien qui indique qu'une porte ait jamais existé, était plus que suffisante pour laisser entrer les animaux, même à deux de front.

À l'intérieur, il y avait une vaste salle qui occupait toute la largeur du bâtiment, avec un carrelage sale et aux murs quelques lambeaux de tapisseries, d'un ton passé virant au rouille éteint, qui semblaient prête à tomber en morceaux au moindre contact. Rien d'autre.

Lan avait aménagé une place pour Moiraine dans le coin le plus proche, avec leurs deux capes. Nynaeve, récriminant à voix basse contre la poussière, était agenouillée à côté de l'Aes Sedai et fouillait dans son sac qu'Egwene maintenait ouvert.

« Possible que je ne l'aime guère, c'est vrai, disait Nynaeve au Lige quand Rand, conduisant Béla et Nuage, entra derrière Thom, mais j'aide quiconque a besoin de mon aide, que je l'aime ou non.

– Je n'accuse personne, Sagesse. J'ai dit seulement d'y aller doucement avec vos herbes. »

Elle lui adressa un coup d'œil oblique. « La vérité est qu'elle a besoin de mes herbes et vous aussi. » Sa voix était acerbe pour commencer et devint plus revêche à mesure qu'elle parlait. « La vérité est qu'elle ne peut agir que jusqu'à un certain point, même avec son Pouvoir Unique et qu'elle a fait le maximum qu'elle pouvait sans s'effondrer. La vérité est que votre épée est incapable de l'aider pour le moment, Seigneur des Sept Tours, mais que mes herbes le peuvent. »

Moiraine posa la main sur le bras de Lan. « Ne te fâche pas, Lan, elle ne me veut pas de mal. C'est simplement qu'elle ne sait pas. » Le Lige eut un reniflement de mépris.

Nynaeve s'arrêta de fouiller dans son sac pour le regarder en fronçant les sourcils, mais ce fut à Moiraine qu'elle parla. « Il y a beaucoup de choses que je ne sais pas. Celle-là, qu'est-ce que c'est ?

– D'une part, répliqua Moiraine, tout ce dont j'ai vraiment besoin c'est d'un peu de repos. Et de l'autre, je suis d'accord avec vous. Votre art et vos connaissances seront plus utiles que je ne pensais. Maintenant, si vous avez quelque chose qui m'aide à dormir une heure sans m'assommer...

– Une tisane légère de queue-de-renard, de marisque, de... »

Le reste échappa à Rand qui suivait Thom dans une pièce située derrière la première, une salle juste aussi vaste et encore plus vide. Il n'y avait là qu'une épaisse couche de poussière qui n'avait pas été dérangée jusqu'à leur arrivée. Elle ne portait même pas d'empreintes d'oiseaux ou de petits animaux.

Rand se mit à desseller Béla et Nuage, Thom Aldieb et son hongre et Perrin son cheval et Mandarb. Tous

sauf Mat. Il laissa choir ses rênes au milieu de la salle.
Celle-ci comportait deux autres embrasures de porte en
plus de celle par laquelle ils étaient entrés.

« Une ruelle », annonça Mat en revenant de passer la
tête par la première. Ce qu'ils pouvaient voir d'où ils
étaient. La deuxième n'était qu'un rectangle noir dans
le mur du fond. Mat y entra lentement et en ressortit
beaucoup plus vite, se débarrassant avec vigueur de
vieilles toiles d'araignées prises dans ses cheveux.
« Rien là-dedans, dit-il en jetant un autre coup d'œil à la
ruelle.

– Tu vas t'occuper de ton cheval ? » dit Perrin. Il en
avait déjà terminé avec le sien et enlevait la selle de
Mandarb. Curieusement, l'étalon aux yeux farouches ne
lui donnait aucun mal, bien que sans cesser de le surveiller. « Personne ne va le faire à ta place. »

Mat contempla une dernière fois la ruelle et alla en
soupirant vers son cheval.

Comme Rand posait la selle de Béla par terre, il
remarqua que Mat avait l'air plongé dans une sombre
méditation. Son regard semblait à mille lieues de là et il
se mouvait mécaniquement.

« Ça va, Mat ? » dit Rand. Mat avait ôté la selle de
son cheval et restait là à la tenir. « Mat ? Mat ! »

Mat sursauta et faillit lâcher la selle. « Quoi ? Oh. Je...
J'étais juste en train de réfléchir.

– Réfléchir ? » Perrin émit un « ho-ho » moqueur. Il
était en train de remplacer la bride de Mandarb par un
hackamore [1]. « Tu dormais. »

Mat lui lança un regard noir. « Je pensais à... à ce qui
est arrivé là-bas. À ces mots que j'ai... » Tous se tournèrent alors vers lui, pas seulement Rand, et il fit un
mouvement, mal à l'aise. « Eh bien, vous avez entendu
ce qu'a dit Moiraine. C'était comme si un mort parlait
par ma bouche. Je n'aime pas ça. » Son expression
maussade s'accentua comme Perrin ricanait.

« Le cri de guerre d'Aemon, c'est ce qu'elle a expliqué, hein ? Peut-être que tu es Aemon ressuscité. À la
façon dont tu répètes à quel point on s'embête au
Champ d'Emond, j'aurais cru que tu aimerais ça, être
un roi et un héros ressuscité.

– Ne dis pas cela ! » Thom respira profondément,

1. Terme de sellerie originaire des États-Unis, utilisé en France
sans traduction (équivalant à « licou », « longe »). (N.d.T.)

chacun avait les yeux sur lui, à présent. « Ce sont des paroles dangereuses, stupides. Les morts peuvent ressusciter ou s'emparer d'un vivant, ce n'est pas quelque chose dont on peut parler à la légère. » Il aspira profondément de nouveau pour se calmer avant de continuer. « Le vieux sang, voilà ce qu'elle a précisé. Le sang, pas un mort. J'ai entendu raconter que cela peut se produire, parfois. Entendu raconter, je ne l'ai jamais réellement cru... Il s'agissait de tes racines, mon garçon. D'une lignée qui va de toi à ton père et à ton grand-père tout droit en remontant à Manetheren et peut-être au-delà. Bon, maintenant tu sais que ta famille est ancienne. Tu devrais t'en tenir là et te réjouir. Bien des gens n'en savent pas beaucoup plus que le fait qu'ils ont un père. »

Certains d'entre nous n'en sont même pas sûrs, songea Rand avec amertume. *Peut-être que la Sagesse a raison. Par la Lumière, j'espère qu'elle a raison.*

Mat acquiesça d'un hochement de tête aux paroles du ménestrel. « Je suppose que je le devrais. Seulement... Pensez-vous que cela a un rapport avec ce qui nous est arrivé ? Les Trollocs et tout ça ? Je veux dire... Oh, je ne sais pas ce que je veux dire.

— Je pense que tu devrais oublier tout ça et te concentrer sur les moyens de te sortir d'ici sain et sauf. » Thom tira de son manteau sa pipe à long tuyau. « Et je pense que je vais fumer un peu. » Agitant la pipe dans leur direction, il disparut dans la salle de devant.

« Nous sommes tous embringués dans cette histoire, pas seulement l'un d'entre nous », dit Rand à Mat.

Celui-ci se secoua et eut un rire bref comme un aboiement. « Très juste. Bon, puisqu'on parle d'être logés tous à la même enseigne, maintenant qu'on en a fini avec les chevaux, pourquoi ne pas aller voir ensemble un peu plus de cette ville. Une vraie ville, sans foules pour nous bousculer et nous donner des coups de coude dans les côtes. Personne pour nous toiser d'un air méprisant. Il reste encore une heure de jour, peut-être deux.

— Est-ce que tu n'oublies pas les Trollocs ? » dit Perrin.

Mat secoua la tête avec dédain. « Lan a dit qu'ils ne viendraient pas ici, tu te rappelles ? Tu devrais écouter ce qu'on te dit.

– Je m'en souviens, répliqua Perrin. Et j'écoute. Cette ville – Aridhol ? – était une alliée de Manetheren. Tu vois ? J'écoute.

– Aridhol a dû être la ville la plus importante pendant les Guerres des Trollocs, dit Rand, pour que les Trollocs en aient encore peur. Ils n'ont pas eu peur d'entrer aux Deux Rivières et Moiraine a dit que Manetheren était – comment a-t-elle tourné ça ? – une épine dans le pied du Ténébreux. »

Perrin leva les bras au ciel. « Ne parle pas du Berger de la Nuit. Tu veux bien ?

– Qu'est-ce que vous en dites ? reprit Mat en riant. Allons-y.

– On devrait demander à Moiraine », objecta Perrin et, à son tour, Mat leva les bras au ciel.

« Demander à Moiraine ? Tu crois qu'elle va nous laisser partir hors de sa vue ? Et à Nynaeve, alors ? Sang et cendres, Perrin, pourquoi ne pas demander à Maîtresse Luhhan pendant que tu y es ? »

Perrin acquiesça d'un signe de tête à regret et Mat se tourna vers Rand avec un large sourire. « Et toi ? Une vraie ville ? Avec des palais ! » Il eut un rire malicieux. « Et pas de Blancs Manteaux pour nous regarder de travers. »

Rand lui décocha un coup d'œil mauvais, mais n'hésita qu'un instant. Ces palais étaient comme un conte de ménestrel. « D'accord. »

Marchant doucement pour ne pas être entendus de la salle du devant, ils sortirent dans la ruelle et la suivirent depuis la façade du bâtiment jusqu'à une rue située de l'autre côté et, quand ils furent à un pâté de maisons de ce bâtiment en pierre blanche, Mat se mit soudain à exécuter une danse échevelée.

« Libre ! » Il rit. « Libre ! » Il ralentit ses cabrioles jusqu'à ne plus tourner qu'en cercle, fixant tout des yeux et riant toujours. Les ombres de l'après-midi étaient longues et dentelées, et le soleil couchant dorait la cité en ruine. « Avez-vous jamais rêvé d'un endroit pareil ? Hein ? »

Perrin rit aussi, mais Rand haussa les épaules, mal à l'aise. Cette ville ne ressemblait pas à la ville de son premier rêve, mais tout de même... « Si nous devons voir quelque chose, dit-il, nous ferions mieux d'y aller. Il ne reste plus beaucoup de jour. »

Mat voulait tout voir, semblait-il, et il tirait les autres en avant par son enthousiasme. Ils grimpèrent sur des fontaines poussiéreuses au bassin assez large pour contenir la population du Champ d'Emond et entrèrent visiter des constructions choisies au hasard, mais toujours les plus grandes qu'ils rencontraient. Ils comprirent ce qu'étaient certaines, d'autres non. Un palais était manifestement un palais, mais qu'était cet énorme bâtiment qui, à l'extérieur, avait un dôme arrondi aussi gros qu'une colline et, à l'intérieur, une seule salle gigantesque ? Et cette place cernée de murs, à ciel ouvert, et assez grande pour accueillir en entier le Champ d'Emond, avec à sa périphérie des rangées innombrables de bancs de pierre ?

Mat s'impatienta comme ils ne découvraient que de la poussière, de la pierraille ou des pans de mur décolorés qui s'effondraient dès qu'on y touchait. Une fois, il y avait des chaises de bois empilées contre un mur ; elles tombèrent toutes en morceaux quand Perrin essaya d'en soulever une.

Les palais avec leurs immenses salles vides, dont certaines auraient pu loger l'*Auberge de la Source du Vin*, avec de la place en supplément de chaque côté et par-dessus, rappelaient trop à Rand les gens qui les avaient jadis peuplés. Il pensait que les habitants des Deux Rivières au grand complet auraient pu se tenir sous ce dôme arrondi et quant à la place aux bancs de pierre... Il pouvait presque imaginer les gens dans l'ombre en train d'observer d'un air désapprobateur les trois intrus qui venaient déranger leur repos.

Finalement, même Mat se lassa, en dépit du grandiose des monuments, et se rappela qu'il n'avait eu qu'une heure de sommeil la nuit d'avant. Tous se mirent à s'en souvenir. Bâillant, ils s'assirent sur les marches d'un haut bâtiment dont la façade comportait de multiples rangées de grandes colonnes en pierre et discutèrent pour décider quoi faire ensuite.

« Rentrer, dit Rand, et dormir un peu. » Il plaqua le dos de sa main contre sa bouche. Quand il put parler de nouveau, il déclara : « Dormir, c'est tout ce que je souhaite.

– Tu peux dormir n'importe quand, dit Mat avec décision. Regarde où nous sommes. Une cité en ruine. Un trésor.

– Un trésor ? » Un bâillement faillit décrocher la mâchoire de Perrin. « Il n'y a pas de trésor ici. Il n'y a que de la poussière. »

Rand abrita ses yeux du soleil, une boule rouge planant juste au-dessus des toits. « Il est tard, Mat. Il va bientôt faire noir.

– Il pourrait y avoir un trésor, soutint Mat avec énergie. De toute façon, je veux escalader une de ces tours. Regarde celle-là. Elle est entière. Je parie qu'on peut voir à des lieues, de là-haut. Qu'en dis-tu ?

– Les tours ne sont pas sûres », déclara une voix d'homme derrière eux.

Rand se dressa d'un bond et se retourna vivement, la main serrée sur la garde de son épée ; les autres furent tout aussi prompts.

Un homme se tenait dans l'ombre des colonnes, en haut du perron. Il fit un demi-pas en avant, leva la main pour s'abriter les yeux et recula de nouveau. « Pardonnez-moi, dit-il d'une voix mielleuse. Il y a longtemps que je suis dans l'ombre à l'intérieur. Mes yeux ne sont pas encore habitués à la lumière.

– Qui êtes-vous ? » Rand trouvait bizarre l'accent de cet homme, même en comparaison de celui de Baerlon ; il prononçait étrangement certains mots, si bien que Rand avait du mal à les comprendre. « Que faites-vous ici ? Nous croyions que la ville était déserte.

– Je suis Mordeth. » Il s'arrêta comme s'il s'attendait à ce qu'on reconnaisse son nom. Aucun d'eux n'en faisant mine, il murmura quelque chose entre ses dents et continua : « Je pourrais vous poser les mêmes questions. Voilà longtemps qu'il n'y a personne à Aridhol. Très, très longtemps. Je n'aurais pas cru trouver trois jeunes gens déambulant dans ses rues.

– Nous sommes en route pour Caemlyn, dit Rand. Nous nous sommes arrêtés pour nous abriter cette nuit.

– Caemlyn », dit lentement Mordeth en roulant le nom dans sa bouche, puis il secoua la tête. « Un abri pour la nuit, avez-vous dit ? Peut-être voudrez-vous vous joindre à moi.

– Vous n'avez toujours pas dit ce que vous faisiez ici, dit Perrin.

– Eh bien, je suis chasseur de trésors, naturellement.

– En avez-vous trouvé ? » demanda Mat, tout excité.

Rand eut l'impression que Mordeth avait souri mais, dans l'ombre, il ne pouvait en être sûr.

« Oui, certes, dit Mordeth. Davantage que je ne m'y attendais. Davantage que je ne puis en emporter. Je ne comptais pas découvrir trois jeunes gens sains et vigoureux. Si vous voulez m'aider à transporter ce que je *peux* prendre jusqu'à l'endroit où sont mes chevaux, vous aurez chacun une part du reste. Autant que vous serez capable d'en ramasser. Tout ce que je laisserai sera perdu, enlevé par un autre chasseur de trésors, avant que je puisse revenir le chercher.

– Je vous avais bien dit qu'il devait y avoir un trésor dans un endroit pareil », s'exclama Mat. Il escalada le perron comme une flèche. « Nous allons vous aider à le transporter. Vous n'avez qu'à nous y conduire. » Mordeth et lui s'enfoncèrent dans l'ombre parmi les colonnes.

Rand regarda Perrin. « On ne peut pas le laisser. » Perrin jeta un coup d'œil au soleil couchant et hocha la tête.

Ils montèrent prudemment le perron, Perrin faisant jouer sa hache dans la boucle qui la retenait à sa ceinture, Rand crispant la main sur son épée. Mais Mat et Mordeth attendaient entre les colonnes, Mordeth les bras croisés, Mat scrutant avec impatience l'intérieur.

« Venez, dit Mordeth, je vais vous montrer le trésor. » Il se glissa à l'intérieur et Mat suivit. Les autres n'avaient plus qu'à suivre aussi. Le vestibule était obscur mais, presque aussitôt, Mordeth tourna de côté et s'engagea sur des marches étroites qui descendaient en spirale dans une obscurité de plus en plus épaisse au point qu'ils continuèrent à tâtons dans le noir complet. Rand palpait le mur d'une main, ne sachant s'il y aurait une marche sous son pied jusqu'à ce qu'il la trouve. Même Mat commença à se sentir mal à l'aise, à en juger par sa voix quand il dit : « Il fait terriblement noir, ici.

– Oui, oui », répliqua Mordeth. Il ne semblait nullement gêné par l'obscurité. « Il y a de la lumière en bas. Venez. »

Effectivement, l'escalier en colimaçon céda brusquement la place à un corridor faiblement éclairé par des torches fumeuses disposées de loin en loin dans des appliques de fer sur les murs. Les flammes et les ombres clignotantes permirent alors à Rand de bien voir pour la première fois Mordeth qui se hâtait sans s'arrêter, en leur faisant signe de venir.

Il a quelque chose de bizarre, pensa Rand, mais il n'arrivait pas à repérer exactement quoi. Mordeth était un homme portant beau, légèrement pansu, avec des paupières tombantes qui lui donnaient l'air de se cacher derrière quelque chose pour guetter. Court de taille et entièrement chauve, il marchait comme s'il était plus grand qu'aucun d'entre eux. Ses vêtements ne ressemblaient certes à rien de ce qu'avait vu Rand auparavant. Une culotte noire collante et de courtes bottes molles rouges, le revers retourné jusqu'aux chevilles. Un long gilet rouge abondamment rebrodé d'or et une chemise d'un blanc neigeux à larges manches dont la pointe des manchettes lui pendait presque aux genoux. Certainement pas le genre de vêtements appropriés pour chasser le trésor dans une ville en ruine. Mais ce n'était pas cela non plus qui lui donnait un air étrange.

Le corridor se termina alors dans une salle aux murs carrelés et il oublia toutes les bizarreries que pouvait présenter Mordeth. Son hoquet de surprise fit écho à celui de ses amis. Là aussi, la lumière provenait de quelques torches qui maculaient le plafond de leur fumée et qui donnaient à chacun plus d'une ombre, mais cette lumière était reflétée mille fois par les pierreries et l'or amoncelés sur le sol, des tas de pièces et de joyaux, gobelets, plats et assiettes, épées et dagues dorées incrustées de pierres précieuses, le tout rassemblé pêle-mêle en tas qui leur montaient jusqu'à la taille.

Avec un cri, Mat se rua vers un des tas et tomba à genoux. « Des sacs, dit-il, le souffle court, en plongeant les mains dans l'or. On va avoir besoin de sacs pour transporter tout ça.

– On ne peut pas tout transporter », dit Rand. Il regarda autour de lui avec désarroi ; tout l'or que les marchands apportaient au Champ d'Emond en une année n'aurait pas atteint le millième d'un de ces amas. « Pas maintenant. La nuit est presque tombée. »

Perrin dégagea une hache, rejetant négligemment les chaînes d'or emmêlées autour. Des pierres précieuses étincelaient le long de sa poignée noire et brillante, et un délicat damasquinage d'or couvrait les lames jumelles. « Demain, alors, dit-il en soulevant la hache avec un sourire épanoui. Moiraine et Lan comprendront quand on leur montrera ça.

– Vous n'êtes pas seuls ? » demanda Mordeth. Il les

avait laissés passer devant lui quand ils s'étaient précipités dans la salle au trésor, mais maintenant il les avait rejoints. « Qui d'autre est avec vous ? »

Mat, les mains enfoncées dans les richesses devant lui, répondit distraitement : « Moiraine et Lan. Et il y a aussi Nynaeve, Egwene et Thom. C'est un ménestrel. Nous allons à Tar Valon. »

Rand retint son souffle. Puis le silence de Mordeth l'incita à regarder ce dernier.

La rage lui tordait le visage, la peur aussi. Il retroussa les lèvres sur ses dents. « Tar Valon ! » Il secoua les poings dans leur direction. « Tar Valon ! Vous aviez dit que vous alliez à cette... cette... Caemlyn ! Vous m'avez menti !

— Si vous le voulez toujours, dit Perrin, nous reviendrons demain vous aider. » Il remit avec soin la hache sur le tas de coupes à boire et de bijoux incrustés de gemmes. « Si vous y tenez.

— Non. C'est-à-dire... » Haletant, Mordeth secoua la tête comme s'il n'arrivait pas à se décider. « Prenez ce que vous voulez. Excepté... excepté... »

Soudain Rand comprit ce qui l'avait troublé chez cet homme. Les torches dispersées dans le couloir avaient donné à chacun d'eux un cercle d'ombres, tout comme les torches dans la salle au trésor. Seul... Il en eut un tel choc qu'il le formula à haute voix : « Vous n'avez pas d'ombre. »

Un hanap échappa avec fracas de la main de Mat.

Mordeth acquiesça d'un signe de tête et, pour la première fois, ses paupières charnues s'ouvrirent complètement. Son visage lisse parut tiré et affamé. « Eh bien. » Il se tenait plus droit, paraissait plus grand. « C'est décidé. » Brusquement, ce ne fut plus seulement une apparence. Comme un ballon, Mordeth se gonfla, distendu, la tête pressée contre le plafond, les épaules repoussant les murs, remplissant l'extrémité de la pièce, coupant la voie de la retraite. Les joues creuses, les dents découvertes en un rictus, il allongea des mains assez larges pour qu'y disparaisse une tête d'homme.

Poussant un cri, Rand sauta en arrière. Ses pieds se prirent dans une chaîne d'or et il s'aplatit sur le sol, le souffle coupé. Cherchant avec peine à reprendre sa respiration, il luttait en même temps pour dégager son épée, se débattant contre son manteau qui s'était enroulé autour de la garde. Les cris de ses amis emplissaient la salle, ainsi que le fracas des plats et des gobelets d'or tombant par terre. Soudain, un hurlement d'angoisse vibra dans les oreilles de Rand.

Sanglotant presque, il parvint enfin à respirer, juste comme il tirait son épée du fourreau. Avec prudence, il se releva, se demandant lequel de ses compagnons avait poussé ce hurlement. Perrin le regardait avec des yeux dilatés depuis l'autre extrémité de la salle, accroupi et brandissant sa hache en arrière comme s'il allait abattre un arbre. Mat risqua un coup d'œil de derrière un amas de trésors, étreignant une dague arrachée au butin.

Quelque chose bougea dans la partie la plus dense de l'obscurité laissée par les torches, et ils sursautèrent tous. C'était Mordeth, les genoux repliés contre la poitrine et tapi autant qu'il le pouvait dans le coin le plus éloigné.

« Il nous a joué un tour, dit Mat d'une voix haletante. C'était une espèce d'illusion. »

Mordeth rejeta la tête en arrière et gémit ; de la poussière glissa par terre tandis que les murs tremblaient. « Vous êtes tous morts ! cria-t-il. Tous morts ! » Et il bondit, plongeant à travers la salle.

Rand laissa tomber sa mâchoire inférieure et faillit aussi laisser choir son épée. Tout en bondissant en l'air, Mordeth s'étira et s'amenuisa à la façon d'un tourbillon de fumée. Fin comme un doigt, il atteignit une fente dans le carrelage du mur et disparut dedans. Un dernier cri persista dans la salle quand il eut disparu, s'éteignant lentement après son départ.

« Vous êtes tous morts ! »

« Sortons d'ici », dit Perrin faiblement, assurant sa prise sur sa hache en essayant de faire face à toutes les directions à la fois. Des ornements en or et des pierres précieuses s'éparpillaient sous ses pieds sans qu'il y prête attention.

– Mais le trésor, protesta Mat. On ne peut pas le laisser maintenant.

– Je ne veux rien de tout ça », dit Perrin en se tournant de côté et d'autre. Il éleva la voix pour crier en direction des murs : « C'est votre trésor, vous entendez ? Nous n'y touchons pas ! »

Rand jeta un regard de colère à Mat. « Est-ce que tu veux qu'il nous coure après ? Ou vas-tu attendre ici en te remplissant les poches qu'il revienne avec dix autres comme lui ? »

Mat n'eut qu'un geste vers tout cet or et ces bijoux. Avant qu'il ait eu le temps de dire quoi que ce soit, Rand lui empoigna un bras et Perrin s'empara de l'autre. Ils l'entraînèrent de force hors de la salle, Mat se débattant et protestant à cause du trésor.

Ils n'avaient pas avancé de dix pas dans le couloir que la lumière déjà faible derrière eux commença à baisser. Les torches dans la salle au trésor s'éteignaient. Mat cessa de protester. Ils hâtèrent le pas. La première torche en dehors de la salle clignota et s'éteignit, puis la suivante. Au moment où ils atteignirent l'escalier en colimaçon, il n'y avait plus besoin de traîner Mat. Ils couraient tous, la pénombre se refermant derrière eux. Même l'obscurité totale de l'escalier ne les fit hésiter qu'une seconde, ils se dépêchèrent de monter en criant à pleins poumons. En criant pour effrayer ce qui pouvait les attendre, en criant pour se rappeler qu'ils étaient encore en vie.

Ils entrèrent en trombe dans le vestibule au-dessus, glissant et tombant sur le marbre poussiéreux, fonçant vers la sortie parmi les colonnes, pour culbuter en bas du perron et atterrir en tas meurtri dans la rue.

Rand se dégagea et ramassa l'épée de Tam sur la chaussée en regardant autour de lui avec malaise. Moins de la moitié du soleil apparaissait encore au-dessus des toits. Les ombres se tendaient comme des mains sombres, rendues encore plus noires par la lumière qui subsistait, remplissant presque la rue. Il frissonna. Ces ombres avaient l'air, comme Mordeth, de vouloir les saisir.

« Au moins nous nous en sommes sortis. » Mat qui était tout en dessous se releva et s'épousseta dans une pâle imitation de sa manière habituelle. « Et au moins je...

– Tu crois ça ? » dit Perrin.

Rand sut que cette fois ce n'était pas un tour de son imagination. Sa nuque le picotait. Quelque chose les épiait dans l'ombre entre les colonnes. Il se retourna vivement, scrutant les bâtiments de l'autre côté de la rue. Il sentait aussi des regards sur lui venant de là. Son étreinte sur la poignée de son épée se resserra, bien qu'il se demandât à quoi elle lui servirait. Les regards qui les épiaient semblaient être partout. Les autres garçons jetèrent un coup d'œil à la ronde avec méfiance. Rand se rendit compte qu'ils en sentaient le poids eux aussi.

« Nous restons au milieu de la rue », dit-il d'une voix rauque. Leurs yeux rencontrèrent les siens ; ils avaient l'air aussi effrayés que lui. Il déglutit avec peine. « On reste au milieu de la rue, à l'écart des ombres autant que possible, et on marche vite.

– On marche très vite », acquiesça Mat avec ferveur.

Les Guetteurs les suivaient. Ou alors il y avait des quantités de Guetteurs, des quantités d'yeux qui les observaient de presque tous les bâtiments. Rand ne voyait rien bouger, en dépit de l'attention qu'il y mettait. Il sentait ces yeux ardents, affamés. Il se demandait ce qui serait le pire. Des milliers d'yeux ou juste quelques-uns qui les suivaient.

Dans les endroits où le soleil les atteignait encore, ils ralentissaient un petit peu, regardant furtivement l'ombre qui semblait toujours se répandre en avant. Aucun ne tenait à entrer dans l'ombre ; aucun n'était vraiment sûr que rien ne les y attendait. L'espérance des Guetteurs était palpable, chaque fois que les ombres s'étiraient en travers de la rue, leur barrant le chemin. Ils dépassaient ces endroits sombres à la course, en criant. Rand croyait entendre des rires secs, bruissants.

Enfin, à la chute du crépuscule, ils arrivèrent en vue du bâtiment de pierre blanche qu'ils avaient quitté il y avait, semblait-il, des jours entiers.

Soudain, les yeux des Guetteurs s'en allèrent. Entre une enjambée et la suivante ils disparurent en un éclair. Sans un mot, Rand se mit au pas de gymnastique, suivi de ses compagnons, puis se lança carrément dans une course éperdue qui s'arrêta seulement quand ils franchirent à toutes jambes le seuil de la porte et se laissèrent choir par terre, hors d'haleine.

Un petit feu brûlait au milieu du carrelage et sa fumée disparaissait par un trou dans le plafond d'une façon qui rappelait désagréablement Mordeth à Rand. Tous étaient là sauf Lan, réunis autour des flammes, et leurs réactions varièrent considérablement. Egwene, qui se chauffait les mains au feu, sursauta à l'entrée des trois et porta les mains à sa gorge ; quand elle vit qui c'était, un soupir de soulagement gâta ses efforts pour les foudroyer du regard. Thom murmura simplement quelque chose autour de son tuyau de pipe, mais Rand capta le mot « imbéciles » avant que le ménestrel se remette à tisonner le feu avec une branche.

« Espèce d'idiots ahuris ! » s'écria la Sagesse d'un ton sec. Elle était hérissée de la tête aux pieds ; ses yeux étincelaient, et des taches rouge vif brûlaient sur ses joues. « Pourquoi, par la Lumière, vous êtes-vous sauvés de cette façon ? Est-ce que ça va bien ? N'avez-vous pas une once de bon sens ? Lan est parti vous chercher à présent, et vous aurez plus de chance que vous n'en méritez s'il ne vous fait pas entrer un peu de raison dans la tête à coups de poing quand il reviendra. »

Le visage de l'Aes Sedai ne trahissait aucune agitation mais, en les voyant, ses mains avaient lâché sa robe qu'elles tenaient serrée à jointures blanchies. Ce que Nynaeve lui avait administré devait avoir servi, car elle était debout. « Vous n'auriez pas dû faire ce que vous avez fait, dit-elle d'une voix aussi claire et sereine qu'une mare du Bois Humide. Nous en parlerons plus tard. Il est arrivé quelque chose là-bas, sinon vous ne seriez pas dans tous vos états. Racontez-moi.

– Vous aviez dit qu'on était en sécurité, se plaignit Mat en se redressant tant bien que mal. Vous aviez dit qu'Aridhol était une alliée de Manetheren et que les Trollocs ne viendraient pas dans la ville, et... »

Moiraine s'avança si brusquement que Mat s'interrompit, la bouche ouverte, et que Rand et Perrin se figèrent dans leur mouvement pour se relever, à demi accroupi ou à genoux. « Des Trollocs ? Avez-vous vu des Trollocs à l'intérieur des remparts ? »

Rand avala sa salive. « Pas des Trollocs », dit-il, et tous trois commencèrent à parler avec excitation, tous en même temps.

Chacun entama le récit de l'aventure à un stade différent, Mat par la trouvaille du trésor, dont on aurait pu croire qu'il l'avait faite tout seul, tandis que Perrin se mettait d'abord à expliquer pourquoi ils étaient partis, sans rien dire à personne, quant à Rand, il sauta aussitôt à ce qu'il jugeait important, la rencontre avec l'étranger au milieu des colonnes. Mais ils étaient tous si surexcités qu'aucun ne raconta dans l'ordre où cela s'était passé ; chaque fois que l'un d'eux pensait à quelque chose, il le racontait tout de go, sans considération pour ce qu'il y avait avant ou après, ou pour qui disait quoi. Les Guetteurs. Tous parlèrent des Guetteurs.

Cela rendait l'ensemble du récit quasiment incohérent, mais leur peur était visible. Egwene se prit à jeter des regards inquiets aux fenêtres vides qui donnaient sur la rue. Dehors, les dernières lueurs du crépuscule s'éteignaient peu à peu; le feu semblait bien petit et bien faible. Thom enleva sa pipe d'entre ses dents et écouta, la tête penchée, les sourcils froncés. Les yeux de Moiraine trahissaient la préoccupation, mais sans excès. Jusqu'à ce que...

Soudain, l'Aes Sedai questionna d'une voix sifflante en saisissant Rand par le coude avec des doigts de fer : « Mordeth ! Es-tu sûr de ce nom ? Soyez certains de ce que vous dites, vous tous. Mordeth ? »

Ils murmurèrent en chœur « Oui », interloqués par l'intensité de l'Aes Sedai.

« Vous a-t-il touchés ? leur demanda-t-elle à tous. Vous a-t-il donné quoi que ce soit ou avez-vous fait quelque chose pour lui ? Il faut que je sache.

– Non, dit Rand. Aucun de nous. Rien de tout ça. »

Perrin acquiesça d'un signe de tête et ajouta : « Il s'est borné à essayer de nous tuer. Est-ce que ça ne suffit pas ? Il a gonflé jusqu'à remplir la moitié de la salle, crié que nous étions tous des morts, puis il a disparu. » Il eut un geste de la main pour montrer. « Comme de la fumée. » Egwene laissa échapper un petit cri aigu.

Mat se détourna avec irritation en se tortillant. « Vous aviez affirmé qu'on était en sécurité. Toute cette histoire sur les Trollocs qui ne viendraient pas ici. Qu'est-ce que nous étions supposés penser ?

– Apparemment, vous n'avez pas pensé du tout, dit-elle froidement, de nouveau maîtresse d'elle-même. Quiconque pense se méfierait d'un endroit où les Trollocs ont peur d'entrer.

– C'est l'ouvrage de Mat, déclara Nynaeve avec l'accent de la certitude. Il est toujours en train d'imaginer des sottises et les autres perdent le peu de bon sens qu'ils avaient à la naissance quand ils sont avec lui. »

Moiraine eut un bref signe d'assentiment, mais ses yeux restaient fixés sur Rand et ses deux camarades. « Vers la fin de la Guerre des Trollocs, une armée a campé dans ces ruines – des Trollocs, des Amis du Ténébreux, des Myrddraals, des Seigneurs de l'Épouvante, des milliers en tout. Comme ils ne ressortaient pas, des éclaireurs ont pénétré à l'intérieur des remparts. Les éclaireurs ont trouvé des armes, des restes d'armure et des éclaboussures de sang partout. Et des messages griffonnés sur les murs en langue trolloque, appelant le Ténébreux au secours dans leur heure dernière. Ils avaient été anéantis. Les Demi-Hommes et les Trollocs s'en souviennent encore. C'est ce qui les retient hors d'ici.

— Et c'est ce que vous nous avez choisi comme cachette ? dit Rand incrédule. Nous aurions été plus en sécurité là au-dehors, à essayer de les distancer.

— Si vous ne vous étiez pas sauvés comme des voleurs, dit Moiraine patiemment, vous auriez su que j'ai placé des gardes autour de ce bâtiment. Un Myrddraal ne saurait même pas que ces gardes sont là, car c'est un genre de mal différent qu'elles sont censées arrêter, mais ce qui réside à Shadar Logoth ne passera pas outre, ne les approchera même pas de trop près. Au matin, nous pourrons partir en sécurité ; ces choses ne supportent pas la lumière du jour. Elles seront cachées profondément dans la terre.

— Shadar Logoth ? dit Egwene, hésitante. Je croyais que vous aviez dit que cette ville s'appelait Aridhol.

— Jadis, on l'appelait Aridhol, répliqua Moiraine, et c'était une des Dix Nations, les pays qui ont conclu le Deuxième Pacte, les pays qui se sont dressés contre le Ténébreux dès les premiers jours après la Destruction du Monde. À l'époque où Thorin al Toren al Ban était roi de Manetheren, le roi d'Aridhol était Balwen Mayel, Balwel Main-de-Fer. Dans un crépuscule de désespoir pendant les Guerres des Trollocs, quand il semblait que le Père des Mensonges devait sûrement être vainqueur, cet homme appelé Mordeth est venu à la cour de Balwen.

— Le même ? » s'exclama Rand, et Mat dit : « Pas possible ! » Un coup d'œil de Moiraine les fit taire. Le silence emplit la salle, à part la voix de l'Aes Sedai. « Mordeth n'avait pas séjourné longtemps dans la ville qu'il avait déjà l'oreille de Balwen, et Aridhol a commencé à changer. Aridhol s'est repliée sur elle-même, s'est durcie. On a dit que certains aimaient mieux voir arriver les Trollocs que les gens d'Aridhol. La victoire de la Lumière seule compte. C'est le cri de guerre que Mordeth leur avait donné et les gens d'Aridhol poussaient ce cri alors que leurs actions se détournaient de la Lumière.

« L'histoire serait trop longue à raconter en entier, et trop lugubre, on en connaît seulement des fragments même à Tar Valon. Comment le fils de Thorin, Caar, s'est rendu à Aridhol pour la ramener au sein du Deuxième Pacte et comment Balwen siégeait sur son trône, coquille desséchée avec une lueur de folie dans les yeux, riant, tandis que Mordeth souriait près de lui et ordonnait la mort de Caar et de son ambassade sous prétexte qu'ils étaient des Amis du Ténébreux. Comment le prince Caar est devenu Caar-le-Manchot. Comment il s'est évadé des cachots d'Aridhol et s'est enfui seul jusqu'aux Marches, avec les assassins monstrueux de Mordeth sur ses talons. Comment il a rencontré là-bas Rhéa, qui ne savait pas qui il était, comment il l'a épousée et a inséré ainsi dans le Dessin l'écheveau qui a conduit à sa mort par la main de Rhéa et à la mort de Rhéa de sa propre main devant la tombe de son mari, et la chute d'Aleth-Loriel. Comment les armées de Manetheren sont venues venger Caar et ont trouvé abattues les portes d'Aridhol, aucune créature vivante dans ses murs mais quelque chose de pire que la mort. C'est Aridhol qui avait apporté elle-même sa propre destruction. Le soupçon et la haine avaient donné naissance à quelque chose qui se nourrissait de ce qui l'avait créé, quelque chose d'enclos dans le roc sur lequel était fondée la cité. Mashadar attendait toujours, affamé. Les gens n'ont plus parlé d'Aridhol. Ils l'ont appelée Shadar Logoth, l'Endroit-où-attend-l'Ombre, ou simplement L'Attente-de-l'Ombre.

« Seul Mordeth n'a pas été dévoré par Mashadar, mais il a été piégé par lui et il a attendu lui aussi dans ces murs durant ces longs siècles. D'autres l'ont vu. Il en a influencé certains par des dons qui pervertissent l'esprit et corrompent l'âme, la corruption croissant et décroissant jusqu'à ce qu'elle règne... ou tue. Si jamais il convainc quelqu'un de l'accompagner jusqu'aux remparts, jusqu'aux limites du pouvoir de Mashadar, il pourra consumer l'âme de cette personne. Mordeth partira dans le corps de celui à qui il a fait pire que de le tuer, pour exercer de nouveau sa puissance maléfique sur le monde.

– Le trésor, marmotta Perrin quand elle s'arrêta. Il voulait que nous l'aidions à transporter le trésor jusqu'à ses chevaux. » Il avait le visage hagard. « Je parie qu'ils étaient censés se trouver quelque part en dehors de la ville. » Rand frissonna.

« Mais nous sommes en sécurité maintenant, n'est-ce pas ? questionna Mat. Il ne nous a rien donné et il ne nous a pas touchés. Nous sommes en sécurité, hein, avec les gardes que vous avez mises en place ?

– Nous sommes en sécurité, acquiesça Moiraine. Il ne peut pas traverser les lignes de gardes, pas plus qu'aucun autre habitant d'ici. Et ils doivent s'abriter de la lumière du soleil, de sorte que nous pouvons partir sans risque dès le jour. Maintenant, tâchez de dormir. Les gardes nous protégeront jusqu'au retour de Lan.

– Il est parti depuis bien longtemps. » Nynaeve jeta un coup d'œil inquiet à la nuit, au-dehors. L'obscurité était complète, noire comme poix.

« Tout ira bien pour Lan », dit Moiraine, apaisante, et elle étala ses couvertures à côté du feu tout en parlant. « Il a été voué à combattre le Ténébreux avant même d'avoir quitté le berceau, une épée entre ses mains de nourrisson. D'ailleurs, je le saurais aussitôt, s'il était mort, et de quelle manière, comme lui le saurait pour moi. Reposez-vous, Nynaeve. Tout ira bien. » Mais elle s'arrêta de s'enrouler dans ses couvertures pour scruter la rue, comme si elle aussi aurait aimé connaître ce qui retenait le Lige.

Rand avait les bras et les jambes comme du plomb, ses yeux se fermaient tout seuls, pourtant le sommeil ne vint pas vite et, une fois qu'il fut là, Rand cauchemarda, marmottant et rejetant ses couvertures. Quand il s'éveilla, ce fut subitement et il regarda autour de lui un moment avant de se rappeler où il était.

La lune s'était levée, dernier et mince croissant avant la nouvelle lune, sa faible lueur vaincue par la nuit. Tous les autres dormaient encore, mais tous d'un sommeil qui n'était pas profond. Egwene et ses deux amis se tournaient et retournaient en murmurant de façon inaudible. Les ronflements de Thom, peu sonores pour une fois, étaient entrecoupés par moments de mots à demi prononcés. Il n'y avait toujours pas signe de Lan.

Soudain, il eut le sentiment que les gardes n'offraient aucune protection. N'importe quoi pouvait se trouver dehors dans le noir. Se disant que c'était idiot, il remit du bois sur les dernières braises. La flambée était trop petite pour offrir beaucoup de chaleur, mais elle donnait plus de clarté.

Il n'avait aucune idée de ce qui l'avait tiré de son rêve désagréable. Il était redevenu petit garçon, il portait l'épée de Tam et, un berceau attaché sur le dos, il courait par des rues désertes, poursuivi par Mordeth qui criait qu'il ne voulait que sa main. Et il y avait un vieillard qui les observait et gloussait d'un rire de fou pendant tout ce temps.

Il rassembla ses couvertures et se recoucha, en regardant le plafond. Il désirait vraiment dormir, même s'il devait avoir d'autres rêves de ce genre, mais il n'arrivait pas à fermer l'œil.

Soudain, le Lige entra dans la salle, sortant vivement sans bruit de l'obscurité. Moiraine s'éveilla et s'assit comme s'il avait sonné une cloche. Lan ouvrit la main ; trois petits objets tombèrent sur le carrelage devant elle avec un cliquetis métallique. Trois insignes rouge sang en forme de crânes à cornes.

« Il y a des Trollocs à l'intérieur des remparts, annonça Lan. Ils seront ici dans un peu moins d'une heure. Et les Dha'vols sont les pires. » Il commença à réveiller les autres.

Moiraine s'affaira sereinement à plier ses couvertures. « Combien sont-ils ? Savent-ils que nous sommes ici ? » Elle parlait comme s'il n'y avait aucune urgence.

« Je ne crois pas, répliqua Lan. Ils sont plus de cent, assez effrayés pour tuer tout ce qui bouge, y compris pour s'entre-tuer. Les Demi-Hommes vont devoir les conduire – quatre seulement pour un Poing – et même les Myrddraals ne paraissent rien vouloir de plus que traverser la ville et en sortir aussi vite que possible. Ils ne dévieront pas de leur route pour faire des recherches et ils sont si négligents que s'ils ne se dirigent pas pratiquement droit sur nous, je dirais que nous n'avons pas grand-chose à craindre. » Il hésita.

« Qu'y a-t-il d'autre ?

– Seulement ceci, dit lentement Lan. Les Myrddraals ont forcé les Trollocs à entrer dans la ville. Qu'est-ce qui a forcé les Myrddraals ? »

Tous avaient écouté en silence. Maintenant, Thom

jurait tout bas et Egwene laissa échapper une question. « Le Ténébreux ?

– Ne sois pas sotte, ma petite, dit Nynaeve sèchement. Le Ténébreux est détenu dans le Shayol Ghul par le Créateur.

– Pour le moment, du moins, acquiesça Moiraine. Non, le Père des Mensonges n'est pas là au-dehors, mais nous devons partir de toute façon. »

Nynaeve la regarda d'un œil soupçonneux. « Partir en renonçant à la protection des gardes et traverser Shadar Logoth de nuit ?

– Ou rester ici et affronter les Trollocs, répliqua Moiraine. Les tenir à distance ici exigerait le recours au Pouvoir Unique. Cela détruirait les gardes et attirerait précisément ce dont les gardes sont censées protéger. En outre, autant allumer un feu comme signal en haut d'une de ces tours pour alerter tous les Demi-Hommes à dix lieues à la ronde. Partir n'est pas ce que je choisirais, mais nous sommes le lièvre et ce sont les chiens qui mènent la chasse.

– Mais s'il y en a d'autres à l'extérieur des remparts ? demanda Mat. Qu'allons-nous faire ?

– Nous suivrons mon plan initial », dit Moiraine. Lan la regarda. Elle leva la main et ajouta : « que j'étais trop lasse pour exécuter avant. Mais je suis reposée à présent, grâce à la Sagesse. Nous nous dirigerons vers la rivière. Là, nos arrières protégés par l'eau, je susciterai une protection mineure qui retiendra les Trollocs et les Demi-Hommes le temps pour nous de construire des radeaux et de traverser. Ou mieux encore, nous arrêterons un bateau marchand venant de la Saldea. »

Les Champs-d'Emondiens avaient l'air interdit. Lan le remarqua.

« Les Trollocs et les Myrddraals détestent l'eau profonde. Les Trollocs en sont terrifiés. Aucun ne sait nager. Un Demi-Homme n'entrera pas dans l'eau plus haut que la taille, surtout si c'est de l'eau courante. Les Trollocs ne s'y risquent pas s'il y a un moyen de l'éviter.

– Alors, une fois la rivière traversée, nous sommes en sécurité », dit Rand, et le Lige acquiesça d'un signe de tête.

« Les Myrddraals verront qu'il est presque aussi difficile d'obliger les Trollocs à construire des radeaux que de les pousser dans Shadar Logoth et, s'ils essaient de leur faire traverser l'Arinelle de cette façon, la moitié s'enfuira et le reste se noiera probablement.

– Allez chercher les chevaux, dit Moiraine. Nous n'avons pas encore passé la rivière. »

20.

POUSSIÈRE DANS LE VENT

Quand ils quittèrent le bâtiment en pierre blanche sur leurs chevaux qui se dérobaient nerveusement, le vent glacé soufflait en rafales, gémissant sur le haut des toits, faisant claquer les manteaux comme des étendards, poussant des nuages minces sur l'étroit croissant de la lune. En leur ordonnant à mi-voix de rester rapprochés, Lan prit la tête pour descendre la rue. Les chevaux dansaient et tiraient sur les rênes, pressés de s'en aller.

Au passage, Rand regardait avec circonspection les bâtiments qui se dessinaient maintenant obscurément dans la nuit, avec leurs fenêtres vides comme des orbites. Des ombres paraissaient bouger. De temps en temps résonnait un bruit sec – le vent faisant tomber de la pierraille. *Du moins les yeux sont-ils partis.* Son soulagement fut momentané. *Pourquoi sont-ils partis ?*

Les Champ-d'Emondiens étaient groupés autour de Thom, tous assez près pour se toucher. Egwene voûtait le dos comme si elle essayait d'alléger le poids des sabots de Béla sur les pavés. Rand ne voulait même pas respirer. Le bruit pouvait attirer l'attention.

Tout à coup, il prit conscience qu'un espace les séparait du Lige et de l'Aes Sedai. Les deux n'étaient que des formes indistinctes, à au moins trente pas en avant.

« Nous nous laissons distancer », murmura-t-il, et il éperonna Nuage pour qu'il accélère l'allure. Une mince vrille de brouillard gris argent traversait lentement la rue, très bas devant lui.

« Arrêtez ! » C'était un cri étranglé de Moiraine,

brusque et pressant, mais émis pour ne pas porter trop loin.

Incertain, il s'arrêta court. Le fil de brouillard avait franchi complètement la rue à présent, grossissant lentement comme s'il en suintait davantage des bâtiments de chaque côté de la rue. Il était maintenant épais comme un bras d'homme. Nuage hennit et essaya de reculer encore au moment où Egwene, Thom et les autres le rejoignirent. Leurs chevaux aussi encensèrent et se rebiffèrent pour ne pas trop s'approcher.

Lan et Moiraine s'avancèrent lentement vers la masse de brouillard qui atteignait la dimension d'une jambe et s'arrêtèrent de l'autre côté, bien en arrière. L'Aes Sedai étudia cette branche de brume qui les séparait. Rand secoua les épaules comme un soudain accès de crainte lui provoquait une démangeaison entre les omoplates. Une faible lueur accompagnait le brouillard, croissant à mesure que le tentacule brumeux gonflait, mais à peine plus forte que le clair de lune. Les chevaux tressaillaient de malaise, même Aldieb et Mandarb.

« Qu'est-ce que c'est ? demanda Nynaeve.

– Le mal de Shadar Logoth, répondit Moiraine. Mashadar. Il ne voit pas, il ne pense pas, il se meut à travers la ville sans plus de but qu'un ver qui creuse son tunnel dans la terre. S'il vous touche, vous mourez. » Rand et les autres laissèrent reculer de quelques pas leurs chevaux qui dansaient, mais de quelques pas seulement. Rand aurait payé cher pour être libéré de l'Aes Sedai, néanmoins elle offrait autant de sécurité que sa maison, en comparaison de ce qui les entourait.

« Alors comment vous rejoindre ? demanda Egwene. Pouvez-vous le tuer... déblayer un chemin ? »

Moiraine eut un rire bref et amer. « Mashadar est énorme, jeune fille, aussi énorme que Shadar Logoth même. La Tour Blanche entière ne réussirait pas à le tuer. Si je lui causais assez de dommage pour vous laisser passer, utiliser ce qui est nécessaire du Pouvoir Unique attirerait les Demi-Hommes comme un appel de clairon. Et Mashadar se précipiterait pour réparer le dommage que j'aurais occasionné, se précipiterait et peut-être nous prendrait dans ses rets. »

Rand échangea un coup d'œil avec Egwene, puis reposa la même question qu'elle. Moiraine soupira avant de répondre :

« Cela ne me plaît pas, mais il faut ce qu'il faut. Cette chose ne sera pas partout au-dessus du sol. D'autres rues seront dégagées. Vous voyez cette étoile ? » Elle se tourna sur sa selle pour désigner du doigt une étoile rouge, bas dans le ciel à l'est. « Guidez-vous sur cette étoile, elle vous amènera à la rivière. Quoi qu'il arrive, dirigez-vous vers la rivière. Allez aussi vite que vous pourrez mais, surtout, ne faites pas de bruit. Il y a encore des Trollocs, rappelez-vous. Et quatre Demi-Hommes.

– Mais comment allons-nous vous retrouver ? protesta Egwene.

– Je m'en charge, répliqua Moiraine. Soyez-en sûrs, je saurai vous retrouver. Partez, maintenant. Cette chose n'a aucune intelligence, mais elle sent la nourriture. » En effet, des cordons gris argent s'étaient élevés du corps plus grand. Ils erraient, ondulaient, comme les tentacules d'un cent-bras sur le fond d'une mare du Bois Humide.

Quand Rand releva les yeux du tronc épais de brume opaque, le Lige et l'Aes Sedai étaient partis. Il s'humecta les lèvres et son regard croisa celui de ses compagnons. Ils étaient aussi nerveux que lui. Et même pire ; chacun semblait attendre que quelqu'un d'autre se mette en route le premier. La nuit et les ruines les entouraient. Les Évanescents étaient là, quelque part, avec les Trollocs, peut-être tourné le coin. Les tentacules de brouillard se rapprochaient, maintenant à mi-chemin d'eux, et ne vacillaient plus. Ils avaient choisi leur proie. Soudain, Moiraine lui manqua beaucoup.

Chacun hésitait encore, se demandant où passer. Il fit tourner Nuage et le gris prit le demi-trot, tirant sur les rênes pour aller plus vite. Comme si se mettre en marche le premier l'avait consacré chef, tous suivirent.

Une fois Moiraine partie, il n'y avait personne pour les protéger au cas où Mordeth apparaîtrait. Et les Trollocs. Et... Rand se força à cesser de réfléchir. Il irait vers l'étoile rouge. Il n'avait qu'à s'en tenir à cette pensée.

Par trois fois, ils durent rebrousser chemin après s'être engagés dans une rue barrée d'un côté à l'autre par une colline de pierres et de briques que les chevaux n'auraient jamais pu franchir. Rand entendait la respiration des autres, courte et saccadée, juste en deçà de la panique. Il serra les dents pour maîtriser son propre souffle précipité. *Il faut au moins t'arranger pour qu'ils croient que tu n'as pas peur. Tu t'en tires bien, idiot! Tu sortiras tout le monde de là en bon état.*

Ils arrivèrent à un autre coin de rue. Un mur de brouillard baignait le pavé défoncé d'une lumière aussi vive que la pleine lune. Des banderoles grosses comme leurs chevaux s'en détachèrent et vinrent à leur rencontre. Personne n'attendit. Exécutant une volte-face, ils s'enfuirent au galop en groupe serré, sans se soucier du vacarme de claquements de sabots qui en résulta.

Deux Trollocs s'avancèrent dans la rue en face d'eux, à dix empans à peine.

Pendant un instant, humains et Trollocs se regardèrent fixement, plus surpris les uns que les autres. Deux nouveaux Trollocs apparurent, puis deux et deux encore, se heurtant aux premiers, se fondant en une masse stupéfaite à la vue des humains. Un instant seulement, ils restèrent figés. Des cris gutturaux se répercutèrent entre les immeubles et les Trollocs bondirent en avant. Les humains se dispersèrent comme une volée de cailles.

Le gris de Rand atteignit le galop en trois enjambées. « Par ici! » cria Rand, mais il entendit le même cri jaillir de cinq gosiers. Un regard hâtif en arrière lui montra ses compagnons en train de disparaître dans autant de directions. Des Trollocs les pourchassaient tous.

Trois Trollocs étaient sur ses talons, leurs perches s'agitant en l'air. Il eut la chair de poule en se rendant compte qu'ils se maintenaient à la même allure que Nuage. Il se baissa sur son encolure et poussa le gris en avant, poursuivi par des clameurs nourries.

La rue devenait plus étroite devant lui, des bâtiments au sommet brisé penchaient comme des ivrognes. Lentement, les fenêtres vides s'emplirent d'une lueur argentée, une bosse de brume en sortit. Mashadar.

Rand risqua un coup d'œil en arrière. Les Trollocs couraient toujours à moins de cinquante pas; la clarté diffuse répandue par le brouillard était suffisante pour les distinguer. Un Évanescent chevauchait derrière les Trollocs à présent et ils paraissaient fuir le Demi-Homme autant que donner la chasse à Rand. Devant ce dernier, une demi-douzaine, non une douzaine de vrilles grises flottaient hors des fenêtres, tâtaient l'air. Nuage encensa et poussa un cri, mais Rand enfonça brutalement ses talons dans les flancs de son cheval qui se jeta en avant éperdument.

Les vrilles se raidirent quand Rand galopa entre elles, il se tassa sur l'encolure de Nuage et se refusa à les regarder. Au-delà, la voie était libre. Si *l'une d'elles me touche... Ô Lumière!* Il talonna plus farouchement Nuage, et le cheval bondit en avant dans les ombres bienvenues. Nuage toujours lancé au galop, Rand regarda en arrière dès que la lueur de Mashadar commença à décroître.

Les tentacules gris mouvants de Mashadar bouchaient la moitié de la rue et les Trollocs hésitaient, mais l'Évanescent saisit un fouet à l'arçon de sa selle et le fit claquer au-dessus de la tête des Trollocs avec un bruit de foudre, dispersant des étincelles en l'air. Se ramassant sur eux-mêmes, les Trollocs se précipitèrent en vacillant derrière Rand. Le Demi-Homme hésita, son capuchon noir évaluant les bras étendus de Mashadar, avant de piquer des deux, lui aussi.

Les tentacules de brouillard qui s'épaississaient se balancèrent, incertains, pendant un instant, puis frappèrent comme des vipères. Deux au moins s'attachèrent à chaque Trolloc, les baignant dans une lumière grise; des têtes à mufle se rejetèrent en arrière pour hurler, mais le brouillard couvrit de ses rouleaux les bouches ouvertes, les remplit, dévorant les cris. Quatre tentacules épais comme des jambes s'enroulèrent autour de l'Évanescent, et le Demi-Homme et son cheval se tordirent comme s'ils exécutaient une figure de danse, puis le capuchon retomba, découvrant cette face blême sans yeux. L'Évanescent hurla.

Aucun son de ce hurlement ne s'entendit, non plus que de ceux des Trollocs, mais quelque chose en parvint, un bourdonnement perçant, à la limite de l'audible, comme si s'étaient réunis les frelons du monde entier, vrillant un trou dans les oreilles de Rand avec toute la peur qui peut exister. Nuage se convulsa, comme si lui aussi avait entendu, et galopa plus vite que jamais. Rand se cramponna, haletant, la gorge sèche comme du sable.

Après un moment, il se rendit compte qu'il n'entendait plus le cri silencieux de l'Évanescent agonisant et, soudain, le bruit de son galop parut aussi fort que ces hurlements. Il tira vivement sur les rênes, s'arrêtant à côté d'un mur en dents de scie juste au croisement de deux rues. Un monument sans nom se dressait devant lui dans le noir.

Affaissé sur sa selle, il écouta, mais il n'y avait rien à entendre, sauf le sang qui battait dans ses oreilles. Une sueur froide perlait sur son visage et il frissonna quand le vent fouetta son manteau.

Il finit par se redresser. Des étoiles parsemaient le ciel, là où les nuages ne les cachaient pas, mais l'étoile rouge, basse à l'est, était facile à repérer. *Est-ce qu'il y en a un de vivant pour la voir ?* Étaient-ils libres ou aux mains des Trollocs ? *Egwene, que la Lumière m'aveugle, pourquoi ne m'as-tu pas suivi ?* S'ils étaient vivants et libres, ils marcheraient vers cette étoile. Sinon... Les ruines étaient vastes ; il pourrait chercher pendant des jours sans découvrir personne, en admettant qu'il parvienne à se garder des Trollocs. Et des Évanescents, de Mordeth et de Mashadar. À contrecœur, il décida de prendre la direction de la rivière.

Il rassembla les rênes. Dans la rue transversale, une pierre en heurta une autre avec un claquement sec. Il se figea sur place, sans même respirer. Il était dissimulé dans la pénombre, à un pas du carrefour. Il pensa frénétiquement à reculer. Qu'y avait-il derrière lui ? Qu'est-ce qui ferait du bruit et le trahirait ? Il ne pouvait s'en souvenir et il avait peur de détacher son regard du coin du bâtiment.

L'obscurité faisait une bosse à cet angle, avec l'ombre plus longue d'une hampe qui dépassait. Une perche ! Dès que l'idée en vint comme un éclair à Rand, il enfonça les talons dans les côtes de Nuage et son épée s'envola du fourreau ; un cri inarticulé accompagna sa charge et il asséna son épée de toute sa vigueur. Seul un effort désespéré arrêta court la lame. Mat glapit et sauta en arrière, tombant à moitié de cheval et laissant presque choir son arc.

Rand respira un grand coup et abaissa son épée. Son bras tremblait. « As-tu vu quelqu'un d'autre ? » arriva-t-il à dire.

Mat avala sa salive avant de se remettre gauchement en selle. « Je... je... juste des Trollocs. » Il porta la main à sa gorge et se passa la langue sur les lèvres. « Juste des Trollocs. Et toi ? »

Rand secoua la tête. « Ils doivent essayer d'atteindre

la rivière. Nous serions sages d'en faire autant. » Mat approuva de la tête sans rien dire, se tâtant toujours la gorge, et ils se mirent en route en direction de l'étoile rouge.

Ils n'avaient pas couvert cent empans que la plainte funèbre d'un cor trolloc s'éleva derrière eux, des profondeurs de la cité. Un autre répondit – depuis l'extérieur des remparts.

Rand frissonna, mais conserva son allure lente, guettant les endroits les plus obscurs et les évitant quand il le pouvait. Après avoir secoué les rênes comme pour prendre le galop, Mat l'imita. Aucun des deux cors ne sonna plus et ce fut dans le silence qu'ils parvinrent à une ouverture dans le rempart enseveli sous des plantes grimpantes, où s'était jadis trouvée une porte. Seules subsistaient les tours qui se dressaient avec leur sommet brisé sur le fond de ciel noir.

Mat hésita devant ce passage, mais Rand dit à mi-voix : « Est-ce plus sûr dedans que dehors ? » Il ne ralentit pas l'allure du gris et, un instant après, Mat le suivit hors de Shàdar Logoth, en s'efforçant de regarder dans toutes les directions à la fois. Rand laissa échapper lentement son souffle, il avait la bouche sèche. *On va y arriver. Par la Lumière, on va y arriver !*

Les murs disparurent derrière eux, avalés par la nuit et la forêt. Guettant le moindre bruit, Rand garda l'étoile rouge droit devant lui.

Soudain Thom les rattrapa au galop, ne ralentissant que le temps de crier : « Filez, imbéciles ! » Une seconde plus tard, des cris de poursuite et des bruits de broussailles écrasées derrière eux annoncèrent la présence de Trollocs sur la piste de Thom. Rand enfonça ses talons et Nuage bondit derrière le hongre du ménestrel. *Qu'arrivera-t-il quand nous serons à la rivière sans Moiraine ? Ô Lumière, Egwene !*

Perrin se tenait à cheval dans l'ombre, surveillant l'embrasure de la porte, encore à une courte distance, et passait distraitement le pouce sur la lame de sa hache. Le chemin pour sortir de la cité en ruine semblait dégagé, néanmoins il était là depuis cinq minutes à le considérer attentivement. Le vent bousculait ses boucles emmêlées et s'efforçait de lui arracher son manteau, mais il le resserra autour de lui sans vraiment y prêter attention.

Il savait que Mat – comme presque tous les autres au Champ d'Emond – lui trouvait le cerveau lent. C'était en partie parce qu'il était quasiment taillé en colosse et se mouvait d'ordinaire avec précaution – il avait toujours peur de casser quelque chose par accident ou de faire mal à quelqu'un, étant donné qu'il était tellement plus développé que les garçons avec lesquels il avait grandi – mais en réalité c'est qu'il préférait étudier les choses à fond s'il en avait la possibilité. Penser vite, penser étourdiment avait mis maintes fois Mat dans le pétrin et, quand Mat pensait vite, il se débrouillait généralement de telle façon que Rand, lui ou les deux passaient à la casserole avec Mat.

Sa gorge se serra. *Par la Lumière, ne va pas t'imaginer dans une casserole.* Il essaya encore de clarifier ses idées. Réfléchir prudemment, voilà ce qu'il fallait.

Il y avait eu jadis une sorte de place devant la porte de la ville, avec une énorme fontaine au milieu. Une partie de cette fontaine était encore là, un groupe de statues brisées dans un grand bassin rond, ainsi que l'esplanade aménagée tout autour. Pour atteindre la porte, il devrait parcourir presque cent empans, avec la seule nuit pour l'abriter d'yeux scrutateurs. Ce n'était pas non plus une pensée agréable. Il se rappelait trop bien ces Guetteurs invisibles.

Il réfléchit aux sonneries de cors qu'il avait entendues peu auparavant dans la ville. Il avait failli tourner bride, supposant que certains des autres avaient dû être pris, avant de s'aviser qu'il ne pouvait rien faire seul si ses compagnons avaient été capturés. Pas contre – *qu'avait donc dit Lan?* – cent Trollocs et quatre Évanescents. *Moiraine Sedai a ordonné d'aller à la rivière.*

Il revint à sa contemplation de la porte. Réfléchir avec soin n'avait pas donné grand-chose, mais il avait abouti à une décision. Il passa de la pénombre épaisse à l'obscurité moins dense.

Au même moment, un autre cavalier surgit à l'extrémité opposée de la place et s'arrêta. Il s'arrêta aussi et chercha sa hache; elle ne lui apporta pas grand réconfort. Si cette forme sombre était un Évanescent...

« Rand? » appela tout bas une voix hésitante.

Il relâcha longuement son souffle, soulagé. « C'est Perrin, Egwene », dit-il à son tour, aussi bas. Il trouva que c'était encore trop fort dans le noir.

Les chevaux se rejoignirent près de la fontaine.

« As-tu vu quelqu'un d'autre ? » demandèrent-ils en même temps, et tous deux répondirent en secouant la tête.

« Ils s'en tireront, n'est-ce pas ? marmotta Egwene en caressant l'encolure de Béla.

– Moiraine Sedai et Lan veilleront sur eux, répondit Perrin. Ils veilleront sur nous tous une fois que nous serons à la rivière. » Il l'espérait.

Il se sentit beaucoup mieux une fois qu'ils eurent franchi la porte, même s'il y avait des Trollocs dans la forêt. Ou des Évanescents. Il s'interdit d'y penser. Les branches nues ne suffisaient pas à l'empêcher de se guider d'après l'étoile rouge et, maintenant, ils étaient hors de portée de Mordeth. Celui-là l'avait terrorisé bien plus que les Trollocs.

Ils arriveraient bientôt à la rivière et rejoindraient Moiraine, et elle les mettrait aussi hors de portée des Trollocs. Il le croyait parce qu'il avait besoin de le croire. Le vent frottait les branches les unes contre les autres, faisait bruisser les feuilles et les aiguilles des sapins. Le cri solitaire d'un engoulevent traîna dans la nuit, et Egwene et lui rapprochèrent leurs chevaux, comme s'ils se blottissaient pour chercher de la chaleur. Ils se sentaient vraiment très seuls.

Un cor trolloc sonna quelque part derrière eux, par à-coups gémissants et rapides, pressant les chasseurs de se hâter, vite, vite. Puis des clameurs étouffées à demi humaines s'élevèrent sur leur piste, aiguillonnées par le cor. Des hurlements qui devinrent plus aigus quand ils eurent flairé la piste humaine.

Perrin lança son cheval au galop en criant : « Arrive ! » Egwene obéit, tous les deux pressant leurs montures du talon, sans se soucier du bruit, sans se soucier des branches qui les fouaillaient.

Pendant leur course à travers les arbres, guidée par l'instinct autant que par le pâle clair de lune, Béla se laissa distancer. Perrin regarda en arrière. Egwene talonna la jument et la cravacha avec les rênes, mais sans résultat. D'après les bruits qu'ils faisaient, les Trollocs se rapprochaient. Perrin ralentit suffisamment pour ne pas laisser Egwene en arrière. »

Dépêche-toi ! » cria-t-il. Il distinguait les Trollocs à présent, d'énormes formes sombres bondissant au milieu des arbres, mugissant et grondant à glacer le sang. Il serra le manche de la hache pendue à sa ceinture jusqu'à en avoir mal aux jointures. « Vite, Egwene ! Dépêche-toi ! »

Soudain son cheval hurla et Perrin vida les étriers tandis que le cheval tombait de dessous lui comme une pierre. Il projeta les bras en avant pour se rattraper et s'enfonça avec force éclaboussures tête la première dans une eau glacée. Il avait franchi le bord d'une berge à pic et plongé dans l'Arinelle.

Le choc de l'eau glaciale lui arracha un hoquet et il en avala plus qu'un peu avant de revenir en se débattant à la surface. Il sentit plutôt qu'il n'entendit une autre chute et pensa qu'Egwene devait être tombée aussitôt après lui. Haletant et soufflant, il nagea debout. Se maintenir à flot n'était pas facile ; sa cotte et sa cape étaient déjà trempées et ses bottes s'étaient remplies d'eau. Il chercha du regard Egwene, mais ne vit que le scintillement de la lune sur l'eau noire, ridée par le vent.

« Egwene ! Egwene ! »

Une lance jeta un éclair juste devant ses yeux et lui aspergea d'eau la figure. D'autres entrèrent dans l'eau dans un rejaillissement de gouttelettes autour de lui. Des voix gutturales se haussèrent dans une discussion sur la berge et les lances trolloques s'arrêtèrent de pleuvoir, mais il cessa d'appeler pour le moment.

Le courant l'emportait en aval, pourtant les cris et les grondements étouffés le suivaient le long de la berge, restant à sa hauteur. Il défit son manteau et laissa la rivière l'emporter. Un peu moins de poids pour l'entraîner au fond. Il n'y avait pas de Trollocs là. Il eut un espoir.

Il nagea à la façon dont on le faisait là-bas chez lui, dans les mares du Bois Humide, brassant des deux mains, donnant des coups des deux pieds, tenant la tête hors de l'eau. Tout au moins, il s'y efforça ; ce n'était pas facile. Même sans le manteau, sa cotte et ses bottes semblaient peser chacune autant que lui-même. Et la hache tirait sur sa taille, menaçant de le faire basculer si même elle ne l'entraînait pas au fond. Il pensa à laisser la rivière s'en emparer aussi ; il y pensa plus d'une fois. Ce serait facile, beaucoup plus facile que de se débarrasser à grand-peine de ses bottes, par exemple. Mais chaque fois qu'il y pensait, il s'imaginait rampant pour sortir sur la berge opposée et trouvant des Trollocs qui l'attendaient. La hache ne lui servirait pas à grand-chose contre une demi-douzaine de Trollocs – ou peut-être même contre un seul – mais cela valait mieux que ses mains nues.

Après un moment, il ne fut même plus sûr de pouvoir lever la hache s'il y avait là des Trollocs. Ses bras et ses jambes étaient devenus de plomb ; c'était un effort de les mouvoir, et sa figure ne sortait plus tellement de la rivière à chaque brasse. Il toussa, à cause de l'eau qui lui remontait dans le nez. *Une journée à la forge n'est rien à côté de ça*, pensa-t-il avec lassitude, au même instant que son pied heurtait quelque chose. Ce ne fut pas avant d'avoir donné un autre coup de pied qu'il comprit ce que c'était. Le fond. Il était au bord. Il avait traversé la rivière.

Respirant l'air par la bouche, il se mit debout, se débattant dans l'eau quand ses jambes faillirent se dérober. Il dégagea maladroitement sa hache de la boucle tandis qu'il barbotait pour gagner la berge, frissonnant dans le vent. Il ne vit pas de Trollocs. Il ne vit pas Egwene non plus. Juste quelques arbres, épars le long de la berge, et un ruban de lune sur l'eau.

Quand il eut repris son souffle, il les appela de nouveau, à maintes reprises. De faibles cris provenant de l'autre berge lui répondirent. Même à cette distance, il pouvait distinguer les voix rudes des Trollocs. Mais ses amis restèrent muets.

Le vent se leva, ses plaintes noyèrent les voix des Trollocs, et Perrin grelotta. Ce vent n'était pas assez froid pour que l'eau qui trempait ses vêtements gèle, mais on l'aurait bien cru ; il pénétrait jusqu'à l'os comme une lame de glace. Serrer ses bras autour de lui n'était qu'un geste qui n'arrêtait pas le tremblement. Solitaire, il escalada la berge avec lassitude pour trouver un abri contre le vent.

Rand caressa l'encolure de Nuage, chuchotant pour calmer le gris. Le cheval encensa et dansa vivement. Les Trollocs avaient été distancés – ou cela en avait l'air – mais Nuage avait leur odeur dans les naseaux. Mat chevauchait avec une flèche encochée sur l'arc, guettant ce qui pourrait sortir par surprise de la nuit, tandis que Rand et Thom cherchaient à distinguer à travers les branches l'étoile rouge qui était leur guide. La garder en vue avait été assez facile même avec toutes ces ramures au-dessus de leurs têtes pour autant qu'ils se dirigeaient droit vers elle. Mais alors d'autres Trollocs étaient apparus devant eux et ils s'étaient détournés de côté au galop, avec les deux meutes qui leur hurlaient après. Les Trollocs pouvaient aller aussi vite qu'un cheval, mais seulement sur une centaine de pas et, finalement, ils laissèrent derrière eux poursuivants et hurlements. Mais à cause de tous ces tours et détours ils avaient perdu leur étoile-guide.

« Je persiste à dire qu'elle est par là-bas, déclara Mat avec un geste vers la droite. Nous allions au nord à la fin et ça veut dire que l'est est par là.

– La voilà », dit Thom avec brusquerie. Il pointa le doigt au milieu du fouillis de branches vers leur gauche, droit vers l'étoile rouge. Mat marmotta entre ses dents.

Du coin de l'œil, Rand aperçut le mouvement d'un Trolloc qui surgissait silencieusement de derrière un arbre en faisant tournoyer sa perche. Rand donna un coup de talon et le gris bondit en avant, comme deux autres s'élançaient hors de l'ombre à la suite du premier. Un nœud coulant effleura la nuque de Rand, déclenchant un frisson le long de son échine.

Une flèche atteignit dans l'œil une des faces bestiales, puis Mat se rabattit à son côté tandis que leurs chevaux martelaient le sol au milieu des arbres. Ils couraient vers la rivière, il en prit conscience, mais il n'était pas sûr que cela leur servirait à grand-chose. Les Trollocs fonçaient derrière eux, presque assez près pour attraper en tendant le bras le bout de la queue de leurs chevaux qui flottait dans le vent de la course. Qu'ils gagnent un demi-pas, et les perches à nœud coulant pourraient les arracher tous deux de leur selle.

Il se baissa sur l'encolure du cheval gris, pour mettre encore cette distance en plus entre son cou et les nœuds coulants. Mat avait quasiment enfoui son visage dans la crinière de sa monture. Mais Rand se demanda où était Thom. Le ménestrel avait-il décidé qu'il serait mieux tout seul, puisque les trois Trollocs s'étaient tous attachés à suivre les garçons ?

Soudain, le hongre de Thom sortit de la nuit au galop, juste derrière les Trollocs. Ceux-ci eurent seulement le temps de se retourner avec surprise comme les mains du ménestrel se rabattaient en arrière puis en avant. La lune se refléta sur l'acier. Un Trolloc culbuta tête la première, roulant plusieurs fois sur lui-même avant de s'immobiliser en tas, tandis qu'un deuxième tombait à genoux avec un cri, se raclant le dos à deux mains. Le troisième gronda, découvrant la multitude de dents pointues qui remplissaient son mufle mais, quand ses compagnons s'écroulèrent, il disparut à toute allure dans le noir. La main de Thom renouvela son mouvement de fouet et le Trolloc poussa un cri perçant, mais les cris s'évanouirent dans le lointain, car il s'était enfui.

Rand et Mat s'arrêtèrent et regardèrent avec stupeur le ménestrel.

« Mes meilleurs couteaux », murmura Thom, mais il ne fit aucun effort pour mettre pied à terre et les récupérer. « Ce Trolloc-là en amènera d'autres. J'espère que la rivière n'est pas trop loin. J'espère... » Au lieu de dire ce qu'il espérait d'autre, il secoua la tête et s'éloigna à un petit galop rapide. Rand et Mat le suivirent.

Ils atteignirent bientôt une berge basse où les arbres poussaient jusqu'au bord même de l'eau noire comme la nuit, dont la surface rayée de lune était ridée par le vent. Rand ne pouvait pas du tout voir la berge opposée. L'idée de traverser de nuit sur un radeau ne lui plaisait pas, mais l'idée de rester de ce côté lui plaisait encore moins. *Je nagerai s'il le faut.*

Quelque part loin de la rivière, un cor trolloc émit un braiement rude, rapide et pressant dans l'obscurité. C'était le premier appel des cors depuis qu'ils avaient quitté les ruines. Rand se demanda si cela voulait dire que certains des autres avaient été capturés.

« Inutile de rester ici toute la nuit, dit Thom. Choisissez une direction. En amont ou en aval ?

– Mais Moiraine et Lan peuvent être n'importe où, protesta Mat.

– Bien sûr. » Thom clappa de la langue à l'intention de son hongre, puis tourna vers l'aval en longeant la berge. « Bien sûr. » Rand regarda Mat, qui haussa les épaules, et ils tournèrent à sa suite.

Pendant un temps, rien ne changea. La berge était plus haute par endroits, plus basse à d'autres, les arbres poussaient plus drus ou s'écartaient pour former de petites clairières, mais la nuit, le vent et la rivière étaient les mêmes, froids et sombres. Et sans Trollocs.

C'était le seul changement que Rand était prêt à laisser durer.

Puis il aperçut une lumière devant eux, juste un petit point. Quand ils approchèrent, il constata que la lumière se trouvait bien au-dessus de la rivière comme si elle était dans un arbre. Thom pressa l'allure et commença à fredonner entre ses dents.

Ils finirent par découvrir la source de cette lumière, une lanterne hissée en haut d'un des mâts d'un grand bateau marchand, amarré pour la nuit près d'une petite clairière. Le bateau, qui avait bien quatre-vingts pieds de long, dérivait légèrement dans le courant, tirant sur les aussières qui l'amarraient à des arbres. Le gréement bourdonnait et craquait dans le vent. La lanterne doublait la clarté de la lune sur le pont, mais il n'y avait personne en vue.

« Eh bien, dit Thom en descendant de cheval, ça vaut mieux qu'un radeau d'Aes Sedai, n'est-il pas vrai ? » Il se tenait les mains aux hanches et même dans le noir son air satisfait de lui-même était perceptible. « Ce vaisseau ne paraît pas fait pour transporter des chevaux mais, si l'on considère dans quel danger il se trouve et dont nous allons l'avertir, le capitaine se montrera peut-être raisonnable. Laissez-moi mener la discussion. Et apportez vos couvertures et vos sacs de selle, juste au cas. »

Rand mit pied à terre et commença à détacher ce qu'il avait derrière sa selle. « Vous n'avez pas l'intention de partir sans les autres, dites ? »

Thom n'eut pas le temps de préciser son intention. Dans la clairière firent irruption deux Trollocs qui hurlaient en agitant leurs perches, avec quatre autres sur leurs talons. Les chevaux se cabrèrent et hennirent. Des cris dans le lointain indiquaient qu'il y avait encore des Trollocs qui allaient arriver.

« Au bateau ! cria Thom. Vite ! Laissez tout ça ! Courez ! » Joignant le geste à la parole, il s'élança vers le bateau, les pièces sur son manteau voltigeant et les étuis de ses instruments attachés sur son dos s'entrechoquant. « Hé ! vous du bateau, cria-t-il. Réveillez-vous, espèces d'imbéciles ! Les Trollocs ! »

Rand tira sur la dernière courroie pour dégager son rouleau de couvertures et ses fontes, puis se précipita sur les talons du ménestrel. Jetant ses fardeaux par-dessus la rambarde, il la franchit d'un saut à sa suite. Il n'eut que le temps d'apercevoir un homme roulé en boule sur le pont qui commençait à se redresser comme s'il venait de se réveiller à l'instant où il tomba les pieds les premiers sur lui. L'homme grogna tout haut, Rand trébucha et une perche munie d'un nœud coulant heurta le bastingage à l'endroit précis où il avait sauté. Des cris s'élevèrent dans tout le bateau et des pieds martelèrent le pont.

Des mains velues saisirent la rambarde à côté de la perche et une tête à cornes de chèvre apparut au-dessus. Déséquilibré, trébuchant, Rand parvint quand même à tirer son épée et à la brandir. Avec un cri, le Trolloc disparut hors de vue.

Des hommes couraient partout sur le bateau en criant, tranchant les amarres à coups de hache. Le bateau embarda et tourna, comme pressé de partir. Là-bas, à l'avant trois hommes luttaient avec un Trolloc. Quelqu'un donna un coup d'épieu par-dessus le bordage, mais Rand ne vit pas à quoi. Une corde d'arc claqua, claqua encore. L'homme sur qui Rand avait atterri s'éloigna de lui à quatre pattes, puis leva les bras en l'air quand il vit que Rand le regardait.

« Épargnez-moi ! cria-t-il. Prenez ce que vous voulez, prenez le bateau, prenez tout, mais épargnez-moi ! »

Soudain quelque chose heurta violemment le dos de Rand, le plaquant sur le pont. Son épée ricocha hors de sa main tendue. La bouche ouverte, cherchant son souffle, il essaya d'atteindre l'épée. Ses muscles répondaient avec une angoissante lenteur ; il se tordait comme un ver. Le bonhomme qui voulait qu'on l'épargne jeta un regard de peur et de convoitise à l'épée, puis s'enfonça dans l'ombre.

Rand parvint péniblement à regarder par-dessus son épaule et vit que la chance l'avait déserté. Un Trolloc à museau de loup se tenait en équilibre sur la rambarde et, le surplombant, tenait dressé le bout de la perche rompue qui lui avait coupé le souffle quand elle l'avait frappé. Rand se débattit pour attraper l'épée, pour bouger, pour se sauver, mais ses bras et ses jambes tressautaient et n'obéissaient qu'à demi à sa volonté. Ils ballottaient et allaient dans des directions bizarres. Il avait la poitrine comme enserrée par des cercles de fer ; des taches argentées tournoyaient dans ses yeux. Il chercha frénétiquement un moyen de s'échapper. Le temps sembla ralentir quand le Trolloc leva sa perche brisée comme pour le transpercer. À Rand, la créature paraissait se mouvoir dans un rêve. Il regarda le bras épais se rejeter en arrière. Il avait l'impression de sentir déjà la hampe dressée s'enfoncer à moitié dans sa colonne vertébrale, de sentir la douleur quand elle lui déchirerait la chair. Il crut que ses poumons allaient éclater. *Je vais mourir, ô Lumière, au secours, je vais... !* Le Trolloc ramena son bras en avant, poussant la hampe déchiquetée, et Rand retrouva son souffle pour un seul cri : « Non ! »

Soudain le bateau fit une embardée, une bôme surgit de l'ombre en décrivant un cercle, frappant le Trolloc en pleine poitrine avec un craquement d'os qui se cassent, et le balaya par-dessus bord.

Pendant un moment, Rand resta allongé sur le sol, haletant et regardant fixement cette bôme qui oscillait d'un côté du bateau à l'autre dans un mouvement de balancier au-dessus de lui. *Voilà qui doit avoir épuisé mon compte de chance,* pensa-t-il. *Il ne peut plus en rester après ça.*

Tout tremblant, il se releva et ramassa son épée, la tenant pour une fois à deux mains comme Lan le lui avait enseigné, mais il n'y avait plus rien contre quoi l'utiliser. Le chenal d'eau noire entre le bateau et la berge s'élargissait rapidement ; les cris des Trollocs diminuaient derrière eux dans la nuit.

Comme il remettait son épée au fourreau et se laissait aller contre la rambarde, un homme trapu vêtu d'un manteau qui lui tombait aux genoux traversa le pont à grandes enjambées pour lui jeter un regard fulminant. Il avait des cheveux qui s'allongeaient jusqu'à ses épaules massives et une barbe, qui laissait nue sa lèvre supérieure, encadrait un visage rond. Rond mais pas doux. La bôme surgit de nouveau et le barbu reporta sur elle un peu de son regard flamboyant quand il l'attrapa ; le bois fit un « ploc » net contre sa large paume.

« Gelb ! mugit-il. Par la Fortune ! Où que t'es, Gelb ? » Il parlait si vite, tous les mots se mélangeant, que Rand avait du mal à le comprendre. « Tu ne peux pas te cacher de moi sur mon propre bateau ! Amenez-moi ce Floran Gelb ! »

Un homme d'équipage apparut avec une lanterne sourde et deux autres poussèrent un homme au visage en lame de couteau dans le cercle de clarté qu'elle diffusait. Rand reconnut l'homme qui lui avait offert le bateau. Ses yeux bougeaient d'un côté à l'autre, sans jamais croiser ceux de l'homme trapu. Le capitaine, pensa Rand. Un bleu se formait sur le front de ce Gelb, là où une des bottes de Rand l'avait heurté.

« Est-ce que tu n'étais pas censé saisir cette bôme, Gelb ? » demanda le capitaine, avec un calme surprenant, bien qu'avec un débit aussi rapide qu'avant.

Gelb eut l'air franchement surpris. « Mais je l'ai fait ! Je l'ai frappée bien serré. J'admets que je suis un peu lent de temps en temps pour exécuter les ordres, mais je les exécute, capitaine Domon.

– Tiens, tu es lent ? Pas si lent pour dormir. Dormir quand tu devrais monter la garde. Nous aurions pu être tous assassinés jusqu'au dernier à cause de toi.

– Non, capitaine, non, c'est sa faute. » Gelb pointa le doigt sur Rand. « J'étais de garde, juste comme j'étais censé l'être, quand il s'est introduit à bord et m'a frappé avec une massue. » Il toucha le bleu sur son front, grimaça et jeta un regard mauvais à Rand. « Je me suis battu avec lui, mais alors les Trollocs sont arrivés. Il est de mèche avec eux, capitaine. Un Ami du Ténébreux. De mèche avec les Trollocs.

– De mèche avec ma vieille grand-mère ! rugit le capitaine Domon. Ne t'ai-je pas prévenu la dernière fois, Gelb ? À Pont-Blanc, tu débarques ! Ôte-toi de ma vue avant que je te débarque tout de suite ! » Gelb s'éloigna comme un trait de la lueur de la lanterne, et Domon resta à ouvrir et fermer les poings, le regard perdu dans le vide. « Ces Trollocs me poursuivent vraiment. Pourquoi ne me laissent-ils pas tranquille ? Pourquoi ? »

Rand jeta un coup d'œil par-dessus la rambarde et eut un choc en voyant que la berge n'était plus en vue. Deux hommes manœuvraient la longue rame-gouvernail qui dépassait de la poupe, et il y avait maintenant six avirons de chaque côté, entraînant le navire comme une argyronète vers le milieu de la rivière.

« Capitaine, dit Rand, nous avons des amis là-bas. Si vous retournez les chercher, je suis sûr qu'ils vous récompenseront. »

Le visage rond du capitaine vira vers Rand et, quand Thom et Mat apparurent, il les engloba dans son regard sans expression.

« Capitaine, commença Thom avec un grand salut, permettez-moi de...

– Descendez, répliqua le capitaine Domon, là où je pourrai voir quel genre de chose s'est hissée à mon bord. Venez. Que la Fortune m'abandonne, assurez-moi cette maudite bôme ! »

Quand des hommes d'équipage se furent précipités pour prendre la bôme, il se dirigea à grands pas vers l'arrière du bateau. Rand et ses deux compagnons le suivirent.

Le capitaine Domon avait à l'arrière une cabine pimpante qu'on atteignait en descendant une courte échelle et où tout donnait l'impression d'être à sa place, jusqu'aux cottes et manteaux pendus à des patères derrière la porte. La cabine tenait toute la largeur du bateau, avec un large lit encastré contre une des parois et une table de l'autre. Il n'y avait qu'un siège, avec un haut dossier et des bras robustes, sur lequel le capitaine s'installa, faisant signe aux autres de prendre place sur différents coffres et bancs qui étaient les seuls autres meubles. Un grognement vigoureux arrêta Mat qui allait se mettre sur le lit.

« Voyons, dit le capitaine quand ils furent tous assis, mon nom est Bayle Domon, capitaine et propriétaire de *l'Écume,* qui est ce navire. À présent, qui donc que vous soyez et où vous alliez au milieu de nulle part, pourquoi ne vous jetterais-je pas par-dessus bord pour les ennuis que vous m'avez causés ? »

Rand avait toujours autant de mal à suivre le débit rapide de Domon. Quand il eut tiré au clair la dernière partie du discours du capitaine, il cilla de surprise. *Nous jeter par-dessus bord ?*

Mat dit précipitamment : « Nous n'avions pas l'intention de vous déranger. Nous étions en route pour Caemlyn et ensuite...

– ... où le vent nous conduira, inséra Thom avec aisance. Voilà comment voyagent les ménestrels, comme poussière dans le vent. Je suis ménestrel, vous comprenez, Thom Merrilin de mon nom. » Il bougea son manteau afin que les pièces multicolores remuent comme si le capitaine risquait de ne pas les avoir remarquées. « Ces patauds de paysans ont envie de devenir mes apprentis, bien que je ne sois pas encore sûr d'en vouloir. » Rand regarda Mat, qui eut un grand sourire.

« Tout ça est bel et bon, dit placidement le capitaine Domon, mais ne m'apprend rien. Moins que rien. Que la Fortune me pique, cet endroit n'est pas sur la route de Caemlyn, que je sache, de quelque côté que l'on vienne.

– Ah, c'est toute une histoire », répliqua Thom, et il commença sur-le-champ à la raconter.

À l'en croire, il avait été pris au piège par les neiges d'hiver dans une ville minière des Montagnes de la Brume, au-delà de Baerlon. Et pendant son séjour il avait entendu parler de légendes concernant un trésor qui datait des Guerres des Trollocs, dans les ruines d'une cité perdue appelée Aridhol. Et le hasard avait voulu qu'il apprenne auparavant où se trouvait Aridhol par une carte que lui avait donnée jadis un ami mourant à Illian, à qui il avait autrefois sauvé la vie et qui s'était éteint en disant dans son dernier souffle que la carte rendrait Thom riche, ce que Thom n'avait pas cru jusqu'à ce qu'il connaisse ces légendes. Quand les neiges eurent suffisamment fondu, il s'était mis en route avec quelques compagnons, y compris ses candidats-apprentis et, après un voyage aux maintes tribulations, ils étaient arrivés effectivement à la cité en ruine, mais il s'avéra que le trésor avait appartenu à un des Seigneurs de l'Épouvante en personne, et que des Trollocs avaient été envoyés pour le rapporter au Shayol Ghul. Presque tous les dangers auxquels ils avaient été réellement confrontés – Trollocs, Myrddraals, Draghkar, Mordeth, Mashadar – les assaillirent à un point ou à l'autre de l'histoire bien que, de la façon dont Thom racontait, ils aient paru le viser personnellement et avoir été neutralisés par lui avec la plus grande adresse. Avec beaucoup de bravoure, principalement de la part de Thom, ils s'en étaient tirés, poursuivis par les Trollocs, mais furent séparés dans la nuit, jusqu'à ce que finalement Thom et ses deux compagnons trouvent refuge dans le dernier endroit qui leur était accessible, le navire très bienvenu du capitaine Domon.

Quand le ménestrel termina, Rand se rendit compte qu'il était resté bouche bée depuis un certain temps et il referma ses mâchoires avec un claquement. Quand il regarda Mat, son ami dévisageait le ménestrel en ouvrant de grands yeux.

Le capitaine Domon tambourina sur le bras de son

fauteuil. « Voilà une histoire que beaucoup de gens ne croiraient pas. Bien sûr, j'ai vu les Trollocs, c'est vrai.

– Chaque mot est vrai, repartit Thom, et qui vient de qui l'a vécu.

– Se trouverait-il que vous ayez un peu de ce trésor avec vous ? »

Thom écarta les mains dans un geste de regret. « Hélas, le peu que nous étions arrivés à emporter était avec nos chevaux qui ont pris le mors aux dents quand ces derniers Trollocs sont apparus. Tout ce qui me reste, c'est ma flûte et ma harpe, quelques pièces de cuivre et les hardes sur mon dos. Mais, croyez-moi, ne convoitez rien de ce trésor. Il est touché par la corruption du Ténébreux. Mieux vaut le laisser aux ruines et aux Trollocs.

– Donc vous n'avez pas d'argent pour payer votre passage. Je ne laisserais même pas mon propre frère naviguer avec moi s'il ne pouvait pas payer, surtout s'il amenait des Trollocs à sa suite pour sabrer ma rambarde et couper mon gréement. Pourquoi ne vous laisserais-je pas retourner à la nage d'où vous venez et ne me débarrasserais-je pas de vous ?

– Vous ne voudriez pas nous déposer comme ça sur la berge ? s'exclama Mat. Pas avec les Trollocs là-bas ?

– Qui a parlé de berge ? » répliqua Domon, caustique. Il les examina un moment, puis étala les mains à plat sur la table. « Bayle Domon est un homme raisonnable. Je ne vous jetterais pas par-dessus bord s'il y a moyen de faire autrement. Voyons, je remarque qu'un de vos apprentis a une épée. J'ai besoin d'une bonne épée et, en brave homme que je suis, je vous accorderai le passage jusqu'à Pont-Blanc en échange. »

Thom ouvrit la bouche et Rand ne traîna pas pour prendre la parole. « Non ! » Tam ne la lui avait pas donnée pour la troquer. Il passa la main sur la garde, palpant le héron de bronze. Aussi longtemps qu'il l'avait, c'était comme si Tam était avec lui.

Domon hocha la tête. « Ma foi, si c'est non c'est non. Mais Bayle Domon ne donne pas de passage gratuit, pas même à sa propre mère. »

À regret, Rand vida sa poche. Elle ne contenait pas grand-chose, quelques pièces de cuivre et la pièce d'argent de Moiraine. Il la tendit au capitaine. Une seconde après, Mat soupira et fit de même. Une expression furieuse se peignit sur le visage de Thom, mais un sourire la remplaça si vite que Rand n'était pas sûr de l'avoir vue.

Le capitaine Domon cueillit avec prestesse les deux grosses pièces d'argent dans les mains des garçons, sortit d'un coffre cerclé de cuivre derrière sa chaise un trébuchet et un sac cliquetant. Après avoir pesé les pièces avec soin, il les laissa tomber dans le sac et leur rendit à chacun de la petite monnaie d'argent et de cuivre. « Jusqu'à Pont-Blanc, dit-il en inscrivant avec soin l'opération dans un registre relié en cuir.

– C'est cher pour un trajet jusqu'à Pont-Blanc, grommela Thom.

– Plus les dommages à mon bateau », répondit le capitaine avec placidité. Il remit petite balance et sac dans le coffre qu'il ferma avec satisfaction. « Plus aussi un peu pour m'avoir amené des Trollocs, si bien que je dois descendre de nuit en hâte la rivière, où il y a beaucoup de hauts-fonds pour me planter.

– Et les autres ? demanda Rand. Les prendrez-vous aussi ? Ils auraient dû atteindre la rivière à présent, ou ils l'atteindront bientôt, et ils verront cette lanterne à votre mât.

Le capitaine Domon haussa les sourcils dans un mouvement de surprise. « Par hasard, penseriez-vous que nous restons sur place, jeune homme ? Que la Fortune me pique, on est à une lieue, une lieue et demie en aval de l'endroit où vous êtes montés à bord. Les Trollocs ont incité mes gars à mettre toutes leurs forces dans les rames – ils connaissent mieux les Trollocs qu'ils n'en ont envie – et le courant aide aussi, mais ce n'est pas cela qui importe. Je n'aborderais pas de nouveau cette nuit même si ma vieille grand-mère était sur la berge. Il se peut que je n'aborde plus avant d'arriver à Pont-Blanc. J'ai depuis longtemps mon plein de Trollocs qui me talonnent, bien avant cette nuit, et je n'en aurai pas davantage si je peux l'éviter. »

Thom se pencha vers lui, attentif. « Vous avez déjà eu des rencontres avec les Trollocs auparavant ? Récemment ? »

Domon hésita, regardant Thom minutieusement mais, quand il répondit, ce fut seulement sur un ton indigné. « J'ai hiverné dans la Saldea. Pas par choix, mais la rivière a gelé de bonne heure et la glace a dégelé tard. On dit qu'on peut voir la Grande Dévastation depuis les plus hautes tours de Maradon, mais ça ne m'intéresse pas. J'ai déjà séjourné là-bas et on y parle tout le temps de Trollocs attaquant des fermes ou ce genre de chose. L'hiver dernier, pourtant, il y a eu des fermes brûlées chaque nuit. Oui, messire, et des villages entiers aussi, parfois. Ils sont même venus jusque sous les remparts de la ville. Et comme si ce n'était pas déjà assez grave, les gens prétendaient tous que ça signifie le réveil du Ténébreux, l'arrivée des Derniers Jours. » Il eut un frisson, puis se gratta la tête, comme si d'y penser lui donnait des démangeaisons au crâne. « Je suis pressé de retourner là où les gens croient que les Trollocs sont des contes de bonnes femmes, et que ce que je raconte ne sont que des mensonges de voyageur. »

Rand cessa d'écouter. Il contempla la paroi en face de lui et songea à Egwene et aux autres. Cela ne semblait pas juste qu'il soit à l'abri sur l'*Écume* tandis qu'eux se trouvaient encore là-bas quelque part dans la nuit. La cabine du capitaine ne lui paraissait plus aussi confortable.

Il fut surpris quand Thom le tira par le bras pour qu'il se lève. Le ménestrel le poussa ainsi que Mat vers l'échelle, avec des excuses par-dessus son épaule au capitaine Domon pour ces lourdauds de paysans. Rand grimpa sans dire un mot.

Une fois sur le pont, Thom regarda rapidement autour d'eux pour s'assurer qu'on ne l'entendrait pas, puis grommela : « J'aurais pu nous avoir le passage pour quelques chansons et quelques histoires, si vous n'aviez pas été si pressés de montrer votre argent.

– Je n'en suis pas tellement sûr, riposta Mat. Il m'avait l'air sérieux quand il a dit qu'il nous jetterait par-dessus bord dans la rivière. »

Rand se dirigea lentement vers la rambarde et s'y appuya en contemplant l'eau ensevelie dans la nuit. Il ne pouvait voir que du noir, pas même la berge. Au bout d'une minute, Thom lui posa la main sur l'épaule, mais il ne broncha pas.

« Il n'y a rien que tu puisses faire, mon garçon. D'ailleurs, il y a des chances qu'ils soient en sûreté avec la... avec Moiraine et Lan à l'heure actuelle. Que peux-tu imaginer de mieux que ces deux-là pour les tirer tous d'affaire ?

– J'avais tenté de la dissuader, dit Rand.

– Tu as fait ce que tu as pu, mon garçon. Personne ne peut demander davantage.

– Je lui avais dit que je veillerais sur elle. J'aurais dû mieux m'y prendre. » Le craquement des rames et le bourdonnement des agrès formaient un air d'accompagnement lugubre. « J'aurais dû mieux m'y prendre », murmura-t-il.

21.

ÉCOUTE LE VENT

La première clarté du soleil qui s'insinuait par-dessus l'Arinelle parvint dans la combe proche de la berge où Nynaeve était assise, le dos appuyé au tronc d'un jeune chêne, avec la respiration profonde du dormeur. Son cheval dormait aussi, la tête basse et les jambes écartées à la façon des chevaux. Les rênes s'enroulaient autour du poignet de Nynaeve. Quand le soleil atteignit les paupières du cheval, l'animal ouvrit les yeux et releva la tête, tirant d'un coup sec sur les rênes. Nynaeve s'éveilla en sursaut.

Pendant un instant, elle resta interdite, se demandant où elle était, puis jeta autour d'elle un regard encore éperdu, et se rappela. Mais il n'y avait que les arbres, son cheval et un tapis de vieilles feuilles sèches au fond de cette cuvette. Au cœur de la pénombre, quelques champignons – des Mains-de-l'Ombre – de l'an passé croissaient en cercle sur un tronc d'arbre effondré.

« Que la Lumière te garde, femme, murmura-t-elle en se laissant aller en arrière, si tu es incapable de ne pas succomber au sommeil une seule nuit. » Elle dénoua les rênes et se massa le poignet en se levant. « Tu aurais pu te réveiller dans la marmite d'un Trolloc. »

Les feuilles mortes bruissèrent quand elle escalada le bord de la combe pour observer les alentours. Entre la rivière et elle ne s'interposaient que quelques frênes. Leur écorce fissurée et leurs branches nues les faisaient paraître morts. Au-delà coulait la large nappe d'eau bleu-vert. Déserte. Entièrement déserte. Des bouquets épars d'arbres à feuilles persistantes, de saules et de

375

pins, parsemaient l'autre berge et il semblait, l'un dans l'autre, y avoir moins d'arbres que de son côté. Si Moiraine ou un des jeunes se trouvaient là-bas, ils étaient bien cachés. Certes, ils n'avaient aucune raison de traverser, ou d'essayer de traverser, en vue de l'endroit où elle se trouvait, elle. Ils pouvaient être à quatre lieues en amont ou en aval. *Si seulement ils sont encore en vie après la nuit dernière.*

Furieuse contre elle-même pour avoir envisagé cette éventualité elle se laissa de nouveau glisser dans la combe. Ni même la Nuit de l'Hiver ni la bataille avant Shadar Logoth ne l'avaient préparée à cette nuit-là, à cette chose – Mashadar. À toute cette galopade effrénée en se demandant s'il y en avait encore un de vivant, en se demandant si elle allait se retrouver face à face avec un Évanescent ou des Trollocs. Elle avait entendu des grondements et des cris de Trollocs dans le lointain, et les frémissantes plaintes aiguës des cors trollocs l'avaient glacée, plus que ne le pourrait jamais le vent d'hiver mais, à part cette première rencontre dans les ruines, elle n'avait vu qu'une fois des Trollocs et, cette fois-là, elle était à l'extérieur. Une dizaine d'entre eux avaient paru jaillir du sol à moins de trente empans d'elle, bondissant aussitôt dans sa direction avec des clameurs et des hurlements, brandissant des perches munies de crochets. Pourtant, quand elle avait fait virevolter son cheval, ils s'étaient tus, dressant leur mufle afin de renifler l'air. Trop étonnée pour fuir, elle les avait vus tourner le dos et disparaître dans la nuit. Et ç'avait été le plus effrayant.

« Ils connaissent l'odeur de ce qu'ils cherchent, dit-elle à son cheval comme elle se tenait au creux de la combe, et ce n'est pas moi. L'Aes Sedai a raison, à ce qu'il paraît, que le Berger de la Nuit l'engloutisse. »

Elle prit une décision et se mit en marche vers l'aval, conduisant son cheval par la bride. Elle se déplaçait avec lenteur, surveillant prudemment la forêt qui l'entourait ; ce n'était pas parce que les Trollocs n'avaient pas voulu d'elle la nuit dernière qu'ils la laisseraient aller au cas où elle leur tomberait dessus de nouveau. Si grande était l'attention qu'elle portait aux bois, elle en portait bien davantage au terrain devant elle. Si les autres avaient traversé plus bas qu'elle durant la nuit, elle en verrait des traces, des traces qui pourraient lui échapper du haut de son cheval. Elle avait même des chances d'arriver sur eux s'ils étaient encore de son côté. Si elle ne rencontrait ni les uns ni les autres, la rivière l'amènerait finalement à Pont-Blanc et il y avait une route de Pont-Blanc à Caemlyn, et jusqu'à Tar Valon si besoin était.

Cette perspective aurait presque suffi à l'abattre. Jusqu'à présent, elle n'était pas allée plus loin que les garçons hors du Champ d'Emond. Taren-au-Bac lui avait paru curieuse ; Baerlon lui aurait fait écarquiller les yeux d'admiration, si elle n'avait pas été si décidée à trouver Egwene et les autres. Mais elle ne laissa rien de tout cela affaiblir sa résolution. Tôt ou tard, elle découvrirait Egwene et les garçons. Ou un moyen d'obliger l'Aes Sedai à payer pour ce qui leur était arrivé. L'un ou l'autre, se promit-elle.

Par intervalles, elle trouvait des traces, en grand nombre, mais généralement, malgré tous ses efforts, elle ne pouvait déterminer si ceux qui les avaient laissées traquaient, pourchassaient ou étaient poursuivis. Certaines traces avaient été imprimées par des bottes qui auraient pu appartenir aussi bien à des humains qu'à des Trollocs. D'autres étaient des traces de sabots, comme de chèvres ou de bœufs. Ces empreintes-là étaient certainement dues à des Trollocs. Mais jamais une trace dont elle pouvait dire à coup sûr qu'elle provenait de ceux qu'elle cherchait.

Elle avait peut-être parcouru près d'une lieue quand le vent lui apporta une bouffée de fumée de bois. Venant de l'aval et pas très loin, pensa-t-elle. Elle n'hésita qu'une minute avant d'attacher son cheval à un pin, très à l'écart de la rivière, dans un petit bouquet d'arbres serré à feuilles persistantes qui cacheraient bien l'animal. La fumée pouvait indiquer des Trollocs, mais la seule façon de le savoir était d'y aller voir. Elle essaya de ne pas penser à quelle destination les Trollocs pouvaient allumer du feu.

Ramassée sur elle-même, Nynaeve se glissa d'arbre en arbre, maudissant à part soi les jupes qu'elle devait tenir hors de son chemin. Les robes n'étaient pas faites pour se livrer à la traque. Le bruit d'un cheval l'incita à ralentir et, quand elle jeta finalement un coup d'œil précautionneux de derrière un frêne, le Lige descendait de son destrier noir dans une petite clairière sur la rive.

L'Aes Sedai était assise sur un tronc d'arbre près d'un feu bas où une bouilloire pleine d'eau commençait juste à chanter. Sa jument blanche broutait derrière elle parmi les maigres herbes. Nynaeve resta où elle était.

« Ils sont tous partis, annonça Lan d'un air sombre. Quatre Demi-Hommes vers le sud environ deux heures avant l'aube, pour autant que je puisse le dire – ils ne laissent pas beaucoup d'empreintes derrière eux – mais les Trollocs ont disparu. Même les cadavres, et les Trollocs ne sont pas réputés pour emmener leurs morts. À moins d'avoir faim. »

Moiraine jeta une poignée de quelque chose dans l'eau bouillante et retira du feu la bouilloire. « On peut toujours espérer qu'ils sont retournés à Shadar Logoth et qu'ils ont été consumés, mais ce serait trop beau. »

La délicieuse odeur du thé parvint à Nynaeve. *Ô Lumière, ne laisse pas mon estomac gargouiller.*

« Il n'y avait aucun signe net des garçons ni d'aucun des autres. Les pistes sont trop brouillées pour nous renseigner. » De sa cachette, Nynaeve sourit ; l'échec du Lige était une légère justification du sien. « Mais il y a autre chose d'important, Moiraine », continua Lan en fronçant les sourcils. Il refusa d'un geste le thé offert par l'Aes Sedai et commença à marcher de long en large devant le feu, une main sur la garde de son épée, son manteau changeant de couleur quand il tournait. « Je pouvais admettre la présence de Trollocs aux Deux Rivières, même une centaine. Mais cela ? Il devait y en avoir un millier à nous courir après, hier.

– Nous avons eu de la chance qu'ils ne soient pas tous restés pour fouiller Shadar Logoth. Les Myrddraals n'ont pas dû être sûrs que nous nous y cacherions, mais aussi ils craignaient de rentrer au Shayol Ghul sans avoir tout tenté pour nous découvrir. Le Ténébreux n'a jamais été un maître indulgent.

– N'essaie pas d'éluder. Tu sais ce que je veux dire. Si un millier était ici pour être envoyé aux Deux Rivières, pourquoi n'y est-il pas allé ? Il n'y a qu'une réponse. Les Trollocs n'ont été envoyés qu'après que nous avons traversé la Taren, quand il a été flagrant qu'un seul Myrddraal et cent Trollocs ne suffisaient plus. Comment ont-ils été envoyés ? Si un millier peut être dépêché à une telle distance au sud de la Grande Dévastation si vite, sans être remarqué – pour ne rien dire d'être ramené par le même chemin – comment dix mille peuvent-ils être expédiés au cœur de la Saldea, de l'Arafel ou du Shienar ? Les Marches pourraient être envahies en un an.

– Le monde entier sera envahi dans cinq ans, si nous ne retrouvons pas ces garçons, dit simplement Moiraine. La question me tracasse, moi aussi, mais je n'ai pas de réponses. Les Voies sont barrées, et il n'y a pas eu d'Aes Sedai assez puissantes pour Voyager depuis le Temps de la Folie. À moins qu'un des Réprouvés ne soit libre – la Lumière nous en préserve maintenant et à jamais – il n'y a encore personne qui en soit capable. D'ailleurs, je ne pense pas que tous les Réprouvés réunis pourraient faire bouger un millier de Trollocs. Traitons les problèmes que nous devons affronter dans l'immédiat ; tout le reste doit attendre.

– Les garçons. » Ce n'était pas une question.

« Je ne suis pas restée oisive pendant ton absence. L'un d'eux a traversé la rivière, il est vivant. Quant aux autres, il y a une piste, peu nette en aval, mais elle a disparu dès que je l'ai trouvée. Le lien était brisé depuis des heures avant que je commence mes recherches. »

Blottie derrière son arbre, Nynaeve fronça les sourcils, perplexe.

Lan cessa ses allées et venues. « Tu crois que les Demi-Hommes qui vont en direction du sud les ont pris ?

– Peut-être. » Moiraine se versa une tasse de thé avant de continuer. « Mais je ne veux pas admettre la possibilité qu'ils soient morts. Je ne peux pas. Je n'ose pas. Tu sais combien de choses sont en jeu. Il faut que j'aie ces jeunes gens. Que le Shayol Ghul les pourchasse, je m'y attends. L'opposition venue de la Tour Blanche, et même du Siège d'Amyrlin, je l'accepte. Il y a toujours des Aes Sedai qui n'acceptent qu'une solution. Mais... » Soudain, elle posa sa tasse et se redressa en esquissant une grimace. « Quand on surveille le loup trop soigneusement, une souris vous mord la cheville », murmura-t-elle. Et elle regarda droit vers l'arbre derrière lequel se cachait Nynaeve. « Maîtresse al'Meara, sortez maintenant, si vous voulez bien. »

Nynaeve se remit debout en brossant vivement les feuilles collées à sa robe pour les faire tomber. Lan avait pivoté sur lui-même face à l'arbre dès que le regard de Moiraine s'était déplacé : il avait l'épée à la main avant qu'elle ait fini de prononcer le nom de Nynaeve. À présent, il la remit au fourreau avec plus d'énergie que strictement nécessaire. Son visage était aussi inexpressif que jamais, mais Nynaeve pensa qu'il y avait un brin de contrariété dans l'expression de sa bouche. Elle eut un élan de satisfaction ; au moins le Lige n'avait-il pas su qu'elle était là.

Cette satisfaction ne dura pourtant qu'un instant. Elle fixa les yeux sur Moiraine et marcha vers elle avec décision. Elle voulait rester froide et maîtresse d'elle-même, mais sa voix vibrait de colère. « À quoi avez-vous mêlé Egwene et les garçons ? Dans quelle dégoûtante combine d'Aes Sedai vous proposez-vous de les utiliser ? »

L'Aes Sedai prit sa tasse et but tranquillement son thé à petites gorgées. Néanmoins, dès que Nynaeve approcha, Lan étendit le bras pour lui barrer le passage. Elle essaya d'écarter l'obstacle et fut étonnée quand le bras du gardien ne bougea pas plus qu'une branche de chêne. Elle n'était pas frêle, mais il avait des muscles d'acier.

« Du thé ? offrit Moiraine.

— Non, je ne veux pas de thé. Je ne boirais pas de votre thé même si je mourais de soif. Vous ne vous servirez pas des gens du Champ d'Emond pour vos sales projets d'Aes Sedai.

— Vous n'êtes guère bien placée pour parler, Sagesse. » Moiraine avait l'air de s'intéresser davantage à son thé chaud qu'à ce qu'elle disait. « Vous savez exercer le Pouvoir Unique vous-même jusqu'à un certain point. »

Nynaeve poussa de nouveau le bras de Lan ; il ne bougea toujours pas et elle décida de l'ignorer. « Pendant que vous y êtes, pourquoi ne pas me qualifier de Trolloque ? »

Moiraine eut un sourire entendu qui déclencha chez Nynaeve une envie de la frapper. « Croyez-vous que je peux me trouver face à face avec une femme qui a un contact avec la Vraie Source et parvient à canaliser le Pouvoir Unique, ne serait-ce que de temps en temps, sans comprendre ce qu'elle est ? Exactement comme vous avez deviné le potentiel chez Egwene. Comment croyez-vous que j'ai connu votre présence derrière cet

380

arbre ? Si je n'avais pas été tourmentée, je m'en serais rendu compte dès que vous vous êtes approchée. Vous n'êtes certainement pas une Trolloque, j'aurais eu conscience d'un mal venu du Ténébreux. Alors, qu'est-ce que j'ai pressenti, Nynaeve al'Meara, Sagesse du Champ d'Emond et détentrice sans le savoir du Pouvoir Unique ? »

Lan avait abaissé sur Nynaeve un regard qui ne lui plaisait pas ; surpris et méditatif, lui sembla-t-il, bien que rien n'ait changé dans son visage sauf l'expression de ses yeux. Egwene *était* spéciale ; elle l'avait toujours su. Egwene ferait une bonne Sagesse. *Ils travaillent ensemble à tenter de me déstabiliser,* songea-t-elle. « Je ne veux plus rien entendre. Vous...

– Il faut que vous écoutiez, dit Moiraine fermement. J'avais mes soupçons au Champ d'Emond avant même de vous rencontrer. Les gens m'avaient dit à quel point la Sagesse était bouleversée de n'avoir pas prévu le rude hiver et le retard du printemps. Ils m'ont dit combien elle excellait à prévoir le temps, à supputer les récoltes. Ils m'ont dit que ses guérisons étaient merveilleuses, que parfois elle guérissait des blessures qui auraient été mutilantes de telle sorte qu'il subsistait à peine une cicatrice, sans boiterie ni tiraillement. Les seules critiques que j'ai entendues sur vous venaient de certains qui vous trouvaient trop jeune pour cette responsabilité et cela n'a que renforcé mes soupçons. Si douée, si jeune.

– Maîtresse Barran m'a bien enseignée. » Elle essaya de regarder Lan, mais ses yeux lui causaient encore de la gêne, aussi se contenta-t-elle de regarder vers la rivière par-dessus la tête de l'Aes Sedai. *Comment le village ose-t-il cancaner devant une étrangère !* « Qui a dit que j'étais trop jeune ? » interrogea-t-elle d'un ton autoritaire.

Moiraine sourit, refusant de la laisser détourner la conversation. « Contrairement à beaucoup de femmes qui prétendent écouter le vent, vous savez l'écouter réellement quelquefois. Oh, cela n'a rien à voir avec le vent, bien sûr. Il s'agit de l'Air et de l'Eau. Ce n'est pas quelque chose que vous avez eu besoin d'apprendre ; c'était inné, comme c'est inné chez Egwene. Mais vous avez appris à maîtriser ce don, ce qu'elle doit encore apprendre. Deux minutes après vous avoir vue face à face, j'ai compris. Vous rappelez-vous que je vous ai demandé tout à coup si vous étiez la Sagesse ? Pourquoi, à votre avis ? Rien ne vous différenciait de n'importe quelle autre jolie jeune femme qui se préparait pour le Festival. Même en cherchant une Sagesse jeune, je m'attendais à quelqu'un qui aurait eu moitié plus que votre âge. »

Nynaeve ne se souvenait que trop bien de cette rencontre ; cette femme, plus maîtresse d'elle-même que quiconque dans le Cercle des Femmes, vêtue d'une robe plus belle qu'elle n'en avait jamais vue, qui l'appelait « enfant » en s'adressant à elle. Puis Moiraine avait subitement cillé, comme surprise, et tout à coup avait demandé...

Elle passa la langue sur ses lèvres, subitement devenues sèches. Ils la regardaient l'un et l'autre, le Lige avec un visage aussi indéchiffrable qu'une pierre, l'Aes Sedai compatissante mais tendue. Nynaeve secoua la tête. « Non ! Non, c'est impossible. Je m'en rendrais compte. Vous essayez seulement de me prendre au piège et ça ne marchera pas.

— Bien sûr que vous ne vous en rendez pas compte, acquiesça Moiraine, conciliante. Pourquoi iriez-vous même le soupçonner ? Pendant votre vie entière, vous avez entendu parler d'écouter le vent. En tout cas, vous préféreriez annoncer à chacun au Champ d'Emond que vous êtes une Amie du Ténébreux plutôt que d'admettre, même en votre for intérieur, que vous avez une relation quelconque avec le Pouvoir Unique ou les redoutables Aes Sedai. » Le visage de Moiraine trahit un amusement fugitif. « Mais je peux vous dire comment cela a commencé. » Nynaeve protesta : « Je ne veux plus entendre vos mensonges », mais l'Aes Sedai continua.

« Il y a peut-être déjà huit ou dix ans – l'âge varie, mais cela commence toujours jeune – il y a eu quelque chose que vous désiriez plus que tout au monde, quelque chose dont vous aviez besoin. Et vous l'avez obtenu. Une branche brusquement tombée pour vous aider à sortir d'une mare au lieu de vous noyer. Un ami, ou un animal favori, qui allait mieux alors que tout le monde le croyait sur le point de mourir.

« Vous n'avez rien ressenti de particulier sur le moment mais, huit ou dix jours après, vous avez eu la première réaction après être entrée en contact avec la

Vraie Source. Peut-être de la fièvre et des frissons subits qui vous ont mise au lit puis qui ont disparu au bout de quelques heures seulement. Aucune des réactions, et elles sont variées, ne dure plus de quelques heures. Des maux de tête, un engourdissement, une excitation, tout mêlé à la fois, et vous prenant des risques idiots ou agissant à la légère. Un accès d'étourdissement où vous bronchiez ou trébuchiez chaque fois que vous tentiez de bouger, où vous ne pouviez dire une phrase sans manger la moitié des mots. Il y en a d'autres. Vous rappelez-vous ? »

Nynaeve se laissa brusquement choir par terre ; ses jambes ne voulaient plus la porter. Elle se souvenait. Néanmoins, elle fit non de la tête. Ce devait être une coïncidence. Ou alors Moiraine avait posé beaucoup de questions. Ce devait être ça. Lan lui tendit la main, mais elle ne la vit même pas.

« J'irai plus loin, reprit Moiraine comme Nynaeve gardait le silence. Vous vous êtes servie du Pouvoir pour guérir soit Perrin soit Egwene à un moment quelconque. Une affinité se développe. Vous êtes capable de sentir la présence de quelqu'un que vous avez guéri. À Baerlon, vous êtes venue directement au *Cerf et le Lion,* bien que ce ne soit pas l'auberge la plus proche d'une des portes par lesquelles vous auriez pu entrer. Des gens du Champ d'Emond, il n'y avait à l'auberge que Perrin et Egwene quand vous êtes arrivée. Était-ce Perrin ? Egwene ? Ou les deux ?

– Egwene », marmotta Nynaeve. Elle avait considéré comme naturel d'être capable de dire parfois qui l'approchait, même quand elle ne pouvait pas le voir. Jusqu'à présent, elle ne s'était pas rendu compte que c'était immanquablement quelqu'un sur qui ses cures avaient miraculeusement réussi. Et elle avait toujours su quand le remède opérerait au-delà de ce qu'on en attendait, toujours éprouvé une certitude quand elle disait que les récoltes seraient particulièrement bonnes ou que les pluies viendraient tôt ou tardivement. C'était comme cela qu'elle supposait que ce devait être. Toutes les Sagesses ne pouvaient pas écouter le vent, mais les meilleures le pouvaient. C'était ce que Maîtresse Barran avait toujours dit, de même qu'elle disait que Nynaeve serait une des meilleures.

« Elle avait la dengue, la fièvre qui broie les articulations. » Nynaeve, la tête basse, parlait à la terre. « J'étais encore l'apprentie de Maîtresse Barran, et elle m'avait chargée de surveiller Egwene. J'étais jeune, et je ne savais pas que la Sagesse tenait la situation bien en main. C'est terrible à voir, la dengue. L'enfant était trempée de sueur, elle gémissait et se tordait à tel point que je m'étonnais de ne pas entendre craquer ses os. Maîtresse Barran m'avait dit que la fièvre passerait dans un jour ou deux au maximum, mais je pensais qu'elle le disait par bonté pour moi. Je croyais qu'Egwene était mourante. Je la gardais de temps à autre quand elle était toute petite – et que sa mère était occupée – et j'ai commencé à pleurer parce que j'allais être obligée de la regarder mourir. Quand Maîtresse Barran est revenue une heure plus tard, la fièvre avait disparu. Elle a été étonnée, mais elle s'est occupée de moi davantage que d'Egwene. J'ai toujours pensé qu'elle avait cru que j'avais donné quelque chose à l'enfant et que j'avais trop peur pour l'avouer. J'ai toujours pensé qu'elle tentait de me réconforter, de me faire comprendre que je n'avais pas nui à Egwene. Une semaine après, je suis tombée par terre dans son salon, je tremblais et brûlais alternativement. Elle m'a fourrée au lit mais, au moment du souper, l'accès était terminé. »

Quand elle eut fini son récit, elle laissa tomber sa tête dans ses mains. *L'Aes Sedai a choisi un bon exemple,* pensa-t-elle. *Que la Lumière la brûle Me servir du Pouvoir comme une Aes Sedai. Une sale Aes Sedai, Amie du Ténébreux !*

« Vous avez eu beaucoup de chance », dit Moiraine, et Nynaeve s'assit bien droite. Lan s'écarta comme si le sujet de leur conversation ne le regardait pas et il s'occupa de la selle de Mandarb sans même leur jeter un coup d'œil.

« De la chance !

– Vous êtes parvenue à maîtriser le Pouvoir de façon fruste, même si le contact avec la Vraie Source ne se produit encore que par hasard. Si vous n'y étiez pas arrivée, cela aurait pu vous tuer. Comme cela tuera Egwene selon toute vraisemblance, si vous réussissez à l'empêcher de se rendre à Tar Valon.

– Si j'ai appris à le maîtriser... » Nynaeve avala sa salive. C'était comme si elle admettait encore une fois qu'elle pouvait faire ce que disait l'Aes Sedai. « Si j'ai appris à le maîtriser, elle le pourrait aussi. Elle n'a aucun besoin d'aller à Tar Valon et de se trouver impliquée dans vos intrigues. »

Moiraine secoua lentement la tête. « Les Aes Sedai recherchent les jeunes femmes capables d'entrer en contact avec la Vraie Source avec autant de diligence que nous recherchons les hommes qui le peuvent. Ce n'est pas par désir d'augmenter notre nombre – ou du moins n'est-ce pas la seule raison. Ce n'est pas non plus par crainte que ces femmes fassent mauvais usage du Pouvoir. La maîtrise sommaire du Pouvoir qu'elles peuvent acquérir, si la Lumière brille sur elles, suffit rarement à causer de grands dommages, d'autant plus qu'entrer réellement en contact avec la Source est au-delà de leurs capacités s'il n'y a pas quelqu'un pour les instruire et cela ne se produit que fortuitement. Sans compter, bien sûr, qu'elles ne sont pas atteintes de la folie qui pousse les hommes à des actes dénaturés ou mauvais. Nous voulons leur sauver la vie. La vie de celles qui n'arrivent jamais à aucune maîtrise.

– La fièvre et les frissons que j'avais ne pouvaient tuer personne, insista Nynaeve. Pas en trois ou quatre heures. J'avais eu les autres symptômes aussi et ça ne pouvait tuer personne non plus. Et ça a cessé au bout de quelques mois. Alors, qu'est-ce que vous avez à répondre à ça ?

– Ce n'était que des réactions, répliqua Moiraine avec patience. Chaque fois la réaction se rapproche du contact proprement dit avec la Source, jusqu'à ce que les deux se produisent presque en même temps. Ensuite, il n'y a plus de réactions visibles, mais c'est comme si une horloge s'était mise en marche. Un an. Deux ans. Je connais une femme qui a duré cinq ans. Sur quatre qui ont le même don inné qu'Egwene et vous, trois meurent si nous ne les trouvons pas et ne les éduquons pas. Ce n'est pas une mort aussi horrible que celle des hommes, mais ni l'une ni l'autre ne sont belles, si on peut le dire d'une mort. Des convulsions. Des cris. Cela prend des jours et, une fois commencé, rien ne peut être fait pour en arrêter le cours quand bien même toutes les Aes Sedai uniraient leurs forces.

– Vous mentez. Toutes ces questions que vous avez posées dans le Champ d'Emond. Vous avez appris la guérison de la fièvre d'Egwene, ma fièvre et mes frissons et le reste. Vous avez forgé cette histoire de toutes pièces.

– Vous savez bien que non », repartit Moiraine gentiment.

Avec répugnance, avec plus de répugnance qu'elle n'en avait jamais éprouvé de sa vie, Nynaeve hocha la tête en signe d'assentiment. Ç'avait été sa dernière tentative obstinée pour nier l'évidence, ce qui ne sert jamais à rien, quelque déplaisant que cela puisse être. La première apprentie de Maîtresse Barran était morte comme l'avait décrit Moiraine alors que Nynaeve jouait encore à la poupée, ainsi qu'une jeune femme dans la Tranchée-de-Deven, quelques années seulement plus tôt. Elle aussi était l'apprentie d'une Sagesse, une qui savait écouter le vent.

« Vous avez une grande virtualité, je crois, continua Moiraine. Avec de l'entraînement, vous deviendriez même plus puissante qu'Egwene, et je la crois capable d'être une des plus puissantes Aes Sedai que nous ayons vues depuis des siècles. »

Nynaeve s'écarta de l'Aes Sedai comme elle l'aurait fait d'une vipère. « Non! Je ne veux rien avoir à faire avec... » *Avec quoi? Moi-même?* Elle s'effondra et dit d'une voix hésitante : « Je voudrais vous demander de ne parler de cela à personne. S'il vous plaît? » Le mot faillit lui rester dans la gorge. Elle aurait préféré voir apparaître des Trollocs plutôt que d'être forcée de dire « S'il vous plaît? » à cette femme. Mais Moiraine se contenta d'acquiescer d'un signe, et un peu de son aplomb lui revint. « Rien de tout cela n'explique ce que vous voulez de Rand, de Mat et de Perrin.

– C'est le Ténébreux qui veut les avoir, répondit Moiraine. Si le Ténébreux veut quelque chose, je le contre. Peut-il y avoir une raison plus simple ou meilleure? » Elle finit son thé en observant Nynaeve pardessus le bord de sa tasse. « Lan, il faut partir. Au sud, je pense. Je crains que la Sagesse ne tienne pas à nous accompagner. »

Nynaeve serra les lèvres à cause de l'accent que l'Aes Sedai avait mis sur « Sagesse »; elle semblait suggérer que Nynaeve tournait le dos à de grandes choses pour s'occuper de broutilles. *Elle ne veut pas de moi. Elle essaie de me piquer au vif pour que je rentre chez nous et que je les laisse seuls avec elle.* « Oh, si, je viendrai avec vous. Vous ne pouvez pas m'en empêcher.

– Personne n'essaiera », répliqua Lan en les rejoignant. Il vida la bouilloire sur le feu et remua les cendres avec un bâton. « Cela fait-il partie du Dessin ? » demanda-t-il à Moiraine.

Elle répondit d'un ton pensif : « Peut-être. J'aurais dû avoir encore un entretien avec Min.

– Vous voyez, Nynaeve, vous êtes la bienvenue. » Il y avait de l'hésitation dans la manière dont Lan prononça son nom, comme une suggestion de « Sedai » non dit après ce nom.

Nynaeve se hérissa, prenant cela pour une moquerie, et se hérissa aussi à cause de cette habitude qu'ils avaient de parler de certaines choses devant elle – de choses qu'elle ignorait – sans avoir la courtoisie de les lui expliquer, mais elle ne leur donnerait pas la satisfaction de les interroger.

Le Lige continua à préparer leur départ avec une économie dans ses gestes si sûrs et si rapides qu'il eut vite fini – fontes, couvertures, etc., le tout attaché derrière la selle de Mandarb et d'Aldieb.

« Je vais chercher votre cheval », dit-il à Nynaeve quand il eut achevé de boucler la dernière sangle.

Il longea la berge vers l'amont et elle se permit un petit sourire. Après qu'elle l'avait surveillé en restant inaperçue, il allait essayer de trouver sans aide son cheval. Alors il apprendrait qu'elle ne laissait pas grand-chose comme traces quand elle suivait une piste. Ce serait un plaisir que de le voir revenir les mains vides.

« Pourquoi au sud ? demanda-t-elle à Moiraine. Je vous ai entendue dire qu'un des garçons a traversé la rivière. Comment le savez-vous donc ?

– J'ai donné à chacun d'eux un gage. Ce qui a créé entre eux et moi une espèce de lien. Aussi longtemps qu'ils vivent et qu'ils ont ces pièces de monnaie en leur possession, je suis capable de les trouver. » Nynaeve tourna son regard dans la direction où était parti le Lige et Moiraine secoua la tête. « Pas comme cela. Ce gage ne me permet que de découvrir s'ils sont en vie et de les retrouver si nous sommes séparés. Prudent, vous ne croyez pas, vu les circonstances ?

– Je n'aime rien de ce qui vous relie à quiconque du Champ d'Emond, dit Nynaeve, têtue, mais si cela nous aide à les rejoindre...

– Cela nous aidera. J'aurais préféré aller chercher

d'abord le jeune qui est de l'autre côté de la rivière, si ç'avait été possible. » Pendant un instant, la frustration perça dans la voix de l'Aes Sedai. « Il n'est qu'à une lieue, guère plus, mais je ne peux pas me permettre le luxe d'en prendre le temps. Il arrivera en sécurité à Pont-Blanc, maintenant que les Trollocs sont partis. Les deux qui sont descendus le long de la rivière ont peut-être davantage besoin de moi. Ils ont perdu leur pièce de monnaie et les Myrddraals soit les poursuivent, soit veulent nous intercepter tous à Pont-Blanc. » Elle soupira. « Il faut que je m'occupe d'abord du plus pressant.

– Les Myrddraals pourraient... pourraient les avoir tués », dit Nynaeve.

Moiraine secoua légèrement la tête, rejetant la suggestion comme trop insignifiante pour qu'on l'envisage. Nynaeve pinça les lèvres. « Où est Egwene, alors ? Vous n'en avez même pas parlé.

– Je l'ignore, admit Moiraine, mais j'espère qu'elle est sauve.

– Vous l'ignorez ? Vous espérez ? Toute cette histoire de lui sauver la vie en l'amenant à Tar Valon et elle pourrait être morte, pour ce que vous en savez !

– Je peux la chercher et laisser davantage de temps aux Myrddraals pour arriver avant d'aller moi-même secourir les deux jeunes qui sont partis vers le sud, ce sont eux que veut le Ténébreux, pas elle. Ils ne se soucieront pas d'Egwene, aussi longtemps que leurs vraies proies sont encore libres de leurs mouvements. »

Nynaeve se rappela sa propre rencontre avec les Trollocs, mais refusa d'admettre le bon sens de ce que disait Moiraine. « Alors, le mieux que vous avez à offrir, c'est qu'il se peut qu'elle soit en vie, si elle a de la chance. En vie, peut-être isolée, effrayée, blessée même, à des jours du village le plus proche ou de secours, à part nous. Et vous avez l'intention de la laisser en plan.

– Aussi bien, elle est en sécurité avec le garçon qui a traversé la rivière. Ou elle se rend à Pont-Blanc avec les deux autres. En tout cas, il n'y a plus de Trollocs ici pour la menacer et elle est forte, intelligente et parfaitement capable de trouver seule son chemin pour aller à Pont-Blanc si c'est nécessaire. Aimeriez-vous mieux rester pour le cas chanceux où il lui faudrait de l'aide ou voulez-vous essayer d'aider ceux dont nous sommes sûrs qu'ils en ont besoin ? Voudriez-vous que je parte à

sa recherche et que j'abandonne à leur sort les garçons...
avec les Myrddraals qui sont sûrement à leurs trousses ?
Certes, j'espère qu'Egwene ne risque rien, Nynaeve,
mais c'est le Ténébreux que je combats et, pour l'instant, c'est ce qui me dicte ma ligne de conduite. »

Le calme de Moiraine ne l'abandonna pas une
seconde pendant qu'elle exposait l'horrible alternative ;
Nynaeve avait envie de lui crier des insultes. Refoulant
ses larmes, elle se détourna pour que l'Aes Sedai ne
voie pas son visage. *Ô Lumière, une Sagesse est censée
veiller sur tous ceux dont elle a la charge. Pourquoi
dois-je faire un choix pareil ?*

« Voici Lan », dit Moiraine qui se leva et endossa sa
cape.

Pour Nynaeve, ce ne fut qu'un tout petit choc de voir
le Lige sortir d'entre les arbres menant son cheval par la
bride. Pourtant, elle pinça les lèvres quand il lui tendit
les rênes. Cela lui aurait remonté le moral s'il y avait eu
quelque trace d'exultation sur le visage de Lan, au lieu
de cet insupportable calme de pierre. Les prunelles de
Lan se dilatèrent quand il la vit et elle se détourna pour
essuyer les larmes sur ses joues. *Comment ose-t-il se
moquer de me voir pleurer ?*

« Venez-vous, Sagesse ? » dit Moiraine froidement.

Elle eut un dernier et long regard pour la forêt en se
demandant si Egwene était là-bas, avant de monter tristement à cheval. Lan et Moiraine étaient déjà en selle et
faisaient tourner leurs montures vers le sud. Elle suivit,
le dos raide, refusant de se retourner ; au lieu de cela,
elle fixait les yeux sur Moiraine. *L'Aes Sedai a une bien
grande confiance en son pouvoir et dans ses plans,*
pensa-t-elle, *mais s'ils ne trouvent pas Egwene et les
garçons, eux quatre, vivants et indemnes, tout son pouvoir ne la protégerait pas. Non, pas tout son fameux
Pouvoir ! Je peux m'en servir, femme ! Vous l'avez dit
vous-même. Je peux m'en servir contre vous !*

22.

LE CHOIX D'UN CHEMIN

Dans un petit taillis, sous un amas de branches de cèdres coupées à la va-vite dans le noir, Perrin dormit longtemps après le lever du soleil. Ce furent les aiguilles de cèdre qui, en transperçant ses vêtements, le piquèrent assez pour qu'il le sente malgré son épuisement. Arraché à un rêve qui se passait au Champ d'Emond où il travaillait à la forge de Maître Luhhan, il ouvrit les yeux et regarda sans comprendre les branches à l'odeur suave entremêlées sur sa figure, avec le soleil qui filtrait entre elles.

La plupart des branches tombèrent quand il s'assit sous le coup de la surprise, mais certaines restèrent suspendues au petit bonheur à ses épaules et même à sa tête, le faisant ressembler à un arbre. Le Champ d'Emond s'estompa quand la mémoire lui revint – si vive que, pendant un instant, la nuit précédente lui parut plus réelle que ce qui l'entourait à présent.

Haletant, affolé, il dégagea sa hache du tas. Il l'étreignit à deux mains et jeta autour de lui un regard prudent, en retenant son souffle. Rien ne bougeait. La matinée était froide et silencieuse. S'il y avait des Trollocs sur la rive droite de l'Arinelle, ils ne bougeaient pas, du moins pas près de lui. Prenant une aspiration ample pour se calmer, il abaissa la hache jusqu'à ses genoux et attendit un peu que son cœur cesse de battre la chamade.

Le petit groupe d'arbres à feuillage persistant qui l'entourait était le premier abri qu'il avait trouvé la nuit précédente. Ce bosquet était assez clairsemé pour ne lui donner que peu de protection contre des yeux qui l'épieraient, s'il se tenait debout. Il enleva les branches de sa tête et de ses épaules, repoussa le reste de sa couverture piquante, puis rampa à quatre pattes jusqu'à la lisière du bosquet. Il resta étendu là à étudier la berge, en se grattant aux endroits où les aiguilles de cèdre avaient enfoncé leur pointe.

Le vent coupant de la nuit s'était atténué, devenant une brise silencieuse qui ridait à peine la surface de l'eau. La rivière coulait là, tranquille et déserte. Et large. Sûrement trop large et trop profonde pour que les Évanescents la traversent. L'autre berge paraissait être une masse d'arbres dense, aussi loin qu'il pouvait voir en amont et en aval. Rien ne remuait dans son champ de vision, c'était une certitude.

Il ne savait trop qu'en penser. Les Évanescents et Trollocs, il pouvait fort bien s'en passer, même de l'autre côté de la rivière, mais toute une liste de tracas aurait disparu avec l'arrivée de l'Aes Sedai, du Lige ou, mieux encore, de n'importe lequel de ses amis. Si *les souhaits avaient des ailes, les moutons voleraient.* C'est ce que disait toujours Maîtresse Luhhan.

Il n'avait aperçu aucun signe de sa monture depuis qu'il était tombé de la berge escarpée – il espérait que le cheval était sorti sain et sauf de la rivière à la nage – mais, de toute façon, il était plus habitué à aller à pied qu'à cheval et ses bottes étaient solides, avec d'épaisses semelles. Il n'avait rien à manger ; par contre, il avait encore sa fronde enroulée autour de la taille et ça ou les collets dans sa poche devaient à bref délai lui procurer un lapin. Tout ce qu'il fallait pour allumer du feu était parti avec ses fontes, mais les cèdres lui fourniraient de l'amadou et un bâton-à-feu avec un minimum de travail.

Il frissonna quand une bouffée de vent pénétra dans sa cachette. Son manteau était parti au fil de l'eau, et sa cotte et le reste de ses vêtements étaient encore froids et humides d'avoir trempé dans la rivière. Il avait été trop fatigué la nuit passée pour se soucier du froid et de l'humidité mais, à présent, il était sensible au moindre courant de fraîcheur. Cependant, il ne voulut pas mettre ses vêtements à sécher en les suspendant aux branches. Si la journée n'était pas ce que l'on appelle froide, elle était loin d'être chaude.

Le problème, c'est le temps, songea-t-il avec un soupir. Des vêtements secs dans un peu de temps. Un lapin et un feu pour le rôtir dans un peu de temps. Son estomac protestait et il essaya de faire abstraction totale de la question nourriture. Il avait plus important pour l'occuper dans l'immédiat. Une chose à la fois, le plus important d'abord. C'était sa méthode.

Ses yeux suivirent le flot puissant de l'Arinelle qui descendait devant lui. Il était meilleur nageur qu'Egwene. Si elle était arrivée à traverser... Non, pas *si*. L'endroit où elle *avait traversé* devrait être en aval. Il pianota sur le sol en évaluant et réfléchissant.

Sa décision prise, il ne perdit pas une minute pour ramasser sa hache et se mettre en marche le long de la rivière.

Ce côté de l'Arinelle n'était pas encombré par la forêt touffue de la rive gauche. Des bouquets d'arbres parsemaient ce qui deviendrait des herbages si le printemps arrivait un jour. Certains étaient assez épais pour mériter le nom de bosquets, avec des groupes d'arbres toujours verts parmi les frênes dénudés, les aulnes et les durpalms. Près de la rivière, les peuplements étaient plus petits et moins serrés. Ils ne donnaient guère de couvert, mais c'était tout l'abri qu'il y avait.

Il s'élançait en courbant le dos de bouquet d'arbres en bouquet d'arbres, se jetant à plat ventre dès qu'il en avait atteint un pour étudier les berges, l'autre rive aussi bien que celle-ci. Le Lige avait dit que la rivière serait un obstacle pour les Évanescents et les Trollocs, mais était-ce exact ? Le voir risquait d'être suffisant pour vaincre leur répugnance à franchir une eau profonde. Aussi guettait-il soigneusement de derrière les troncs et allait-il à la course d'une cachette à l'autre, rapide et voûté.

Il parcourut ainsi plusieurs lieues, par à-coups, jusqu'à ce que, soudain, à mi-chemin de l'abri attirant d'un groupe de saules, il grogne et s'arrête net pour contempler le sol. Des emplacements de terre nue parsemait la masse brune entremêlée de l'herbe de l'an passé et, au milieu d'un de ces emplacements, juste sous son nez, il y avait l'empreinte nette d'un sabot. Un sourire s'épanouit lentement sur sa figure. Certains Trollocs avaient des sabots, mais il doutait que ces sabots portent des fers, surtout des fers à cheval marqués de la double traverse que Maître Luhhan ajoutait pour les renforcer.

Oubliant que des yeux pouvaient l'observer depuis l'autre rive, il chercha de tous côtés s'il n'y avait pas d'autres traces. Le tapis feutré des herbes sèches ne gardait pas bien les empreintes, mais ses yeux perçants en trouvèrent tout de même. Cette maigre piste le mena tout droit de la rivière à un boqueteau dense de lauréoles et de cèdres qui formaient un rempart contre le vent ou les regards curieux. La ramure étalée d'un sapin-ciguë solitaire dominait toutes les autres.

Souriant toujours, il se fraya un chemin parmi les branches entrelacées, sans se soucier du bruit qu'il faisait. Brusquement, il pénétra dans une petite clairière sous le sapin-ciguë – et s'arrêta. Derrière un petit feu, Egwene était accroupie, le visage sombre, avec une branche épaisse brandie comme une massue, le dos accoté au flanc de Béla.

« Je suppose que j'aurais dû appeler », dit-il avec un haussement d'épaules exprimant l'embarras.

Elle lança de côté sa massue et courut jeter ses deux bras autour de lui. « Je t'ai cru noyé. Tu es encore mouillé. Viens, assieds-toi près du feu et chauffe-toi. Tu as perdu ton cheval, n'est-ce pas ? »

Il se laissa pousser vers le feu et se frotta les mains au-dessus des flammes, reconnaissant de cette chaleur. Elle tira de ses fontes un paquet enveloppé de papier huilé et lui donna du pain et du fromage. Le paquet avait été emballé si serré que, même après son plongeon, la nourriture était au sec. *Voilà, tu te tracassais pour elle, et elle s'en est mieux sortie que toi.*

« Béla m'a amené de l'autre côté, dit Egwene en caressant la jument aux longs poils. Elle a tourné le dos aux Trollocs et m'a tout simplement remorquée. » Elle se tut un instant. « Je n'ai vu personne d'autre, Perrin. »

Il comprit la question qui n'avait pas été posée. Il eut un coup d'œil de regret pour le paquet qu'elle remballait et lécha les dernières miettes avant de parler. « Je n'ai vu que toi depuis la nuit dernière. Ni Evanescents ni Trollocs non plus. C'est toujours ça.

– Rand doit s'en être tiré », dit Egwene, qui ajouta vivement : « Ils doivent tous s'en être tirés. Sûrement. Ils nous cherchent probablement à l'heure qu'il est. Ils pourraient nous retrouver d'un instant à l'autre, maintenant. Moiraine est une Aes Sedai, après tout.

– Je ne cesse d'avoir ça qui me revient en tête, dit-il. Qu'on me brûle ! Je voudrais l'oublier.

– Je ne t'ai pas entendu te plaindre quand elle a arrêté les Trollocs qui voulaient nous capturer, répliqua Egwene, caustique.

– J'aimerais seulement qu'on puisse se passer d'elle. » Il haussa les épaules, gêné par son regard qui ne le quittait pas. « Je suppose pourtant qu'on ne peut pas. J'ai réfléchi. » Elle leva les sourcils, mais il était habitué à étonner quand il prétendait avoir une idée. Même quand ses idées étaient aussi bonnes que les leurs, ils se rappelaient toujours combien il mettait de temps à les élaborer. « Nous pouvons attendre que Lan et Moiraine nous rejoignent.

– Bien sûr, coupa-t-elle. Moiraine Sedai a dit qu'elle nous retrouverait si nous étions séparés. »

Il la laissa achever sa phrase, puis reprit : « Ou les Trollocs pourraient être les premiers à nous découvrir. Moiraine pourrait être morte, aussi. Tous le risquent. Non, Egwene, je le regrette, mais c'est possible. J'espère qu'ils sont tous saufs. J'espère qu'ils vont s'approcher de ce feu, d'ici une minute ; mais l'espoir est comme un bout de ficelle quand on se noie, ce n'est pas suffisant pour s'en sortir tout seul. »

Egwene ferma la bouche et le regarda fixement en serrant les dents. Elle finit par dire : « Tu veux descendre la rivière jusqu'à Pont-Blanc ? Si Moiraine Sedai ne nous trouve pas ici, c'est là qu'elle ira ensuite.

– Je suppose, reprit-il lentement, que Pont-Blanc est l'endroit où nous *devrions aller*. Mais les Évanescents savent probablement ça aussi. C'est là-bas qu'ils chercheront et, cette fois, nous n'aurons pas d'Aes Sedai ou de Lige pour nous protéger.

– Je suppose que tu vas suggérer de fuir quelque part comme voulait Mat ? Nous cacher quelque part où Évanescents et Trollocs ne nous dénicheront pas ? Ni Moiraine Sedai non plus.

– Ne crois pas que je n'y ai pas pensé, dit-il calmement. Mais, chaque fois que nous nous croyons libres, Évanescents et Trollocs nous retrouvent. Je ne sais pas s'il existe *vraiment* un endroit où nous pourrions leur échapper. Je n'aime pas beaucoup ça, mais nous avons besoin de Moiraine.

– Je ne comprends pas, alors, Perrin. Où allons-nous ? »

Il cligna des yeux, surpris. Elle attendait sa réponse.

Elle attendait que *lui* dise ce qu'il fallait faire. Jamais Perrin ne s'était avisé qu'elle lui laisserait prendre l'initiative. Egwene n'aimait jamais faire ce que quelqu'un d'autre avait projeté, et elle ne laissait jamais personne lui dire ce qu'elle devait faire. Sauf peut-être la Sagesse, et il avait parfois l'impression qu'en ce cas-là aussi elle regimbait. Il lissa la terre devant lui et s'éclaircit brusquement la voix.

« Si c'est là que nous sommes et que, ça, c'est Pont-Blanc – il enfonça son doigt dans le sol à deux endroits – « alors Caemlyn doit être quelque part par là. » Il fit une troisième marque de côté.

Il s'arrêta, considérant les trois points dans la terre. Son plan se fondait entièrement sur ce qu'il se rappelait de la vieille carte du père d'Egwene. Maître al'Vere disait qu'elle n'était pas très exacte et, de toute façon, il n'avait jamais passé autant de temps dessus que Mat et Rand. Mais Egwene ne dit rien. Quand il leva les yeux, elle le regardait toujours, les mains dans son giron. « Caemlyn ? » Elle avait l'air suffoquée.

« Caemlyn. » Il traça une ligne entre deux des points. « Tout droit en partant de la rivière. Personne n'ira imaginer ça. Nous les attendrons à Caemlyn. » Il s'épousseta les mains et attendit. Il pensait que c'était un bon plan, mais elle allait sûrement élever des objections. Il imaginait qu'elle allait imposer sa volonté – elle était toujours en train de le houspiller pour l'obliger à exécuter ce qu'elle avait décidé – et cela lui était égal. À sa surprise, elle hocha la tête en signe d'assentiment. « Il y aura des villages. Nous pourrons demander le chemin.

– Ce qui m'inquiète, reprit Perrin, c'est quoi décider si l'Aes Sedai ne nous trouve pas là-bas. Par la Lumière, qui aurait cru que je me tracasserais pour quelque chose comme ça ? Supposons qu'elle n'aille pas à Caemlyn. Peut-être qu'elle nous croit morts. Peut-être qu'elle va emmener Mat et Rand directement à Tar Valon.

– Moiraine Sedai a dit qu'elle pourrait nous trouver, dit fermement Egwene. Si elle peut nous trouver ici, elle peut nous trouver à Caemlyn et elle nous trouvera. »

Perrin hocha lentement la tête. « Si tu le dis mais, au cas où elle ne se montrerait pas à Caemlyn dans quelques jours, nous irons à Tar Valon et nous exposerons notre cas devant le Siège d'Amyrlin. » Il respira à fond. *Il y a deux semaines, tu n'avais même jamais vu d'Aes*

Sedai et maintenant tu parles du Siège d'Amyrlin. Ô Lumière ! « Selon Lan, il y a une bonne route à partir de Caemlyn. » Il regarda le paquet de papier huilé à côté d'Egwene et s'éclaircit la gorge. « Y a-t-il une chance d'obtenir un petit supplément de pain et de fromage ?

— Il faudra peut-être qu'ils nous durent longtemps, répliqua-t-elle, sauf si tu as plus de succès avec les pièges que je n'en ai eu hier soir. Au moins, le feu a été facile à allumer. » Elle eut un petit rire bas comme si elle avait fait une plaisanterie et rangea le paquet dans une de ses fontes.

Apparemment, il y avait des limites à ce qu'elle pouvait accepter comme commandement. L'estomac de Perrin gargouilla. « En ce cas, dit-il en se mettant debout, autant partir tout de suite.

— Mais tu es encore mouillé, protesta Egwene.

— Je me sécherai en marchant », dit-il fermement, et il commença à couvrir le feu en projetant de la terre dessus à coups de pied. S'il était le chef, c'était le moment de prendre l'initiative des opérations Le vent se levait sur la rivière.

23.

FRÈRE LOUP

Dès le début, Perrin avait compris que le voyage vers Caemlyn serait loin d'être agréable, à commencer par l'insistance d'Egwene à leur faire monter Béla tour à tour. Ils ne savaient pas à quelle distance se trouvait Caemlyn, avait-elle déclaré, le trajet était trop long pour qu'elle soit la seule à monter à cheval. Il avait répliqué :

« Je suis trop lourd pour monter Béla. J'ai l'habitude de marcher et j'aimerais mieux ça.

– Et moi, je n'ai pas l'habitude de marcher ? avait rétorqué sèchement Egwene.

– Ce n'est pas ce que je...

– Je suis la seule censée avoir les fesses meurtries par la selle, hein ? Et quand tu auras marché jusqu'à ce que tes pieds soient prêts à tomber, tu t'attends à ce que je m'occupe de toi.

– Bon, ça va », avait-il murmuré, comme elle semblait prête à continuer sur le même ton. « De toute façon, à toi le premier tour. » Le visage d'Egwene ayant pris une expression encore plus obstinée, il se refusa à lui laisser placer un mot. « Si tu ne te mets pas en selle toute seule, c'est moi qui vais t'y mettre. »

Elle lui avait jeté un coup d'œil surpris et un petit sourire lui avait étiré les lèvres. « En ce cas... » Elle donnait l'impression d'être sur le point d'éclater de rire, mais se jucha sur Béla.

Il avait grommelé entre ses dents en quittant la rivière. Dans les contes, les chefs n'avaient jamais à supporter ce genre de chose.

Egwene continuait à insister pour qu'il monte en

alternance avec elle et, quand il cherchait à se défiler, elle le houspillait jusqu'à ce qu'il obtempère. Le métier de forgeron ne se prête pas à être pratiqué par des mauviettes et Béla n'était pas grande pour une jument. Dès qu'il plaçait le pied dans l'étrier, la jument à la robe touffue le regardait avec ce qu'il était sûr d'être du reproche. Pas de quoi fouetter un chat, peut-être, mais irritant. Il n'avait pas tardé à sourciller chaque fois qu'Egwene annonçait : « C'est ton tour, Perrin. »

Dans les contes, les chefs sourcillaient rarement et ne se faisaient jamais houspiller. Mais, se dit-il, ils n'avaient jamais eu affaire à Egwene.

Il n'y avait eu que de petites rations de pain et de fromage pour débuter et elles furent terminées à la fin du premier jour. Perrin posa des pièges le long de ce qui devait être des coulées de lapin – elles avaient l'air vieilles, mais ça valait la peine d'essayer – pendant qu'Egwene préparait de quoi allumer du feu. Quand il eut fini, il décida de se donner l'occasion de se servir de sa fronde avant que le jour tombe complètement. Ils n'avaient pas vu trace d'une créature vivante, mais... À sa surprise, il débusqua presque aussitôt un lapin efflanqué. Il en fut stupéfait au point que lorsque le lapin déboucha de dessous un buisson juste à ses pieds, il faillit le laisser échapper, mais il l'atteignit à l'instant où le lapin tournait autour d'un arbre.

Quand il revint au camp avec son butin, Egwene avait cassé des branches et préparé le feu, mais elle était à genoux à côté du tas les yeux fermés. « Qu'est-ce que tu fabriques ? Tu ne peux pas allumer du feu rien qu'en le souhaitant. »

Aux premiers mots, Egwene sursauta et se retourna pour le regarder, une main à la gorge. « Tu... tu m'as surprise.

– J'ai eu de la chance, reprit-il en tendant le lapin. Va chercher ton silex et ton acier. On mangera bien ce soir, au moins.

– Je n'ai pas de silex, dit-elle lentement. Il était dans ma poche et je l'ai perdu dans la rivière.

– Alors, comment... ?

– C'était si facile là-bas, sur la berge, Perrin. Exactement comme Moiraine Sedai m'avait montré. Je n'ai eu qu'à allonger la main et... » Elle esquissa un geste comme pour saisir quelque chose, puis laissa retomber sa main avec un soupir. « Maintenant, je n'arrive pas à trouver le contact. »

Perrin s'humecta les lèvres avec anxiété. « Le... le Pouvoir ? » Elle hocha la tête. « Es-tu folle ? Je veux dire... le Pouvoir Unique ! On ne peut pas jouer avec quelque chose comme ça.

– C'était si facile, Perrin. J'en suis capable. Je peux canaliser le Pouvoir. »

Il prit une profonde aspiration. « Je vais fabriquer un bâton-à-feu, Egwene. Promets-moi que tu n'essaieras plus ce... *ce machin.*

– Ça, non. » Elle serra les mâchoires d'une façon qui arracha un soupir à Perrin. « Est-ce que tu renoncerais à ta hache, Perrin Aybara ? Est-ce que tu te promènerais avec une main liée derrière le dos ? Je ne promettrai rien.

– Je vais fabriquer un bâton-à-feu, dit-il avec lassitude. Au moins, n'essaie plus ce soir, tu veux bien ? »

Elle acquiesça de mauvaise grâce et, même après que le lapin fut en train de rôtir embroché au-dessus des flammes, il eut le sentiment qu'elle estimait qu'elle aurait su s'y prendre mieux que lui. Elle ne renonça pas non plus à ses tentatives chaque soir, bien qu'au mieux elle arrivât à produire un filet de fumée qui s'évanouissait presque aussitôt. Ses yeux le défiaient de dire un mot et il garda sagement le silence.

Après cet unique repas chaud, ils subsistèrent de grossières racines sauvages et de quelques jeunes pousses. Le printemps ne donnant pas signe de vie, il n'y en avait pas des quantités et elles n'avaient pas grande saveur non plus. Aucun des deux ne se plaignait, mais aucun repas ne se passait sans les soupirs de regret de l'un ou de l'autre, et ils savaient tous deux que c'était le regret du goût piquant d'un morceau de fromage ou même de l'odeur du pain. Des champignons – des Couronnes-de-la-Reine, les meilleurs – qu'ils trouvèrent un après-midi dans une partie ombreuse de la forêt suffirent à paraître un grand régal. Ils les dévorèrent en riant et en se racontant des histoires du Champ d'Emond, des histoires qui débutaient par « Te rappelles-tu quand... », mais les champignons ne durèrent pas longtemps, non plus que le rire. Il y a peu de gaieté dans la faim.

Celui qui allait à pied portait une fronde, prêt à réagir

à la vue d'un lapin ou d'un écureuil mais, les seules fois où l'un ou l'autre lança une pierre, ce fut par dépit. Les collets qu'ils tendaient si soigneusement chaque soir ne livraient rien à l'aube, et ils n'osaient pas rester un jour entier au même endroit pour laisser les collets en place. Aucun des deux ne connaissait la distance jusqu'à Caemlyn, et aucun ne se sentirait en sécurité avant d'y être. Perrin commença à se demander si son estomac allait rétrécir au point de lui aménager un trou dans le ventre.

Ils progressaient à bonne allure selon lui mais, tandis qu'ils s'éloignaient de plus en plus de l'Arinelle sans voir un village ni même une ferme où demander leur chemin, les doutes que Perrin nourrissait à propos de son plan allaient se multipliant. Egwene continuait à se montrer apparemment aussi confiante qu'au départ, mais il était sûr que, tôt ou tard, elle dirait que mieux aurait valu risquer une rencontre avec des Trollocs plutôt que d'errer au hasard le reste de leur vie. Elle n'en fit rien, mais il persistait à s'y attendre.

À deux jours de la rivière, le paysage changea pour devenir des collines couvertes d'épaisses forêts, aussi étreintes par la fin de l'hiver que partout ailleurs, et le lendemain les collines s'affaissèrent de nouveau, alors que la forêt dense s'entrecoupait de clairières, souvent larges d'un quart de lieue ou davantage. La neige persistait dans les creux ombragés et l'air était vif le matin, le vent froid tout le temps. Ils ne virent nulle part de routes, de champs labourés ou de cheminée fumant au loin, ou aucun autre signe d'habitation humaine – du moins aucune où des hommes résidaient encore.

Une fois, des ruines de hauts remparts de pierre encerclaient le sommet d'une colline. Il restait des portions de maisons en pierre sans toit à l'intérieur de l'enceinte écroulée. La forêt l'avait depuis longtemps envahie ; des arbres poussaient à travers tout, et des arentèles de vieilles lianes enveloppaient de leurs sarments les gros blocs. Une autre fois, ils tombèrent sur une tour de pierre au sommet défoncé, brunie par de la mousse desséchée, appuyée sur le grand chêne dont les racines épaisses la faisaient lentement basculer. Mais ils ne trouvèrent nulle part où de mémoire d'homme on avait vécu. Les souvenirs de Shadar Logoth les tinrent à l'écart des ruines et les incitèrent à presser le pas jusqu'à ce qu'ils se retrouvent de nouveau au fin fond d'endroits qui semblaient n'avoir jamais été foulés par des humains.

Des rêves hantaient le sommeil de Perrin, des rêves terrifiants. Ba'alzamon y paraissait, qui se lançait à sa poursuite dans des labyrinthes, qui lui donnait la chasse, mais que Perrin ne voyait jamais en face, pour autant qu'il s'en souvenait. Et leur voyage suffisait pour susciter quelques mauvais rêves. Egwene s'était plainte de cauchemars concernant Shadar Logoth, surtout les deux nuits suivant leur découverte du fort en ruine et de la tour abandonnée. Perrin se garda de rien dire, même quand il s'éveillait tremblant et transpirant dans le noir. Egwene comptait sur lui pour les guider en sûreté vers Caemlyn, non pour partager des soucis auxquels ils ne pouvaient rien.

Il marchait près de la tête de Béla, se demandant s'ils trouveraient quelque chose à manger ce soir-là, quand il capta l'odeur pour la première fois. La jument enfla les naseaux et encensa la minute d'après. Il la saisit par la bride avant qu'elle hennisse.

« C'est de la fumée », dit Egwene avec excitation. Elle se pencha sur la selle et aspira profondément. « Un feu de cuisine. Quelqu'un fait rôtir son dîner. Du lapin.

– Peut-être », dit Perrin, prudent, et le sourire plein d'ardeur d'Egwene disparut. Il échangea sa fronde pour la féroce demi-lune de la hache. Ses mains s'ouvraient et se fermaient, hésitantes, sur le manche épais. C'était une arme, mais ni son entraînement secret derrière la forge ni les enseignements de Lan ne l'avaient vraiment préparé à s'en servir comme telle. Même la bataille devant Shadar Logoth était trop vague dans son esprit pour lui donner confiance. Il ne pouvait jamais atteindre non plus à ce vide dont Rand et le Lige parlaient.

Les rayons du soleil luisaient en biais à travers les arbres derrière eux, et la forêt était encore une masse silencieuse pommelée d'ombres. La faible odeur de feu de bois se répandait autour d'eux, avec un rien d'arôme de viande cuite. *Ce pourrait être du lapin*, pensa-t-il, et son estomac gargouilla. Et ce pouvait être autre chose, se rappela-t-il. Il regarda Egwene ; elle l'observait. Le rôle de chef comportait des responsabilités.

« Attends ici », dit-il tout bas. Elle fronça les sourcils,

mais il l'interrompit au moment où elle ouvrait la bouche. « Et tais-toi ! Nous ne savons pas encore qui c'est. » Elle hocha la tête. De mauvaise grâce, mais elle avait acquiescé. Perrin se demanda pourquoi cela ne marchait pas quand il essayait de lui laisser son tour d'aller à cheval. Il respira à fond et partit vers la source de la fumée.

Il n'avait pas passé autant de temps dans les forêts autour du Champ d'Emond que Rand ou Mat, mais il avait quand même pris sa part de chasses au lapin. Il se glissa d'arbre en arbre sans même briser une branchette. Il ne mit pas longtemps avant de jeter un coup d'œil de derrière le tronc d'un grand chêne à l'ample ramure serpentine qui se courbait jusqu'à toucher le sol pour se relever ensuite. Au-delà se trouvait un feu de camp – et un homme maigre et bronzé était adossé à une des branches, à peu de distance des flammes.

Au moins n'était-ce pas un Trolloc, mais bien l'être le plus étrange que Perrin avait jamais vu. D'abord, tous ses vêtements semblaient en peaux de bêtes encore garnies de leur fourrure, même ses bottes et le bizarre couvre-chef rond au fond plat qu'il avait sur la tête. Son manteau était un assemblage hétéroclite de peaux de lapin et d'écureuil ; son pantalon paraissait être taillé dans la dépouille à poils longs d'une chèvre bicolore brune et blanche. Rattachés sur la nuque par un cordon, ses cheveux bruns grisonnants lui descendaient jusqu'à la taille. Une barbe épaisse s'étalait en éventail sur la moitié de sa poitrine. Un long couteau, presque une épée, pendait à sa ceinture, et un arc et un carquois étaient appuyés à une branche, à portée de sa main.

L'homme était renversé en arrière, les yeux clos, apparemment endormi, mais Perrin ne bougea pas de son abri. Six branches plantées en biais au-dessus du feu de ce bonhomme portaient chacun un lapin embroché, rôti et doré, et de temps en temps des gouttes de jus sifflaient dans le feu. Leur odeur, si proche, lui mettait l'eau à la bouche.

« Z'avez fini de baver ? » L'homme ouvrit un œil et le tourna en direction de la cachette de Perrin. « Vous et votre amie feriez aussi bien de vous asseoir pour manger un morceau. Je ne vous ai pas vus manger beaucoup depuis deux jours. »

Perrin hésita, puis se redressa lentement, étreignant

toujours sa hache. « Il y a deux jours que vous me surveillez ? »

L'homme eut un petit rire du fond de la gorge. « Oui, je vous ai surveillés, vous et cette jolie fille. Un vrai petit coq bantam qui vous mène par le bout du nez, hein ? Je vous ai surtout entendus. Le cheval est le seul d'entre vous qui n'ébranle pas le sol en marchant au point d'éveiller les échos à deux lieues à la ronde. Vous allez l'appeler ou vous avez l'intention de manger tous les lapins à vous seul ? »

Perrin se hérissa ; il savait qu'il ne faisait pas beaucoup de bruit. On ne peut s'approcher d'un lapin dans le Bois Humide suffisamment près pour l'atteindre au lance-pierre si on fait du bruit. Mais l'odeur de lapin rôti lui rappela qu'Egwene aussi avait faim, sans compter qu'elle attendait de savoir si c'était le feu d'un Trolloc qu'ils avaient senti.

Il glissa le manche de sa hache dans la boucle de sa ceinture et éleva la voix. « Egwene ! Tout va bien ! C'est vraiment du lapin ! » Il tendit la main en ajoutant sur un ton plus normal : « Mon nom est Perrin. Perrin Aybara. »

L'homme considéra cette main avant de la serrer gauchement, comme s'il n'avait pas l'habitude de ce genre de salutation. « On m'appelle Élyas. Élyas Machera », dit-il en levant les yeux.

Perrin s'étrangla de surprise et faillit lâcher la main d'Élyas. L'homme avait des yeux jaunes comme de l'or lisse et brillant. Un souvenir vint titiller l'esprit de Perrin, puis s'envola. La seule chose qu'il fut capable de penser sur le moment, c'est que tous les yeux de Trollocs qu'il avait vus étaient presque noirs.

Egwene survint, menant Béla avec prudence. Elle attacha les rênes de la jument à l'une des plus petites branches du chêne et émit un murmure poli quand Perrin la présenta à Élyas, mais son regard dérivait constamment vers les lapins.

Elle ne parut pas remarquer les yeux d'Élyas. Quand il les invita du geste à se servir, elle s'attaqua à la nourriture avec entrain. Perrin n'hésita qu'une minute avant de se joindre à elle.

Élyas attendit en silence pendant qu'ils mangeaient. Perrin avait tellement faim qu'il détachait des bouts de viande brûlants au point qu'il devait les passer d'une main dans l'autre avant de pouvoir les mettre dans sa bouche. Même Egwene montrait peu de ses bonnes manières habituelles ; du jus gras lui coulait sur le menton. Le jour devint crépuscule avant qu'ils commencent à ralentir leur frairie ; une nuit sans lune tomba autour du feu de camp, alors Élyas prit la parole : « Qu'est-ce que vous faites par ici ? Il n'y a pas de maison à vingt lieues à la ronde.

– Nous allons à Caemlyn, dit Egwene. Peut-être pourriez vous... »

Elle haussa les sourcils avec une expression réprobatrice comme Élyas rejetait la tête en arrière pour rire à gorge déployée. Perrin le regarda avec stupeur, une cuisse de lapin à mi-chemin de sa bouche.

« Caemlyn ? » Élyas avait la voix rauque d'essoufflement quand il put parler de nouveau. « Étant donné le chemin que vous suivez, la direction que vous avez prise ces deux derniers jours, vous allez passer au moins à quatre-vingts lieues au nord de Caemlyn.

– Nous nous proposions de demander notre route, se défendit Egwene. Seulement nous n'avons pas encore trouvé de ferme ou de village.

– Et vous n'en trouverez pas, dit Élyas avec un petit rire sous cape. À la façon dont vous allez, vous pouvez vous rendre tout là-bas jusqu'à l'Échine du Monde sans voir un autre être humain. Bien sûr, si vous arriviez à escalader l'Échine – c'est possible à certains endroits – vous trouveriez des gens dans le Désert d'Aiel, mais vous ne vous y plairiez pas. Vous seriez rôtis le jour et gelés la nuit, et vous seriez morts de soif tout le temps. Il faut être des natifs de l'Aiel pour trouver de l'eau dans le Désert, et ils n'aiment pas beaucoup les étrangers. Non, pas beaucoup, croyez-moi. » Il partit d'un nouvel accès d'hilarité encore plus déchaînée, cette fois se roulant carrément par terre. « Pas beaucoup du tout », arriva-t-il à dire.

Perrin remua avec malaise. *Sommes-nous en train de manger avec un fou ?*

Egwene fronça les sourcils, mais elle attendit que la gaieté d'Élyas s'apaise un peu pour dire : « Peut-être pourriez-vous nous indiquer le chemin. Visiblement, vous en savez bien plus que nous sur l'endroit où sont situés les pays. »

Élyas cessa de rire. Il leva la tête, remit en place sa

toque de fourrure qui était tombée quand il se tordait de rire par terre et regarda longuement Egwene de dessous ses sourcils froncés. « Je n'aime pas beaucoup les gens, dit-il d'une voix morne. Les villes en sont pleines. Je ne vais pas très souvent près des villages ni même des fermes. Les villageois, les fermiers, ils n'apprécient pas mes amis. Je ne vous aurais même pas aidés si vous n'aviez pas avancé à l'aveuglette, aussi désarmés et innocents que des animaux nouveau-nés.

– Mais vous pouvez au moins nous dire quelle direction prendre, insista Egwene. Si vous nous expliquez comment arriver au prochain village, même si c'est à vingt lieues, on nous indiquera sûrement comment nous rendre à Caemlyn.

– Restez tranquilles, dit Élyas, voilà mes amis. »

Béla hennit soudain de peur et se mit à tirer sur ses rênes pour se libérer. Perrin se souleva à demi quand des formes apparurent tout autour d'eux dans la forêt assombrie. Béla se cabra et se débattit en criant.

« Calmez la jument, dit Élyas. Ils ne lui feront pas de mal. Ni à vous non plus, si vous ne bougez pas. »

Quatre loups s'approchèrent dans la clarté du feu, silhouettes au poil rude hautes sur pattes – elles leur venaient jusqu'à la taille, avec des mâchoires capables de broyer une jambe d'homme. Ils vinrent jusqu'au feu comme s'il n'y avait personne et se couchèrent entre les humains. Dans l'obscurité sous les arbres, la lueur des flammes se reflétait de tous côtés dans les yeux d'autres loups.

Des yeux jaunes, pensa Perrin. Comme ceux d'Élyas. Voilà ce qu'il avait essayé de se remémorer. Surveillant prudemment les loups qui se trouvaient parmi eux, il voulut prendre sa hache.

« À votre place, je ne ferais pas ça, dit Élyas. S'ils croient que vous leur voulez du mal, ils cesseront d'être amicaux. »

Ils l'examinaient, ces quatre loups, Perrin le voyait bien. Il avait le sentiment que tous les loups, ceux parmi les arbres aussi bien, l'observaient. Des picotements lui parcoururent la peau. Avec précaution, il éloigna ses mains de la hache. Il eut l'impression que la tension diminuait chez les loups. Il se rassit lentement ; ses mains tressautaient et il dut les serrer autour de ses genoux pour arrêter ce tremblement. Egwene se tenait si rigide qu'elle en frémissait. Un loup presque noir avec une face d'un gris plus clair s'était couché près d'elle, presque à la toucher.

Béla avait cessé de se cabrer et de crier. Maintenant, elle frissonnait en changeant de position pour essayer de garder tous les loups dans son champ de vision, ruant de temps en temps pour montrer aux loups de quoi elle était capable, décidée à vendre chèrement sa vie. Les loups semblaient se désintéresser d'elle autant que des autres. Langue pendante, ils attendaient tranquillement.

« Là, c'est mieux, dit Élyas.

– Sont-ils apprivoisés ? » demanda Egwene d'une voix faible, avec espoir aussi. « Ce sont... des animaux familiers ? »

Élyas eut un ricanement de mépris. « Les loups ne s'apprivoisent pas, jeune fille, même pas autant que les hommes. Ce sont mes amis. Nous nous tenons compagnie, nous chassons ensemble, nous conversons d'une certaine manière. Comme tous les amis. Pas vrai, Pommelée ? » Une louve à la fourrure d'une douzaine de tons de gris, sombre ou clair, tourna la tête pour le regarder.

« Vous leur parlez ? s'étonna Perrin.

– Pas exactement parler, répondit lentement Élyas. Les mots n'ont pas d'importance et ils ne conviennent pas non plus. Elle ne s'appelle pas Pommelée. C'est quelque chose qui signifie la façon dont les ombres jouent sur une mare en forêt à l'aube, au cœur de l'hiver quand la bise ride sa surface, le piquant glacé de l'eau sur la langue et un soupçon de neige juste avant la tombée du jour. Mais ce n'est pas tout à fait ça non plus. On ne peut pas le dire avec des mots. C'est plutôt un sentiment. Voilà comment les loups parlent. Les autres, c'est Brûlé, Sauteur et Vent. »

Brûlé avait sur l'épaule une vieille cicatrice qui pouvait expliquer cette appellation, mais rien chez les deux autres ne donnait une idée de l'origine de leur nom.

Malgré le ton bourru d'Élyas, Perrin eut l'impression qu'il était content d'avoir l'occasion de causer avec un autre être humain. Du moins y semblait-il assez disposé. Perrin eut un regard pour les dents des loups qui luisaient à la lumière du feu et pensa que ce serait une bonne idée de continuer à le faire parler. « Comment... comment en êtes-vous venu à savoir vous entretenir avec les loups, Élyas ? »

– Ce sont eux qui ont pris l'initiative, répliqua Élyas, pas moi. Pas tout de suite. C'est toujours comme ça, à ce que j'ai compris. Ce sont les loups qui font les premiers pas et non le contraire. Des gens ont cru que j'étais touché par le Ténébreux parce que des loups commençaient à se montrer partout où j'allais. Je le croyais quelquefois, moi aussi, je pense. La plupart des gens convenables se sont mis à m'éviter et ceux qui recherchaient ma compagnie n'étaient pas du genre que je désirais fréquenter, d'une façon ou de l'autre. Puis j'ai remarqué qu'à certains moments les loups paraissaient comprendre ce que je pensais, répondre à ce qu'il y avait dans ma tête. Ça a été le vrai début. Ils étaient curieux de me connaître. Les loups savent deviner les gens d'ordinaire, mais pas comme ça. Ils étaient heureux de me trouver. Ils disent que beaucoup de temps s'était écoulé depuis qu'ils avaient chassé avec des hommes et, quand ils disent longtemps, je ressens comme un vent froid qui mugit depuis le Premier Jour du monde.

– Je n'ai jamais entendu raconter que des gens chassaient avec des loups », déclara Egwene. Sa voix n'était pas tout à fait ferme, mais voir les loups se contenter de rester couchés là semblait lui donner du courage.

Si Élyas l'entendit, il n'en témoigna rien. Il continua : « Les loups se rappellent les choses d'une manière différente de celle des gens. » – Ses yeux étranges prirent une expression lointaine, comme si lui-même dérivait sur le flot de la mémoire. – « Chaque loup se souvient de l'histoire de tous les loups, ou du moins de ses grandes lignes. Comme je le disais, c'est difficile à mettre en mots. Ils se souviennent d'avoir poursuivi des proies côte à côte avec les hommes, mais cela se passait voilà tellement longtemps que c'est plutôt l'ombre d'une ombre qu'un souvenir.

– Très intéressant », commenta Egwene, et Élyas posa sur elle un regard perçant. « Non, je suis sincère, je vous assure. C'est très intéressant. » Elle s'humecta les lèvres. « Pourriez-vous... heu... pourriez-vous nous apprendre à leur parler ? »

Élyas eut de nouveau un ricanement bref. « Cela ne s'apprend pas. Certains peuvent parler, d'autres pas. Ils disent qu'il peut, lui. » Il désigna Perrin.

Ce dernier regarda le doigt d'Élyas comme si c'était

un poignard. *C'est vraiment un fou.* Les loups le dévisageaient de nouveau. Il changea de position, mal à l'aise.

« Vous dites que vous allez à Caemlyn, reprit Élyas, mais cela n'explique toujours pas pourquoi vous êtes ici, à des jours d'un lieu habité. » Il rejeta en arrière sa cape en mosaïque de fourrure et s'allongea sur le côté, appuyé sur un coude, attendant avec intérêt une réponse.

Perrin jeta un coup d'œil à Egwene. Dès le début, ils avaient forgé une histoire pour le cas où ils rencontreraient des gens afin de pouvoir dire où ils allaient sans s'attirer d'ennuis. Sans mettre éventuellement personne au courant d'où ils venaient réellement ni vers quel endroit ils se rendaient. Qui savait quelle parole irréfléchie risquait de tomber dans l'oreille d'un Évanescent ? Ils y avaient travaillé chaque jour, raccordant les épisodes, rectifiant les points faibles. Et ils avaient décidé que c'est Egwene qui la raconterait. Elle était plus habile que lui à se servir des mots, et elle prétendait que cela se voyait toujours sur sa figure quand il mentait.

Egwene commença aussitôt, avec aisance. Ils étaient originaires du Nord, de la Saldea, de fermes à l'écart d'un tout petit village. Avant d'aboutir ici, aucun d'eux n'était allé de toute sa vie à plus de cinq lieues de chez eux. Mais ils avaient entendu les contes de ménestrel, des récits de marchands et ils voulaient voir un peu du monde, Caemlyn et Illian. La Mer des Tempêtes et peut-être les îles fabuleuses du Peuple de la Mer.

Perrin écoutait avec satisfaction. Thom Merrilin lui-même n'aurait pu imaginer une meilleure histoire avec la connaissance minime qu'ils avaient du monde extérieur aux Deux Rivières – ou une qui fût plus en accord avec leurs besoins.

« De la Saldea, hein ? » demanda Élyas quand elle eut terminé.

Perrin hocha affirmativement la tête. « En effet. Nous pensions visiter Maradon d'abord. J'aurais bien aimé voir le Roi. Mais la capitale est le premier endroit où nos pères iraient nous chercher. »

C'était son rôle, rendre manifeste qu'ils n'avaient jamais été à Maradon. De cette façon, personne ne s'attendrait à ce qu'ils sachent quoi que ce soit de la ville, pour le cas où ils tomberaient sur quelqu'un qui s'y serait vraiment rendu. Tout cela était bien éloigné du Champ d'Emond et des événements de la Nuit de l'Hiver. À écouter ce récit, personne n'aurait de raison de penser à Tar Valon ou aux Aes Sedai.

« Ah, quel récit. » Élyas hocha la tête. « Oui, quel récit. Il y a quelques petits détails qui ne collent pas, mais l'essentiel, d'après Pommelée, c'est qu'il s'agit d'un tissu de mensonges. Du premier au dernier mot.

– Des mensonges ! s'exclama Egwene. Pourquoi dirions-nous des mensonges ? »

Les quatre loups n'avaient pas bougé, mais ils ne semblaient plus simplement couchés près du feu ; ils étaient ramassés sur eux-mêmes et leurs yeux jaunes guettaient sans ciller les jeunes du Champ d'Emond.

Perrin ne dit rien ; par contre, sa main se porta vers la hache pendue à sa ceinture. Les quatre loups se redressèrent d'un seul élan, et la main de Perrin s'arrêta net. Ils ne proféraient aucun son, mais les poils rudes de leur cou se hérissaient. Un des loups restés sous le couvert des arbres émit un grondement sourd dans la nuit. D'autres répondirent, cinq, dix, vingt et l'obscurité en résonna de toutes parts. Subitement, eux aussi se turent. De la sueur froide coulait sur le visage de Perrin.

« Si vous croyez... » Egwene s'arrêta pour avaler sa salive. Malgré la fraîcheur de l'air, il y avait de la sueur aussi sur sa figure. « Si vous croyez que nous mentons, alors vous préférerez probablement que nous fassions camp à part pour la nuit, loin du vôtre.

– Ordinairement, je ne demanderais pas mieux, jeune fille. Toutefois, pour le moment, je veux tirer au clair cette histoire de Trollocs. Et de Demi-Hommes. » Perrin s'efforça de garder une mine impassible et espéra y réussir mieux qu'Egwene. Élyas continua sur le ton de la conversation : « Pommelée dit qu'elle a senti des Demi-Hommes et des Trollocs pendant que vous débitiez votre conte à dormir debout. Ils l'ont tous senti. Vous avez des liens avec des Trollocs, je ne sais lesquels, et avec des Sans-Yeux. Les loups détestent les Trollocs et les Demi-Hommes plus que le feu du ciel, plus que tout, et moi je suis comme eux.

« Brûlé veut en finir avec vous. C'est les Trollocs qui lui ont infligé cette marque quand il avait un an. Il dit que le gibier est rare, et vous êtes plus gras que tous les daims qu'il a vus depuis des mois, et qu'on devrait se débarrasser de vous. Mais Brûlé est toujours impatient.

Pourquoi ne m'en parlez-vous pas ? J'espère que vous n'êtes pas des Amis du Ténébreux. Je n'aime pas tuer les gens après leur avoir donné à manger. Seulement rappelez-vous ça, ils sauront si vous mentez, et même Pommelée est bouleversée presque autant que Brûlé. » Ses yeux aussi jaunes que ceux des loups ne cillaient pas plus que les leurs. Ce sont *des yeux de loup,* songea Perrin.

Il se rendit compte qu'Egwene le regardait, attendant qu'il décide ce qu'ils devaient faire. *Ô Lumière, brusquement me revoilà le chef.* Ils avaient décidé depuis le début qu'ils ne pouvaient risquer d'expliquer à personne ce qui s'était vraiment passé, mais il voyait qu'ils n'auraient aucune chance même s'il parvenait à dégager sa hache avant que...

Pommelée émit un grondement guttural, les trois autres autour du feu reprirent le son et après eux les loups dans l'ombre. Le grondement menaçant emplit la nuit.

« D'accord, dit précipitamment Perrin. D'accord ! » Le grondement s'arrêta net. Egwene desserra ses mains crispées et acquiesça d'un signe de tête. « Tout s'est déclenché quelques jours avant la Nuit de l'Hiver, quand notre ami Mat a vu un homme en cape noire... »

Élyas ne changea ni d'expression ni d'attitude, restant accoudé sur le côté, mais il y avait quelque chose dans la manière dont il penchait la tête qui suggérait des oreilles qui se dressent. Les quatre loups s'assirent tandis que Perrin continuait ; il avait l'impression qu'ils écoutaient, eux aussi. L'histoire était longue et il la raconta presque en entier. Par contre, le rêve que lui et les autres avaient eu à Baerlon, il le garda pour lui. Il s'attendait à ce que les loups manifestent qu'ils avaient senti l'omission, mais ils se contentèrent de le regarder. Pommelée semblait amicale, Brûlé en colère. Perrin était enroué quand il eut fini.

« ... et si elle ne nous trouve pas à Caemlyn, nous irons à Tar Valon. Nous n'avons pas le choix, il nous faut l'aide de l'Aes Sedai.

– Des Trollocs et des Demi-Hommes si avant dans le Sud, dit Élyas d'un ton rêveur. Voilà qui réclame considération. » Il fouilla derrière lui et lança à Perrin une outre en peau sans vraiment le regarder. Il semblait réfléchir. Il attendit que Perrin ait bu et remis le bouchon avant de reprendre la parole. « Je ne suis pas d'accord avec les Aes Sedai. Les Ajah Rouges, celles qui aiment donner la chasse aux hommes usant du Pouvoir Unique, ont voulu me neutraliser, une fois. Je leur ai dit en face qu'elles étaient des Ajahs Noires ; qu'elles servaient le Ténébreux, je le leur ai dit, et elles n'ont pas aimé ça du tout. Néanmoins, elles étaient incapables de me capturer une fois que j'étais dans la forêt, mais elles ont tout de même essayé. Oui, elles ont essayé. À ce propos, je doute qu'une Aes Sedai ait de la sympathie pour moi, après ça. Les Ajahs Rouges ont perdu une couple de Liges. C'est triste, ça, de tuer des Liges. N'aime pas ça.

– Ce... parler avec les loups, dit Perrin avec gêne, cela a-t-il un rapport avec le Pouvoir ?

– Bien sûr que non, grommela Élyas, cela n'aurait pas marché avec moi, ce neutralisage, mais ça m'a rendu furieux qu'elles l'aient tenté. C'est de l'histoire ancienne, mon garçon. Plus ancienne que les Aes Sedai. Plus ancienne que quiconque exerçant le Pouvoir Unique. Ancienne comme l'humanité. Ancienne comme les loups. Ils ne les aiment pas non plus, les Aes Sedai. Il y a un retour des choses du passé. Je ne suis pas le seul. Il y a d'autres choses, d'autres gens. Ça rend les Aes Sedai nerveuses, ça les incite à se plaindre que les antiques barrières s'affaiblissent. Tout est en train d'aller à vau-l'eau, à ce qu'elles disent. Elles craignent que le Ténébreux ne se libère, voilà la raison. On croirait que j'en suis responsable, d'après les regards que me jettent certaines. Les Ajah Rouges, en tout cas, mais d'autres aussi. Le Trône d'Amyrlin... Aaaah ! Je me tiens à distance la plupart du temps et à distance également des amis des Aes Sedai. Vous le ferez aussi, si vous êtes astucieux.

– Rien ne me plairait plus que de ne pas fréquenter d'Aes Sedai », répliqua Perrin. Egwene lui décocha un regard sévère. Il espérait qu'elle n'allait pas protester qu'elle voulait être une Aes Sedai. Toutefois, elle ne dit rien, bien qu'elle pinçât les lèvres, et Perrin continua :

« Ce n'est pas comme si nous avions le choix. Nous avons à nos trousses des Trollocs, des Évanescents et un Draghkar. Tout sauf des Amis du Ténébreux. Nous ne pouvons pas nous cacher, et nous ne pouvons pas résister seuls. Alors, qui va nous aider ? Qui d'autre que les Aes Sedai est assez fort ? »

Élyas garda le silence un moment, regardant les loups, la plupart du temps Pommelée et Brûlé. Perrin remua nerveusement et s'efforça de ne pas regarder. Quand il regardait, il avait le sentiment de pouvoir presque entendre ce qu'Élyas et les loups se disaient. Même si cela n'avait rien à voir avec le Pouvoir, il ne voulait pas y être mêlé. *Il doit être en train de se moquer à mes dépens. Je ne sais pas parler aux loups.* Un de ceux-ci – Sauteur, pensa-t-il – le regarda et parut sourire de toutes ses dents. Il se demanda comment il avait pu mettre un nom sur lui.

« Vous pouvez rester avec moi, finit par dire Élyas. Avec nous. » Egwene haussa les sourcils et Perrin resta bouche bée. « Eh bien, qu'est-ce qui pourrait être plus sûr ? leur opposa Élyas. Les Trollocs sont prêts à risquer n'importe quoi pour tuer un loup isolé, mais ils feront des lieux de détour pour éviter une meute. Et vous n'aurez pas non plus à vous soucier des Aes Sedai. Elles ne viennent pas souvent dans ces bois.

– Je ne sais pas. » Perrin évita de regarder les loups qui l'entouraient de chaque côté. L'un d'eux était Pommelée, et il sentait son regard sur lui. « D'abord, il n'y a pas que les Trollocs. »

Élyas eut un petit rire sarcastique. « J'ai vu aussi une meute abattre un des Sans-Yeux. Ils ont perdu la moitié de la meute mais ils n'ont pas voulu renoncer une fois qu'ils ont eu éventé sa piste. Trollocs, Myrddraals, c'est tout un pour les loups. C'est vous qu'ils veulent vraiment, mon garçon. Ils ont entendu parler d'autres hommes qui savent parler aux loups, mais vous êtes le seul à part moi qu'ils aient jamais rencontré. Ils accepteront votre amie aussi et vous serez plus en sécurité que dans n'importe quelle ville. Il y a des Amis du Ténébreux dans les villes.

– Écoutez, s'exclama Perrin d'une voix pressante, je voudrais que vous cessiez de dire cela. Je ne peux pas... faire ça... la même chose que vous, ce que vous dites.

– Comme vous voulez, mon garçon. Jouez les idiots si ça vous amuse. Vous n'avez pas envie d'être en sécurité ?

– Je ne joue pas à faire l'imbécile, il n'y a pas de raison. Tout ce que nous voulons...

– Nous allons à Caemlyn, intervint Egwene d'une voix ferme. Et ensuite à Tar Valon. »

Refermant la bouche, Perrin lui rendit son coup d'œil irrité. Il savait qu'elle suivait ses directives quand elle le voulait et non quand elle ne le voulait pas, mais elle aurait pu au moins le laisser parler pour lui-même. « Et toi, Perrin ? » dit-il et il se répondit : « Moi ? Eh bien, voyons que je réfléchisse. Oui. Oui, je crois que je vais continuer vers Caemlyn. » Il lui adressa un sourire mitigé. « Ma foi, Egwene, on est deux de jeu. Je pense que je vais t'accompagner, finalement. C'est bon de discuter à fond avant de prendre une décision, n'est-ce pas ? » Elle rougit, mais elle garda son expression résolue.

Élyas grogna. « Pommelée dit que c'est ce que vous avez décidé. Elle dit que la jeune fille est solidement implantée dans le monde humain, tandis que vous » – il hocha la tête vers Perrin –, « vous vous tenez entre les deux. Étant donné les circonstances, je pense que mieux vaut que nous allions vers le sud avec vous. Autrement vous mourrez probablement de faim ou... »

Brusquement, Brûlé se leva, et Élyas tourna la tête pour regarder le grand loup. Un instant après, Pommelée se leva aussi. Elle s'approcha d'Élyas si bien qu'elle aussi croisa le regard fixe de Brûlé. Le tableau resta figé pendant de longues minutes, puis Brûlé pivota sur lui-même et s'élança dans la nuit où il disparut. Pommelée s'ébroua, puis reprit sa place, se laissant choir sur le sol comme si rien ne s'était passé.

Élyas rencontra le regard interrogateur de Perrin. « Pommelée mène la meute, expliqua-t-il. Certains des mâles pourraient la vaincre s'ils la défiaient, mais elle est plus maligne que n'importe lequel d'entre eux, et ils le savent tous. Elle a sauvé la meute plus d'une fois. Mais Brûlé pense que la meute perd son temps avec vous trois. La haine des Trollocs, c'est à peu près tout ce qui compte pour lui, et s'il y a des Trollocs aussi loin dans le sud, il veut s'en aller les tuer.

– Nous comprenons très bien, dit Egwene, qui avait l'air soulagée. Nous pouvons trouver le chemin tout seuls, en réalité... avec quelques indications, naturellement, si vous voulez bien nous en donner. »

Élyas éluda du geste. « J'ai dit que Pommelée menait la meute, n'est-ce pas ? Au matin je vous accompagnerai vers le sud, et eux aussi. » Egwene parut trouver que ce n'étaient pas les meilleures nouvelles qu'elle aurait pu entendre.

Perrin restait assis, plongé dans le silence. Il *sentait* Brûlé s'éloigner. Et le mâle à la cicatrice n'était pas le seul ; une douzaine d'autres tous de jeunes mâles, couraient derrière lui. Il voulait croire que tout cela n'était qu'un effet de son imagination sur laquelle jouait Élyas, mais il n'y parvint pas. Juste avant que les loups qui partaient s'effacent de son esprit, il perçut une pensée qu'il savait venir de Brûlé, aussi claire et nette que si c'était la sienne. De la haine. De la haine et le goût du sang.

24.

FUITE AU FIL DE L'ARINELLE

De l'eau dégouttait au loin, avec des clapotements sourds rebondissant d'écho en écho qui s'éloignaient à jamais de leur source. Partout des ponts de pierre et des rampes sans garde-fou pointaient hors de larges tours de pierre, plates au sommet, polies et lisses, rayées de rouge et d'or. Niveau après niveau, le labyrinthe s'étendait en haut et en bas à travers les ténèbres, apparemment sans commencement ni fin. Chaque pont menait à une tour, chaque rampe à une autre tour, à d'autres ponts. Dans quelque direction que Rand regardât, aussi loin que sa vue portait dans la pénombre, c'était la même chose, en haut comme en bas. La lumière n'était pas suffisante pour y voir nettement, et il en était presque heureux. Certaines de ces rampes menaient à des plates-formes qui devaient se situer directement à l'aplomb de celles du dessous. Il ne voyait la base d'aucune d'entre elles. Il se hâta, cherchant la liberté, sachant que c'était une illusion. Tout était illusion.

Il connaissait l'illusion ; il l'avait suivie trop de fois pour ne pas le savoir. Si loin qu'il aille, vers le haut, vers le bas, dans n'importe quelle direction, il n'y avait que la pierre brillante. De la pierre, mais l'humidité de la terre profondément et fraîchement bêchée imprégnait l'air, ainsi que la fadeur douceâtre de la pourriture. L'odeur d'une tombe ouverte hors de son temps. Il essaya de ne pas respirer, mais l'odeur remplissait ses narines. Elle lui collait à la peau comme de l'huile.

Il capta du coin de l'œil l'oscillation d'un mouvement et il s'arrêta pile, à demi accroupi contre le garde-corps poli qui entourait le sommet d'une des tours. Ce n'était pas une cachette. Un Guetteur aurait pu l'apercevoir d'un millier d'endroits. L'air était voilé de pénombre, mais il n'y avait pas d'ombres plus épaisses où se cacher. La clarté ne venait pas de lanternes ou de torches ; elle était simplement là, telle qu'elle était, comme si elle suintait de l'air. Assez pour y voir, d'une certaine façon ; assez pour être vu. Mais l'immobilité conférait une certaine protection.

Le mouvement reprit et, à présent, il était évident. Un homme gravissait une rampe lointaine, sans se soucier de l'absence de garde-fou et de l'à-pic plongeant dans l'abîme sans fond. La cape de l'homme ondulait dans sa hâte majestueuse et sa tête tournait de côté et d'autre, cherchant, cherchant encore. La distance était trop grande pour que Rand distingue plus qu'une masse dans les ténèbres, mais il n'avait pas besoin d'être plus près pour savoir que le manteau était d'un rouge de sang frais, que les yeux scrutateurs flamboyaient comme deux fournaises.

Il essaya de suivre du regard le tracé du labyrinthe, de calculer de combien de raccordements Ba'alzamon avait besoin pour le rejoindre, puis abandonna, pensant que c'était inutile. Les distances étaient trompeuses, une autre leçon qu'il avait apprise. Ce qui semblait lointain pouvait être rejoint en dépassant un tournant ; ce qui semblait proche pouvait être totalement hors de portée. La seule chose à faire, comme depuis le début, était de continuer à marcher. Marcher sans arrêt et ne pas réfléchir. Réfléchir était dangereux, il le savait.

Pourtant, en se détournant de la forme lointaine de Ba'alzamon, il ne put s'empêcher de se poser des questions à propos de Mat. Mat était-il quelque part dans ce labyrinthe ? *Ou y a-t-il deux labyrinthes, deux Ba'alzamon ?* Son esprit fuyait cette pensée ; elle était trop terrible pour s'y attarder. *Ici est-ce comme à Baerlon ? Alors pourquoi ne peut-il me trouver ?* Voilà qui était un peu mieux. Un léger réconfort. *Réconfort ? Sang et cendres, où est le réconfort là-dedans ?*

Il avait frôlé le pire deux ou trois fois, bien qu'il n'en eût pas un souvenir net, mais depuis très, très longtemps – combien de temps ? – il courait tandis que Ba'alzamon le poursuivait en vain. Était-ce comme à Baerlon ou seulement un cauchemar, seulement un rêve comme les rêves d'autres hommes ?

416

Alors, pendant un instant – juste le temps de respirer – il comprit pourquoi c'était dangereux de penser, ce qu'il y avait de dangereux à penser. De même qu'auparavant, chaque fois qu'il se laissait aller à penser à ce qui l'entourait comme à un rêve, l'air miroitait, lui aveuglant les yeux. L'air se congelait, le retenait sur place. Rien qu'un instant.

La chaleur impitoyable lui piquait la peau et sa gorge s'était desséchée depuis longtemps, tandis qu'il parcourait au pas de gymnastique le labyrinthe bordé de haies d'épines. Depuis combien de temps à présent ? La sueur s'évaporait avant d'avoir formé des gouttes et ses yeux le brûlaient. Au-dessus de lui – et pas très loin au-dessus – bouillonnaient des nuages furieux, couleur d'acier zébré de noir, mais pas un souffle d'air ne bougeait dans le labyrinthe. Un instant, il crut que quelque chose avait changé, mais cette pensée s'évapora dans la chaleur. Il était là depuis longtemps. C'était dangereux de réfléchir, il le savait.

Des pierres, lisses, pâles et arrondies, formaient un dallage irrégulier, à demi enfoui sous la poussière d'une sécheresse absolue qui se levait en tourbillons sous le plus léger de ses pas. Elle lui chatouillait le nez, menaçant de provoquer un éternuement qui risquait de le trahir ; quand il essayait de respirer par la bouche, la poussière lui bloquait la gorge jusqu'à le faire suffoquer.

Cet endroit était dangereux ; il savait cela aussi. Devant lui, il voyait trois ouvertures dans le haut mur d'épines, puis le chemin tournait hors de vue. Ba'alzemon approchait peut-être n'importe lequel de ces tournants à cet instant même. Il y avait déjà eu deux ou trois rencontres, bien qu'il ne se rappelât pas grand-chose à part qu'elles s'étaient produites et qu'il s'en était tiré... il ne savait pas bien comment. Dangereux de trop réfléchir.

Haletant à cause de la chaleur, il s'arrêta pour inspecter les côtés du labyrinthe. Des buissons d'épines étroitement enchevêtrés, bruns et comme morts à les voir avec de cruelles épines noires pareilles à des crochets d'un pouce de long. Trop hauts pour qu'on voie pardessus, trop denses pour qu'on voie au travers. Il les toucha avec précaution et sursauta. En dépit de sa prudence, une épine lui avait transpercé le doigt, le brûlant comme une aiguille chauffée au rouge. Il recula précipitamment, butant des talons contre les pierres, il secoua son doigt, éparpillant de grosses gouttes de sang. La brûlure se calma peu à peu, mais toute sa main l'élançait.

Brusquement, il oublia la douleur. Il avait retourné du talon une des pierres et l'avait délogée du sol sec. Il la contempla, et des orbites vides lui rendirent son regard. Un crâne. Un crâne humain. Il regarda dans l'allée toutes les pierres lisses et pâles, exactement semblables. Il bougea hâtivement les pieds, mais impossible d'avancer sans marcher dessus et impossible de rester au même endroit sans se tenir dessus. Une pensée passagère prit vaguement forme, disant que les choses n'étaient peut-être pas ce qu'elles semblaient être, mais il la repoussa impitoyablement. Réfléchir ici était dangereux.

Il se ressaisit en tremblant. Rester sur place aussi était dangereux. C'était une des choses dont il avait une intuition mal définie mais exacte. Le sang qui coulait de son doigt s'était réduit à quelques gouttes et les élancements avaient presque disparu. Suçant son doigt, il se remit à suivre l'allée dans la direction à laquelle il faisait face. Ici, une direction en valait une autre.

Il se souvenait à présent d'avoir entendu dire que l'on peut sortir d'un labyrinthe en tournant toujours dans la même direction. À la première ouverture dans le mur d'épines, il tourna à droite, puis encore à droite à la suivante. Et se trouva face à face avec Ba'alzemon.

Un étonnement fugitif passa sur le visage de Ba'alzemon et son manteau rouge sang retomba autour de lui comme il s'arrêtait court. Des flammes s'élevèrent dans ses yeux mais, dans la chaleur du labyrinthe, Rand les sentit à peine.

« Combien de temps crois-tu pouvoir m'échapper, mon garçon ? Combien de temps crois-tu pouvoir échapper à ton destin ? Tu es à moi ! »

Rand recula en trébuchant et se demanda pourquoi il tâtonnait à sa ceinture, comme pour y chercher une épée. « Que la Lumière m'aide, murmura-t-il. Que la Lumière me vienne en aide. » Il n'arrivait pas à se rappeler ce que cela voulait dire.

« La Lumière ne t'aidera pas, petit, et l'Œil du Monde ne te servira pas. Tu es mon chien courant et, si tu ne cours pas à mon commandement, je t'étranglerai avec la dépouille du Grand Serpent ! »

Ba'alzemon étendit la main et soudain Rand sut qu'il y avait un moyen de s'échapper – un souvenir embrumé à demi formulé qui criait au danger, mais rien de comparable au danger d'être touché par le Ténébreux.

« Un rêve ! cria Rand. C'est un rêve ! »

Ba'alzemon écarquilla les yeux, de surprise, de colère, ou des deux, puis l'air miroita et ses traits s'estompèrent et disparurent.

Rand pivota sur lui-même, stupéfait. Il contemplait sa propre image qui lui était renvoyée mille fois. Dix mille fois. Au-dessus, c'était le noir, au-dessous aussi. Par contre, tout autour de lui se dressaient des miroirs, des miroirs posés sous tous les angles, des miroirs aussi loin que portait sa vue, qui le montraient tous à demi ramassé sur lui-même en train de tourner, les yeux dilatés par la frayeur.

Un brouillard rouge dériva devant des miroirs. Il se retourna vivement pour essayer de le saisir mais, dans chaque miroir, cette nuée rouge passait derrière son reflet et disparaissait. Puis elle revint mais ce n'était plus de la brume. Ba'alzemon traversa à grands pas les miroirs, dix mille Ba'alzemon, cherchant, traversant et retraversant les miroirs argentés.

Rand se surprit à regarder attentivement le reflet de sa figure, pâle et tremblante dans le froid qui coupait comme un couteau. L'image de Ba'alzemon grandit derrière la sienne, le dévisageant ; ne le voyant pas mais le dévisageant quand même. Dans chaque miroir, les flammes de la face de Ba'alzemon flamboyaient à qui mieux mieux derrière Rand, l'enveloppaient, le consumaient, l'engloutissaient. Il voulut crier, mais sa gorge était paralysée. Il n'y avait qu'un visage dans ces miroirs sans fin. Son propre visage. Le visage de Ba'alzemon. Un seul visage.

Rand sursauta et ouvrit les yeux. L'obscurité, juste allégée par une pâle lueur. Respirant à peine, il ne bougea que les yeux. Une couverture de laine grossière le couvrait jusqu'aux épaules, et il avait la tête nichée dans ses bras. Il sentait sous ses mains des planches de bois lisses. Les planches d'un pont de navire. Des agrès craquaient dans la nuit. Il relâcha longuement son souffle. Il était sur l'*Écume*. C'était fini... pour une nuit encore, du moins.

Sans réfléchir, il porta le doigt à sa bouche. Au goût du sang, il s'arrêta de respirer. Il approcha lentement sa main de son visage pour la voir dans le faible clair de lune, pour regarder la perle de sang qui se formait au bout de son doigt. Le sang dû à une piqûre d'épine.

L'Écume descendait l'Arinelle en se hâtant avec lenteur. Le vent soufflait avec force mais de directions qui rendaient les voiles inutiles. Malgré toute l'exigence de vitesse du capitaine Domon, le vaisseau se traînait. De nuit, un homme à l'avant jetait une ligne suiffée à la lueur d'une lanterne en criant à l'homme de barre la profondeur atteinte, tandis que le courant entraînait le bateau bout au vent, les avirons rentrés. Il n'y avait pas de rochers à craindre dans l'Arinelle mais quantités de bancs et de hauts-fonds où un bateau risquait de se planter brutalement sans pouvoir s'en sortir, l'avant et même davantage enfoncés dans la vase jusqu'à l'arrivée des secours. Si c'étaient les secours qui arrivaient les premiers. De jour, les rameurs s'activaient du lever au coucher du soleil, mais le vent luttait contre eux comme s'il voulait repousser le bateau en amont de la rivière.

Ils n'abordèrent au rivage ni de jour ni de nuit. Bayle Domon menait durement bateau et équipage de même, invectivant les vents contraires, maudissant la lenteur de l'allure. Il traitait les hommes de fainéants de rameurs et les étrillait en paroles pour chaque fausse manœuvre, sa voix basse et dure leur dépeignant des Trollocs de dix pieds de haut parmi eux sur le pont en train de les égorger. Pendant deux jours, cela suffit à stimuler les hommes. Puis le choc de l'attaque des Trollocs s'estompa peu à peu et les hommes se mirent en sourdine à réclamer une heure à terre afin de se dégourdir les jambes, et à signaler les dangers qu'il y avait à descendre la rivière dans le noir.

L'équipage maintenait ses murmures de mécontentement sur le mode mineur, guettant du coin de l'œil pour s'assurer que le capitaine Domon n'était pas assez près pour entendre, mais il semblait percevoir tout ce qui se disait sur son bateau. Chaque fois que les récriminations commençaient, il sortait sans un mot la longue épée en forme de faux et la hache dont la lame se recourbait en crocs meurtriers trouvées sur le pont après l'attaque. Il les accrochait au mât pendant une heure, alors ceux qui avaient été blessés tâtaient leurs pansements et les murmures s'apaisaient... pendant un jour ou deux au moins, jusqu'à ce que l'un ou l'autre des hommes d'équipage pense de nouveau que maintenant les Trollocs étaient loin derrière – et le cycle recommençait.

Rand remarqua que Thom Merrilin se tenait à l'écart des hommes d'équipage quand ils se mettaient à chuchoter avec un air sombre alors que d'ordinaire il leur donnait des tapes dans le dos, leur racontait des blagues et échangeait avec eux des taquineries d'une façon qui amenait le sourire même chez le plus assidu à sa tâche. Thom surveillait ces rébellions sourdes d'un œil circonspect, tout en étant apparemment absorbé par sa pipe au long tuyau qu'il allumait, sa harpe qu'il accordait ou par n'importe quoi d'autre sauf l'équipage. Rand ne comprenait pas pourquoi. Ce n'était pas aux trois qui étaient montés à bord pourchassés par des Trollocs que l'équipage donnait l'impression d'en vouloir mais plutôt à Floran Gelb.

Pendant le premier ou le deuxième jour, on ne voyait pas la maigre silhouette de Gelb sans qu'il soit en train de haranguer l'homme d'équipage qu'il avait pu coincer, racontant sa version de la nuit où Rand et ses compagnons étaient arrivés. Gelb glissait des rodomontades aux pleurnicheries et vice versa et il avait toujours un rictus mauvais en désignant Thom ou Mat, ou surtout Rand essayant de reporter le blâme sur eux.

« Ce sont des étrangers, faisait valoir Gelb entre haut et bas, un œil sur le capitaine. Qu'est-ce qu'on sait d'eux ? Les Trollocs sont venus avec eux, voilà ce qu'on sait. Ils sont de mèche.

– Par la Fortune, Gelb, ferme-la ! » grommela un homme qui avait les cheveux rassemblés en couette sur la nuque et la joue tatouée d'une petite étoile bleue. Il ne regardait pas Gelb et lovait un cordage sur le pont, alignant les cercles du bout de ses pieds nus. Tous les marins allaient pieds nus, malgré le froid ; les bottes risquent de glisser sur un pont mouillé. « Tu traiterais ta mère d'Amie du Ténébreux si ça te permettait d'en prendre à ton aise. Allez, fiche-moi le camp ! » Il cracha sur le pied de Gelb et reporta son attention sur le cordage.

Tous les hommes d'équipage se rappelaient le quart où Gelb avait dormi au lieu de veiller, et la réponse du marin à la couette fut la plus polie qu'il reçut. Personne ne voulait même travailler avec lui. Gelb se trouva réduit à effectuer des tâches solitaires comme récurer les marmites graisseuses de la coquerie ou ramper sur le ventre dans la bouillasse accumulée depuis des années au fond de la cale pour repérer d'éventuelles voies d'eau. Bientôt, il cessa de parler à quiconque. Ses épaules s'arrondirent comme pour se défendre et une attitude offensée devint sa posture habituelle – plus il y avait de gens pour le voir plus il affectait des airs de martyr, quoique cela ne lui valût guère plus qu'un grognement. Cependant, chaque fois que les regards de Gelb tombaient sur Rand, ou sur Mat ou Thom, sa face au long nez prenait une expression meurtrière.

Quand Rand dit à Mat que Gelb leur causerait tôt ou tard des ennuis, Mat jeta un coup d'œil autour du bateau en répliquant : « Est-ce qu'on peut se fier à l'un d'entre eux ? À aucun d'entre eux ? » Puis il s'en alla chercher un endroit où il serait seul, ou aussi seul qu'on peut l'être sur un bateau qui a moins de trente pas de la proue haute à l'étambot où étaient montées les rames-gouvernails : Mat passait trop de temps tout seul depuis la nuit dans Shadar Logoth ; à ruminer, comme se le disait Rand.

Thom déclara : « Les ennuis ne viendront pas de Gelb, mon garçon, s'ils viennent. Pas encore, du moins. Aucun membre de l'équipage ne le soutiendra et il n'a pas le cran de manigancer quelque chose tout seul. Les autres, par contre... ? Domon a presque l'air de croire que les Trollocs sont à ses trousses exclusivement, mais ses hommes commencent à s'imaginer que le danger est passé. Ils pourraient bien décider qu'ils en ont assez. Ils n'en sont pas loin déjà. » Il rajusta sa cape couverte de pièces multicolores, et Rand eut le sentiment qu'il s'assurait de la présence invisible de ses couteaux – sa série de rechange. « S'ils se mutinent, mon garçon, ils ne laisseront pas de passagers derrière eux pour le raconter. La loi risque de n'avoir guère de force à une telle distance de Caemlyn, mais même un maire de village aura son mot à dire à ce sujet. » Ce fut à partir de ce moment que Rand s'efforça d'observer les hommes d'équipage sans être remarqué.

Thom fit de son mieux pour détourner ces derniers de toute pensée de mutinerie. Il récita des histoires, avec toutes les enjolivures, matin et soir et, dans l'intervalle, il jouait tous les airs de chanson qu'ils demandaient. Pour soutenir l'idée que Mat et Rand voulaient devenir apprentis ménestrels, il réserva chaque jour un moment pour des leçons, et c'était aussi un divertissement pour l'équipage. Il ne voulut pas qu'aucun des deux touche à sa harpe, bien entendu, et leurs exercices à la flûte suscitèrent des grimaces de souffrance, au début du moins, et les rires de l'équipage, même alors que les marins se couvraient les oreilles.

Il apprit aux garçons certaines des histoires les plus faciles, des culbutes simples et, bien entendu, de la jonglerie. Mat se plaignit de ce que Thom exigeait d'eux, mais Thom souffla dans ses moustaches et rendit regard furieux pour regard furieux.

« Je ne sais pas enseigner en amateur, mon garçon. Ou j'enseigne ou je n'enseigne pas. Bon ! Même un péquenot devrait être capable de se tenir sur les mains. Allez, vas-y. »

Les hommes qui ne travaillaient pas se rassemblaient toujours autour du trio, accroupis en cercle. Certains s'essayaient à suivre les leçons de Thom, riant de leur propre maladresse. Gelb restait seul et les regardait d'un air sombre, les haïssant tous.

Rand passait une bonne partie de la journée appuyé à la rambarde, à regarder la berge. Ce n'est pas qu'il s'attendait vraiment à voir soudain paraître sur la rive Egwene ou l'un des autres, mais le bateau avançait si lentement qu'il l'espérait parfois. Ils pouvaient le rattraper à cheval sans se donner trop de mal. S'ils s'étaient échappés. S'ils vivaient encore.

La rivière coulait sans aucun signe de vie, ni aucun bateau à part l'*Écume*. Mais ce n'est pas qu'il n'y avait rien à voir ni de quoi s'émerveiller. Au milieu du premier jour, l'Arinelle longeait de hautes falaises qui se dressaient des deux côtés sur peut-être un quart de lieue. Sur cette distance, le roc avait été taillé en forme de statues d'hommes et de femmes hautes de cent pieds, avec des couronnes les proclamant rois et reines. Il n'y en avait pas deux de semblables dans cette royale procession et bien des années séparaient les premières des dernières. Le vent et la pluie avaient érodé celles du côté nord jusqu'à les rendre lisses et gommant leurs sculptures, les visages et les détails devenant plus distincts à mesure qu'on allait vers le sud. La rivière léchait les pieds des statues, qu'elle avait rongés et réduits à l'état de moignons arrondis quand ils n'avaient pas complètement disparus. *Depuis combien de temps sont-ils là ?* se demanda Rand. *Combien de temps a mis la rivière pour user la pierre à ce point-là ?* Aucun des membres de l'équipage ne levait même les yeux de sa tâche, tant ils avaient vu souvent ces antiques sculptures.

Une autre fois, alors que la rive gauche était redeve-nue une prairie plate, interrompue de temps en temps par des bosquets, le soleil alluma un reflet sur quelque chose dans le lointain. « Qu'est-ce que ça peut être ? se demanda tout haut Rand. On dirait du métal. »

Le capitaine Domon qui passait par là s'arrêta et regarda le reflet en plissant les paupières. « L'est du métal », dit-il. Il prononçait toujours les mots sans les séparer, mais Rand arrivait maintenant à le comprendre sans avoir à déchiffrer ses propos. « Une tour de métal. L'ai vue de près et je sais. Les marchands du fleuve la prennent comme repère. On est à dix jours de Pont-Blanc, au train où nous allons.

– Une tour de métal ? » répéta Rand, et Mat, assis en tailleur, le dos appuyé à un tonneau, sortit de sa rêverie pour écouter.

Le capitaine hocha la tête. « Oui-da. De l'acier bril-lant à la voir et à la toucher, mais pas une tache de rouille. Deux cents pieds de haut qu'elle a, et aussi grosse de diamètre qu'une maison, sans une marque dessus et sans une ouverture qu'on puisse trouver.

– Je parie qu'il y a un trésor dedans », s'exclama Mat. Il se leva et regarda vers la tour lointaine, au-delà de laquelle la rivière emportait déjà l'*Écume*. « On a dû faire une chose comme ça pour protéger quelque chose de valeur.

– Peut-être, mon garçon, grommela le capitaine. L'y a des choses plus étranges que ça dans le monde, pour-tant. Sur Tremalking, une des îles du Peuple de la Mer, l'y a en haut d'une colline une main de pierre de cin-quante pieds de haut qui tient une sphère de cristal grosse comme ce bateau. L'y a un trésor sur cette col-line si jamais il y a eu des trésors quelque part, mais les habitants de l'île ne veulent pas que l'on creuse là, et le Peuple de la Mer ne se soucie de rien d'autre que de naviguer et de chercher le Coramoor, son Élu.

« – Moi, je creuserais, dit Mat. À quelle distance est ce... cette Tremalking ? » Un bouquet d'arbres vint masquer la tour brillante, mais il regardait intensément comme s'il pouvait encore la voir.

Le capitaine Domon secoua la tête. « Non, mon garçon, un trésor ne remplace pas un tour du monde. Si tu trouves une poignée d'or, ou les joyaux d'un roi défunt, très bien, mais ce qu'on voit d'étrange c'est ça qui attire vers un autre horizon. À Tanchico – c'est un port sur l'océan d'Aryth – une partie du palais du Panarch a été bâtie au cours de l'Ère des Légendes à ce qu'on dit. L'y a là un mur avec une frise d'animaux qu'aucun homme vivant n'a jamais vus.

– N'importe quel gamin peut dessiner un animal que personne n'a jamais vu », dit Rand, et le capitaine eut un petit rire.

« Oui-da, mon garçon, ils le peuvent. Mais est-ce qu'un gamin peut fabriquer les os de ces animaux-là ? À Tanchico, ils les ont, attachés ensemble comme était l'animal. Ils sont dans une partie du Palais du Panarch où tout le monde peut entrer les voir. La Destruction a laissé derrière elle des milliers de merveilles, et il y a eu depuis lors une demi-douzaine d'empires sinon davantage, certains rivalisant avec celui d'Artur Aile-de-Faucon, chacun laissant des choses à voir et à trouver. Des bâtons à lumière, de la dentelle coupante, des pierres-à-cœur. Un treillage de cristal qui recouvre une île et qui bourdonne quand la lune se lève. Une montagne creusée en coupe avec en son centre une pique d'argent haute de cent empans, et quiconque s'en approche meurt. Des ruines rouillées, des morceaux cassés et des choses trouvées au fond de la mer, des choses dont même les plus vieux livres ne connaissent pas le sens. J'en ai ramassé quelques-unes moi-même. Des choses dont tu n'as jamais rêvé, dans plus d'endroits que tu ne pourrais en explorer en dix existences. C'est l'appât de l'étrange qui entraîne en avant.

– Nous avons déterré des os dans les Dunes de Sable, dit lentement Rand. Des os bizarres. Il y a eu une fois une partie de poisson – je crois que c'était un poisson – aussi gros que ce bateau. Certains disaient que ça porte malheur de faire des fouilles dans les collines. »

Le capitaine le jaugea avec perspicacité. « Tu penses déjà à ton chez-toi, mon garçon, alors que tu viens juste de te mettre en route pour parcourir le monde ? Le monde te crochera un hameçon dans la bouche. Tu t'en iras à la poursuite du soleil couchant, tu verras... et si jamais tu t'en retournes, ton village ne sera pas assez grand pour te contenir.

– Non ! » Depuis combien de temps n'avait-il plus pensé à son chez-lui, au Champ d'Emond ? Et que devenait Tam ? Cela devait faire des jours, cela paraissait des mois. « Je rentrerai, un de ces quatre matins, quand je pourrai. J'élèverai des moutons comme... comme mon père et, si jamais je repars, ce sera trop tôt. Pas vrai, Mat ? Dès que possible, on rentre à la maison et on oublie jusqu'à l'existence de tout ça. »

Avec un effort visible, Mat s'arracha à la contemplation de l'amont de la rivière où s'était profilée la tour. « Quoi ? Oh, oui, bien sûr. On rentrera. Naturellement. » Quand il se détourna pour s'en aller, Rand l'entendit murmurer : « Il veut tout simplement que personne d'autre ne recherche le trésor, je parie. » Il ne paraissait pas se rendre compte qu'il parlait de façon audible.

Le quatrième jour après le début de leur voyage vers l'aval trouva Rand en haut du mât sur son extrémité arrondie – qu'on appelle la pomme –, les jambes crochées dans les haubans. L'*Écume* roulait faiblement mais, à cinquante pieds au-dessus de l'eau, ce léger roulis faisait décrire de grands arcs au sommet du mât. Rand rejeta la tête en arrière et rit dans le vent qui lui soufflait en pleine figure.

Les rames étaient sorties et, de là-haut, le bateau ressemblait à une argyronète à douze pattes qui glissait à la surface de l'Arinelle. Il avait déjà grimpé aussi haut dans des arbres là-bas, aux Deux Rivières, mais cette fois il n'y avait pas de branches pour lui boucher la vue. Ce qui était sur le pont – les rameurs, des matelots à genoux qui frottaient les planches à la pierre ponce, d'autres qui s'affairaient avec des manœuvres et des écoutilles – tous aperçus à la verticale de leur tête, tassés et raccourcis, paraissaient si cocasses qu'il avait passé une heure rien qu'à regarder et à rire sous cape.

Il riait encore chaque fois qu'il jetait un coup d'œil en bas mais, maintenant, il contemplait les rives qui passaient à côté du bateau. C'est ce qu'on aurait dit, comme si le bateau ne bougeait pas – à part le balancement d'un bord à l'autre, bien sûr – et que les rives glissaient lentement, arbres et collines défilant à droite et à gauche. Il était immobile et le monde paradait devant lui. Cédant à une impulsion soudaine, il dégagea ses jambes des haubans soutenant le mât et s'allongea à plat, jambes de-ci, bras de-là pour se maintenir sur la pomme du mât malgré le roulis. Pendant trois arcs complets, il conserva ainsi son équilibre, puis soudain il le perdit. Bras et jambes tournoyant comme des ailes de moulin à vent, il tomba en avant et se rattrapa à l'étai de misaine. Les jambes écartées de chaque côté du mât, sans rien pour se maintenir dans sa position précaire que ses mains qui se serraient sur l'étai, il rit. Aspirant à pleins poumons le vent froid et vif, il rit, enivré par cette sensation.

« Mon petit gars, dit la voix enrouée de Thom, mon petit gars, si tu veux te casser ton cou d'imbécile, ne le fais pas en me tombant dessus. »

Rand regarda en bas. Thom était accroché aux enfléchures juste en dessous de lui et levait le nez d'un air sévère à quelques pas de lui. Comme Rand, le ménestrel avait laissé son manteau en bas. « Thom, dit-il, ravi, quand avez-vous grimpé là ?

– Quand tu as opposé une sourde oreille aux gens qui t'appelaient à grands cris. Que je brûle, gamin, tu as convaincu tout le monde que tu étais devenu fou. »

Rand jeta un coup d'œil vers le pont et fut surpris de voir tous les visages levés vers lui. Seul Mat, assis en tailleur à la proue, le dos appuyé au mât, ne le regardait pas. Même les rameurs avaient les yeux levés, perdant la cadence – et personne ne les houspillait pour cela. Rand tourna la tête et regarda par-dessous son bras vers l'arrière. Le capitaine Domon se tenait près de la rame-gouvernail, ses poings gros comme des jambons sur les hanches et lançait des regards noirs vers son perchoir en haut du mât. Rand se retourna pour adresser un grand sourire à Thom. « Alors vous voulez que je descende ? »

Thom hocha la tête avec vigueur. « J'apprécierais énormément.

– D'accord. » Il changea sa prise sur l'étai de misaine et lâcha le grand mât, bondissant en avant. Il entendit Thom ravaler un juron quand sa chute s'arrêta court et qu'il pendilla suspendu par les mains à l'étai. Le ménestrel le foudroya du regard, une main à demi tendue pour le rattraper. Rand sourit de nouveau à Thom. « Je vais descendre, à présent. »

Il imprima à ses jambes un balancement vers le haut, crocha un genou autour du câble épais qui allait du mât à l'avant, puis crocha encore l'étai dans le creux de son coude et ouvrit les mains. Lentement d'abord, à une vitesse croissante ensuite, il glissa vers le bas. Juste avant la proue, il sauta à pieds joints sur le pont devant Mat, reprit son équilibre en avançant d'un pas et pivota pour se retrouver face au bateau, les bras largement ouverts comme Thom à la fin d'une démonstration de culbute.

Des applaudissements dispersés s'élevèrent parmi l'équipage, mais lui regardait avec surprise Mat et ce qu'il tenait, caché à tous par son corps : une dague courbe avec un fourreau en or, orné d'étranges symboles. Un damasquinage d'or fin enveloppait le manche sommé d'un rubis gros comme l'ongle du pouce de Rand, et les quillons étaient des serpents dardant leurs crochets.

Mat continua pendant un instant à enfoncer la dague au fourreau et à la dégainer. Puis, jouant toujours avec, il leva lentement la tête ; ses yeux avaient une expression lointaine. Soudain, ils se fixèrent sur Rand, il sursauta et fourra la dague sous son manteau.

Rand s'accroupit sur ses talons, les bras croisés sur les genoux. « Où as-tu eu ça ? » Sans répondre, Mat regarda vivement s'il y avait quelqu'un d'autre près d'eux. Par extraordinaire, ils étaient seuls. « Tu ne l'as pas pris à Shadar Logoth, hein ? »

Mat le dévisagea. « C'est votre faute. À Perrin et à toi. Vous deux, vous m'avez arraché au trésor et je l'avais à la main. Mordeth ne me l'a pas donnée. Je l'ai prise, alors les avertissements de Moiraine à propos de ses cadeaux ne comptent pas. N'en parle à personne, Rand. On essaierait de me la voler.

— Je n'en parlerai pas, répliqua Rand. Je crois le capitaine Domon honnête mais, à mon avis, les autres sont capables de tout, Gelb surtout.

— À personne, insista Mat. Ni à Domon ni à Thom ni à qui que ce soit. Nous sommes les deux seuls survivants du Champ d'Emond, Rand, nous ne pouvons pas nous permettre de nous fier à quelqu'un d'autre.

— Ils sont en vie, Mat. Egwene et Perrin. Je sais qu'il

sont en vie. » Mat parut confus. « Néanmoins, je garderai ton secret. Rien que nous deux. Au moins, à présent, n'aurons-nous plus de soucis d'argent. Nous pouvons vendre ça une somme suffisante pour aller à Tar Valon comme des rois.

– Naturellement, acquiesça Mat au bout d'une minute. S'il le faut. Mais n'en parle pas avant que je te le dise.

– Je l'ai promis. Écoute, est-ce que tu as encore rêvé depuis que nous sommes sur le bateau ? Comme à Baerlon ? C'est la première occasion que j'ai de te le demander sans qu'il y ait six personnes autour pour nous écouter. »

Mat détourna la tête avec un regard oblique vers Rand. « Peut-être.

– Qu'est-ce que tu entends par là, *peut-être* ? C'est oui ou c'est non.

– Bon, bon. C'est oui. Je ne veux pas en discuter. Je ne veux même pas y penser. Ça ne sert à rien. »

Avant qu'aucun des deux ait pu ajouter un mot, Thom arriva à grands pas sur le pont, la cape sur le bras. Le vent faisait voler ses cheveux blancs, et sa longue moustache semblait se hérisser. « J'ai réussi à convaincre le capitaine que tu n'étais pas fou, que cela faisait partie de ton entraînement », annonça-t-il. Il attrapa l'étai et le secoua. « Ce tour idiot de te laisser glisser le long de ce hauban a servi, mais tu as eu de la chance de ne pas te rompre le cou, imbécile. »

Rand suivit des yeux le câble jusqu'en haut du mât et, ce faisant, sa bouche s'ouvrit. Il s'était vraiment laissé glisser le long de *ça* et il s'était perché en haut de...

Soudain, il se vit là-haut, bras et jambes étendus. Il tomba assis et manqua de peu finir à plat dos. Thom le regardait, pensif.

« Je ne savais pas que tu supportais si bien l'altitude, petit. On pourrait jouer à Illian, Ebou Dar ou même Tear. Les gens dans les grandes villes du Sud aiment les funambules et les spécialistes de la voltige.

– Nous allons... » À la dernière seconde, Rand se souvint de regarder autour de lui pour voir s'il y avait quelqu'un d'assez près pour l'entendre. Plusieurs membres de l'équipage les regardaient, y compris Gelb, l'air mauvais à son habitude, mais aucun ne pouvait comprendre ce qu'il disait. « ... à Tar Valon », achevat-il. Mat haussa les épaules comme si leur destination lui importait peu.

« Pour le moment, mon petit, dit Thom en s'asseyant près d'eux, mais demain qui sait? Ainsi va la vie de ménestrel. » Il sortit une poignée de balles de couleur d'une de ses larges manches. « Puisque je te tiens maintenant que tu es descendu du ciel, nous allons travailler la triple diagonale. »

Le regard de Rand monta machinalement jusqu'à la pointe du mât, et il frissonna. *Qu'est-ce qui m'arrive? Ô Lumière, quoi donc?* Il devait le découvrir. Il devait arriver à Tar Valon avant de devenir vraiment fou.

25.

LES NOMADES

Béla avançait placidement sous le soleil blafard comme si les trois loups n'étaient que des chiens de village, mais la façon dont elle roulait les yeux vers eux de temps en temps, en montrant le blanc tout autour, indiquait qu'elle ne pensait rien de tel. Egwene, sur le dos de la jument, en était au même point. Elle surveillait sans cesse les loups du coin de l'œil et, parfois, elle se retournait sur sa selle pour observer les alentours. Perrin était sûr qu'elle cherchait le reste de la meute, bien qu'elle le niât farouchement quand il le suggérait, elle niait avoir peur des loups qui les accompagnaient, elle niait se soucier du reste de la meute ou de ses activités. Elle le niait et continuait à guetter, les paupières plissées et s'humectant les lèvres avec malaise.

Le reste de la meute était bien loin ; il aurait pu le lui dire. *À quoi bon, même si elle me croyait. Surtout si elle me croyait.* Il n'avait aucune intention d'ouvrir ce panier de serpents avant d'y être forcé. Il ne voulait pas réfléchir à ce qui faisait qu'il le savait. L'homme vêtu de fourrures marchait en avant à grands pas élastiques, ressemblant lui-même parfois à un loup, et il ne regardait jamais autour de lui quand Pommelée, Sauteur et Vent apparaissaient, mais il savait lui aussi.

Les jeunes du Champ d'Emond s'étaient éveillés à l'aube ce premier jour pour voir Élyas en train de faire cuire encore du lapin et de les observer par-dessus sa grande barbe sans trop d'expression. Sauf Pommelée, Sauteur et Vent, on n'apercevait pas de loups. Dans la faible première lueur de l'aube, une ombre épaisse s'attardait encore sous le grand chêne, et les arbres dénudés au-delà ressemblaient à des doigts dépouillés jusqu'à l'os.

« Ils sont par là, répondit Élyas quand Egwene demanda où étaient partis les autres membres de la meute. Assez près pour aider, si c'est nécessaire. Assez loin pour éviter les ennuis humains qui pourraient nous arriver. Tôt ou tard, il y a toujours des ennuis quand deux humains se retrouvent ensemble. Si nous en avons besoin, ils seront là. »

Quelque chose s'imposa dans l'esprit de Perrin, tandis qu'il détachait avec ses dents une bouchée de lapin rôti. Une direction, vaguement pressentie. *Bien sûr ! C'est là qu'ils...*

Les sucs brûlants dans sa bouche perdirent brusquement toute saveur. Il picora les tubercules cuits par Élyas sous les braises – ils avaient plus ou moins le goût de navet – mais son appétit avait disparu.

Quand ils s'étaient mis en route, Egwene avait insisté pour que chacun monte à tour de rôle Béla, et Perrin ne s'était même pas donné la peine de discuter. « À toi le premier tour », lui dit-il.

Elle avait hoché la tête. « Et vous ensuite, Élyas.

– Mes propres jambes me suffisent », dit Élyas. Il regarda Béla, et la jument roula les yeux comme s'il avait été un loup. « D'ailleurs, je ne crois pas qu'elle tient à ce que je la monte.

– Sottises, répondit fermement Egwene. Il n'y a pas de raison de s'entêter là-dessus. La solution raisonnable est que chacun monte de temps en temps. Selon vous, nous avons beaucoup de chemin à faire.

– J'ai dit non, jeune fille. »

Egwene respira à fond et Perrin se demandait si elle réussirait à intimider Élyas comme elle le faisait avec lui quand il se rendit compte qu'elle était restée bouche bée, sans proférer son mot. Élyas la regardait, simplement la regardait avec ces yeux jaunes de loup. Egwene s'écarta à reculons de leur maigre compagnon, s'humecta les lèvres et recula de nouveau. Élyas ne s'était pas encore détourné qu'elle avait reculé jusqu'à Béla et s'était juchée sur le dos de la jument. Quand il prit la direction du sud pour les guider, Perrin songea que son sourire ressemblait aussi beaucoup à celui d'un loup.

Ils voyagèrent de cette façon pendant trois jours, à pied et à cheval, vers le sud et l'est, du matin au soir, s'arrêtant seulement quand le crépuscule s'épaississait. Élyas semblait mépriser la hâte des citadins, mais il n'était pas partisan de perdre du temps quand on devait aller quelque part.

On voyait rarement les trois loups. Chaque soir, ils s'approchaient du feu pour un moment et, parfois, ils se montraient brièvement pendant la journée, apparaissant tout près quand on s'y attendait le moins et disparaissant de la même façon. Pourtant Perrin savait qu'ils étaient là et où ils étaient. Il savait quand ils effectuaient une reconnaissance en avant et quand ils surveillaient la piste derrière eux. Il sut quand ils quittèrent les terrains de chasse habituels de la meute et quand Pommelée renvoya la meute l'attendre. Parfois, les trois qui restaient lui sortaient de l'esprit mais, longtemps avant qu'ils soient assez près pour qu'on les revoie, il était conscient de leur retour. Même quand les arbres ne furent plus que des bosquets dispersés, séparés par de grands andains d'herbe desséchée par l'hiver, ils étaient comme des fantômes quand ils ne voulaient pas se faire voir, mais il aurait pu les désigner du doigt à tout moment. Il ne comprenait pas comment il savait, et il essayait de se convaincre que c'était son imagination qui lui jouait des tours, mais cela ne servait à rien. Tout comme Élyas savait, il savait.

Il essaya de ne pas penser aux loups, mais ils se glissaient dans ses réflexions, néanmoins. Il n'avait pas rêvé de Ba'alzamon depuis qu'il avait rencontré Élyas et ses loups. Ses songes, autant qu'il s'en souvenait au réveil, portaient sur des choses de tous les jours, comme il aurait pu en rêver à la maison... avant la Nuit de l'Hiver... avant Baerlon. Des rêves normaux – avec une addition. Dans chaque rêve, il se rappelait un moment où – qu'il s'écarte du feu de forge chez Maître Luhhan pour essuyer la sueur sur son visage, qu'il quitte la danse avec les jeunes filles du village sur le Pré Communal ou lève la tête de sur son livre devant l'âtre et qu'il soit dehors ou sous un toit – chaque fois un loup était à portée de la main. Le loup lui tournait toujours le dos, et il savait toujours – dans les rêves, cela paraissait faire partie du cours normal des choses, même à la table d'Alsbet Luhhan – que les yeux jaunes du loup guettaient ce qui risquait de survenir, le gardant, lui Perrin, contre ce qui pouvait arriver. C'est seulement quand il était éveillé que les rêves paraissaient étranges.

Trois jours durant, ils voyagèrent avec Pommelée, Sauteur et Vent, qui leur apportaient des lapins et des écureuils, et Élyas qui leur montrait des plantes comestibles dont Perrin ne reconnaissait qu'un petit nombre. Une fois, un lapin jaillit presque sous les sabots de Béla ; avant que Perrin ait eu le temps de placer une pierre dans sa fronde, Élyas l'embrocha à vingt pas avec son long couteau. Une autre fois, Élyas abattit un faisan bien gras en plein vol avec son arc. Ils mangeaient beaucoup mieux que quand ils étaient seuls, mais Perrin aurait préféré revenir à des rations réduites si cela avait été en d'autre compagnie. Il n'était pas sûr des sentiments d'Egwene, mais il serait volontiers resté affamé s'il avait pu le faire sans les loups. Trois jours, jusqu'à l'après-midi du troisième.

Devant eux se dressait un bois plus dense que la plupart de ceux qu'ils avaient vus, à une bonne lieue et demie de là. Le soleil était bas à l'ouest et projetait des ombres en biais à leur droite, et le vent reprenait. Perrin sentit que les loups cessaient de quêter derrière eux et partaient en avant sans se presser. Ils n'avaient rien vu ni senti de dangereux. Egwene prenait son tour sur Béla. Le moment était venu de commencer à chercher un camp pour la nuit et ce grand taillis leur offrirait un excellent abri.

Quand ils approchèrent des arbres, trois mâtins sortirent du couvert, des chiens à la gueule massive, aussi gros que les loups et même plus lourds, montrant les dents et grondant fort. Ils s'arrêtèrent court une fois hors du bois, mais ils n'étaient pas à plus de trente pas des trois humains, et leurs yeux sombres brillaient d'une lueur meurtrière.

Béla, déjà énervée par les loups, hennit et manqua désarçonner Egwene, mais Perrin fit tourner sa fronde autour de sa tête en une seconde. Pas besoin de se servir d'une hache contre des chiens ; une pierre dans les côtes obligerait le pire chien féroce à détaler.

Élyas agita la main à son adresse, sans quitter des yeux les chiens aux pattes raidies. « Psitt ! Pas de ça maintenant ! »

Perrin le regarda d'un air perplexe, mais laissa la

fronde ralentir son tournoiement et finalement retomber à son côté. Egwene réussit à maîtriser Béla; elle et la jument surveillaient les chiens avec méfiance.

Les mâtins avaient les poils hérissés, les oreilles couchées, et ils grondaient comme des tremblements de terre. Brusquement, Élyas leva un doigt à hauteur d'épaule et siffla – un long sifflement aigu qui montait de plus en plus, sans fin. Les grondements s'interrompirent en ordre dispersé. Les chiens reculèrent en gémissant et tournant la tête, comme s'ils avaient envie de s'en aller mais étaient retenus. Leurs yeux restaient fixés sur le doigt d'Élyas.

Lentement, Élyas abaissa la main et la hauteur de son sifflement s'abaissa en même temps. Les chiens suivirent le mouvement jusqu'à se coucher à plat par terre, la langue pendante. Trois queues s'agitèrent.

« Vous voyez, dit Élyas en allant vers les chiens, pas besoin d'armes. » Les mâtins lui léchèrent les mains, il gratta leurs larges têtes et leur caressa les oreilles. « Ils ont l'air plus méchants qu'ils ne le sont. Ils voulaient nous faire peur pour que nous partions et ils ne nous auraient mordus que si nous avions pénétré sous les arbres. De toute façon, à présent, il n'y a pas lieu de se tracasser pour ça. Nous avons le temps de gagner le bosquet suivant avant la nuit complète. »

Quand Perrin regarda Egwene, celle-ci était bouche bée. Il referma sa propre bouche avec un claquement de mâchoires.

Caressant toujours les chiens, Élyas étudiait le bois. « Il doit y avoir des Tuatha'ans par ici. Le peuple des Nomades. » Ils le regardèrent, interdits, et il précisa : « Des Rétameurs.

– Des Rétameurs ! s'exclama Perrin. J'ai toujours eu envie de voir des Rétameurs. Ils campent parfois sur l'autre rive, en face de Taren-au-Bac, mais ils ne descendent pas jusqu'aux Deux Rivières, pour autant que je sache. J'ignore pourquoi. »

Egwene eut un reniflement de dédain. « Probablement parce que les habitants de Taren-au-Bac sont d'aussi grands voleurs que les Rétameurs. Ils finiraient sans doute par se voler mutuellement jusqu'à leur chemise. Maître Élyas, s'il y a vraiment des Rétameurs à proximité, ne devrions-nous pas passer notre chemin ? Il ne faut pas qu'on nous vole Béla et... ma foi, nous n'avons pas grand-chose d'autre, mais chacun sait que les Rétameurs volent n'importe quoi.

– Y compris les enfants au berceau ? demanda Élyas d'un ton sarcastique. Ils enlèvent les enfants, etc. » Il cracha et elle rougit. On entendait parfois raconter ces histoires de bébés volés, mais la plupart du temps c'était par Cenn Buie, ou un des Coplin et des Congar. Les autres histoires, tout le monde les connaissait. « Les Rétameurs m'énervent quelquefois, mais ils ne volent pas plus que la plupart des gens. Beaucoup moins que certains que je connais.

– La nuit va bientôt tomber, Élyas, dit Perrin. Nous devons camper quelque part. Pourquoi pas avec eux s'ils veulent bien de nous ? » Maîtresse Luhhan avait une marmite raccommodée par un rétameur dont elle prétendait qu'elle était en meilleur état que lorsqu'elle était neuve. Maître Luhhan n'était pas trop content que sa femme chante les louanges du travail des Rétameurs, mais Perrin avait envie de voir comment ils s'y prenaient. Pourtant, Élyas témoignait d'un manque d'enthousiasme qu'il ne s'expliquait pas. « Y a-t-il une raison pour ne pas y aller ? »

Élyas secoua la tête, mais la répugnance était toujours là, manifestée par la raideur des épaules et par ses lèvres serrées. « Pourquoi pas. Prenez garde seulement de ne pas prêter attention à ce qu'ils disent. Un tas de sornettes. La plupart du temps, les Nomades se conduisent à la bonne franquette, mais il y a des moments où ils attachent un grand prix à l'étiquette, alors imitez mon exemple. Et gardez vos secrets. Pas besoin de tout dire au monde entier. »

Les chiens marchaient à côté d'eux en remuant la queue, quand Élyas les mena sous les arbres. Perrin sentit que les loups ralentissaient et comprit qu'ils n'entreraient pas. Ils n'avaient pas peur des chiens – ils méprisaient les chiens qui ont abandonné la liberté pour dormir près d'un feu – mais ils évitaient les gens.

Élyas marchait avec assurance, comme s'il connaissait le chemin et, près du centre du bois, les roulottes des Rétameurs apparurent, dispersées parmi les chênes et les frênes.

Comme tout un chacun au Champ d'Emond, Perrin avait entendu beaucoup parler des Rétameurs, même s'il n'en avait jamais vu, et le camp était exactement comme il s'y attendait. Leurs roulottes étaient de petites maisons sur roues, de hautes caisses en bois peintes et vernies de vives couleurs, rouge, bleu, vert, jaune et des teintes dont il ne savait pas le nom. Les Nomades s'occupaient à des travaux d'un quotidien décevant – cuisine, couture, soin des enfants, raccommodage des harnais – mais leurs tenues étaient aussi bigarrées que les roulottes – et apparemment choisies au petit bonheur; parfois cotte et culotte ou robe et châle étaient associés d'une façon qui lui faisait mal aux yeux. Ils ressemblaient à des papillons dans un champ de fleurs sauvages.

À différents endroits du camp, quatre ou cinq hommes jouaient du violon et de la flûte, et quelques personnes dansaient comme des oiseaux-mouches aux couleurs d'arc-en-ciel. Enfants et chiens couraient en jouant parmi les feux allumés pour la cuisine. Les chiens étaient des mâtins comme ceux qui avaient barré la route aux voyageurs, mais les enfants leur tiraient la queue et les oreilles, montaient sur leur dos et les gros chiens acceptaient tout cela avec placidité. Les trois qui accompagnaient Élyas, langue pendante, regardaient le barbu comme si c'était leur meilleur ami. Perrin secoua la tête. Ils étaient tout de même de taille à atteindre la gorge d'un homme en levant à peine les pattes de devant.

Brusquement, la musique s'arrêta et il se rendit compte que tous les Rétameurs les regardaient, lui et ses compagnons. Même les enfants et les chiens s'étaient immobilisés et les observaient avec méfiance, comme s'ils s'apprêtaient à prendre la fuite.

Pendant un moment, il n'y eut aucun bruit, puis un homme de petite taille, sec et nerveux, les cheveux gris, s'avança et s'inclina gravement devant Élyas. Il portait une veste rouge à col haut et un pantalon bouffant d'un vert vif enfoncé dans des bottes qui lui montaient au genou. « Bienvenue auprès de nos feux. Vous connaissez le chant ? »

Élyas s'inclina de même, les deux mains appliquées contre sa poitrine. « Votre accueil me réchauffe le cœur, Mahdi, comme votre feu réchauffe la chair, mais je ne connais pas le chant.

– Alors nous chercherons encore, psalmodia l'homme à cheveux gris. Comme c'était ainsi sera, pour autant que nous nous souvenons, cherchons et trouvons. » Il désigna les feux de camp d'un ample geste circulaire avec un sourire et sa voix prit un ton léger et joyeux. « Le repas est presque prêt. Joignez-vous à nous, je vous prie. »

Comme si c'était un signal, la musique résonna de nouveau et les enfants recommencèrent à rire et à jouer avec les chiens. Chacun dans le camp reprit ses occupations, comme si les nouveaux venus étaient des amis acceptés de longue date.

L'homme aux cheveux gris hésitait cependant et regarda Élyas. « Vos... autres amis ? Ils resteront à l'écart ? Ils font tellement peur aux pauvres chiens.

– Ils resteront à l'écart, Raen. » Élyas hocha la tête avec une touche de dédain. « Vous devriez le savoir depuis le temps. »

L'homme aux cheveux gris écarta les mains comme pour signifier que rien n'est jamais certain. Quand il se retourna pour les conduire dans le camp, Egwene mit pied à terre et s'approcha d'Élyas. « Vous êtes des amis, tous les deux ? » Un Rétameur souriant vint prendre Béla ; Egwene donna les rênes à contrecœur, après un rire sec à l'accent moqueur d'Élyas.

« Nous nous connaissons, répondit brièvement l'homme vêtu de fourrures.

– Il s'appelle Mahdi ? » demanda Perrin.

Élyas grommela quelque chose. « Son nom est Raen. Mahdi est son titre. Le Chercheur. C'est le chef de cette bande. Vous pouvez l'appeler Chercheur si l'autre vous paraît bizarre, cela lui sera égal.

– Qu'est-ce que c'était, cette histoire de chant ? s'enquit Egwene.

– C'est la raison de leurs pérégrinations, répliqua Élyas, du moins voilà ce qu'ils prétendent. Ils sont en quête d'un chant. C'est ce que cherche Mahdi. Ils disent qu'ils l'ont perdu pendant la Destruction du Monde et que, s'ils arrivent à le retrouver, le paradis de l'Ère des Légendes renaîtra. » Il jeta un coup d'œil circulaire au camp et eut un rire bref. « Ils ne savent même pas ce qu'est ce chant. Ils soutiennent qu'ils le reconnaîtront quand ils le trouveront. Ils ne savent pas non plus comment il est censé amener le paradis, mais ils le cherchent depuis près de trois mille ans, depuis la Destruction. Je suppose qu'ils chercheront jusqu'à ce que la Roue du Temps cesse de tourner. »

À ce moment, ils atteignirent le feu de Raen, au milieu du camp. La roulotte du Chercheur était jaune, avec des liserés rouges et les rayons de ses hautes roues aux jantes rouges étaient alternativement rouges et jaunes. Une femme rondelette, aussi grisonnante que Raen mais les joues encore lisses, sortit de la roulotte et s'arrêta sur les marches à l'arrière, en rajustant sur ses épaules un châle à franges bleues. Son corsage était jaune et sa jupe rouge, les deux de ton vif. Perrin cligna des yeux devant cette combinaison, et Egwene émit un son étranglé.

Quand elle vit ceux qui suivaient Raen, la vieille femme descendit avec un sourire de bienvenue. C'était Ila, l'épouse de Raen; elle avait une tête de plus que son mari, et elle fit vite oublier à Perrin la couleur de ses habits. Elle avait des manières maternelles qui lui rappelèrent Maîtresse al'Vere et elle lui donna le sentiment d'être le bienvenu dès son premier sourire.

Ila salua Élyas comme une vieille connaissance, mais avec un détachement qui sembla peiner Raen. Élyas lui adressa un sourire teinté d'ironie et un salut de la tête. Perrin et Egwene se présentèrent, et elle leur pressa la main entre les deux siennes avec beaucoup plus de cordialité qu'elle n'en avait témoigné à Élyas, serrant même Egwene dans ses bras.

« Eh bien, mais tu es charmante, mon enfant, dit-elle en prenant Egwene par le menton avec un sourire. Et gelée jusqu'à la moelle, je suppose. Assieds-toi près du feu, Egwene. Asseyez-vous tous. Le souper est presque prêt. »

On avait tiré auprès du feu des troncs d'arbres abattus comme sièges. Élyas refusa même cette concession à la civilisation. Il s'étendit par terre, au lieu de s'asseoir. Des trépieds de fer soutenaient deux petites marmites au-dessus des flammes et un four était calé au bord des braises. Ila s'en occupait.

Comme Perrin et les autres s'installaient, un jeune homme svelte à l'habit rayé de vert s'approcha nonchalamment du feu. Il donna l'accolade à Raen et un baiser à Ila, puis porta un regard froid sur Élyas et les jeunes du Champ d'Emond. Il avait à peu près le même âge que Perrin et il se mouvait comme s'il s'apprêtait à danser au pas suivant.

« Eh bien, Aram – Ila lui sourit affectueusement –, tu

as décidé de manger ce soir avec tes vieux grands-parents pour changer ? » Son sourire glissa vers Egwene comme elle se penchait pour remuer le contenu d'une des marmites suspendues au-dessus du feu. « Je me demande pourquoi ? »

Aram s'accroupit avec souplesse, assis sur ses talons, les bras croisés sur ses genoux, de l'autre côté du feu en face d'Egwene. « Je suis Aram », lui dit-il avec assurance à mi-voix. Il ne semblait plus conscient d'aucune autre présence. « Je guettais la première rose du printemps et voilà que je la trouve près du feu de mon grand-père. »

Perrin qui s'attendait à ce qu'Egwene réponde par un rire ironique, la vit rendre à Aram un long regard. Il examina de nouveau le jeune Rétameur. Aram avait plus que sa part de belle mine, il en convint. Une minute après, Perrin sut qui ce garçon lui rappelait. Wil al'Seem, que les filles étaient unanimes à dévorer des yeux, chuchotant dès qu'il avait le dos tourné chaque fois qu'il montait de la Tranchée-de-Deven au Champ d'Emond. Wil courtisait toutes les filles qu'il voyait et arrivait à convaincre chacune d'elles qu'il se montrait seulement poli avec toutes les autres.

« Ces chiens que vous avez, dit à haute voix Perrin – et Egwene sursauta – ont l'air gros comme des ours. Je m'étonne que vous laissiez les enfants jouer avec eux. »

Le sourire d'Aram disparut, mais revint avec encore plus d'assurance quand il regarda Perrin. « Ils ne vous causeront aucun mal. Ils font semblant pour chasser le danger et nous avertir, mais ils sont dressés suivant la Voie de la Feuille.

– La Voie de la Feuille ? dit Egwene. Qu'est-ce que c'est ? »

Aram eut un geste vers les arbres sans cesser de la regarder intensément. « La feuille vit le temps prescrit et ne lutte pas contre le vent qui l'emporte. La feuille ne cause aucun mal et finit par tomber pour nourrir des feuilles nouvelles. Ainsi devrait-il en être avec tous les hommes. Et les femmes. » Egwene lui rendit son regard, une faible rougeur lui montant aux joues.

« Mais cela signifie quoi ? » questionna Perrin. Aram lui jeta un coup d'œil irrité, mais ce fut Raen qui répondit :

« Cela signifie qu'aucun homme ne devrait causer de

mal à un autre pour quelque raison que ce soit. » Les yeux du Chercheur clignèrent en direction d'Élyas. « Il n'y a pas d'excuse à la violence. Aucune excuse. Jamais.

– Mais supposons que quelqu'un vous attaque ? insista Perrin. Que quelqu'un vous frappe, essaie de vous voler ou de vous tuer ? »

Raen poussa un soupir, un soupir patient comme si Perrin ne voyait pas ce qui était une telle évidence pour lui. « Qu'un homme me frappe, je lui demanderais pourquoi il veut agir de la sorte. Qu'il continue à vouloir me frapper, je m'enfuirais, comme je m'enfuirais au cas où il voudrait me voler ou me tuer. Mieux vaut de beaucoup que je le laisse prendre ce qu'il désire, même ma vie, plutôt que de commettre, moi, un acte de violence. Et j'espérerais qu'il n'en souffrira pas trop.

– Mais vous avez dit que vous ne rendriez pas coup pour coup, objecta Perrin.

– Certes, je ne le frapperai pas non plus, mais la violence nuit à celui qui la commet comme à celui qui la subit. » Perrin eut l'air dubitatif. « Par exemple, vous coupez un arbre avec une hache, reprit Raen. La hache exerce une violence contre l'arbre et s'en tire sans dommage. Est-ce ainsi que vous voyez les choses ? Le bois est tendre comparé à l'acier, mais l'acier tranchant s'émousse en frappant, et la sève de l'arbre le fait rouiller et se piquer. La hache puissante exerce une violence contre l'arbre sans défense et en subit des dommages. C'est la même chose chez les hommes, bien que le dommage soit causé à l'esprit.

– Mais...

– Assez, grommela Élyas, coupant la parole à Perrin. Raen, cela suffit de vous voir essayer de convertir à ces sottises les jeunes villageois – ça vous crée des ennuis partout où vous allez, n'est-ce pas ? – mais je n'ai pas amené ceux-là ici pour que vous les endoctriniez. Passez la main.

– Pour que vous les preniez dans la vôtre ? » dit Ila en écrasant des herbes entre ses paumes et en les laissant tomber petit à petit dans une des marmites. Sa voix était calme, mais ses paumes broyaient les herbes rageusement. « Voulez-vous leur enseigner votre ligne de conduite, tuer ou mourir ? Voulez-vous les vouer au destin que vous cherchez pour vous-même, mourir seul avec rien que les corbeaux et vos... vos amis pour se disputer sur votre cadavre ?

– Paix, Ila, dit doucement Raen comme s'il avait entendu cela cent fois et davantage. Élyas a été accueilli à notre feu, mon épouse. »

Ila se tut, mais Perrin remarqua qu'elle ne s'excusait pas. Au contraire, elle regarda Élyas en hochant tristement la tête, puis elle s'essuya les mains et commença à prendre des cuillères et des bols en terre cuite dans un coffre rouge sur le côté de la roulotte.

Raen se retourna vers Élyas. « Mon vieil ami, combien de fois dois-je vous répéter que nous n'essayons de convertir personne ? Quand les gens des villages sont curieux de connaître nos manières de penser, nous répondons à leurs questions. Le plus souvent ce sont des jeunes qui interrogent, en effet, et parfois l'un d'eux vient avec nous quand nous reprenons notre route, mais il nous accompagne de son plein gré.

– Essayez de raconter ça à une fermière qui vient de découvrir que son fils ou sa fille se sont sauvés avec vous les Rétameurs, dit Élyas, sarcastique. Voilà pourquoi les villes importantes ne veulent même pas vous laisser camper à proximité. Les villages vous tolèrent parce que vous réparez des choses, mais les villes n'en ont pas besoin et elles n'aiment pas que vous incitiez par vos discours les jeunes à s'enfuir.

– J'ignore ce qu'autorisent les villes. » La patience de Raen semblait inépuisable. Il n'avait vraiment pas l'air d'être en colère. « Il y a toujours des violents dans les villes. En tout cas, je ne pense pas qu'on puisse trouver le chant dans une ville.

– Je ne voudrais pas vous offenser, Chercheur, mais... dit Perrin lentement, ma foi, je ne suis pas féru de violence, je ne crois même pas m'être battu avec quelqu'un depuis des années, sauf pendant les jeux des jours de fête. Mais si quelqu'un me frappait, je lui rendrais les coups. Si je ne le faisais pas, je l'encouragerais à me frapper chaque fois qu'il en aurait envie. Certains s'imaginent qu'ils peuvent tout se permettre et si l'on ne leur fait pas comprendre que ce n'est pas possible ils continueront simplement à brutaliser les plus faibles qu'eux.

– Certaines gens, déclara Aram sur un ton profondément triste, ne peuvent jamais surmonter leurs bas instincts. » Il dit cela avec un regard destiné à Perrin signifiant clairement qu'il ne parlait pas des brutes auxquelles Perrin avait fait allusion.

« Je parie que vous avez dû souvent vous sauver »,
répliqua Perrin, et le visage du jeune Rétameur se
crispa d'une manière qui ne s'accordait en rien avec la
Voie de la Feuille.

« Cela me paraît appréciable de rencontrer quelqu'un
qui n'est pas convaincu de pouvoir résoudre tous les
problèmes grâce à ses muscles », commenta Egwene
avec un regard peu amène à l'adresse de Perrin.

Aram retrouva sa bonne humeur et il se leva, lui tendant les mains avec un sourire. « Laissez-moi vous montrer notre camp. Il y a de la danse.

– Cela me plairait beaucoup. » Elle lui rendit son
sourire.

Ila, qui venait de retirer des pains du petit four de
tôle, se redressa. « Mais le souper est prêt, Aram.

– Je mangerai avec maman, lança Aram par-dessus
son épaule en entraînant Egwene par la main loin de la
roulotte. Nous mangerons tous les deux avec ma
mère. » Il décocha un sourire triomphant à Perrin,
Egwene riait quand ils partirent en courant.

Perrin se leva, puis s'immobilisa. Ce n'était pas
comme si Egwene risquait quoi que ce soit, pour autant
que le camp suivait cette Voie de la Feuille, selon la
définition de Raen. S'adressant à Raen et à Ila qui suivaient d'un regard affligé leur petit-fils, il dit : « Pardonnez-moi. Je suis un invité. Je n'aurais pas dû...

– Ne soyez pas ridicule, l'interrompit Ila, apaisante.
C'était sa faute, pas la vôtre. Asseyez-vous et mangez.

– Aram est un jeune homme qui ne sait pas très bien
où il en est, ajouta tristement Raen. C'est un bon garçon
mais, parfois, je crois qu'il trouve trop dure la Voie de
la Feuille. Il y en a d'autres comme lui, je le crains. Je
vous en prie. Mon feu est le vôtre. S'il vous plaît ? »

Perrin se rassit lentement, se sentant toujours gêné.
« Qu'arrive-t-il à quelqu'un qui ne peut suivre la Voie ?
demanda-t-il. À un Rétameur, je veux dire. »

Raen et Ila échangèrent un coup d'œil soucieux et
Raen répondit : « Il nous quitte. Les Perdus vont vivre
dans les villages. »

Ila tourna la tête dans la direction où avait disparu
son petit-fils. « Les Perdus ne peuvent être heureux. »
Elle soupira, mais son visage avait retrouvé sa sérénité
quand elle leur tendit bols et cuillères.

Perrin contemplait le sol, regrettant d'avoir posé la

question, et la conversation ne reprit ni pendant qu'Ila remplissait leurs bols d'un épais ragoût de légumes et leur tendait de larges tranches de son pain croustillant, ni pendant qu'ils mangeaient. Le ragoût était délicieux et Perrin en vida trois bols avant de s'arrêter. Élyas, il le remarqua avec un sourire malicieux, en vida quatre.

Après le repas, Raen bourra sa pipe, Élyas extirpa la sienne et la garnit avec le tabac de la blague en toile huilée de Raen. Quand ils eurent fini de les allumer, de les tasser, de les rallumer, ils se réinstallèrent en silence. Ila sortit un ouvrage de tricot roulé. Le soleil n'était plus qu'un rougeoiement sur la cime des arbres à l'ouest. Le camp s'était apprêté pour la nuit, mais le va-et-vient n'avait pas ralenti, il avait seulement changé. Les musiciens qui jouaient à leur arrivée au camp avaient été remplacés par d'autres et il y avait bien plus de gens qui dansaient à la lueur des feux, leurs ombres bondissant sur les roulottes. Quelque part dans le camp, un chœur de voix masculines s'éleva. Perrin se laissa glisser jusqu'à terre devant son tronc d'arbre et se sentit bientôt atteint de somnolence.

Au bout d'un moment, Raen demanda : « Avez-vous rencontré d'autres Tuatha'ans, Élyas, depuis que vous nous avez rendu visite, ce printemps ? »

Les paupières de Perrin se relevèrent nonchalamment, puis se rabattirent à demi.

« Non, répondit Élyas sans retirer sa pipe de la bouche. Je n'aime pas voir trop de gens à la fois autour de moi. »

Raen eut un petit rire. « Surtout des gens qui vivent d'une façon tellement opposée à la vôtre, hein ? Non, mon vieil ami, ne vous inquiétez pas. J'ai cessé depuis des années d'espérer que vous arriveriez à la Voie. Mais j'ai entendu raconter quelque chose après notre dernière rencontre et si vous n'êtes pas déjà au courant peut-être que cela vous intéressera. Cette histoire m'intrigue et je l'ai entendue à maintes reprises, chaque fois que nous rencontrions d'autres Nomades.

– Je suis prêt à écouter.

– Elle commence il y a deux ans, au printemps, avec une bande de notre Peuple qui traversait le Désert par la route du Nord. »

Perrin ouvrit les yeux d'un coup. « Le Désert ? Le Désert d'Aiel ? Elle traversait le Désert d'Aiel ?

– Il y a des gens qui peuvent entrer dans le Désert sans être inquiétés, dit Élyas. Des ménestrels. Des colporteurs s'ils sont honnêtes. Les Tuatha'ans traversent tout le temps le Désert. Des marchands de Cairhien le faisaient avant l'Arbre et la Guerre d'Aiel.

– Les Aiels nous évitent, dit Raen tristement, bien que beaucoup d'entre nous aient essayé d'entrer en contact avec eux. Ils nous épient de loin, mais ne veulent pas nous approcher, ni nous laisser approcher. Parfois, je crains qu'ils ne connaissent le chant, encore qu'à mon avis ce ne soit pas vraisemblable. Chez les Aiels, les hommes ne chantent pas. N'est-ce pas étrange ? Dès qu'un jeune Aiel parvient à l'âge d'homme, il ne chante que des chants de guerre ou leur complainte funèbre pour ceux qui ont péri. Je les ai entendus la chanter sur leurs morts et sur ceux qu'ils avaient tués. C'est à faire pleurer les pierres. » Ila, qui écoutait, confirma d'un hochement de tête tout en tricotant.

Perrin modifia rapidement ses conclusions. Il avait pensé que les Rétameurs devaient vivre dans la peur et le tremblement à cause de ces éternels propos de fuite, mais personne de craintif ne songerait même à traverser le Désert d'Aiel. D'après ce qu'il avait entendu dire, personne de sensé ne tenterait la traversée de ce Désert.

« Si c'est une histoire à propos d'un chant... » commença Élyas, mais Raen secoua la tête.

« Non, mon vieil ami, pas d'un chant. Je ne sais pas trop de quoi il s'agit. » Il tourna son attention vers Perrin. « Les jeunes Aiels voyagent souvent dans la Grande Dévastation. Certains jeunes y vont seuls, pensant pour une raison quelconque qu'ils ont été appelés à tuer le Ténébreux. La plupart y vont par petits groupes. À la chasse aux Trollocs. » Raen secoua tristement la tête et, quand il continua, sa voix était oppressée. « Il y a deux ans, une bande de notre Peuple, qui traversait le Désert à quarante lieues à peu près au sud de la Grande Dévastation, a rencontré un de ces groupes.

– Des jeunes femmes, s'interposa Ila, aussi triste que son mari. À peine plus âgées que des fillettes. »

Perrin émit une onomatopée de surprise et Élyas lui décocha un sourire sarcastique.

« Les jeunes filles de l'Aiel ne sont pas obligées de s'occuper de ménage et de cuisine si elles n'en ont pas envie, mon petit. Celles qui, à la place, préfèrent manier des armes s'enrôlent dans une des associations de guerriers, *Far Dareis Mai*, les Vierges de la Lance, et elles et les hommes se battent côte à côte. »

Perrin secoua la tête. Élyas eut un petit rire sarcastique devant son expression.

Raen reprit son récit, le dégoût et la perplexité mêlés dans sa voix. « Les jeunes femmes étaient toutes mortes sauf une et celle-là était mourante. Elle s'est traînée vers les roulottes. Elle savait visiblement qu'elles appartenaient à des Tuatha'ans. Sa répugnance était plus forte que sa souffrance, néanmoins elle avait un message tellement important pour elle qu'elle devait le transmettre à quelqu'un, même à nous, avant de mourir. Des nôtres sont allés voir s'ils pouvaient en secourir d'autres – elle avait laissé une traînée de sang qu'ils n'avaient qu'à suivre – mais elles étaient toutes mortes, ainsi que trois fois leur nombre de Trollocs.

Élyas se redressa brusquement, manquant laisser échapper la pipe qu'il serrait entre ses dents. « À quarante lieues dans l'intérieur du Désert? Impossible! *Djevik K'Shar*, c'est le nom que les Trollocs donnent au Désert. La Terre-qui-meurt. Ils ne pénétreraient pas à quarante lieues à l'intérieur du Désert même si tous les Myddraals de la Grande Dévastation les y poussaient.

– Vous en connaissez, des choses sur les Trollocs, Élyas, remarqua Perrin.

– Continuez votre histoire, dit Élyas d'un ton bourru à Raen.

– D'après les trophées en possession des Aielles, c'est évident qu'elles revenaient de la Grande Dévastation. Les Trollocs les avaient suivies mais, d'après les traces, seul un petit nombre avait survécu pour s'en retourner après avoir tué les Aielles. Quant à la jeune femme, elle n'a permis à personne de la toucher, même pour soigner ses blessures, mais elle a saisi le Chercheur de cette bande par son habit, et voici ce qu'elle lui a dit, mot pour mot : « Le Destructeur des Feuilles veut aveugler l'Œil du Monde, ô Perdu. Il a l'intention de massacrer le Grand Serpent. Préviens le Peuple, ô Perdu. L'Aveugleur arrive. Dis au Peuple de se préparer pour Celui qui vient avec l'Aurore. Dis-lui... » Puis elle est morte. Le Destructeur des Feuilles et l'Aveugleur sont les noms que donnent les Aiels au Ténébreux, ajouta

Raen à l'intention de Perrin, mais je ne comprends rien au reste. Pourtant, elle l'a jugé assez important pour approcher ceux que manifestement elle méprisait et leur transmettre ce message avec son dernier souffle. Mais voilà, à l'intention de qui ? Le Peuple, c'est nous, seulement j'ai peine à croire que c'est de nous qu'elle parlait. Les Aiels ? Ils ne nous laisseraient pas les avertir même si nous le voulions. » Il poussa un profond soupir. « Elle nous a appelés les Perdus. Je n'avais jamais compris auparavant à quel point les Aiels nous méprisaient. » Ila posa son tricot dans son giron et lui caressa doucement la tête.

« Quelque chose qu'elles ont appris dans la Grande Dévastation, dit rêveusement Élyas, mais rien de tout cela n'a de sens. Assassiner le Grand Serpent ? Tuer le Temps lui-même ? Aveugler l'Œil du Monde ? Autant dire du Ténébreux qu'il veut faire mourir de faim un roc. Peut-être qu'elle délirait, Raen. Blessée, mourante, peut-être n'avait-elle plus conscience de la réalité. Peut-être ne savait-elle même pas qui étaient ces Tuatha'ans.

— Elle savait ce qu'elle disait et à qui elle le disait. Quelque chose de plus important pour elle que sa propre vie, et nous ne sommes même pas capables de comprendre de quoi il s'agit. Quand je vous ai vu arriver dans notre camp, j'ai cru que peut-être nous trouverions enfin la réponse, puisque vous étiez... » – Élyas eut un geste vif de la main et Raen modifia ce qu'il s'apprêtait à dire –, « puisque vous êtes un ami et que vous savez beaucoup de choses étranges.

— Pas là-dessus », répliqua Élyas d'un ton qui mit fin à la conversation. Le silence autour du feu de camp ne fut rompu que par les échos de la musique et des rires qui parvenaient d'autres parties du camp enseveli dans la nuit.

Étendu les épaules calées contre un des troncs autour du feu, Perrin essaya de déchiffrer le message de la jeune Arielle, mais il n'en trouva pas plus le sens que Raen ou Élyas. L'Œil du Monde. Cet Œil avait tenu une place dans ses rêves plus d'une fois, mais il ne voulait pas penser à ces rêves. Quant à Élyas, voyons. Il y avait là une question à laquelle il aurait aimé une réponse. Qu'est-ce que Raen avait été sur le point de dire au barbu, et pourquoi Élyas l'avait-il interrompu ? Il n'eut pas de chance non plus avec cette énigme-là. Il essayait d'imaginer à quoi ressemblaient les jeunes Aielles – qui se rendaient dans la Grande Dévastation, où seuls pénétraient les Liges d'après ce qu'il avait appris, et qui se battaient contre les Trollocs – quand il entendit revenir Egwene qui chantonnait pour elle-même.

Se remettant debout, il se porta à sa rencontre, à la limite de la clarté du feu. Elle s'arrêta court et le regarda en penchant la tête de côté. L'obscurité empêcha Perrin de discerner son expression.

« Tu es partie depuis longtemps, remarqua-t-il. T'es-tu bien amusée ?

– Nous avons mangé avec sa mère, puis nous avons dansé... et ri. J'ai l'impression de ne pas avoir dansé depuis une éternité.

– Il me rappelle Wil al'Seen. Tu as toujours eu assez de bon sens pour ne pas laisser Wil te mettre dans sa poche.

– Aram est un gentil garçon et sa compagnie est amusante, répliqua-t-elle d'une voix tendue. Il me fait rire. »

Perrin soupira. « Excuse-moi. Je suis content que tu te sois amusée à danser. »

Brusquement, elle jeta ses bras autour de lui, pleurant sur sa chemise. Il lui tapota gauchement les cheveux. *Rand saurait comment s'y prendre*, pensa-t-il. Rand avait la manière avec les jeunes filles. Pas comme lui qui ne savait jamais quoi dire ou quoi faire. « Je t'ai présenté mes excuses, Egwene. Je suis vraiment content que la danse t'ait plu. Vraiment.

– Dis-moi qu'ils sont en vie, marmotta-t-elle contre sa poitrine.

– Quoi ? »

Elle l'écarta à bout de bras, les mains sur les bras de Perrin, et leva les yeux vers lui dans l'obscurité. « Rand et Mat. Les autres. Dis-moi qu'ils sont vivants. »

Il respira à fond et regarda autour de lui avec hésitation. « Ils sont vivants, finit-il par déclarer.

– Bien. » Elle s'essuya rapidement les joues avec ses doigts. « C'est ce que je voulais entendre. Bonne nuit, Perrin. Dors bien. » Se haussant sur la pointe des pieds, elle lui effleura la joue d'un baiser et passa rapidement devant lui avant qu'il ait eu le temps de proférer un mot.

Il se retourna pour la suivre des yeux. Ila se leva pour

accueillir Egwene, et les deux femmes entrèrent dans la roulotte en parlant bas. *Rand comprendrait*, pensa-t-il, *mais moi je n'y comprends goutte.*

Au loin dans la nuit, les loups accompagnèrent d'un hurlement le fin croissant de la nouvelle lune qui glissait vers l'horizon et il frissonna. Demain serait bien assez temps de recommencer à se soucier des loups. Il se trompait. Ils attendaient pour l'accueillir dans ses rêves.

26

PONT-BLANC

La dernière note chevrotante de ce qui se reconnaissait à peine comme *Le Vent dans les saules* s'éteignit miséricordieusement et Mat abaissa la flûte de Thom, en or et argent ciselé. Rand ôta ses mains de ses oreilles. Un marin qui lovait un cordage à côté sur le pont poussa un grand soupir de soulagement. Pendant un moment, les seuls sons furent ceux de l'eau clapotant contre la coque, le craquement cadencé des rames et, de temps en temps, le bourdonnement du gréement vibrant au vent. Ce vent soufflait droit contre l'avant de l'*Écume*, et les voiles inutiles étaient ferlées.

« Je suppose que je devrais te remercier, finit par marmotter Thom, pour m'apprendre à quel point est vrai le vieux proverbe. *On peut toujours essayer de le lui enseigner, jamais un porc ne jouera de la flûte.* » Le marin éclata de rire et Mat leva la flûte comme pour la lui lancer à la tête. Avec adresse, Thom dégagea l'instrument du poing de Mat et le rangea dans son étui de cuir. « Je m'imaginais que vous tous, les bergers, vous passiez le temps avec le troupeau à jouer du chalumeau ou de la flûte. Cela m'apprendra à croire ce que j'ai entendu dire sans l'avoir vérifié moi-même.

– Le berger, c'est Rand, grommela Mat. C'est lui qui joue du chalumeau, pas moi.

– Oui, bon, c'est vrai qu'il a une certaine aptitude – mieux vaudrait peut-être travailler la jonglerie, mon petit. Au moins, tu y montres quelque talent.

– Thom, dit Rand, je ne sais pas pourquoi vous vous donnez tant de mal. » Il jeta un coup d'œil au marin et baissa la voix. « Après tout, on ne cherche pas vraiment à devenir des ménestrels. C'est seulement pour nous fournir une couverture jusqu'à ce que nous retrouvions Moiraine et les autres. »

Thom tira sur la pointe de sa moustache et parut étudier le cuir lisse, brun foncé, de l'étui de la flûte sur ses genoux. « Et si on ne les trouve pas, mon garçon ? Il n'y a rien qui prouve qu'ils sont encore en vie.

– Ils vivent », affirma fermement Rand. Il se tourna vers Mat pour trouver du renfort, mais les sourcils de Mat étaient froncés jusque sur son nez, sa bouche formait une ligne mince, et ses yeux étaient fixés sur le pont. « Eh bien, parle, lui dit Rand. Ne me dis pas que tu es furieux à ce point-là parce que tu es incapable de jouer de la flûte. Je n'en joue pas bien non plus. Tu n'as jamais voulu en jouer, avant. »

Mat leva les yeux, toujours rembruni. « Et s'ils sont morts, dit-il à mi-voix. Il faut accepter les faits, non ? »

À ce moment, la vigie postée à l'avant cria : « Pont-Blanc ! Pont-Blanc sur l'avant ! »

Pendant une longue minute, Rand se refusa à croire que Mat pouvait dire une chose pareille avec une telle désinvolture et plongea son regard dans celui de son ami, au milieu de la bousculade des marins qui préparaient l'accostage. Mat le foudroyait des yeux, la tête enfoncée dans les épaules. Il y avait tant de choses que Rand avaient envie de dire, mais il ne parvenait pas à les formuler à haute voix. Il leur fallait croire que les autres vivaient. Impossible de faire autrement. *Pourquoi ?* le harcelait une voix intérieure. *Alors cela se terminera comme un des contes de Thom ? Les héros trouvent le trésor, triomphent du traître et vivent heureux jusqu'à la fin de leurs jours ? Certaines de ses histoires ne se terminent pas comme ça. Quelquefois, même les héros meurent. Es-tu un héros, Rand al'Thor ? Es-tu un héros, berger ?*

Brusquement, Mat rougit et se détourna. Libéré de ses pensées, Rand se leva d'un bond pour se frayer un passage au milieu de l'activité trépidante jusqu'à la rambarde. Mat le suivit lentement, sans même se donner la peine d'éviter les marins qui couraient en travers de son chemin.

Les hommes s'élançaient dans tous les sens sur le bateau, leurs pieds nus frappant le pont avec un bruit sourd, pour haler des cordages, saisir des amarres, en détacher d'autres. Certains apportaient de grands sacs en toile huilée bourrés à craquer de laine, tandis que d'autres apprêtaient des cordages gros comme le poignet de Rand. Malgré leur hâte, ils se mouvaient avec l'assurance de gens qui ont déjà fait tout cela mille fois, mais le capitaine Domon arpentait le pont d'un bout à l'autre en criant des ordres et maudissant ceux qui n'allaient pas assez vite à son gré.

L'attention de Rand se concentrait sur ce qu'il avait devant lui, qui apparut quand ils eurent dépassé un léger coude de l'Arinelle. Il en avait entendu parler, dans les chansons et les contes ainsi que dans les récits des colporteurs, mais à présent il voyait de ses propres yeux ce site légendaire.

Le pont Blanc s'arquait au-dessus de la vaste étendue des eaux qu'il dominait d'une hauteur deux fois plus grande que celle du mât de l'*Écume* et, d'un bout à l'autre, il était d'un blanc de lait luisant sous le soleil, absorbant la lumière jusqu'à paraître rayonner lui-même. Des piles arachnéennes du même matériau plongeaient dans le courant puissant et paraissaient trop frêles pour soutenir le poids et la largeur du pont. Il semblait d'un seul tenant comme s'il avait été taillé dans une pierre unique ou moulé par la main d'un géant, haut et large, enjambant la rivière avec une grâce aérienne qui faisait presque oublier ses dimensions. À tout prendre, il rendait bien petite par contraste la ville qui s'étalait à son extrémité sur la rive gauche, bien que Pont-Blanc fût beaucoup plus grand que le Champ d'Emond, avec des maisons de brique et de pierre aussi hautes que celles de Taren-au-Bac et des estacades en bois comme des doigts minces saillants dans la rivière. De petits bateaux étaient éparpillés sur l'Arinelle, où des pêcheurs relevaient leurs filets. Et au-dessus de cet ensemble s'élevait le pont Blanc qui brillait du plus bel éclat.

« On dirait du verre », dit Rand à personne en particulier.

Le capitaine Domon s'arrêta derrière lui et passa les pouces dans sa large ceinture. « Non, petit gars. Si drues que tombent les pluies, il n'est jamais glissant et le meilleur ciseau de sculpteur et le bras le plus fort ne parviennent pas à l'entamer.

– Un reliquat de l'Ère des Légendes, conclut Thom. Je l'avais toujours pensé. »

Le capitaine eut un grognement maussade. « Possible. Mais encore utile, néanmoins. Peut-être que c'est quelqu'un d'autre qui l'a construit. Pas forcé que ce soit un ouvrage d'Aes Sedai, que la Fortune me pique. Pas nécessairement si vieux que ça. Allez, mets-en un coup, bougre d'idiot ! » Il se hâta vers l'autre bout du bateau.

Rand écarquilla les yeux avec encore plus d'émerveillement. Datant de l'*Ère des Légendes*. Donc l'œuvre des Aes Sedai. Voilà pourquoi le capitaine Domon avait cette réaction malgré tous ses discours sur les merveilles et l'étrangeté du monde. Une œuvre des Aes Sedai. C'était une chose d'en entendre parler, une autre de la voir et d'y toucher. *Tu sais ça, hein ?* Pendant un instant, Rand eut l'impression qu'une ombre flottait à travers l'édifice blanc de lait. Il détourna les yeux vers les estacades qui approchaient mais, du coin de l'œil, il ne cessait de voir la haute silhouette du pont.

« Nous avons réussi, Thom », dit-il, puis il eut un rire forcé. « Et sans mutinerie. » Le ménestrel se contenta de s'éclaircir pompeusement la gorge et souffla dans sa moustache, mais deux marins qui préparaient un câble à côté d'eux jetèrent un coup d'œil dur à Rand, puis se repenchèrent bien vite sur leur ouvrage. Il cessa de rire et tâcha de ne pas regarder ces deux-là pendant le reste de l'accostage à Pont-Blanc.

Décrivant une courbe, l'*Écume* vint se poster en douceur le long de l'estacade – d'épaisses poutres reposant sur de lourds piliers goudronnés – et s'immobilisa avec un battement à rebours des rames qui, en nageant à culer, firent bouillonner l'eau autour de leurs pales. Une fois les rames rentrées, les marins lancèrent les amarres aux hommes sur l'estacade qui les fixèrent avec des gestes amples, tandis que d'autres hommes d'équipage balançaient les sacs de laine – les parebattages – de l'autre côté du bastingage pour protéger la coque des chocs contre les piliers du débarcadère.

Avant même que le bateau soit amarré à poste le long du quai, des voitures apparurent à l'extrémité du débarcadère, hautes de caisse et laquées noir, chacune avec un nom peint sur la portière en grosses lettres or et écarlate. Les passagers des voitures se hâtèrent de monter sur la passerelle dès qu'elle fut mise en place, des hommes au visage lisse en longs vêtements de velours et capes doublées de soie, chaussés de souliers de drap, chacun suivi d'un serviteur simplement habillé qui portait sa cassette cerclée de fer.

Ils approchèrent le capitaine Domon en affectant des sourires qui s'effacèrent quand il leur rugit subitement au visage : « Toi ! » Il pointa un index épais au-delà d'eux, arrêtant pile Floran Gelb à l'autre extrémité du bateau. Le bleu infligé au front de Gelb par la botte de Rand avait pâli, mais il tâtait l'endroit de temps en temps, comme pour s'en souvenir. « Tu t'es endormi pour la dernière fois sur mon navire alors que tu étais de quart ! Ou sur n'importe quel autre navire, si j'ai mon mot à dire. Choisis ton côté – la rivière ou le quai – mais hors de mon bateau *tout de suite* !

Gelb fit le gros dos et ses yeux étincelèrent de haine à l'adresse de Rand et de ses compagnons, dédiant – à Rand surtout – une lueur de détestation vipérine. L'homme maigre chercha du regard un soutien sur le pont, mais il y avait peu d'espoir dans ce regard. Un par un, tous les hommes d'équipage abandonnèrent leur tâche et se relevèrent pour le dévisager avec indifférence. Gelb perdit visiblement contenance, puis son expression furieuse réapparut, redoublée. Marmottant une malédiction, il descendit comme une flèche dans les quartiers de l'équipage. Domon envoya deux hommes derrière lui pour veiller à ce qu'il ne commette pas de déprédations, puis l'écarta de ses préoccupations avec un grognement. Quand le capitaine se retourna vers eux, les marchands reprirent sourires et courbettes comme s'ils n'avaient jamais été interrompus.

Sur un mot de Thom, Mat et Rand commencèrent à rassembler leurs affaires. Ce n'était pas grand-chose ni pour les uns ni pour les autres, à part les habits qu'ils portaient. Rand avait des couvertures roulées, ses fontes et l'épée de son père. Il garda un instant l'épée dans sa main et la nostalgie l'envahit si fort que ses yeux le picotèrent. Il se demanda s'il reverrait jamais Tam. Ou son foyer ? Son foyer. *Tu vas passer le reste de ta vie à courir, à courir et avoir peur de tes propres rêves.* Il poussa un soupir frémissant et glissa le ceinturon autour de sa taille par-dessus sa cotte.

Gelb remonta sur le pont, suivi par ses ombres jumelles. Il regardait droit devant lui, mais Rand sentit encore la haine qui émanait de lui par vagues. Le dos raide et la mine sombre, Gelb descendit la passerelle d'une démarche guindée et s'ouvrit brutalement un chemin au milieu du petit rassemblement sur le quai. En un instant, il fut hors de vue, masqué par les voitures des marchands.

Il n'y avait pas grand monde sur le quai, et c'était un mélange de gens simplement vêtus, des pêcheurs qui raccommodaient leurs filets et quelques citadins qui étaient venus voir le premier bateau de l'année à descendre de la Saldea par la rivière. Aucune des jeunes filles n'était Egwene, et personne ne ressemblait le moins du monde à Moiraine, à Lan ou à quiconque Rand espérait voir.

« Peut-être ne sont-ils pas descendus sur le quai, dit-il.

– Peut-être », répliqua Thom d'un ton bref. Il installa avec soin sur son dos ses instruments dans leur étui. « Vous deux, gardez l'œil ouvert pour Gelb. Il nous créera des ennuis s'il le peut. Nous voulons traverser Pont-Blanc si discrètement que personne ne se rappelle que nous étions là cinq minutes après notre passage. »

Leurs capes claquèrent au vent quand ils s'engagèrent sur la passerelle. Mat portait son arc à l'horizontale devant sa poitrine. Même après toutes ces journées passées sur le bateau, l'arc attira encore quelques coups d'œil des hommes d'équipage. Eux avaient des arcs de petite taille.

Le capitaine Domon abandonna les marchands pour intercepter Thom à la passerelle.

« Alors, vous me quittez, ménestrel ? Ne puis-je vous persuader de continuer avec moi ? Je descends jusqu'à Illian, où les gens ont toute la considération souhaitable pour les ménestrels. Pas de meilleur endroit au monde pour exercer votre art. Je vous amènerais là à temps pour la Fête de Sefan. Les concours, vous savez. Cent marcs d'or pour le meilleur conteur de *la Grande Quête du Cor*.

– Une belle récompense, capitaine, répondit Thom avec un salut raffiné et un envol de cape qui en fit palpiter les pièces multicolores, et de beaux concours qui attirent à juste titre les ménestrels du monde entier. Mais, ajouta-t-il d'un ton sarcastique, je crains que nous ne puissions nous payer le trajet au tarif que vous pratiquez.

– Oui, oui, ah, pour ce qui est de ça... » Le capitaine tira une bourse de cuir de la poche de sa cotte et la lança à Thom. Elle cliqueta quand Thom l'attrapa au vol. « Je vous rends le prix que vous avez payé, avec un petit supplément. Le dommage n'était pas aussi grand que je le croyais et vous avez plus que remboursé votre passage avec vos histoires et votre harpe. Je pourrais peut-être vous en donner autant si vous restez à bord jusqu'à la Mer des Tempêtes. Et je vous débarquerais à Illian. Un bon ménestrel peut faire fortune là-bas, même sans parler des concours. »

Thom hésita en soupesant la bourse dans sa paume, mais Rand prit la parole. « Nous avons rendez-vous ici avec des amis, capitaine, pour aller ensemble à Caemlyn. Nous devrons nous rendre à Illian une autre fois. »

La bouche de Thom prit un pli sarcastique, puis il souffla dans sa longue moustache et rangea la bourse dans sa poche. « Peut-être, si les gens que nous devons rencontrer ne sont pas là, capitaine.

– Oui, dit Domon, morose, réfléchissez-y. Trop dommage que je ne puisse pas garder Gelb à bord pour détourner la colère des autres, mais je fais ce que j'ai dit que je ferais. Je suppose que je vais être obligé de ralentir l'allure, à présent, même si cela implique de mettre trois fois plus de temps qu'il ne m'en faut d'ordinaire pour atteindre Illian. Ma foi, peut-être que ces Trollocs vous pourchassaient pour de bon, tous les trois. »

Rand battit des paupières mais garda le silence ; Mat ne fut pas aussi prudent.

« Pourquoi croyez-vous qu'ils ne nous pourchassaient pas ? s'exclama-t-il avec irritation. Ils couraient après le même trésor que nous recherchions.

– Possible », grommela le capitaine, apparemment peu convaincu. Il peigna sa barbe de ses doigts épais, puis désigna la poche où Thom avait placé la bourse. « Deux fois, ça si vous revenez pour distraire les hommes et les empêcher de penser au train forcené que je leur impose. Réfléchissez. Je pars demain à la première lueur du jour. » Il tourna les talons et se dirigea vers les marchands, écartant largement les bras comme il commençait à s'excuser de les avoir fait attendre.

Thom hésitait encore, mais Rand le tira de vive force en bas de la passerelle sans lui donner une chance de discuter, et le ménestrel se laissa emmener. Un murmure s'éleva parmi les spectateurs sur le quai, à la vue du manteau couvert de pièces de couleur de Thom, et certains le hélèrent pour savoir où il se produirait. *Au temps pour passer inaperçus*, songea Rand, consterné. Au crépuscule, tout Pont-Blanc serait au courant qu'il y avait un ménestrel dans la ville. Néanmoins, il entraîna plus vite Thom et ce dernier, plongé dans un silence boudeur, n'essaya même pas de ralentir assez pour se pavaner devant l'attention qu'il soulevait.

Du haut de leur siège, les cochers des voitures considérèrent Thom avec intérêt mais, apparemment, la dignité de leur fonction leur interdisait de l'interpeller. Sans savoir exactement quelle direction choisir, Rand s'engouffra dans la rue qui suivait la rivière et passait sous le pont.

« Il faut que nous trouvions Moiraine avec les autres, et vite, dit-il. Nous aurions dû penser à changer le manteau de Thom. »

Thom se secoua brusquement et s'arrêta pile. « Un aubergiste sera en mesure de nous dire s'ils sont ici ou s'ils sont passés par ici. Le bon aubergiste. Les aubergistes connaissent toutes les nouvelles et les potins. S'ils ne sont pas ici... » Son regard alla de Mat à Rand. « ... nous aurons à parler, nous trois. » Sa cape s'enroulant autour de ses chevilles, il tourna le dos à la rivière et entra dans la ville. Rand et Mat durent hâter le pas pour rester à sa hauteur.

La grande arche d'un blanc de lait qui donnait son nom à la ville dominait Pont-Blanc autant de près que de loin mais, une fois dans les rues, Rand se rendit compte que la ville était aussi grande que Baerlon, bien que moins abondamment peuplée. Quelques charrettes circulaient dans les rues, tirées par un cheval, bœuf ou âne, ou même homme, par contre il n'y avait pas de voitures. Celles-ci appartenaient très probablement aux marchands et étaient regroupées sur le quai.

Des boutiques de toutes sortes bordaient les rues, et bon nombre de commerçants travaillaient devant leur établissement, sous les enseignes qui se balançaient au vent. Ils passèrent devant l'un d'eux qui réparait des marmites et devant un tailleur qui présentait des flots d'étoffe à la lumière pour la montrer à un chaland. Un cordonnier, assis sur son seuil, tapait à coups de marteau sur une semelle de botte. Des marchands ambulants offraient à grands cris leurs services comme repasseurs de ciseaux et de couteaux ou essayaient d'intéresser les passants à leurs maigres éventaires de fruits et de légumes, mais sans grand succès. Des boutiques qui vendaient de la nourriture avaient les mêmes piteux étalages que Rand se rappelait avoir vus à Baerlon. Même les poissonniers n'avaient en montre que de petits tas de menus poissons, malgré tous les bateaux sur la rivière. La vie n'était pas encore vraiment dure, mais chacun prévoyait ce qui arriverait si le temps ne changeait pas bientôt, et les visages qui n'arboraient pas d'expression soucieuse en permanence semblaient fixer quelque chose d'invisible, quelque chose de peu plaisant.

Là où l'arche du pont Blanc aboutissait au centre de la ville se trouvait une grande place pavée de pierres usées par des générations de pieds et de roues de charrettes. Des auberges entouraient cette esplanade, ainsi que des boutiques et de hautes maisons de brique rouge avec des enseignes portant les mêmes noms que Rand avait lus sur les voitures venues au quai. Ce fut dans une de ces auberges, apparemment choisie au hasard, que Thom s'engouffra soudain. L'enseigne au-dessus de la porte, qui se balançait au vent, portait d'un côté un homme avançant à grands pas, un baluchon sur le dos, et de l'autre le même homme la tête sur un oreiller et s'intitulait *Le Repos des Piétons Voyageurs*.

La salle commune était vide à l'exception du gros aubergiste qui soutirait de l'ale à un tonneau et de deux hommes en tenue rustique d'ouvrier qui contemplaient leur chope d'un air sombre à une table du fond. Seul l'aubergiste leva les yeux à leur entrée. Une paroi à hauteur d'épaule divisait la salle en deux d'un bout à l'autre, avec des tables et un âtre flamboyant de chaque côté. Rand se demanda machinalement si tous les aubergistes étaient gras et à moitié chauves.

En se frottant vivement les mains, Thom adressa à l'aubergiste des commentaires sur le froid tardif et commanda du vin chaud aux épices, puis il ajouta à mi-voix : « Y a-t-il un coin où mes amis et moi nous pourrions discuter sans être dérangés ? »

L'aubergiste désigna d'un signe de tête la paroi basse. « L'autre côté est ce que j'ai de mieux, à moins que vous ne désiriez une chambre. C'est pour quand les marins viennent de la rivière. On dirait que la moitié des équipages a une dent contre l'autre moitié. Je ne veux pas qu'on me casse la baraque, alors je les maintiens séparés. » Pendant tout ce temps, il n'avait pas quitté des yeux la cape de Thom et, à présent, il pencha la tête de côté, avec un regard entendu. « Vous restez ? On n'a pas eu de ménestrel ici depuis quelque temps. Les gens paieraient vraiment cher pour quelque chose qui les distrairait. Je vous consentirais même un rabais sur votre chambre et vos repas. »

Passer inaperçu, songea Rand, morose.

« Vous êtes trop généreux, répliqua Thom avec un salut plein d'aisance. J'accepterai peut-être votre offre mais, pour l'instant, un peu d'intimité.

– Je vous apporte tout de suite votre vin. Il y a du bon argent à gagner, ici, pour un ménestrel. »

Les tables de l'autre côté de la paroi étaient toutes vides, mais Thom en choisit une en plein milieu. « Ainsi, personne n'écoutera à notre insu, expliqua-t-il. Avez-vous entendu le bonhomme ? Il consentira un rabais ! Eh, quoi ! Je doublerais sa clientèle rien qu'en m'asseyant ici. N'importe quel aubergiste honnête donne à un ménestrel le vivre et le couvert, sans compter une jolie somme en supplément. »

La table nue n'était pas très propre et il y avait des jours sinon des semaines que le plancher n'avait pas été balayé. Rand regarda autour de lui et fit la grimace. Maître al'Vere n'aurait pas laissé son auberge devenir aussi sale, même s'il avait dû se tirer d'un lit de malade pour y veiller.

« Nous ne cherchons que des renseignements. Vous vous rappelez ?

– Pourquoi ici ? protesta Mat. Nous sommes passés devant d'autres auberges qui paraissaient plus propres.

– La route de Caemlyn, dit Thom, commence tout droit en sortant du pont. Quiconque passe le pont Blanc traverse cette place, à moins de voyager par eau et nous savons que vos amis ne voyagent pas de cette façon. Si l'on n'a pas entendu parler d'eux ici, c'est qu'ils n'y sont pas venus. Laissez-moi mener la conversation. Il faut s'y prendre avec doigté. »

À ce moment même l'aubergiste apparut, trois chopes d'étain bosselées agrippées par l'anse dans un de ses poings. Le gros homme donna à la table un coup de torchon, posa les chopes et prit l'argent de Thom. « Si vous restez, vous n'aurez pas à payer les boissons. Le vin est bon, ici. »

Le sourire de Thom se bornait à sa bouche. « J'y réfléchirai, aubergiste. Quelles sont les nouvelles du pays ? Nous venons de trop loin pour les connaître.

– Ah, ce sont de grandes nouvelles. De grandes nouvelles. »

L'aubergiste drapa le torchon sur son épaule et attira à lui une chaise. Il appuya ses bras croisés sur la table, prit racine avec un long soupir, disant le soulagement que c'était de ne plus rester sur ses jambes. Son nom était Bartim, et il continua à parler en détail de ses pieds, ses cors et ses oignons, le nombre d'heures qu'il passait debout et ce dans quoi il se baignait les pieds, jusqu'à ce que Thom mentionne de nouveau les nouvelles, alors il changea de sujet sans presque marquer d'arrêt.

Les nouvelles étaient aussi importantes qu'il l'avait annoncé. Logain, le faux Dragon, avait été capturé après une grande bataille à côté de la frontière du Lugard, alors qu'il essayait de déplacer son armée du Ghealdan vers Tear. Les Prophéties, ils comprenaient ? Thom acquiesça d'un signe et Bartim poursuivit. Les routes dans le Sud étaient bondées de gens, les chanceux avec ce qu'ils pouvaient emporter sur le dos. Des milliers fuyant dans toutes les directions.

« Aucun ne soutenait Logain, bien sûr, dit Bartim avec un petit rire sarcastique. Oh, non, vous n'en trouverez pas beaucoup pour l'admettre, pas maintenant. Juste des réfugiés qui essayent de trouver un endroit sûr pendant les troubles. »

Des Aes Sedai avaient été impliquées dans la capture de Logain, bien entendu. Bartim cracha par terre en le disant et il recommença en annonçant qu'elles emmenaient le faux Dragon vers le nord, à Tar Valon. Bartim était quelqu'un de convenable, déclara-t-il, un homme respectable et, en ce qui le concernait, les Aes Sedai pouvaient retourner dans la Grande Dévastation d'où elles venaient et emporter Tar Valon avec elles. S'il le pouvait, il n'approcherait pas d'une Aes Sedai à moins de quatre cents lieues. Bien entendu, elles s'arrêtaient dans toutes les villes et les villages en chemin pour montrer Logain, à ce qu'il avait entendu raconter. Pour prouver aux gens que le faux Dragon avait été capturé et que le monde était de nouveau en sécurité. Il aurait aimé voir ça, même si cela obligeait à approcher d'une Aes Sedai. Il était à moitié tenté d'aller à Caemlyn.

« Elles l'emmènent là-bas pour le présenter à la Reine Morgase. » L'aubergiste toucha son front en signe de respect. « Je n'ai jamais vu la Reine. On devrait connaître sa Reine, vous ne croyez pas ? »

Logain pouvait faire des « choses », et la manière dont le regard de Bartim se dérobait et dont sa langue humectait ses lèvres rendait clair ce qu'il sous-entendait. Il avait vu, deux ans auparavant, le dernier Faux Dragon, quand on l'avait promené à travers le pays, mais c'était juste un bonhomme qui avait cru pouvoir se proclamer roi. Cette fois-là, il n'y avait pas eu besoin d'Aes Sedai. Des soldats l'avaient enchaîné sur une charrette. Un bonhomme à l'air morne qui gémissait sur le plancher de la charrette et s'abritait la tête dans ses bras quand les gens lui lançaient des pierres ou le piquaient avec un bâton. Ces manifestations-là avaient été assez nombreuses et les soldats n'avaient rien fait pour y mettre fin du moment qu'on ne tuait pas ce bonhomme. Le mieux était de laisser le peuple constater qu'il n'avait rien de spécial, finalement. Toutefois, Logain vaudrait le dérangement. Ce serait quelque chose que Bartim pourrait raconter à ses petits-enfants. Si seulement il avait le loisir de s'absenter de l'auberge.

Rand l'écoutait avec un intérêt qui n'avait pas besoin d'être feint. Quand Padan Fain avait apporté au Champ d'Emond la nouvelle d'un faux Dragon, d'un homme qui exerçait réellement le Pouvoir, ç'avait été la plus grande nouvelle parvenue aux Deux Rivières depuis des années. Ce qui s'était produit depuis l'avait fait passer au second plan dans son esprit, mais c'était néanmoins le genre de chose dont les gens parleraient pendant des années et qu'ils relateraient aussi à leurs petits-enfants. Bartim dirait probablement aux siens qu'il avait vu Logain, que ce soit vrai ou non. Personne ne croirait jamais que ce qui était arrivé aux enfants d'un village des Deux Rivières valait la peine d'en parler, à moins d'être eux-mêmes natifs du pays

« Ce serait quelque chose sur quoi bâtir une histoire, conclut Thom, une histoire qu'on se transmettrait pendant mille ans. J'aurais voulu y être. » Ses paroles avaient l'accent de la vérité et Rand pensa qu'il était effectivement sincère. « Je pourrais essayer de le voir, de toute façon. Vous ne m'avez pas parlé du chemin qu'ils ont pris. N'y aurait-il pas d'autres voyageurs dans les parages ? Ils connaîtraient peut-être le trajet qu'ils suivent. »

Bartim écarta l'idée d'un geste de sa main malpropre. « Vers le nord, c'est tout ce qu'on en a dit. Si vous voulez le voir, allez à Caemlyn. Je n'en sais pas davantage et quand il y a quelque chose à savoir à Pont-Blanc, je le sais.

– Sans aucun doute, acquiesça Thom avec aisance. Je suppose qu'une quantité d'étrangers passant par ici s'arrêtent chez vous. Votre enseigne m'a frappé dès la sortie du pont.

– Pas uniquement venant de l'ouest, apprenez-le. Avant-hier, nous avions un envoyé d'Illian, avec une proclamation bardée de sceaux et de rubans. Il l'a lue là-bas en plein milieu de la place. Il a annoncé qu'il allait la lire jusqu'aux Montagnes de la Brume, peut-être même jusqu'à l'Océan d'Aryth, si les cols sont ouverts. Il a expliqué qu'on avait envoyé des hommes la lire dans tous les pays du monde. » L'aubergiste secoua la tête. « Les Montagnes de la Brume. D'après ce que j'ai entendu, elles sont couvertes de brouillard d'un bout de l'année à l'autre et dans ce brouillard des choses vous arrachent la chair sur les os avant qu'on puisse leur échapper. » Mat ricana, ce qui lui valut un coup d'œil sévère de Bartim.

Thom se pencha en avant avec une attention soutenue. « Que disait cette proclamation ?

– Voyons, la Quête du Cor, naturellement ! s'exclama Bartim. Je ne l'ai pas dit ? Les Illianiens invitent tous ceux qui veulent vouer leur vie à cette quête à se rassembler à Illian. Vous vous imaginez ? Consacrer sa vie à une légende ? Je suppose qu'ils recruteront quelques fous. On trouve toujours des fous. Ce type proclamait que la fin du monde est proche. L'ultime bataille contre le Ténébreux. » Il partit d'un petit rire, d'un rire jaune, le rire d'un homme désireux de se convaincre qu'il y a vraiment de quoi rire. « Je suppose que d'après eux il faut trouver le Cor de Valère avant que cette fin arrive. Hein, qu'est-ce que vous en dites ? » Il se mâchonna une phalange d'un air songeur pendant un instant. « Ma foi, je ne sais pas ce que je pourrais leur opposer comme argument après cet hiver. Cet hiver et ce Logain, sans oublier les deux autres avant, aussi bien. Pourquoi tous ces types qui se prétendaient le Dragon, ces dernières années ? Et l'hiver. Cela doit présager quelque chose. Qu'en pensez-vous ? »

Thom ne parut pas l'entendre. À voix basse, le ménestrel commença à réciter pour lui-même :

Dans le dernier combat solitaire
Contre la longue nuit qui tombe,
Les montagnes montent la garde
Et les morts font le guet,
Car la tombe n'est pas un obstacle à mon appel.

« C'est ça. » Bartim sourit largement, comme s'il voyait déjà les foules lui tendre leur argent tout en écoutant Thom. « C'est ça. *La Grande Quête du Cor.* Contez celle-là et il y aura des gens jusqu'aux solives chez moi. Tout le monde a entendu parler de la proclamation.

Thom semblait toujours à quatre cents lieues de là, alors Rand déclara : « Nous cherchons des amis qui devaient arriver ici. Venant de l'ouest. Y a-t-il eu beaucoup d'étrangers de passage, ces deux dernières semaines ?

– Quelques-uns, dit lentement Bartim. Il en arrive toujours aussi bien de l'est que de l'ouest. » Il les regarda tour à tour, soudain méfiant. « À quoi ressemblent-ils, ces amis à vous ? »

Rand ouvrit la bouche mais Thom, brusquement revenu d'où il était parti, lui jeta un regard sévère qui lui intima de se taire. Avec un soupir exaspéré, le ménestrel se tourna vers l'aubergiste pour dire à contrecœur : « Deux hommes et trois femmes. Peut-être ensemble, peut-être pas. » Il en fit une description succincte, dépeignant chacun d'eux en quelques mots, suffisamment pour qu'ils soient reconnaissables par qui les aurait vus, sans fournir de renseignements sur leur identité.

Bartim se frotta la tête d'une main, décoiffant ses cheveux rares, et se leva lentement. « Ne pensez plus à donner de représentations ici, ménestrel. Franchement, j'apprécierais que vous buviez votre vin et que vous partiez. Quittez Pont-Blanc, si vous êtes malin.

– Quelqu'un d'autre a demandé après eux ? » Thom but une gorgée comme si la réponse était ce qu'il y avait de moins important au monde et haussa un sourcil à l'adresse de l'aubergiste. « Qui cela pourrait-il être ? »

Bartim fourragea de nouveau dans ses cheveux et remua les pieds comme s'il était sur le point de s'en aller, puis hocha la tête pour lui-même. « Il y a environ une semaine si j'ai bonne mémoire, un type chafouin a franchi le pont. Un fou, de l'avis de tout le monde. Il parlait constamment tout seul, il ne cessait de bouger même quand il s'arrêtait. Il demandait après les mêmes personnes... certaines d'entre elles. Il questionnait comme si c'était important, puis avait l'air de ne pas se soucier de la réponse. La moitié du temps, il disait qu'il devait les attendre ici, et l'autre qu'il devait continuer sa route parce qu'il était pressé. Une minute, il geignait et quémandait, la suivante il exigeait comme un roi. Il a bien failli récolter des coups de bâton une fois ou deux, fou ou pas fou. Le Guet était presque décidé à l'emprisonner pour sa propre sécurité. Il est parti vers Caemlyn le même jour, parlant tout seul et pleurant. Un fou, comme je l'ai dit. »

Rand lança un regard interrogateur à Thom et à Mat, et ils secouèrent tous les deux la tête. Si ce bonhomme chafouin les recherchait, ils n'avaient en tout cas aucune idée de qui il pouvait s'agir.

« Vous croyez que c'étaient les mêmes personnes qu'il voulait ? questionna Rand.

– Certaines. Le guerrier et la femme vêtue de soie, mais ce n'est pas eux qui lui importaient le plus. C'étaient trois garçons de la campagne. » Ses yeux se posèrent sur Rand et Mat, puis s'en éloignèrent si vite que Rand n'était pas sûr qu'il avait réellement vu ce coup d'œil ou s'il l'avait imaginé. « Il voulait à toute force les trouver. Mais un fou, je vous l'ai dit. »

Rand frissonna et se demanda qui ce fou pouvait bien être. *Un Ami du Ténébreux ? Ba'alzamon se servirait-il d'un fou ?*

« Lui était fou, mais l'autre... » Le regard de Bartim se déroba avec gêne et sa langue passa sur ses lèvres comme s'il ne trouvait pas assez de salive pour les humecter. « Le lendemain... le lendemain, l'autre est venu pour la première fois. » Il sombra dans le silence.

« L'autre ? » finit par souffler Thom.

Bartim inspecta la salle divisée en deux, bien que leur côté fût vide, à part eux. Il se dressa même sur la pointe des pieds pour regarder par-dessus la paroi basse. Quand finalement il parla, ce fut dans un murmure précipité. « Il est tout en noir. Il garde son capuchon rabattu en avant si bien qu'on ne voit pas son visage, mais on sent qu'il vous regarde, on le sent comme un glaçon qui vous passerait le long de l'échine. Il... Il m'a parlé. » Il tressaillit et s'arrêta pour se mâchonner la lèvre avant de continuer. « On aurait dit un serpent qui rampe dans des feuilles mortes. M'a quasiment gelé l'estomac. Chaque fois qu'il revient, il pose les mêmes questions. Les mêmes que posait le fou. Personne ne le voit jamais arriver – il se trouve là tout d'un coup, que ce soit le jour ou la nuit, et il vous fige sur place. Les gens commencent à regarder par-dessus leur épaule. Le pire, c'est que les gardes des portes affirment qu'il n'en a jamais franchi aucune, ni pour entrer ni pour sortir. »

Rand s'efforça de conserver une expression neutre ; il serra les mâchoires à en avoir mal aux dents. Mat fronça les sourcils et Thom examina attentivement son vin. Le mot qu'aucun d'eux ne voulait prononcer restait suspendu en l'air entre eux. Myrddraal.

« Je crois que je m'en souviendrais si j'avais jamais rencontré quelqu'un de ce genre », dit Thom au bout d'un instant.

Bartim hocha frénétiquement la tête. « Qu'on me brûle, naturellement que oui. Par la vérité de la Lumière, bien sûr que oui. Il... il veut les mêmes personnes que le fou, seulement il dit qu'il y a une jeune fille avec eux. Et » – il jeta un coup d'œil en biais à Thom – « et un ménestrel aux cheveux blancs. »

Thom haussa les sourcils brusquement, mimique dont Rand fut certain que ce n'était pas une surprise feinte. « Un ménestrel aux cheveux blancs ? Eh bien, je ne suis sûrement pas le seul ménestrel un peu âgé au monde. Je vous l'affirme, je ne connais pas ce gars et il ne peut avoir aucune raison de me rechercher.

– C'est possible, répliqua Bartim, l'air sombre. Il ne l'a pas dit en propres termes, mais j'ai eu l'impression qu'il serait très fâché contre quiconque essaierait de prêter assistance à ces gens ou les aiderait à se cacher de lui. De toute façon, je vais vous dire ce que je lui ai répondu. Je n'ai vu aucun d'eux, je n'en ai pas entendu parler, voilà la vérité. Aucun d'eux », termina-t-il d'un ton significatif. Brusquement, il plaqua l'argent de Thom sur la table : « Vous n'avez qu'à finir votre vin et partir. D'accord ? D'accord ? » – et il s'éloigna lourdement aussi vite qu'il put, en regardant par-dessus son épaule.

« Un Évanescent, murmura Mat après le départ de l'aubergiste. J'aurais dû me douter qu'on nous rechercherait ici.

– Et il reviendra, dit Thom en se penchant au-dessus de la table et en baissant la voix. Je propose qu'on revienne discrètement au bateau et qu'on accepte l'offre du capitaine Domon. La chasse se concentrera sur la route de Caemlyn tandis que nous irons à Illian, à quatre cents lieues de l'endroit où nous guettent les Myrddraals.

– Non, dit Rand d'un ton ferme. On attend Moiraine et les autres à Pont-Blanc ou on va à Caemlyn. L'un ou l'autre, Thom. C'est ce que nous avions décidé.

– C'est de la folie, mon garçon. La situation a changé. Écoute-moi. Quoi qu'en dise cet aubergiste, quand un Myrddraal le regardera dans les yeux, il racontera tout ce qu'il sait sur nous jusqu'à ce que nous avons eu à boire et quelle quantité de poussière nous avions sur nos bottes. » Rand frissonna au souvenir du regard sans yeux de l'Évanescent. « Quant à Caemlyn... Tu crois que les Demi-Hommes ignorent que tu veux te rendre à Tar Valon ? C'est le moment d'embarquer sur un bateau qui se dirige vers le sud.

– Non, Thom. » Rand dut se forcer pour sortir les mots de sa bouche devant la possibilité de se réfugier à quatre cents lieues de l'endroit que fouillaient les Évanescents, mais il prit une profonde aspiration et réussit à raffermir sa voix. « Non.

– Réfléchis, mon garçon. Illian ! Il n'existe pas de cité plus importante sur toute la surface de la terre. Et la Grande Quête du Cor ! Il n'y a pas eu de Quête du Cor depuis presque quatre cents ans. Tout un nouveau cycle de contes qui attendent qu'on les compose. Penses-y. On n'a jamais rien rêvé de pareil. Au moment où les Myrddraals auront découvert l'endroit où tu es allé, tu seras vieux et grisonnant et si las de surveiller tes petits-enfants que tu te moqueras qu'ils te trouvent. »

La figure de Rand se figea dans une expression obstinée. « Combien de fois faut-il vous dire non ? Ils nous découvriront partout où nous irons. Il peut y avoir aussi des Évanescents qui nous attendent à Illian. Et comment échapperons-nous aux rêves ? Je veux savoir ce qui m'arrive, Thom, et pourquoi. Je vais à Tar Valon. Avec Moiraine, si je peux ; sans elle s'il le faut. Seul si je dois. J'ai besoin de savoir.

– Mais Illian, mon petit ! Et un moyen sûr de se sortir d'ici en descendant la rivière pendant qu'on te cherche dans une autre direction. Sang et cendres, un rêve ne peut te faire de mal. »

Rand garda le silence. *Un rêve ne peut pas faire de mal ? Est-ce que les épines de rêve vous tirent du sang bien réel ?* Il regretta presque de n'avoir pas parlé aussi de ce rêve à Thom. *Oses-tu en parler à quiconque ? Ba'alzamon est dans tes rêves, mais quelle différence y a-t-il entre le rêve et la veille, à présent ? À qui oseras-tu dire que le Ténébreux est entré en contact avec toi ?*

Thom parut comprendre. L'expression du ménestrel s'adoucit. « Même ces *rêves-là,* mon fils. Ce ne sont que des rêves, n'est-ce pas ? Pour l'amour de la Lumière, Mat, parle-lui. Je sais que toi, au moins, tu n'as pas envie d'aller à Tar Valon. »

Le visage de Mat s'empourpra, mi d'embarras mi de colère. Il évita de regarder Rand et à la place, opposa à Thom une mine renfrognée. « Pourquoi vous donner tout ce mal ? Vous voulez retourner au bateau ? Retournez-y ! Nous prendrons soin de nous-mêmes »

Un rire silencieux secoua les frêles épaules du ménestrel, mais sa voix était vibrante de colère. « Tu crois en savoir assez sur les Myrddraals pour t'en tirer tout seul, hein ? Tu es prêt à entrer dans Tar Valon et à te livrer au Trône d'Amyrlin ? Sais-tu même distinguer une Ajah d'une autre ? Que la Lumière me brûle, mon garçon, si tu crois pouvoir même arriver tout seul à Tar Valon, dis-moi de partir.

– Partez », grommela Mat en glissant une main sous sa cape. Rand, bouleversé, se rendit compte qu'il avait empoigné la dague de Shadar Logoth, qu'il était peut-être même prêt à s'en servir.

Un rire bruyant éclata de l'autre côté de la paroi qui divisait la salle et une voix méprisante s'éleva :

« Des Trollocs ? Endosse une cape de ménestrel, mon vieux ! Tu es soûl ! Des fariboles des Marches ! »

Ces paroles agirent sur la colère comme un pot d'eau froide. Même Mat se tourna à demi vers la paroi, les pupilles dilatées.

Rand se souleva juste assez pour voir par-dessus cette paroi, puis replongea en hâte, l'estomac serré. Floran Gelb était assis de l'autre côté à la table du fond avec les deux hommes qui étaient là lors de leur arrivée. Ils riaient de lui, mais ils écoutaient. Bartim essuyait une table qui en avait bien besoin, sans regarder Gelb ni ses deux compagnons, mais il écoutait aussi tout en frottant sans cesse le même endroit avec son torchon, penché dans leur direction au point qu'il semblait prêt à perdre l'équilibre.

« Gelb », murmura Rand en se laissant choir sur sa chaise, et les autres se contractèrent. Thom examina rapidement leur partie de la salle.

De l'autre côté de la paroi, la voix du deuxième intervint. « Non, non, les Trollocs ont bien existé. Seulement on les a tous exterminés pendant les Guerres des Trollocs.

— Fariboles des Marches ! répéta le premier.

— C'est vrai, je vous jure, protesta Gelb d'une voix forte. J'ai été dans les pays frontières. J'ai vu des Trollocs et ceux-là en étaient, aussi vrai que je suis assis ici. Ces trois-là ont prétendu que les Trollocs les pourchassaient, mais je sais à quoi m'en tenir. Voilà pourquoi je n'ai pas voulu rester sur l'*Écume*. J'avais mes doutes en ce qui concerne Bayle Domon depuis quelque temps, mais ces trois-là sont des Amis du Ténébreux, c'est certain. Je vous dis... » Les rires et les grosses plaisanteries noyèrent le reste de ce que Gelb voulait ajouter.

Combien de temps, se demanda Rand, avant que l'aubergiste entende une description de ces *trois-là* ? Si ce n'était déjà fait. S'il ne pensait pas aussitôt aux trois étrangers qu'il avait déjà vus. L'unique porte de sortie de leur moitié de salle commune les obligerait à passer juste à côté de la table de Gelb.

« Peut-être que le bateau n'est pas une si mauvaise idée », murmura Mat, mais Thom secoua la tête.

« Plus maintenant. » Le ménestrel parlait vite et bas. Il tira de sa poche la bourse de cuir que lui avait donnée le capitaine Domon et divisa vivement l'argent en trois tas. « Cette histoire fera le tour de la ville en une heure, qu'on y croie ou non, et le Demi-Homme peut l'entendre à tout moment. Domon ne part pas avant demain matin. Au mieux, les Trollocs le pourchasseront jusqu'à Illian. Bon, il s'y attend à moitié pour une raison quelconque, mais ça ne nous servira à rien. Il ne nous reste qu'à fuir et à fuir vite. »

Mat empocha prestement les pièces que Thom poussait devant lui. Rand ramassa sa pile de monnaie plus lentement. La pièce qui lui venait de Moiraine n'était pas du nombre. Domon avait compté un poids égal en argent, mais Rand pour une raison qu'il ne s'expliquait pas aurait préféré avoir la pièce de l'Aes Sedai. Mettant l'argent dans sa poche, il regarda le ménestrel d'un air interrogateur.

« Au cas où nous serions séparés, expliqua Thom. Nous ne le serons probablement pas mais, si ça arrive..., eh bien, vous deux, vous vous débrouillerez très bien tout seuls. Vous êtes de braves garçons. Tenez-vous seulement à l'écart des Aes Sedai, il y va de votre vie.

– Je croyais que vous restiez avec nous, dit Rand.

– Je reste, mon garçon, je reste. Mais ils approchent maintenant et seule la Lumière sait... Bah, peu importe. Il n'arrivera probablement pas grand-chose. » Thom marqua un temps, dévisageant Mat. « J'espère que tu n'as plus d'objection à ce que je reste avec vous », dit-il ironiquement.

Mat haussa les épaules. Il les regarda tour à tour, puis haussa de nouveau les épaules. « Je suis nerveux, voilà tout. Je ne réussis pas à me rassurer. Chaque fois que nous nous arrêtons pour souffler, ils sont là, à nous pourchasser. J'ai l'impression d'avoir derrière mon dos quelqu'un qui m'observe tout le temps. Qu'allons-nous faire ? »

Les rires éclatèrent de l'autre côté de la paroi, une fois de plus interrompus par Gelb qui s'efforçait d'une voix forte de convaincre les deux hommes qu'il disait la vérité. Combien de temps encore, se demanda Rand. Tôt ou tard, Bartim ferait le rapprochement entre *les trois* de Gelb et eux trois.

Thom repoussa sa chaise silencieusement et se leva mais demeura à demi courbé. Quelqu'un assis de l'autre côté qui aurait jeté machinalement un coup d'œil vers la paroi n'aurait pas pu le voir. Il leur indiqua du geste de le suivre en murmurant : « Pas de bruit. »

Les fenêtres à guillotine qui flanquaient la cheminée

de leur côté de la paroi donnaient sur une allée. Thom étudia soigneusement l'une d'elles avant de la soulever juste assez pour qu'ils se faufilent par cette ouverture. Elle coulissa avec un léger chuintement, rien qui s'entende à trente pas de là dans le vacarme de la discussion et des rires de l'autre partie de la salle.

Une fois dans l'allée, Mat partit aussitôt vers la rue, mais Thom le rattrapa par le bras. « Pas si vite, dit le ménestrel. Pas avant de savoir ce que nous décidons. » Thom rabaissa le châssis autant qu'il le pouvait de l'extérieur et se retourna pour examiner l'allée.

Rand suivit le regard de Thom. À part une demi-douzaine de tonneaux destinés à recueillir l'eau de pluie alignés le long de l'auberge et du bâtiment suivant – une boutique de tailleur – l'allée était vide, la chaussée en terre battue tassée et poussiéreuse.

« Pourquoi vous occupez-vous de ça ? questionna de nouveau Mat avec irritation. Vous seriez plus en sécurité si vous nous laissiez. Pourquoi restez-vous avec nous ? »

Thom le dévisagea longuement. « J'avais un neveu, Owyn », dit-il avec lassitude en ôtant sa cape d'un mouvement d'épaules. Tout en parlant, il plia ses couvertures, plaçant soigneusement sur le dessus ses instruments dans leur étui. « Le fils unique de mon frère, mon seul parent vivant. Il a eu affaire avec les Aes Sedai, mais j'étais trop occupé à... d'autres choses. Je ne sais pas ce que j'aurais pu faire mais, quand finalement j'ai essayé, il était trop tard. Owyn est mort quelques années après. On pourrait dire que les Aes Sedai l'ont tué. » Il se redressa sans les regarder. Sa voix était toujours ferme, mais Rand aperçut des larmes dans ses yeux quand il détourna la tête. « Si je peux vous empêcher tous les deux de tomber sous le joug de Tar Valon, peut-être cesserai-je de penser à Owyn. Attendez ici. » Continuant à éviter leurs regards, il se dirigea vivement vers l'entrée de l'allée, puis ralentit quand il en approcha. Après un coup d'œil rapide à la ronde, il pénétra dans la rue d'un pas de flâneur et disparut hors de vue.

Mat se leva à demi pour le suivre, puis se rassit. « Il ne va pas laisser ça, dit-il en touchant les étuis de cuir des instruments. Tu crois cette histoire ? »

Rand s'était accroupi patiemment sur ses talons près des tonneaux à eau de pluie. « Qu'est-ce qui te prend,

Mat ? Ça ne te ressemble pas. Voilà des jours que je ne t'ai pas entendu rire.

– Je n'aime pas être pourchassé comme un lapin », riposta Mat d'un ton sec. Il soupira et appuya la tête contre le mur de brique de l'auberge. Même ainsi, il paraissait tendu. Ses yeux allaient d'un côté à l'autre avec méfiance. « Désolé. C'est cette fuite en avant et tous ces étrangers et... et tout, quoi. Ça me met les nerfs à vif. Je regarde quelqu'un et je ne peux pas me retenir de me demander s'il va parler de nous aux Évanescents, nous tromper, nous voler ou... par la Lumière, Rand, ça ne te rend pas nerveux ? »

Rand rit, un bref aboiement guttural. « J'ai trop peur pour être nerveux.

– Qu'est-ce que tu penses que les Aes Sedai ont fait à son neveu ?

– Je ne sais pas », dit Rand avec malaise. Il ne voyait qu'une sorte d'ennui qu'un homme pouvait avoir avec une Aes Sedai. « Pas le même genre que nous, je suppose.

– Non, pas le même genre. »

Pendant un moment, ils s'accotèrent au mur sans parler. Rand ne savait pas combien de temps ils attendirent. Quelques minutes probablement, mais cela lui parut une heure d'attendre le retour de Thom, d'attendre que Bartim et Gelb ouvrent la fenêtre et les dénoncent comme Amis du Ténébreux. Puis un homme s'engouffra dans l'entrée de l'allée, un homme de haute taille avec le capuchon de son manteau tiré pour lui masquer la figure, un manteau noir comme la nuit à contre-jour sur le fond de clarté de la rue.

Rand se releva avec précipitation, une main serrée si fort sur la poignée de l'épée de Tam qu'il en avait les articulations douloureuses. Sa bouche se dessécha sans que ses efforts pour déglutir y changent quoi que ce soit. Mat se redressa à croupetons, une main sous sa cape.

L'homme approchait et la gorge de Rand se resserrait à chaque pas. L'homme s'arrêta brusquement et rabattit son capuchon. Les genoux de Rand faillirent se dérober sous lui. C'était Thom.

« Eh bien, si vous ne me reconnaissez pas » – le ménestrel eut un large sourire –, « je pense que le déguisement est assez bon pour franchir les portes de la ville. »

Thom passa devant eux et commença à transférer des objets de sa cape couverte de pièces de couleur à la nouvelle avec tant de prestesse que Rand ne distingua aucun d'eux. La nouvelle cape était brun foncé, Rand le voyait à présent. Il aspira profondément avec peine ; il se sentait encore la gorge serrée comme dans un poing. Brune, pas noire. Mat avait toujours la main sous sa cape et il fixait le dos de Thom comme s'il avait l'intention de se servir de la dague cachée.

Thom leur jeta un coup d'œil, puis un regard plus pénétrant. « Ce n'est pas le moment de devenir peureux. » Il commença à plier adroitement sa vieille cape autour des étuis de ses instruments, à l'envers pour qu'on ne voie pas les incrustations. « Nous allons sortir d'ici un par un, juste assez près pour ne pas nous perdre de vue. De cette façon, on ne devrait pas se faire remarquer. Ne peux-tu marcher en bombant le dos ? ajouta-t-il pour Rand. Ta haute taille est une véritable enseigne. » Il lança le baluchon sur son dos et se redressa en ramenant son capuchon en avant. Il ne ressemblait nullement à un ménestrel chenu. C'était juste un voyageur comme un autre, trop pauvre pour se payer un cheval, sans parler d'une voiture. « Allons-y. Nous n'avons que trop perdu de temps déjà. »

Rand était entièrement d'accord mais, même ainsi, il hésita avant de sortir de l'allée pour traverser l'esplanade. Nul parmi la poignée de gens qui se trouvaient ici ou là ne le regarda deux fois – la plupart ne le regardèrent pas du tout – mais il avait les épaules nouées dans l'attente du cri « Ami du Ténébreux ! » qui avait le pouvoir de transformer des passants inoffensifs en une foule meurtrière. Il parcourut des yeux la place publique, les gens qui allaient et venaient, absorbés par leurs occupations quotidiennes et, quand il les ramena devant lui, un Myrddraal se trouvait à moitié de l'esplanade.

D'où était arrivé cet Évanescent, il n'en avait pas la moindre idée mais celui-ci marchait droit sur eux trois avec une mortelle lenteur prédateur tenant la proie sous son regard. Les gens se dérobaient devant la forme en cape noire, évitaient de tourner la tête vers elle. Ils décidèrent qu'on avait besoin d'eux ailleurs et l'esplanade se mit à se vider.

La capuche noire figea Rand sur place. Il essaya de

faire entrer en lui le vide mais c'était comme de chercher à saisir de la fumée. Le regard caché de l'Évanescent le pénétrait jusqu'à l'os et lui changeait la
moelle en glaçons.

« Ne regarde pas sa face », murmura Thom. Sa voix
tremblait et se fêlait, on avait l'impression qu'il sortait
les mots à force. « Que la Lumière te brûle, ne regarde
pas sa face ! »

Rand détourna les yeux avec effort – il en gémit
presque ; c'était comme d'arracher une sangsue de son
visage – mais même en fixant les pavés de l'esplanade il
voyait encore venir le Myrddraal, chat jouant avec les
souris, amusé par leurs faibles tentatives pour lui échapper jusqu'à ce que ses mâchoires se referment avec un
claquement. L'Évanescent avait parcouru la moitié du
chemin. « Est-ce qu'on va se contenter de rester là ?
marmotta-t-il. Il faut nous enfuir... nous sauver. » Mais
il était incapable de mouvoir ses pieds.

Mat avait enfin sorti la dague à manche orné d'un
rubis, il la tenait d'une main tremblante. Ses lèvres lui
découvraient les dents, dans un grondement et un rictus
de peur.

« Penses-tu... » Thom s'arrêta pour déglutir, puis
continua d'une voix enrouée : « Penses-tu pouvoir courir plus vite que lui, dis-moi, mon garçon ? » Il
commença à se parler tout bas ; le seul mot que distingua Rand fut « Owyn ». Brusquement, Thom grommela : « Je n'aurais jamais dû m'associer avec vous, les
garçons. Non je n'aurais pas dû. » D'un coup d'épaules,
il ôta de son dos le baluchon fait avec sa cape de ménestrel et le fourra dans les bras de Rand. « Prends soin de
ça. Quand je dirai : " Courez ", vous courrez et vous ne
vous arrêterez qu'à Caemlyn. *À la Bénédiction de la
Reine*. Une auberge. Rappelez-vous, en cas que...
N'oubliez pas.

– Je ne comprends pas », dit Rand. Le Myrddraal
n'était pas à plus de vingt pas, maintenant. Il avait
l'impression que ses pieds étaient des poids de plomb.

« Rappelez-vous, c'est tout ! gronda Thom. *À la Bénédiction de la Reine*. Maintenant. COUREZ ! »

Il leur imprima une poussée, une main sur l'épaule de
chacun d'eux, pour leur donner de l'élan et, trébuchant
en avant, Rand courut d'un pas mal assuré, Mat à son
côté.

« COUREZ ! » Thom se mit subitement en mouvement lui aussi, avec un long rugissement inarticulé. Non pas derrière eux mais vers le Myrddraal. Ses mains exécutèrent des moulinets comme s'il donnait sa meilleure représentation et des poignards apparurent. Rand s'arrêta, mais Mat l'entraîna par le bras.

L'Évanescent fut tout aussi surpris. Sa marche tranquille s'interrompit, un pied en l'air. Sa main plongea vers la poignée de l'épée noire suspendue à sa ceinture, mais les longues jambes du ménestrel couvrirent rapidement la distance. Thom heurta de plein fouet le Myrddraal avant que la lame noire ait été à demi tirée et tous deux s'écrasèrent l'un sur l'autre en se battant. Les quelques personnes qui restaient sur l'esplanade s'enfuirent.

« Sauvez-vous ! » L'air sur l'esplanade éclatait en éclairs d'un bleu qui brûlait les yeux et Thom commença à hurler mais, au milieu même de ses cris, il réussit à former un mot : « COUREZ ! »

Rand obéit. Les cris du ménestrel le poursuivaient. Serrant le baluchon de Thom contre sa poitrine, il courut de toutes ses forces. La panique se répandit à travers la ville comme Mat et Rand fuyaient sur la crête d'une vague d'épouvante. Au passage des deux jeunes, les boutiquiers abandonnaient leurs marchandises. Les volets claquaient sur les devantures, des visages effrayés se montraient aux fenêtres des maisons, puis disparaissaient. Des gens qui n'avaient pas été assez près pour assister à la scène s'élançaient dans les rues au hasard, sans prendre garde à rien. Ils se cognaient les uns aux autres et ceux qui tombaient se remettaient debout tant bien que mal ou étaient foulés aux pieds. Pont-Blanc ressemblait à une fourmilière qui a reçu un coup de pied.

Pendant que Mat et lui fonçaient à toutes jambes vers les portes de la ville, Rand se rappela brusquement ce qu'avait dit Thom à propos de sa taille. Sans ralentir, il bomba le dos de son mieux en tâchant de ne pas en avoir l'air. Mais les portes elles-mêmes, en bois épais renforcé de bandes de fer noir, étaient ouvertes. Les deux gardes, en casque d'acier et cotte de mailles par-dessus des cottes rouges d'aspect bon marché ornées d'un col blanc, tripotaient leurs hallebardes en regardant avec malaise vers la ville. L'un d'eux jeta un coup d'œil à Mat et à Rand, mais ils n'étaient pas les seuls à sortir précipitamment des portes. Un flot continu passait en haletant, des hommes essoufflés tirant leur épouse par la main, des femmes en larmes portant des nourrissons et traînant des enfants qui pleuraient, des artisans au teint blême encore en tablier de travail, crispant toujours sans s'en apercevoir la main sur leurs outils.

Il n'y aurait personne pour dire dans quelle direction ils étaient partis, songea Rand tout en courant, hébété. *Thom. Ô Lumière, sauve-moi. Thom.*

Mat tituba derrière lui, reprit son équilibre et ils coururent jusqu'au moment où ils eurent laissé loin en arrière le premier des fuyards, jusqu'au moment où la ville et le Pont Blanc furent devenus invisibles.

Finalement, Rand tomba sur les genoux dans la poussière, aspirant l'air à grands traits haletants par sa gorge à vif. La route derrière eux s'étendait déserte à perte de vue entre les arbres dénudés. Mat le tira par la manche.

« Allez, viens. Viens donc. » Mat parlait d'une voix entrecoupée. Il avait la figure maculée de sueur et de poussière, et semblait prêt à s'effondrer. « Il nous faut continuer.

– Thom », dit Rand. Il resserra les bras autour du baluchon fait de la cape de Thom ; les étuis des instruments formaient des bosses dures à l'intérieur. « Thom.

– Il est mort. Tu as vu. Tu as entendu. Par la Lumière, Rand, il est mort !

– Tu crois aussi qu'Egwene, Moiraine et les autres sont morts. S'ils sont morts, pourquoi les Myrddraals sont-ils toujours à leur poursuite ? Qu'est-ce que tu réponds à ça ? »

Mat se laissa choir à genoux près de lui dans la poussière. « D'accord. Peut-être qu'ils sont vivants. Mais Thom... Tu as vu ! Sang et cendres, Rand, la même chose peut nous arriver. »

Rand hocha lentement la tête. La route derrière eux demeurait déserte. Il s'était à moitié attendu à voir Thom apparaître – du moins l'avait-il espéré – marchant à grandes enjambées et soufflant dans sa moustache pour les traiter d'insupportables créateurs d'ennuis. *À la Bénédiction de la Reine* dans Caemlyn. Il se remit péniblement sur pied et suspendit le ballot de Thom sur son dos à côté de ses couvertures roulées.

Mat le regarda longuement en plissant les paupières, sur ses gardes.

« Allons-y », dit Rand qui se mit à arpenter la route en direction de Caemlyn. Il entendit Mat marmonner et, un instant après, Mat le rattrapa.

Ils cheminaient péniblement sur la route poudreuse, tête basse et sans parler. Le vent engendrait des tourbillons de poussière qui tournoyaient dans leurs jambes. Parfois, Rand regardait par-dessus son épaule, mais la route derrière eux restait toujours déserte.

27.

UN ABRI DANS LA TEMPÊTE

Perrin rongea son frein pendant le temps qu'ils passèrent avec les Tuatha'ans, lesquels voyageaient par petites étapes cap au sud-est. Les Nomades ne voyaient aucune raison de se presser ; ils ne se hâtaient jamais. Les roulottes aux couleurs vives ne se mettaient pas en route le matin avant que le soleil soit nettement au-dessus de l'horizon et ils s'arrêtaient aussi bien dès le milieu de l'après-midi s'ils trouvaient un endroit qui leur plaisait. Les chiens trottinaient sans peine à côté des roulottes et souvent aussi les enfants. Ils n'avaient aucun mal à se maintenir à leur hauteur. Toute suggestion qu'on pourrait aller plus loin ou plus vite suscitait un rire ou peut-être un « Ah ! mais vous voudriez faire travailler si dur ces pauvres chevaux ? »

Il fut surpris qu'Élyas ne partage pas ses sentiments. Élyas ne voulait pas monter dans les roulottes – il préférait marcher, quelquefois à grandes enjambées en tête de colonne – mais il ne suggéra jamais de quitter les Tuatha'ans ou de continuer seuls leur chemin.

L'étrange barbu aux curieux habits de fourrure était si différent des doux Tuatha'ans qu'il tranchait n'importe où il était parmi les roulottes. Même de l'autre bout du camp, on ne pouvait prendre Élyas pour un membre du Peuple, et pas seulement à cause de ses vêtements. Élyas se mouvait avec la grâce indolente d'un loup qu'accentuaient encore ses peaux et sa toque de fourrure, irradiant le danger aussi naturellement que le feu irradie de la chaleur et le contraste avec les Nomades était frappant. Jeunes et vieux, les Nomades avaient un maintien débordant de vitalité. Leur grâce n'évoquait pas le danger, seulement le charme. Leurs enfants, bien sûr, bondissaient de côté et d'autre avec la pure joie de s'ébattre mais, chez les Tuatha'ans, barbes grises et grands-mères aussi avaient le pas léger, leur démarche était une danse majestueuse dont la dignité n'empêchait pas l'exubérance. Tous les Nomades semblaient prêts à se mettre à danser, même quand ils étaient immobiles, même durant les rares moments où il n'y avait pas de musique dans le camp. Violons et flûtes, tympanons, cithares et tambours tissaient harmonies et contrepoints autour des roulottes presque à toute heure, au camp ou en route. Chansons joyeuses, gaies, rieuses ou tristes ; si quelqu'un était éveillé dans le camp, il y avait ordinairement de la musique.

Élyas recevait saluts et sourires amicaux à chaque roulotte près de laquelle il passait et un mot jovial à chaque feu de camp où il s'arrêtait. Ceci devait être la face que les Nomades montraient toujours aux gens de l'extérieur – des visages ouverts et souriants. Pourtant Perrin avait appris que sous la surface se cachait une prudence de daim à demi sauvage. Quelque chose était profondément enfoncé sous les sourires adressés aux jeunes du Champ d'Emond, quelque chose qui se demandait s'ils n'étaient pas dangereux, un quelque chose qui ne s'estompa que légèrement au fil des jours. Avec Élyas, la méfiance était forte, comme une lourde chaleur d'été miroitant dans l'air, et elle ne s'estompait pas. Quand Élyas ne les regardait pas, ils le surveillaient ouvertement, comme s'ils n'étaient pas sûrs de ce qu'il allait faire. Quand il se promenait dans le camp, les pieds prêts à la danse semblaient aussi prêts à la fuite.

Élyas n'était certes pas plus à l'aise avec leur Voie de la Feuille qu'eux avec lui. Sa bouche avait un rictus permanent lorsqu'il était au milieu des Tuatha'ans. Pas tout à fait un rictus de condescendance et certainement pas de mépris, mais Élyas avait l'air de désirer être ailleurs qu'où il était, presque n'importe quel ailleurs. Pourtant, chaque fois que Perrin parlait de partir, Élyas émettait des propos apaisants disant qu'ils devaient se reposer, juste quelques jours.

« Vous avez eu de durs moments avant de me rencontrer, dit Élyas la troisième ou quatrième fois qu'il posa la question, et vous en aurez de plus durs encore, avec les Trollocs et les Demi-Hommes qui vous courent après, et des Aes Sedai pour amies. » Il sourit largement, la bouche pleine de la tarte aux pommes sèches d'Ila. Perrin trouvait toujours déconcertant le regard de ses yeux jaunes, même quand il souriait. Peut-être même encore plus quand il souriait ; les sourires n'atteignaient que rarement ces yeux de chasseur. Élyas était allongé à côté du feu de Raen, refusant comme d'habitude de s'asseoir sur les troncs d'arbre tirés là à cette intention. « Ne soyez donc pas si sacrément pressé de vous mettre entre les mains d'une Aes Sedai.

– Et si les Évanescents nous trouvent ? Qu'est-ce qui les en empêche si nous nous contentons de rester assis ici à les attendre ? Trois loups ne les arrêteront pas et les Tuatha'ans ne seront d'aucun secours. Ils ne veulent même pas se défendre eux-mêmes. Les Trollocs vont les massacrer, et ce sera notre faute. De toute façon, il faudra les quitter tôt ou tard. Mieux vaudrait tôt.

– Quelque chose me dit d'attendre. Rien que quelques jours.

– Quelque chose !

– Détendez-vous, mon garçon. Prenez la vie comme elle vient. Fuyez quand il le faut, battez-vous quand vous y êtes obligé, reposez-vous quand vous pouvez.

– Qu'est-ce que c'est, ce quelque chose dont vous parlez ?

– Goûtez donc à cette tarte. Ila ne m'aime pas, mais ce qui est sûr c'est qu'elle me nourrit bien quand je viens la voir. Toujours de la bonne nourriture dans le camp des Nomades.

– C'est quoi, ce quelque chose ? insista Perrin. Si vous savez quelque chose que vous nous cachez à nous autres... »

Élyas regarda en fronçant les sourcils le morceau de tarte qu'il tenait, puis le posa et se frotta les mains pour les essuyer. « Quelque chose, finit-il par répliquer en haussant les épaules comme s'il ne le comprenait pas tout à fait lui-même, quelque chose me dit qu'il est important d'attendre. Quelques jours encore. Je n'ai pas souvent des impressions de ce genre mais, quand je les ai, j'ai appris à m'y fier. Elles m'ont sauvé la vie dans le passé. Cette fois, c'est différent, d'une certaine façon, mais c'est important. De toute évidence. Vous voulez continuer votre route, alors allez-y. Pas moi. »

Il se refusa toujours à en dire plus, peu importe le nombre de fois où Perrin le questionna. Il passait le temps à bavarder avec Raen, à manger, à faire la sieste la toque sur les yeux et s'entêtait à ne pas discuter de départ. Quelque chose lui disait d'attendre, quelque chose lui disait que c'était important. Il saurait quand viendrait le moment de partir. Prenez de la tarte, mon garçon. Ne vous tracassez pas. Tâtez donc un peu de ce ragoût. Détendez-vous.

Perrin n'arrivait pas à se détendre. Le soir, il rôdait parmi les roulottes multicolores en se tourmentant, autant parce que personne d'autre ne semblait voir de sujet de tracas que pour toute autre raison. Les Tuatha'ans chantaient et dansaient, cuisinaient et mangeaient autour de leurs feux de camp – des fruits et des noix, des baies et des légumes ; ils ne mangeaient pas de viande – et s'occupaient à des myriades de corvées domestiques, comme s'ils n'avaient pas un souci au monde. Les enfants couraient et jouaient partout, à cache-cache parmi les roulottes, à grimper aux arbres autour du camp, riant et roulant par terre avec les chiens. Pas un souci au monde, pour personne.

En les regardant, cela le démangeait de partir. *Partir avant que nous attirions les chasseurs qui leur tomberont dessus. Ils nous ont accueillis et nous leur rendons leur bonté en les mettant en danger. Au moins ont-ils raison d'avoir le cœur léger. Rien ne les pourchasse. Mais nous autres...*

C'était difficile de parler à Egwene. Ou bien elle s'entretenait avec Ila, leurs têtes rapprochées d'une façon qui disait qu'aucun homme n'était le bienvenu, ou bien elle dansait avec Aram, en virevoltant au son des flûtes, des violons et des tambours sur des airs que les Tuatha'ans avaient recueillis dans le monde entier, ou sur les chants vifs et pleins de trilles des Nomades eux-mêmes, vifs qu'ils fussent lents ou rapides. Ils connaissaient beaucoup de chansons, dont il reconnaissait certaines qu'on chantait chez lui, bien que souvent sous des noms différents de ceux qu'elles portaient aux Deux Rivières. *Trois Jeunes Filles dans un pré*, par exemple, les Rétameurs l'appelaient *La Ronde des jolies demoiselles* et ils disaient que *Le Vent du nord* s'appelait *La Rude Averse* dans certains pays ou *La Retraite de Berin* dans d'autres. Quand il demanda sans réfléchir *Le Réta-*

meur a pris mes pots, ils se tordirent de rire. Ils la connaissaient mais sous le titre *Jette les plumes au vent.*

Il comprenait qu'on ait envie de danser sur les chansons du Peuple. Là-bas, au Champ d'Emond, personne ne le considérait autrement que comme un danseur médiocre, mais ces chansons lui mettaient des ailes aux pieds et il pensait qu'il n'avait jamais dansé si longtemps, si ardemment ni si bien de sa vie. Hypnotiques, elles faisaient battre son sang au rythme des tambours.

C'est le deuxième soir que Perrin vit pour la première fois des femmes danser sur quelques-unes des chansons lentes. Les feux brûlaient bas, la nuit pesait sur les roulottes, les doigts frappaient des rythmes lents sur les tambours. D'abord un tambour, puis un autre, jusqu'à ce que tous les tambours battent à la même cadence lente et insistante. Une jeune fille en robe rouge entra dans la lumière d'un pas balancé en détachant son châle. Des fils de perles lui ornaient les cheveux et elle avait rejeté au loin ses souliers d'un coup de pied. Une flûte entonna la mélodie, doucement plaintive, et la jeune fille dansa. Ses bras étendus déployaient son châle derrière elle ; ses hanches ondulaient, tandis que ses pieds nus glissaient sur le sol au rythme des tambours. Les yeux noirs de la jeune fille se posèrent sur Perrin et son sourire était aussi lent que sa danse. Elle tournait en petits cercles et lui souriait par-dessus son épaule.

Il déglutit. Il avait chaud au visage mais cette chaleur ne venait pas du feu. Une deuxième jeune fille rejoignit la première, la frange de leurs châles oscillait en mesure avec les tambours et la lente rotation de leurs hanches. Elles lui souriaient et il s'éclaircit la gorge qui s'enrouait. Il avait peur de regarder autour de lui ; il était rouge comme un coquelicot et quiconque n'avait pas les yeux fixés sur les danseuses devait être en train de rire de lui. Il en était sûr.

D'un air aussi détaché qu'il put, il glissa à bas du tronc, comme s'il cherchait une position confortable, mais finit soigneusement par détourner le regard du feu et des danseuses. Il n'y avait rien de comparable au Champ d'Emond. Danser avec les jeunes filles sur le Pré les jours de fête n'en approchait même pas. Pour une fois, il souhaita que le vent se lève pour le rafraîchir.

Les danseuses rentrèrent dans son champ de vision,

seulement cette fois elles étaient trois. L'une lui adressa un clin d'œil espiègle. Il regarda désespérément de tous les côtés. *Par la Lumière,* pensa-t-il, *qu'est-ce que je fais maintenant? Que ferait Rand? Lui sait s'y prendre avec les jeunes filles.*

Les danseuses riaient tout bas; les perles cliquetaient quand elles rejetaient leurs longs cheveux sur leurs épaules, et il crut que sa figure allait s'embraser. Puis une femme un peu plus âgée se joignit aux jeunes filles pour leur montrer comment faire. Avec un gémissement, il renonça et ferma les yeux. Même derrière ses paupières, leurs rires provoquaient et excitaient. Même derrière ses paupières, il les voyait encore. La sueur perlait sur son front et il souhaitait que le vent se lève.

Selon Raen, les jeunes filles ne dansaient pas souvent cette danse, et les femmes encore plus rarement; et, selon Élyas, c'est grâce aux rougeurs de Perrin qu'elles la dansèrent tous les soirs depuis cette nuit-là.

« Je dois vous remercier, lui déclara Élyas d'un ton grave et solennel. C'est différent pour vous les jeunes mais, à mon âge, il faut plus qu'un feu de bois pour me réchauffer les os. » Perrin se rembrunit. Quelque chose dans l'aspect du dos d'Élyas quand il s'en alla proclamait, même si cela ne se voyait pas, qu'il riait sous cape.

Perrin apprit vite qu'il y avait mieux à faire que de détourner les yeux des femmes et des jeunes filles qui dansaient, même si clins d'œil et sourires l'incitaient encore à souhaiter qu'il le puisse. Une, ç'aurait été très bien, peut-être – mais cinq ou six, avec tout le monde qui regardait... Il n'arriva jamais à se maîtriser suffisamment pour ne pas piquer un fard.

Puis Egwene se mit à apprendre la danse. Deux des jeunes filles qui l'avaient dansée ce premier soir la lui enseignèrent, claquant des mains pour battre la mesure pendant qu'elle répétait les pas glissés avec un châle d'emprunt qui ondulait derrière elle. Perrin s'apprêta à dire quelque chose, puis conclut qu'il serait plus sage de ne pas ouvrir la bouche. Quand les jeunes filles y ajoutèrent les balancements de hanches, Egwene éclata de rire et les trois jeunes filles tombèrent en riant dans les bras les unes des autres. Mais Egwene persévéra, les yeux brillants et des taches de couleur vive sur les joues. Aram la regardait danser avec un regard brûlant et affamé. Le jeune et beau Tuatha'an lui avait offert un collier de perles bleues qu'elle portait tout le temps. Des froncements de sourcils inquiets avaient remplacé les sourires d'Ila quand elle avait remarqué pour la première fois l'intérêt que son petit-fils portait à Egwene. Perrin résolut de surveiller de près le jeune messire Aram.

Il se débrouilla une fois pour trouver Egwene seule à côté d'une roulotte peinte en vert et jaune. « Tu t'amuses bien, dis-moi ! s'écria-t-il.

– Pourquoi ne m'amuserais-je pas ? » Elle joua avec les perles bleues autour de son cou en leur souriant. « Nous ne sommes pas tous obligés de nous rendre malheureux comme toi. Est-ce que nous ne méritons pas une petite chance de nous amuser ? »

Aram n'était pas loin – il ne s'éloignait jamais beaucoup d'Egwene – les bras croisés sur la poitrine, un petit sourire sur le visage, mi-sufffisance mi-défi. Perrin baissa la voix. « Je croyais que tu voulais aller à Tar Valon. Ce n'est pas ici que tu apprendras à être une Aes Sedai. »

Egwene leva le nez en l'air. « Et moi je croyais que tu ne voulais pas que j'en devienne une, répliqua-t-elle avec une amabilité suspecte.

– Sang et cendres, est-ce que tu t'imagines que nous sommes en sécurité ici ? Ces gens sont-ils en sécurité quand nous sommes là ? Nous risquons qu'un Évanescent nous découvre n'importe quand. »

La main d'Egwene trembla sur les perles. Elle la laissa retomber et respira profondément. « Ce qui doit arriver arrivera, que nous partions aujourd'hui ou la semaine prochaine. Voilà ce que je pense maintenant. Amuse-toi, Perrin. C'est peut-être notre dernière occasion de le faire. »

Elle lui effleura tristement la joue du bout des doigts. Puis Aram lui tendit la main et elle s'élança vers lui, riant déjà de nouveau. Comme ils couraient vers le chant des violons, Aram lança un sourire triomphant à Perrin par-dessus son épaule, comme pour dire : elle n'est pas à toi, mais elle sera à moi.

Ils tombaient tous beaucoup trop sous le charme du Peuple Nomade, songea Perrin. *Élyas a raison. Pas besoin pour eux de tenter de vous convertir à la Voie de la Feuille. Elle s'infiltre en vous.*

L'ayant, d'un coup d'œil, vu tassé sur lui-même pour

échapper au vent, Ila avait sorti de sa roulotte une épaisse cape de laine ; une cape vert foncé, il le constata avec plaisir après tous ces rouges et ces jaunes. Comme il la drapait autour de ses épaules, s'émerveillant que cette cape soit assez grande pour lui, Ila déclara d'un air pincé : « Elle pourrait aller mieux. » Elle eut un regard pour la hache passée à sa ceinture et, quand elle releva les yeux, ils étaient tristes au-dessus de son sourire. « Elle pourrait aller beaucoup mieux. »

Tous les Rétameurs avaient la même réaction. Leur sourire ne s'effaçait jamais, il n'y avait jamais d'hésitation dans leur invitation à vous joindre à eux pour boire ou écouter de la musique, mais leurs yeux s'arrêtaient toujours sur la hache, et il devinait ce qu'ils pensaient. Un instrument de violence. Il n'existe jamais aucune excuse pour la violence envers un autre être humain. La Voie de la Feuille.

Parfois, ils lui donnaient envie de les invectiver. Il y avait des Trollocs dans le monde, et des Évanescents. C'est ceux-là qui couperaient toutes les feuilles. Le Ténébreux était là, dehors, et les yeux de Ba'alzemon réduiraient en cendres la Voie de la Feuille. Avec entêtement, il continua à porter sa hache. Il se mit à garder sa cape rejetée en arrière, même quand le vent soufflait, de sorte que la lame en demi-lune n'était jamais cachée. De temps à autre, Élyas regardait d'un œil sarcastique l'arme qui pendait lourdement à son côté et lui dédiait un large sourire, ses yeux jaunes semblant lire dans ses pensées. Ce qui faillit lui faire recouvrir la hache. Presque.

Si le camp des Tuatha'ans était une source d'irritation constante, du moins là ses rêves étaient-ils normaux. Parfois, il se réveillait en sueur d'un rêve de Trollocs et d'Évanescents prenant d'assaut le camp, de roulottes coloriées comme un arc-en-ciel que des jets de torches transformaient en brasiers, de gens tombant dans des mares de sang, d'hommes, de femmes et d'enfants qui couraient, hurlaient et mouraient mais ne tentaient pas de se défendre contre les coups de lames incurvées comme une faux. Nuit après nuit, il se dressait d'un bond dans le noir, haletant, la main cherchant sa hache, avant de se rendre compte que les roulottes n'étaient pas en flammes, qu'aucune forme au mufle sanglant ne grondait sur des corps déchirés et tordus jonchant le sol.

Mais c'était des cauchemars ordinaires, bizarrement réconfortants à leur manière. Si jamais il y avait eu place pour le Ténébreux dans ces rêves, c'était bien dans ceux-là, mais il n'y figurait pas. Pas de Ba'alzamon. Rien que des cauchemars ordinaires.

Pourtant, il avait conscience de la présence des loups quand il était éveillé. Ils gardaient leurs distances avec les camps et avec la caravane quand elle était en marche, mais il savait toujours où ils étaient. Il sentait leur mépris pour les chiens de garde des Tuatha'ans. Des bêtes bruyantes qui avaient oublié à quoi servaient leurs mâchoires, oublié le goût du sang chaud ; ils effrayaient peut-être les humains, mais ils s'éloigneraient en rampant sur le ventre si jamais la meute survenait. D'un jour à l'autre sa perception devenait plus aiguë, plus nette.

Pommelée devenait plus impatiente à chaque crépuscule. Qu'Élyas désire emmener les humains au sud justifiait que ce soit fait mais, s'il fallait le faire, alors qu'on le fasse. Qu'on en finisse avec ce lent voyage. Il est dans la nature des loups de vagabonder à l'aventure et elle n'aimait pas être séparée aussi longtemps de la meute. L'impatience brûlait aussi Vent. La chasse était pire que médiocre ici et il était dégoûté d'avoir à vivre de rats des champs, chose à traquer pour les louveteaux qui apprennent à chasser, nourriture juste bonne pour les vieux qui ne sont plus capables de terrasser un cerf ou de couper les jarrets d'un bœuf sauvage. Parfois, Vent pensait que Brûlé avait eu raison ; laisser les ennuis humains aux humains. Toutefois, il se gardait de telles pensées quand Pommelée était dans les parages et plus encore quand c'était Sauteur. Sauteur était un lutteur grisonnant couturé de cicatrices, rendu impassible par l'expérience acquise avec l'âge, en même temps que la ruse qui faisait mieux que remplacer ce dont l'âge pouvait l'avoir privé. Il ne se souciait pas des humains, mais Pommelée voulait ceci et Sauteur était prêt à attendre comme elle attendait et à s'élancer quand elle se mettrait à courir. Homme ou loup, ours ou taureau, tout ce qui défiait Pommelée trouverait les mâchoires de Sauteur prêtes à l'expédier dans le long sommeil. C'était toute la vie pour Sauteur, et cela rendait Vent prudent ; quant à Pommelée, elle semblait ne pas se préoccuper de leurs pensées à l'un et à l'autre.

Tout cela était clair dans l'esprit de Perrin. Il désirait avec ferveur Caemlyn, Moiraine et Tar Valon. Même s'il n'y avait pas de réponses, il pourrait y avoir une fin. Elyas le regardait, et il était sûr que l'homme aux yeux jaunes savait. *Je vous en prie, qu'on en finisse.*

Le rêve commença plus agréablement que la plupart de ceux qu'il avait eus dernièrement. Il était à la table de cuisine d'Alsbet Luhhan, en train d'aiguiser sa hache avec une pierre. Maîtresse Luhhan ne permettait jamais qu'on apporte à la maison du travail de la forge ou quoi que ce soit qui y ressemblait. Maître Luhhan devait même emporter au-dehors les couteaux de son épouse pour les aiguiser. Pourtant, elle s'occupait à cuisiner et ne dit pas un mot à propos de la hache. Elle ne dit même rien quand un loup, sortant de quelque part à l'intérieur de la maison, survint et se mit en boule entre Perrin et la porte donnant sur la cour. Perrin continua à aiguiser ; le moment de s'en servir ne tarderait pas.

Brusquement, le loup se leva en grondant sourdement, l'épaisse collerette de fourrure sur sa nuque se hérissa. Ba'alzamon, arrivant de la cour, pénétra dans la cuisine. Maîtresse Luhhan continua à préparer le repas.

Perrin se leva précipitamment, levant la hache, mais Ba'alzamon, sans se préoccuper de l'arme, se concentra sur le loup. Des flammes dansaient là où auraient dû se trouver ses yeux. « C'est cela que tu as pour te protéger ? Eh bien, je l'ai déjà affronté. Bien des fois déjà. »

Il recourba un doigt et le loup hurla quand le feu jaillit de ses yeux, de ses oreilles et de sa gueule, de sa peau. La puanteur de chair et de poils qui brûlaient emplit la cuisine. Alsbet Luhhan souleva le couvercle d'une marmite et en remua le contenu avec une cuillère de bois.

Perrin laissa choir la hache et bondit pour essayer d'éteindre les flammes avec ses mains. Le loup se réduisit en cendres noires entre ses paumes. Il recula, fixant des yeux la masse informe carbonisée sur le sol bien balayé de Maîtresse Luhhan. Il aurait voulu essuyer la suie grasse qu'il avait sur les mains, mais l'idée de la déposer sur ses vêtements lui tournait le cœur. Il saisit la hache, étreignant le manche à s'en faire craquer les articulations.

« Laissez-moi tranquille ! » cria-t-il. Maîtresse Luhhan tapota la cuillère sur le bord de la marmite et remit le couvercle dessus en chantonnant tout bas.

« Tu ne peux pas m'échapper, déclara Ba'alzamon. Tu ne peux te cacher de moi. Si tu es *celui-là*, tu es à moi. » La chaleur des flammes de sa face força Perrin à traverser la cuisine à reculons jusqu'à se retrouver le dos au mur. Maîtresse Luhhan ouvrit le four pour vérifier où en était la cuisson de son pain. « L'Œil du Monde te consumera, reprit Ba'alzamon. Je te marque pour mien ! » Il projeta en avant sa main fermée comme s'il lançait quelque chose ; quand ses doigts s'ouvrirent, un corbeau vola comme un éclair droit sur le visage de Perrin.

Perrin hurla quand le bec noir lui transperça l'œil gauche...

... et se redressa sur son séant en étreignant sa figure, au milieu des roulottes endormies du Peuple Nomade. Il abaissa lentement les mains. Il n'y avait pas de douleur, pas de sang. Pourtant il s'en souvenait, il se rappelait l'atroce souffrance.

Il frissonna et soudain Élyas était accroupi près de lui dans la pénombre qui précède l'aube, une main tendue comme pour le secouer afin de le réveiller. Au-delà des arbres où étaient les roulottes, les loups hurlaient, un hurlement aigu jailli de trois gorges. Il partageait leurs sensations. *Feu. Douleur. Feu. Haine. Haine ! Tue !*

« Oui, dit tout bas Élyas. Il est temps. Lève-toi, mon garçon. Il est temps que nous partions. »

Perrin se dégagea de ses couvertures. Pendant qu'il était encore en train d'empaqueter son matériel de couchage, Raen sortit de sa roulotte en se frottant les yeux pour chasser le sommeil. Le Chercheur jeta un coup d'œil au ciel et se figea à moitié des marches, les mains encore levées vers son visage. Seuls ses yeux bougeaient comme il étudiait attentivement le ciel, bien que Perrin ne comprît pas ce qu'il regardait. Quelques nuages planaient à l'est, le dessous rayé de rose par le soleil qui n'était pas encore levé, mais il n'y avait rien d'autre à voir. Raen paraissait aussi écouter et sentir l'air, mais il n'y avait pas de bruit à part le vent dans les arbres et pas d'odeur à part le faible relent de fumée des feux de la veille.

Élyas revint avec ses maigres possessions, et Raen finit de descendre de la roulotte. « Il nous faut changer de direction, mon vieil ami. » Le Chercheur regarda de nouveau le ciel avec malaise. « Nous choisirons un autre chemin aujourd'hui. Viendrez-vous avec nous ? » Élyas secoua la tête et Raen hocha la sienne, comme s'il l'avait toujours su. « Eh bien, prenez garde, mon vieil ami. Le jour d'aujourd'hui a quelque chose de... » Il releva la tête une fois de plus pour regarder en l'air, mais rabaissa les yeux avant d'avoir atteint le toit des roulottes. « Je crois que les roulottes vont aller vers l'est. Peut-être aussi loin que l'Échine du Monde. Nous trouverons peut-être un *stedding* pour y rester quelque temps.

– Il n'y a jamais d'ennuis dans les *steddings*, approuva Élyas. Mais les Ogiers ne se montrent pas très accueillants envers les étrangers.

– Tout le monde accueille les membres du Peuple Nomade, dit Raen qui arbora un large sourire. D'ailleurs, même les Ogiers ont des marmites et autres objets à réparer. Venez, allons manger notre petit déjeuner et nous en parlerons.

– Pas le temps, répliqua Élyas. Nous partons aussi aujourd'hui. Dès que possible. C'est un jour pour se mettre en route, semble-t-il. »

Raen essaya de le convaincre de rester au moins assez pour manger et, quand Ila sortit de la roulotte avec Egwene, elle ajouta ses arguments bien qu'avec moins d'insistance que son mari. Elle dit tous les mots qu'il fallait, mais sa politesse était forcée et c'était évident qu'elle serait heureuse de voir les talons d'Élyas, sinon d'Egwene.

Egwene ne remarqua pas les regards en coulisse pleins de regret que lui lançait Ila. Elle s'enquit de ce qui se passait et Perrin se prépara à l'entendre dire qu'elle voulait rester avec les Tuatha'ans mais, quand Élyas eut donné ses explications, elle hocha la tête pensivement et se hâta de rentrer dans la roulotte pour rassembler ses affaires.

Finalement, Raen renonça. « D'accord. Je ne crois pas avoir jamais laissé un visiteur quitter le camp sans un festin d'adieu, mais... » Avec indécision, il leva de nouveau les yeux vers le ciel. « Eh bien, il nous faut partir de bonne heure nous-mêmes, je crois. Nous mangerons peut-être en route. Mais au moins que tout le monde se dise adieu. »

Élyas ouvrit la bouche pour protester, mais Raen se hâtait déjà de roulotte en roulotte, tapant à la porte de celles où personne n'était réveillé. Au moment où un Rétameur survint menant Béla par la bride, tout le camp était là dans ses plus beaux atours les plus colorés, une masse de teintes vives qui faisaient paraître presque neutre la roulotte rouge et jaune de Raen et d'Ila. Les grands chiens passaient à travers la foule, la langue pendante, cherchant quelqu'un qui leur gratte les oreilles, tandis que Perrin et les autres enduraient poignée de main après poignée de main et accolade après accolade. Les jeunes filles qui avaient dansé chaque soir ne se contentaient pas de serrer les mains et leurs embrassades firent soudain regretter à Perrin de s'en aller, finalement – jusqu'à ce qu'il se rappelle le nombre d'autres gens qui les regardaient et alors sa figure atteignit presque la même couleur que la roulotte du Chercheur.

Aram tira Egwene légèrement à l'écart. Perrin n'entendait pas ce qu'il avait à lui dire par-dessus le bruit des adieux, mais elle secouait constamment la tête, d'abord lentement, puis plus fermement quand il commença à faire des gestes implorants. L'expression d'Aram passa de la prière à la discussion, pourtant elle continua de secouer la tête avec obstination jusqu'à ce qu'Ila vienne à son secours avec quelques mots secs adressés à son petit-fils. La mine sombre, Aram s'éloigna en se frayant un chemin dans la foule, renonçant au reste des adieux. Ila le regarda partir, hésitant à le rappeler. *Elle aussi est soulagée,* pensa Perrin. *Soulagée qu'il ne veuille pas partir avec nous – avec Egwene.*

Quand il eut donné une poignée de main à chacun dans le camp au moins une fois et serré dans ses bras chaque jeune fille au moins deux fois, la foule recula, dégageant un petit espace autour de Raen et d'Ila et des trois visiteurs.

« Vous êtes venus en paix, psalmodia Raen en s'inclinant avec solennité, les mains sur la poitrine. Partez maintenant en paix. Toujours vous accueilleront nos feux, dans la paix. La Voie de la Feuille est paix.

– Que la paix soit toujours avec vous, répondit Élyas, et avec tout le Peuple Nomade. » Il hésita, puis ajouta : « Je trouverai le chant ou un autre trouvera le chant, mais le chant sera chanté cette année ou une année à venir. Comme il le fut jadis, de même il le sera de nouveau, dans les siècles des siècles. »

Raen cligna des yeux sous le coup de la surprise et Ila

parut complètement abasourdie, mais tous les autres Tuatha'ans murmurèrent en réponse : « Dans les siècles des siècles. Dans les siècles des siècles éternellement. » Raen et son épouse se hâtèrent de répéter la même formule après les autres.

Puis ce fut vraiment l'heure du départ. Quelques derniers adieux, quelques dernières exhortations à prendre garde, quelques derniers sourires et clins d'œil, et ils quittèrent le camp. Raen les accompagna jusqu'à l'orée du bois, un couple de chiens gambadant à côté de lui.

« Vraiment, mon vieil ami, il faut que vous soyez très prudent. Cette journée... Il y a de la méchanceté en liberté dans le monde, je le crains et, quoi que vous prétendiez, vous n'êtes pas assez méchant pour qu'elle ne vous engloutisse pas.

– La paix soit avec vous, dit Élyas.

– Et avec vous », répliqua Raen tristement.

Quand Raen fut parti, Élyas fit la grimace en voyant que les deux autres le regardaient. « D'accord, je ne crois pas à leur espèce de faribole de chant, grommela-t-il, mais inutile de les peiner en gâchant leur cérémonie, hein ? Je vous ai dit qu'ils tenaient parfois aux cérémonies.

– Bien sûr, dit gentiment Egwene, c'est inutile. » Élyas se détourna en parlant entre ses dents.

Pommelée, Vent et Sauteur vinrent saluer Élyas, sans gambader comme les chiens ; c'étaient les dignes retrouvailles d'égaux. Perrin devina l'échange entre eux. *Des yeux de feu. Souffrance. Croc-dans-le-cœur. Mort. Croc-dans-le-cœur.* Perrin savait ce qu'ils voulaient dire. Le Ténébreux. Ils lui racontaient son rêve. Leur rêve.

Il frissonna quand les loups s'élancèrent en avant pour éclairer la route. C'était le tour d'Egwene de monter Béla, et il marchait à côté d'elle. Élyas était en tête comme d'habitude, avançant d'un pas égal qui dévorait le terrain.

Perrin ne voulait pas penser à son rêve. Il avait cru que les loups leur assuraient la sécurité. *Pas complètement. Accepte. De tout cœur. De tout ton esprit. Tu luttes encore. Seulement complètement quand tu accepteras.*

Il chassa les loups de son esprit et cligna des yeux de surprise. Il ne savait pas qu'il en était capable. Il décida de ne plus les laisser l'envahir. *Même en rêve ?* Il ne fut pas sûr que cette réflexion émanait de lui ou d'eux.

Egwene portait encore le collier de perles bleues qu'Aram lui avait donné, ainsi qu'une branchette de quelque chose aux minuscules feuilles rouge vif dans les cheveux, autre présent du jeune Tuatha'an. Qu'Aram ait essayé de la convaincre de rester avec le Peuple Nomade, Perrin en était persuadé. Il fut content qu'elle n'ait pas cédé, mais il aurait aimé qu'elle ne tripote pas si tendrement les perles.

Il finit par dire : « De quoi parlais-tu si longuement avec Ila ? Quand tu ne dansais pas avec ce gars aux jambes de faucheux, tu lui parlais à elle comme si c'était une espèce de secret.

– Ila me donnait des conseils sur ce qu'il fallait faire pour être femme », répondit distraitement Egwene. Il se mit à rire et elle lui jeta un regard voilé, gros de danger, dont il ne s'aperçut pas.

« Des conseils ! Personne ne nous dit comment être des hommes. On l'est, voilà tout.

– Et voilà probablement pourquoi, rétorqua Egwene, vous vous en tirez si mal. »

Là-bas, en avant, Élyas éclata d'un petit rire crépitant et moqueur.

2 — Le Dieu fou
3 — L'Epée de l'aurore
4 — Le Secret des runes
5 — Le comte Airain
6 — Le Champion de Garathorm
7 — La Quête de Tanelorn
Les livres de Corum
1 — Le Chevalier des épées
2 — La Reine des épées
3 — Le Roi des épées
4 — La Lance et le taureau
5 — Le Chêne et le bélier
6 — Le Glaive et l'étalon
La quête d'Erekosë
1 — Le Champion éternel
2 — Les Guerriers d'argent
3 — Le Dragon de l'épée

Moore Catherine
Magies et merveilles

Moore Catherine & Kuttner Henry
Ne vous retournez pas (Le grand temple de la S.-F.)

Pelot Pierre
La nuit du sagittaire

Pohl Frederik
La promenade de l'ivrogne

Pohl F. et Kornbluth C. M.
L'ère des gladiateurs
La tribu des loups

Priest Christopher
Le monde inverti

Remy Yves et Ada
La maison du cygne
Les soldats de la mer

Russ Joanna
L'autre moitié de l'homme

Russell Eric Frank
Guêpe
Plus X

Scarborough Elizabeth
Un air de sorcellerie

Sheckley Robert
Eternité société anonyme
Omega
Tu brûles (Le grand temple de la S.-F.)

Silverberg Robert
Le fils de l'homme
Le livre des crânes
La porte des mondes
Résurrections
Revivre encore
Trips
Voir l'invisible (Le grand temple de la S.-F.)

Simmons Dan
Hypérion 1
Hypérion 2
La chute d'Hypérion 1
La chute d'Hypérion 2

Smith Cordwainer
Les seigneurs de l'instrumentalité
1 — Tu seras un autre
2 — Le Rêveur aux étoiles
3 — Les Puissances de l'espace
4 — L'Homme qui acheta la Terre
5 — Le Sous-peuple
6 — La Quête des trois mondes

Spinrad Norman
Les avaleurs de vide
Le chaos final
La grande guerre des bleus et des roses
Les miroirs de l'esprit
Les pionniers du chaos
Rêve de fer

Achevé d'imprimer en janvier 1997
sur les presses de l'Imprimerie Bussière
à Saint-Amand (Cher)

POCKET - 12, avenue d'Italie - 75627 Paris Cedex 13
Tél. : 01-44-16-05-00

— N° d'imp. 201. —
Dépôt légal : février 1997.

Imprimé en France

Impression : ..., 12, avenue d'Italie, 75427 Paris Cedex 13
Tél. : 01-44-16-09-00

N° d'imp. 291.
Dépôt légal : février ...
Imprimé en France